La ciudad y los perros

Letras Hispánicas

Mario Vargas Llosa

La ciudad y los perros

Edición de Dunia Gras

CÁTEDRA

LETRAS HISPÁNICAS

1.ª edición, 2020

Ilustración de cubierta: fotografía del Colegio Militar Leoncio Prado,
en Lima

PAPEL DE FIBRA
CERTIFICADO

© Mario Vargas Llosa, 1962
© De la introducción y notas: Dunia Gras, 2020
© Ediciones Cátedra (Grupo Anaya, S. A.), 2020
Juan Ignacio Luca de Tena, 15. 28027 Madrid
Depósito legal: M. 567-2020
ISBN: 978-84-376-3897-3
Printed in Spain

Índice

8

Introducción

Introduction

Primera imagen de Vargas Llosa

A día de hoy, la figura de Mario Vargas Llosa (Arequipa, 1936), premio Nobel de Literatura de 2010, es conocida en todo el mundo y, posiblemente, resulte tentador recurrir al lugar común y considerar que no necesita presentación. Su nombre ha trascendido los límites nacionales, desde fecha muy temprana, para habitar la república mundial de las letras, debido a su proyección internacional como intelectual, sin fronteras, siempre en primera línea, sin importarle la polémica, más allá de la lectura y difusión de su producción propiamente literaria. Sin embargo, en estas páginas se pretende dejar a un lado esa imagen totémica —aunque proteica, cambiante—, para enfocar, exclusivamente, en sus inicios, en su formación, y descubrir a ese otro Vargas Llosa, al joven escritor que va a culminar su aprendizaje literario con una obra fundamental, de una precocidad avasalladora y contundente, como va a ser *La ciudad y los perros* (1963), y que, para buena parte de la crítica, va a representar el inicio de esa explosión, intercontinental y transatlántica, que va a conocerse como el *boom* de la narrativa hispanoamericana, con epicentro en Barcelona como capital editorial del libro en español. Y, por tanto, con un pie en el campo literario peruano y otro en el español peninsular, y con una gran difusión tanto en Europa como en América, por la inmediata profusión de traducciones que generó.

El domingo, 2 de diciembre de 1962, *La Vanguardia* anunciaba, con una nota informativa de la agencia Cifra, firmada por César Lama: «Don Mario Vargas Llosa. Premio Biblioteca Breve» (6). En este pequeño texto se indicaba que el premio, dotado de 100 000 pesetas, había sido fallado a las ocho de la tarde del 1 de diciembre, y que, de las treinta novelas seleccionadas, había sido galardonada la obra que, entonces, llevaba el título de *Los impostores*[1]. Se destacaba, además del año y lugar de nacimiento del escritor, como es habitual, su residencia en París y su pasado como periodista en el diario *La Crónica* de Lima, el estreno en 1952 de su obra de teatro *La huida del inca,* y el premio Leopoldo Alas de cuento que había obtenido unos años atrás, en 1958, por su libro anterior, *Los jefes* (1959), aparecido en la también barcelonesa editorial Rocas.

A todo esto, cabría preguntarse quién era el joven desconocido que irrumpía como un vendaval en el campo literario español de la época, hasta entonces coto de caza privado de los autores peninsulares, con escasas excepciones (cfr. Veciana, 2016). El *boom,* de hecho, representó un cambio esencial en la circulación de las obras de autores hispanoamericanos y la construcción de un nuevo campo literario transnacional, unido por lazos lingüísticos —a pesar de las diferencias de las distintas variantes del español que se señalizaban en la península—, a ambos lados del Atlántico.

En esta introducción a *La ciudad y los perros,* a lo largo de tres partes se ofrece una respuesta a la pregunta planteada sobre la figura del autor peruano y de su primera novela. Una primera está dedicada a examinar los inicios de Vargas

---

[1] También se informaba de que la escritora Carmen Martín Gaite, que había obtenido el premio Nadal en 1957 por *Entre visillos,* había quedado finalista con su obra *Ritmo lento* y que el colombiano Manuel Zapata Olivella también, con *En China (sic) nace un santo,* por *En Chimá nace un santo.* Ambas novelas fueron publicadas, asimismo, por Seix Barral en 1963 y 1964, respectivamente.

Llosa en el periodismo, ya desde su adolescencia, para revelar su formación intelectual inicial, en combinación con algunos elementos clave de su biografía, hasta el año 1958. La segunda se concentra en el proceso de elaboración de la novela, cuando el escritor se traslada a Europa, a partir de 1958, con residencia primero en Madrid y luego en París, y en los diversos avatares relativos a su publicación. Hay que advertir, de entrada, que las referencias al libro de memorias del escritor arequipeño, *El pez en el agua* (1993), serán constantes, por constituir un insustituible material autobiográfico, de primera mano, así como la cronología de Bensoussan y Michaud (2016: XXXV-LV). Finalmente, la tercera parte está dedicada al análisis de la novela: en primer lugar, se caracteriza su contexto literario, su recepción e inmediata difusión internacional, para luego examinar diversos aspectos sobre la estructura los personajes y algunos de los temas de fondo y de las lecturas que plantea, sin ánimo de exhaustividad.

1. Los inicios en el periodismo

1.1. *Retrato del artista adolescente, o del artista cachorro*[2]: *de «La Crónica» a «La Industria»*

En las últimas décadas han aparecido algunos estudios que se ocupan de reconstruir la etapa inicial del escritor peruano. Tal es el caso de *Mario Vargas Llosa. Reportero a los quince años,* de Juan Gargurevich (2005), que rastrea sus primeros pasos en el periodismo[3]. En sus páginas, se re-

---

[2] Permítase el juego con las referencias a las obras de James Joyce y Dylan Thomas, para enfocar en la formación del escritor.

[3] Cfr. Rodríguez Rea (1996) y Ayala (2017). Falta, sin embargo, todavía, una edición de todos estos textos de juventud, ya que las ejemplares obras completas, publicadas por Galaxia Gutenberg no los incluyen.

cuerda cómo Ernesto Vargas Maldonado, el padre del escritor, el gran ausente durante los primeros diez años de su vida, lo llevó durante las vacaciones estivales cimeñas de enero de 1951 a trabajar con él en la agencia de noticias *International News Services* (INS), como mensajero. Como recuerda Mario Vargas Llosa (1993: 119-120), su tarea consistía en transportan hasta el periódico *La Crónica,* en la misma calle, las noticias que a cada hora recibía el radiooperador, y que traducían y adaptaban los redactores.

De hecho, en 1950, Mario Vargas Llosa había estudiado el tercer curso de educación secundaria en el Colegio Militar Leoncio Prado, en La Perla, en el Callao; un internado al que su padre lo había enviado con apenas catorce años de edad: sus experiencias en este centro durante dos años constituyeron el trasfondo que inspira *La ciudad y los perros.* Al año siguiente, en enero de 1952, después de superar el cuarto curso de secundaria en el Leoncio Prado, logró que su padre lo colocara en el diario *La Crónica* (Lima), para ocupar el verano y salvarlo de los supuestos peligros de la ociosidad. Además, consiguió un sueldo de quinientos soles al mes, y algo tan importante, simbólicamente, como un documento que lo identificaba como periodista.

Una de las tareas que realizará en *La Crónica* será recabar datos de casos por las comisarías de los barrios entonces más conflictivos de Lima —La Victoria, El Porvenir y el Callao— y contactar con los informantes habituales. En este ámbito, relacionado con la crónica roja o policial, el aprendiz de escritor comenzará a contribuir, todavía anónimamente, en el periódico, aunque pronto aparecerán algunas notas de prensa ya con su nombre, entre las que puede destacarse la primera, titulada «Esfuerzo a favor del teatro en el Perú»,

---

Por otra parte, véase Aguirre (2016); y, aunque sean de índole muy distinta, gráfica y audiovisual, Freyre, Yaguas, Huamán y Morocho (2017) y De la Peña (2019).

el 16 de febrero de 1952. Resulta interesante no solo por la primicia, sino porque muestra la pasión primera por el teatro de Vargas Llosa[4]. Asimismo, escribió artículos circunstanciales, como «Algunas consideraciones sobre el chiste» (8 de marzo de 1952: 2), «Veinte mil tuberculosos y una droga» (12 de marzo de 1952: 2 y 4), «Cuidado con las boticas...» (22 de marzo de 1952: 2), o «Un espectáculo sensacional» (27 de marzo de 1952: 2), encargos no muy comprometidos para un principiante.

En *El pez en el agua,* el escritor recuerda con detalle y cariño a sus primeros compañeros de armas periodísticas y correrías nocturnas, que, años después, transformará en personajes de ficción de su tercera novela, *Conversación en La Catedral* (1969). De todos ellos, destaca, principalmente, a Carlos Ney Barrionuevo, su mentor literario de entonces (cfr. Ney Barrionuevo, 1970), quien le descubrió al filósofo Jean-Paul Sartre, con cuya obra «iniciaría una relación [...] que tendría un efecto decisivo en mi vocación» (Vargas Llosa, 1993: 147). Con él también comenzó a introducirse en la lectura de la poesía de vanguardia de Martín Adán, de José María Eguren y del surrealismo, hecho que, posiblemente, le hiciera revisitar la figura de su antiguo profesor de francés en el Leoncio Prado —e inspiración para el personaje del profesor Fontana en *La ciudad y los perros*—, Alfredo Quíspez Asín, cuyo *nom de plume* era César Moro (Lima, 1903-1956), y valorarla en su justa medida.

Poco después, ese mismo 1952, desde el mes siguiente a su cese en *La Crónica,* y por orden paterna, para alejarlo del

---

[4] Relacionada quizás con su buen oído para la oralidad. En los años ochenta, el escritor retomó su interés inicial por el género teatral y, desde entonces, ha estrenado las siguientes obras: *La señorita de Tacna* (1981), *Kathie y el hipopótamo* (1983), *La Chunga* (1986), *El loco de los balcones* (1993), *Ojos bonitos, cuadros feos* (1996), *Odiseo y Penélope* (2007), *Al pie del Támesis* (2008), *Las mil y una noche* (2009) y *Los cuentos de la peste* (2015), hasta ahora.

ambiente bohemio limeño, y tras su vuelta a Piura, donde había transcurrido una parte muy importante de su infancia, Vargas Llosa también colaboraría en el periódico local *La Industria*. En sus memorias, el escritor afirma que, si le permitieran revivir un año de su vida —hasta entonces, por lo menos—, escogería, precisamente, este que pasó en Piura, estudiando el quinto curso de secundaria en el colegio San Miguel, trabajando en ese diario de provincias y viviendo con su querido tío Lucho (Luis Llosa Ureta), hermano de su madre (Dora Llosa Ureta), y su esposa, Olga Urquidi Illanes (Vargas Llosa, 1993: 183-184). Fue un año de tranquilidad, lejos de las tensiones y los enfrentamientos con su padre, y de descubrimientos, complicidades y logros con los que reafirmó su vocación literaria: las intensas lecturas, las amistades duraderas y las visitas adolescentes a la famosa «casa verde», el burdel del camino de Catacaos, que se convertirá en el escenario y eje de *La casa verde* (1966), su segunda novela, a la que da nombre. La comprensión y el apoyo de su tío le permitirán manifestar su evidente temprana vocación literaria[5], con el estreno de su obra teatral de juventud, *La huida del inca*, el 17 de julio de 1952, en el teatro Variedades de Piura.

Vargas Llosa ya había vivido en esta ciudad con su madre y su extensa familia, tras pasar sus primeros años, entre 1937 y 1945, en Cochabamba (Bolivia), justo desde que su abuelo materno, Pedro Llosa Bustamante, fuera nom-

---

[5] Este, a quien Vargas Llosa veía como su «verdadero papá», respetará sus tanteos literarios: «(...) yo le hablaba de mi vocación, y le decía que quería ser un escritor aunque me muriera de hambre, porque la literatura era lo mejor del mundo, él solía recitármelo, a la vez que me animaba a seguir mis inclinaciones literarias sin pensar en las consecuencias, porque (...) la peor desgracia para un hombre es pasarse la vida haciendo cosas que no le gustan en vez de las que hubiera querido hacer» (Vargas Llosa, 1993: 184-186). Hay que decir también que en la familia Llosa había habido ya vocaciones literarias, como la de Mariano Belisario Llosa y Rivero (Arequipa, 1856-1900), autor de la novela *Sor María* y poeta como José Mariano Llosa Pacheco (cfr. Arce, 2014).

brado prefecto del departamento por el presidente José Luis Bustamante y Rivero (1945-1948), de quien era, además, pariente. Asimismo, será en el malecón Eguiguren de Piura, ese espacio idílico, donde, siendo todavía un niño de apenas diez años, descubrirá que su padre no estaba muerto como le habían hecho creer hasta entonces para protegerlo de su temprano abandono, sino que estaba vivo y, aún más, había vuelto para llevárselo lejos de aquel paraíso, que podía dar ya por perdido (Vargas Llosa, 1993: 9-10).

Volviendo al diario *La Industria,* el equipo no era muy extenso, puesto que apenas contaba con un especialista en deportes, con el joven Vargas Llosa, que se ocupaba de noticias locales e internacionales, y con algún colaborador externo más. Por trescientos soles mensuales, la tarea del entonces incipiente periodista consistía en ir a las oficinas del diario, después de las clases, para reescribir noticias de periódicos capitalinos, adaptarlas y redactar otras de interés propio para los piuranos (1993: 193-194). Desde la sección «Buenos días», en su habitual segunda página —de las cuatro con que apenas contaba el diario, esa «reliquia histórica» que montaba a mano un solo cajista (Vargas Llosa, 1993: 194)—, no solo relata anécdotas divertidas, sino que aprovecha para hacerse eco de algunas reclamaciones que le llegaban por carta o que él mismo deseaba denunciar, desde su modesta tribuna, como protestar por un mejor transporte público («Problema», 20 de mayo de 1952: 2) o quejarse de la situación de poblaciones cercanas, como Sullana o Catacaos, sin agua corriente ni alcantarillas ni electricidad («De Catacaos», 24 de mayo de 1952: 2), o ya a nivel nacional, de un episodio de censura que le parecía inadmisible («Moral pública, 26 de mayo de 1952: 2), y que denunciará, a pesar de su juventud, cuestionando a la dictadura del general Odría, que había iniciado su andadura el 1 de noviembre de 1948 y será el telón de fondo de su juventud durante los ocho años de su duración, el llamado Ochenio, hasta su final en 1956.

Por otra parte, la sección «Suenan las maracas» anunciaba, en principio, los espectáculos que se daban cita en la ciudad, así como las novedades en radio, cine y teatro. La música y el baile, como ya sugiere el título de la sección, tendrán un papel importante y, especialmente, el mambo, que consideraba «la representación más exacta del tic de la época en que vivimos» (9 de agosto de 1952: 3), cuyo referente era, indudablemente, Dámaso Pérez Prado (que «usa una perilla igualita a la que tienen los machos cabríos de la sierra piurana», 16 de agosto de 1952: 3), cuyos ritmos formarán parte de la banda sonora de su adolescencia (Vargas Llosa, 1993: 67) y se oirán, de fondo, en *Los jefes*, *La ciudad y los perros* y *Los cachorros* (1967).

Finalmente, en la sección «Campanario», se aprecian algunos esbozos narrativos, de prosa casi poética, entre los que destaca el titulado «Las piernas dormidas» (15 de septiembre de 1952), que se inicia con un epígrafe de Albert Camus que alude a *La peste* (1947), y que recuerda al ambiente de relatos como «El fardo» de Rubén Darío. Otros resultan más comprometidos y, por este motivo, están firmados con seudónimo —«Oiram Sagrav»—, como el titulado «Pena de muerte» (5 de octubre de 1952: 2), contra la condena al supuesto homicida Santos Cruz Domínguez. El algo ingenuo y juvenil seudónimo de «Oiram», la inversión de su nombre, un anagrama al que, en ocasiones, sumaba el de sus apellidos («Sagrav» o incluso «Sagrav Asoll»), trataba de ocultar una identidad evidente, que mostraba la conciencia y las inquietudes sociales y políticas del joven escritor.

Este es, por tanto, también el año en que comienza a formarse una conciencia política, nuevamente gracias al tío Lucho, quien le «explicaba qué era el socialismo, el comunismo, el aprismo, el urrismo, el fascismo, y escuchaba con paciencia mis declaraciones revolucionarias» (Vargas Llosa, 1993: 203). En este contexto decidirá matricularse en la Universidad Nacional Mayor de San Marcos «y no a la Católica, universidad de niñitos bien, de blanquitos y de reaccionarios. Yo iría a la nacional, la de los cholos, ateos y comunistas» (Vargas Llosa, 1993: 203), según eran consideradas entonces. De hecho, la fiebre revolucionaria de juventud también llegó a afectar su último curso en el colegio, antes de su acceso a la universidad, puesto que, con su amigo inseparable Javier Silva Ruete[6], organizó una huelga contra los exámenes sorpresa, que resultó frustrada, por la que fue expulsado temporalmente y que le inspiraría, algo después, el tema de su relato «Los jefes».

1.2. *La experiencia universitaria, «Turismo»*
     y el suplemento dominical de «El Comercio»

En 1953, tras superar el examen de ingreso y la novatada subsiguiente[7], comenzó a estudiar Filosofía y Letras y Derecho en la popular y combativa Universidad Nacional Mayor de San Marcos (UNMSM), como era su deseo. Entrará en contacto muy pronto con compañeros de estudios muy politizados y comprometidos, en oposición al régimen del general Manuel A. Odría, como Lea Barba, de familia con antecedentes anarcosindicalistas, gran lectora de César Vallejo y de José Carlos Mariátegui, con una formación y un horizonte muy distintos al de las niñas de buena familia que había frecuentado en Miraflores —como la Helena, por ejemplo, de su primera novela—. Con ella, y su amigo Félix Arias Schreiber, descubrirán exposiciones, librerías, cineclubes y, sobre todo, se iniciarán en la militancia política marxista clandestina dentro del grupo

---

[6] Javier Silva Ruete (Piura, 1935-Lima, 2012), con quien volverá a coincidir en la universidad, desarrollará una importante carrera política y será ministro en cinco ocasiones, con cuatro presidentes distintos.

[7] Consistente en un corte de pelo a tijeretazos (Vargas Llosa, 1993: 233). Sin embargo, ya había pasado antes por la experiencia del «bauti-

Cahuide[8], que publicaba un periódico del mismo nombre, en el que contribuyó, y se proponía reconstruir el Partido Comunista en el Perú. Será en este contexto que Vargas Llosa, como simpatizante, utilizará el nombre de guerra de «camarada Alberto» —que coincide con el de uno de los personajes protagonistas de *La ciudad y los perros,* no por casualidad— (Vargas Llosa, 1993: 231-255).

Algo después, continuará en el ámbito periodístico con reseñas críticas en la revista *Turismo,* del Touring Club, que aparecía de forma irregular. Por sus contribuciones, entre 1953 y 1954, Vargas Llosa recibía cuatrocientos soles por número, que le permitían pagarse las suscripciones a dos revistas que van a convertirse en su ventana al mundo, con capital en París: *Les Temps Modernes,* del filósofo francés Jean-Paul Sartre, y *Les Lettres Nouvelles,* dirigida por Maurice Nadeau (Vargas Llosa, 1993: 234). No obstante, a principios de 1954, Vargas Llosa tuvo que dejar de colaborar con la revista, ya que su padre consideraba que no se trataba de un empleo serio y lo colocó de empleado en una sucursal del Banco Popular en La Victoria. Allí tenía como clientes a las prostitutas del jirón Huatica —espacio también identificable y connotado en *La ciudad y los perros*—, como recuerda irónicamente en sus memorias (Vargas Llosa, 1993: 252), y donde pasó apenas dos meses interminables, porque se sentía casi tan atrapado como durante su época en el Colegio Militar Leoncio Prado.

Por fortuna, a partir de febrero de 1954 le llegará una oportunidad en la universidad y empezará a trabajar como asistente del historiador y político Raúl Porras Barrene-

---

zo», en el colegio Leoncio Prado, como aparecerá ficcionalizado en *La ciudad y los perros*.

[8] El nombre de «Cahuide» procede del quechua *(kawiri),* significa «vigía», y designa a un guerrero inca que luchó en la batalla de Sacsayhuamán y se autoinmoló, lanzándose desde una torre, al verse rodeado de soldados españoles (cfr. Salvatierra, 2009).

chea, en su archivo personal, en su residencia de la calle Colina, a razón de tres horas diarias, de dos a cinco de la tarde de lunes a viernes, financiado por el editor Mejía Baca, trabajo que desempeñará durante más de cuatro años hasta su primer viaje a Europa en 1958 (Vargas Llosa, 1993: 273-281). Este trabajo se revelará esencial en ese momento clave de su formación, puesto que, gracias a él, conocerá a un buen número de intelectuales —entre los que se puede destacar a Jorge Puccinelli, director de la revista *Letras Peruanas* (1951-1963), Luis Jaime Cisneros y la viuda de César Vallejo, Georgette Philippart, entre otros—. En ese puesto leyó incansablemente, aprendió sobre el pasado histórico y literario nacional y comenzó a pensar en un posible futuro como profesor de universidad, sin olvidar la escritura. Había abandonado la idea de convertirse en poeta o dramaturgo y se concentraba en la narrativa, a pesar de la mala experiencia que vivió en la tertulia de Puccinelli en El patio, en la lectura pública de uno de sus cuentos de entonces, «La Parda», «sobre una borrosa mujer que recorría los cafés contando historias sobre su vida» (Vargas Llosa, 1993: 281), criticado duramente por Alberto Escobar; así como por la infructuosa presentación de dos relatos al concurso de cuentos convocado por la Facultad de Letras de la UNMSM: «Los jefes», que acabaría siendo publicado en 1957 en *Mercurio Peruano,* y «La casa verde», que desecharía para acabar volviendo, más adelante, al mismo tema para desarrollarlo en su posterior novela homónima.

1955 fue decisivo en la trayectoria vital y literaria del escritor. En el mes de julio se casa con su primera esposa, Julia Urquidi Illanes, tras comenzar una relación en mayo de ese mismo año, lo que hizo estallar un escándalo familiar[9].

---

[9] Esencialmente, más que la relación familiar entre Julia Urquidi Illanes (Cochabamba, Bolivia, 1926-Santa Cruz, Bolivia, 2010) y Mario Vargas Llosa, de parentesco político, por ser hermana de Olga Urquidi Illanes, la esposa de su querido tío Lucho Llosa, lo que rompió los esque-

Con ello no solo se va a independizar, sin haber alcanzado todavía la mayoría de edad —que, en esa época, se establecía en los veintiún años en el Perú—, sino que va a asumir las responsabilidades que conllevaba una familia. Por este motivo, aunque continuaba estudiando en la universidad, a partir de entonces y hasta 1958 ejercerá el pluriempleo para poder costear su nueva situación (Vargas Llosa, 1993: 334-337). Por un lado, seguía escribiendo para distintos medios y trabajando con Raúl Porras Barrenechea, pero, además, asumirá múltiples tareas: profesor ayudante del catedrático Augusto Tamayo Vargas en la UNMSM; redactor del manual de Educación Cívica de la Pontificia Universidad Católica del Perú (PUCP), gracias al encargo de Luis Jaime Cisneros; bibliotecario en el Club Nacional; fichar tumbas del cementerio Presbítero Maestro; director del noticiero «El Panamericano» en Radio Panamericana; y, algo más adelante, escribir discursos electorales para el candidato Hernando de Lavalle, del partido Unidad Nacional y Convivencia Democrática, durante la campaña de 1956, en la que el expresidente Manuel Prado y Ugarteche del Movimiento Democrático Peruano (MDP), obtendría la victoria.

Paralelamente, el escritor entrará en contacto con nuevas amistades, colegas con quienes establecerá importantes vínculos, decisivos en los primeros momentos de su vocación literaria, y que mantendrá de por vida: Luis Loayza (Lima, 1934-París, 2018) y Abelardo Oquendo (Callao, 1930-Lima, 2018)[10]. Con el primero, que estu-

---

mas familiares fue que se tratara de una mujer divorciada y diez años mayor. Para los detalles, puede reseguirse su historia, desde la perspectiva del autor, tanto de forma ficcional, en su novela *La tía Julia y el escribidor* (1977), como autobiográfica, en el capítulo «La tía Julia» de *El pez en el agua* (Vargas Llosa, 1993: 323-349). Para conocer la visión de Julia Urquidi Illanes, puede leerse *Lo que Varguitas no dijo* (1983).

[10] A ambos les dedicaría su tercera novela, *Conversación en La Catedral,* situada en el contexto de esos años: «A L. L., el borgiano de Petit Thouars, y a A. O., el Delfín».

diaba Derecho en la PUCP, se encontró en el Cream Rica de la avenida Larco, donde comenzarían una conversación imparable, y muchas veces polémica, en la que Loayza le descubriría a Jorge Luis Borges y a otros grandes de la literatura hispanoamericana, desde una perspectiva particular: a partir de la lectura de la revista *Sur*, por un lado, y también, por otro, con características peculiares, como la fragmentariedad y la brevedad, encarnadas en autores como Juan José Arreola o Juan Rulfo. Y también le dará a conocer la obra de otros escritores, como Paul Bowles, mientras bostezaba ante la fascinación de Vargas Llosa por Jean Paul Sartre, que lo llevaría a ganarse el apodo de «el sartrecillo valiente».

De Abelardo Oquendo, también estudiante de Derecho de la PUCP, Vargas Llosa cuenta en sus memorias que fue Loayza quien se lo presentó, aunque el propio Oquendo, en cambio, lo recuerda distinto, como un encuentro incómodo en la lectura fallida en público de su cuento «La Parda» ya mencionado (cfr. Aguilar y Oquendo, 2019) y un reencuentro azaroso en un ómnibus en la Plaza San Martín (Oquendo, 1999: 89). Compartían, entre otras cosas, su espíritu crítico ante la falta de discusión teórica generalizada en su medio, que llevó a Oquendo a ser el primero en salir a buscarla, con una beca de estudios, a Madrid, donde deseaba escribir una tesis sobre Ricardo Palma. Como recordará Vargas Llosa, Oquendo

> escribía a veces comentarios de libros, siempre muy agudos, modelos en su género, pero nunca los firmaba y a ratos yo me preguntaba si Abelardo había decidido para su exigente sentido crítico, renunciar a escribir para ser solo aquello en lo que sí podía alcanzar la perfección que buscaba: un lector (Vargas Llosa, 1993: 390).

Así, desarrollaría, a lo largo de su vida, una intensa actividad como crítico, traductor y promotor cultural de jóvenes valores, en valiosas iniciativas como la revista *Hueso húmero* y la editorial Mosca Azul.

Tras el matrimonio de Vargas Llosa, los amigos se encontraban en su quinta de la calle Porta o en Las Acacias, para conversar y también para divertirse con distintos juegos que recordaban, de algún modo, las prácticas del grupo surrealista que entonces admiraban. Participaban en proyectos literarios conjuntos, como la publicación de *Cuaderno de composición* (1955), que se proponía, como indica en una esquina de la pestaña de su portada, que «los prosistas del Perú escribirán sobre un tema fijado que irá variando cada vez», y del que solo salió un número, un cuadernillo de ocho páginas dedicado al tema de la estatua. En él participaron Loayza, Oquendo, Alejandro Romualdo y Sebastián Salazar Bondy, y será Vargas Llosa quien se encargue de reseñarlo, en su primera colaboración en el dominical de *El Comercio* (21 de agosto de 1955: 9), donde indicaba que su objetivo era «analizar las reacciones psicológicas y las manifestaciones estilísticas de varios escritores ante un estímulo semejante, estableciendo confrontaciones, fijando los matices de su pensamiento, su filiación ideológica y los recursos formales de que se valen para expresarla».

A pesar de todo, para Vargas Llosa (1993: 148), el ambiente cultural limeño representaba una limitación asfixiante, por lo que solo veía factible para su desarrollo el distanciamiento, el camino del viaje a Europa y, más concretamente, a París. En esos años previos a cumplir su sueño, como muestra el estudio ya referido de Rodríguez Rea (1996: 28), Vargas Llosa parecía ratificar esta postura al publicar, gracias a Oquendo, en el suplemento dominical de *El Comercio,* entre 1955 y 1957, por mil soles al mes, tres series de «artículos-semblanza», como los clasificó Tomás G. Escajadillo (1986: 35), a partir de las entrevistas que realizó a relevantes escritores con las que parece sondear el estado del campo literario peruano de la época y que se publicaron como «Narradores de hoy», «Narradores peruanos» y «Escritores peruanos». El propio espacio de ese suplemento dominical reproducía, a pequeña escala, la situación y las tensiones dentro de ese mismo ámbito, aunque privilegiaba la emergencia de los jóvenes autores y consagraba a la llamada Generación del 50, de la que se hablará más adelante. A veces en la portada del suplemento se enfocaba en figuras ya reconocidas como José María Arguedas —a quien Vargas Llosa (1996) demostrará apreciar, a pesar de tener una idea de la literatura y de la modernidad distintas— o Francisco Vegas Seminario, pero también se cedía esa primera plana del dominical a estas nuevas voces, a cuentos de Luis Loayza, de José Miguel Oviedo, de Felipe Buendía, del mismo Vargas Llosa («El abuelo», 9 de diciembre de 1956: 1, 5 y 9), o a escritores algo más situados, como Sebastián Salazar Bondy, Carlos Eduardo Zavaleta o Julio Ramón Ribeyro, entre otros.

Vargas Llosa se muestra en los artículos que publica en este suplemento en «pugna con el medio intelectual limeño» (Rodríguez Rea, 1996: 51), desde su posicionamiento, a menudo implícito en sus reseñas, a favor de «una visión cosmopolita de la literatura», de tal modo que busca modelos, referentes y aliados para «[r]omper el cerco de lo nativo, del localismo» (Rodríguez Rea, 1996: 150). Como también subraya el crítico, el interés principal del joven debutante será doble: por un lado, conocer el grado de conciencia técnica de los escritores entrevistados y, por otro, sus referentes y modelos literarios, para establecer algo así como un baremo que, de algún modo, le permitirá distinguir a los que considerará como narradores del pasado —*amateurs*, intuitivos, en buena medida— y narradores modernos —profesionales, técnicos—. Entre estos últimos destacarán las entrevistas a Sebastián Salazar Bondy (23 de noviembre de 1955: 9), que se convertirá en su modelo más cercano[11],

---

[11] El joven escritor se había encontrado antes, circunstancialmente, con el ya reconocido limeño, en Piura; había coincidido con él en las páginas de *Turismo;* había criticado alguna obra teatral suya, pero no será

y a otros miembros de la Generación del 50 más jóvenes que este, como Enrique Congrains (30 de octubre de 1955: 9) y Carlos Eduardo Zavaleta, quien decía leer «a los grandes novelistas con el lápiz en la mano, estudiando cómo "hacen" un cuento, cómo resuelven una situación y cómo utilizan los recursos expresivos en la narración» (16 de octubre de 1955: 9), como Vargas Llosa hará también, sobre todo para leer a Faulkner[12], que le descubrió su coterráneo (Vargas Llosa, 1993: 283).

1.3. *Hacia el final del Ochenio: «Democracia, Extra» y el suplemento dominical de «El Comercio»*

El 31 de enero de 1956 apareció el primer número del semanario *Democracia*, con el subtítulo «por la acción demócrata-cristiana», y con un jovencísimo Vargas Llosa, de todavía diecinueve años, como editor, aunque fuera en representación de Luis Jaime Cisneros. En primera plana, aparecía la siguiente declaración de intenciones:

> En manos de la nueva generación nace *Democracia*. Nace a practicar la vida cívica y a bregar por derechos y deberes postergados [...] en la patria. Cuando en el país se ha constituido en afrenta la sana preocupación por la cosa

---

hasta esta entrevista que entablará una estrecha relación de amistad en intercambio intelectual (Vargas Llosa, 1983: 36-41, 93-96 y 111-135).

[12] Como reconocerá décadas después el autor, «en esa época, por mi deslumbramiento con la obra de Faulkner, yo vivía fascinado por la técnica de la novela, y todas las que caían a mis manos, las leía con un ojo clínico, observando cómo funcionaba el punto de vista, la organización del tiempo, si era coherente la función del narrador o si las incoherencias y torpezas técnicas —la adjetivación, por ejemplo— destruían (impedían) la verosimilitud. A todos los novelistas y cuentistas que entrevisté los interrogaba sobre la forma narrativa, sobre sus preocupaciones técnicas, y siempre me desmoralizaban sus respuestas, desdeñosas de esos "formalismos"» (Vargas Llosa, 1993: 345).

pública; cuando las instituciones se hallan viciadas en sus bases; cuando en el transcurso de los últimos años se han sucedido con rara puntualidad las dictaduras; cuando ha fracasado el hermoso intento de convivencia nacional entendido el 45; cuando el poder ha dejado de ejercerse a nombre del pueblo y se ha reducido al capricho de un hombre silencioso; cuando hay que gritar ¡Justicia!, para escarnio de los jueces, en el palacio destinado a enaltecerla; cuando el Parlamento ha terminado por convertir a los independientes de ayer en los dependientes y sumisos de hoy, una generación nueva sale a la lucha, con nuevos principios, dispuesta con todo empeño a renovar la patria, a renovar los métodos, a renovar el sistema, para vivir la democracia con decoro.

El periódico, que se vendía por un sol, representaba un contraste implícito a la dictadura del general Odría, todavía en el gobierno, y constituía un grito y una petición de una alternativa política, encarnada en el Partido Demócrata-Cristiano[13]. De hecho, la dirección de las oficinas del semanario eran las mismas de la sede del partido, señas que se facilitaban también en los anuncios para la adscripción a sus filas. El escritor colaboró con numerosas aportaciones a este semanario durante los escasos meses de su existencia, con noticias sobre los acontecimientos que se estaban desarrollando, que auguraban la caída de la dictadura, así como con opiniones políticas, a veces firmadas con seudónimo, como el ya conocido de «Oiram», a veces en la columna «La

---

[13] Mediante un golpe de Estado, el general Manuel A. Odría tomó el poder el 1 de noviembre de 1948, deponiendo al presidente José Luis Bustamante y Rivero, que había sido elegido democráticamente el año 1945. Ocho años después, el régimen de Odría, agotado, dio paso a unas elecciones presidenciales, celebradas el 17 de junio de 1956, en las que obtuvo la victoria Manuel Prado Ugarteche (que ya había sido presidente entre 1939 y 1945), quien se mantuvo en el poder hasta 1962, cuando, diez días antes de traspasar el poder, fue derrocado por un nuevo golpe militar.

piedra de toque» —título que seguirá empleando, años y décadas después, para sus colaboraciones en el *Expreso* y, después, en *El País*—. No obstante, el contraste que supone respecto a la propia trayectoria política de Vargas Llosa en esos años también es grande, como reconoce el mismo autor:

> ¿Qué demonios hacía yo ahí, entre esa gente respetabilísima a más no poder, pero a años luz del sartreano comecuras, izquierdoso no curado del todo de las nociones de marxismo del círculo, que me seguía sintiendo? No sabría explicarlo. Mi entusiasmo político era bastante mayor que mi coherencia ideológica. Pero recuerdo haber vivido con un cierto malestar cada vez que tenía que explicar intelectualmente mi militancia en la Democracia Cristiana (Vargas Llosa, 1993: 300).

Posiblemente, la respuesta sea más sencilla de lo que pueda suponerse. Lo más probable es que la relación del Partido Demócrata-Cristiano con el anterior presidente, Bustamante y Rivero —tan vinculado, por lazos incluso familiares, a la propia historia de Vargas Llosa—, en ese momento de grandes tensiones e incógnitas políticas, pudiera representar para el joven escritor un referente de confianza para el futuro, aunque acabaría por no presentarse como candidato a las elecciones (Vargas Llosa, 1993: 288).

Sin embargo, la aventura política duró también poco, por coerción paterna, una vez más. Pocos meses más tarde, Vargas Llosa colaborará también en otro semanario muy distinto, *Extra,* desde el 29 de mayo (núm. 71) al 11 de diciembre de 1956 (núm. 97), con críticas cinematográficas, noticias culturales y, muy esporádicamente, con avisos institucionales y de carácter político, firmados todos ellos con el seudónimo de «Vincent N. (o Naxé)». El escritor trataba de ponerse en la piel del espectador medio para transmitir, de forma empática, su propia valoración como crítico, teniendo en cuenta el público al que iba dirigida la revista y al que, sobre todo, le interesaba conocer las líneas generales de la película y un juicio claro, a favor o en contra de la misma, para decidir si ir o no a verla. No obstante, se mostrará partidario de las películas europeas —italianas y francesas, en su mayoría—, del cine-club, en contra de los musicales y de los melodramas —sobre todo mexicanos y estadounidenses—. En sus críticas, señalaba cómo, tras la Segunda Guerra Mundial, y en medio de las tensiones de la Guerra Fría, Hollywood se debatía entre la producción de películas de entretenimiento, o películas bélicas, a mayor gloria de las hazañas de sus héroes caídos, o auténticos panfletos en la cruzada contra el comunismo, aún en las tinieblas del macartismo (1950-1956). Tampoco salvará, en su crítica generalizada a la sociedad estadounidense, a un film mítico como *Rebel Without a Cause* o *Rebelde sin causa* (1955) de Nicholas Ray, del que dirá:

> En el país de la democracia casi perfecta, las jóvenes generaciones cultivan, junto con el vicio de los chiclets y las coca-colas, algunas otras diversiones, menos extendidas pero más exitantes [sic]: el robo, el asesinato y la locura. El argumentista y el director de esta película se han esforzado por encontrar el origen de estas violencias juveniles, en los desarreglos hogareños, que son, en todo caso, accidentales; presentado el desborde y la afición a lo ilícito como sello generacional, se diría, más bien, que es un problema de mentalidad (núm. 72, 5 de junio de 1956).

Es decir, aunque, tras *Los jefes, La ciudad y los perros* y *Los cachorros,* un lector, hoy en día, podría llegar a pensar que el malestar de esos jóvenes, de esos «rebeldes sin causa» representados por James Dean, Sal Mineo, Dennis Hopper y Nathalie Wood, podría verse acaso como un espejo de la insatisfacción de esa misma generación más allá de los Estados Unidos, lo que Vargas Llosa tratará de diferenciar, posiblemente, es que los rebeldes que él va a mostrar en sus obras sí que tienen causa sobrada para sus reacciones y posicionamientos.

En relación con *La ciudad y los perros* puede destacarse la reseña a *Detective Story* o *La antesala del infierno* (1951) de William Wyler (núms. 92, 23 de octubre de 1956), donde hacía hincapié en el personaje que encarnaba Kirk Douglas, que manifiesta un comportamiento que recordará, en buena medida, al del teniente Gamboa en su primera novela:

> En su afán estricto de cumplir, de trabajar sin apartarse un solo momento del objetivo de su oficio, que consiste en detener y aplastar la delincuencia donde quiera que ella estalle, se encuentra de pronto en las manos con un *affaire,* en que personajes más influyentes que él tienen importancia decisiva [...] El drama psicológico de este hombre acostumbrado a cumplir con su deber, que se ve ante la alternativa gravísima de cumplirlo y causar la ruina suya y la de su familia, o romper esa tradición de honor y transigir, constituye el núcleo central dramático de la cinta [...].

Como se podrá comprobar, ese será el dilema en el que se encontrará el militar peruano en las páginas del escritor arequipeño, y tendrá también que asumir las consecuencias de su decisión y su compromiso con lo que cree que es correcto. Aunque, más allá del comportamiento de los personajes, el escritor destacará como extraordinaria la película *The Man with the Golden Arm* o *El hombre del brazo de oro* (1955), de Otto Preminger, porque «[e]n su obra no hay [...] largas consejas sobre la maldad de los vicios o las ventajas de la austeridad. La cinta no propone tesis, ni mensajes declamatorios [...]» (núm. 76, 3 de julio de 1956). Es decir, subrayaba lo que también reconocerá en su lectura de Gustave Flaubert y lo que tratará de transmitir en su primera novela: la ausencia de un juicio de valor, la muestra distanciada de unos hechos sin una condena implícita por parte del autor o del narrador y, por tanto, la delegación en el espectador y el lector de crear su propia opinión, otorgándole esa libertad y esa responsabilidad, que considera que le corresponden.

En *Extra,* Vargas Llosa va a seguir apoyando, en la medida de sus posibilidades, a los jóvenes narradores, como Enrique Congrains Martín (núm. 72, 5 de junio de 1956) o Carlos Eduardo Zavaleta (núm. 76, 3 de julio de 1956), ya referidos, y entre los que se encontrarán también algunos de sus amigos y colaboradores más estrechos, como los ya mencionados Luis Loayza, Abelardo Oquendo y José Miguel Oviedo. Por este motivo, para hacerse eco de los valores emergentes y dar a conocer nuevas plataformas de reconocimiento, informará de la existencia de las becas Javier Prado —a las que él mismo postulará y ganará, posteriormente—, como una alternativa para jóvenes creadores, una ayuda ofertada por el Banco Popular, en el que había trabajado temporalmente, para los alumnos del Instituto de Literatura de la UNMSM, y que consistía en un pasaje de ida y vuelta en avión a España y un año de estudios en la Universidad de Salamanca —en el caso de Vargas Llosa, sería en la Complutense de Madrid—. A pesar de todo, aún antes de la marcha del general Odría, aunque fuera en el momento de los coletazos finales de su represión, se atrevió a criticar en las páginas de *Extra* a países que apoyaban el régimen dictatorial, como era el caso de España:

> Desde entonces, la madre patria, [sic] es una tranquila autocracia ultramontana, en la que se estudia filología con mucho entusiasmo, en la que una severa censura eclesiástica ha impedido rigurosamente que las editoriales publiquen cualquier obra de calidad que turbe la moral ciudadana, y en la que se puede vivir, según afirman los turistas, con menos dinero que en cualquier país europeo («Tres aniversarios», núm. 79, 24 de julio de 1956).

Finalizado el régimen dictatorial en Perú, también cabe decir que Vargas Llosa dará a conocer en *Extra* algunos cambios políticos y algunas iniciativas municipales, de importancia simbólica, como el monumento a Ricardo Palma («Una iniciativa feliz», núm. 91, 16 de octubre de 1956), que destacaba en un espacio urbano como el limeño que hubiera estatuas dedicadas a héroes de mil batallas, pero a muy pocos representantes culturales, como se evidencia en los itinerarios de los personajes de *La ciudad y los perros*.

Paralelamente a sus colaboraciones en *Democracia* y *Extra,* siguió también con la tercera serie de sus contribuciones para el suplemento dominical de *El Comercio*, «Escritores Peruanos», entre el 18 de enero de 1956 y el 2 de junio de 1957. La configuración es semejante a las otras dos anteriores, aunque trate otros géneros —la crónica periodística, el ensayo, el teatro o la poesía—, en torno a la identidad nacional y las tensiones entre el formalismo y el compromiso social. De todas las entrevistas, vale la pena destacar la que realizará al entonces poeta y editor Manuel Scorza, porque intervendrá en las circunstancias de publicación de *La ciudad y los perros,* como se verá, y porque también estudió en el Leoncio Prado:

> En el colegio fue un alumno sobresaliente: ingresó al Leoncio Prado en los primeros puestos, fue luego Brigadier de su sección, y egresó en el Cuadro de Honor. La anécdota más sabrosa de su vida, le ocurrió precisamente cuando estudiaba en este plantel: una mañana, el Director lo sorprendió leyendo a Shakespeare. «Fui, dice Scorza, severamente amonestado. Pero la indignación del Director no concluyó; fue reunido todo el Colegio y durante un buen rato, nos habló a los alumnos del gravísimo error que significaba perder el tiempo con esas perniciosas lecturas» (2 de diciembre de 1956: 4).

En aquellos años, Vargas Llosa se mostrará en contra del giro que la poesía estaba experimentando en el Perú, con poemarios como *Las imprecaciones* (1955) del propio Scorza o *Edición extraordinaria* (1957) de Alejandro Romualdo, hacia lo que consideraba un prosaísmo casi panfletario. Su posición, muy crítica, hacia la tradición canónica literaria peruana, e hispanoamericana en general, le hará entrar en polémicas, como la iniciada a partir de su reseña en la sección «La vida de los libros», también en el suplemento dominical de *El Comercio*, titulada «Poesía peruana en francés» (9 de junio de 1957: 9), que revisaba la *Anthologie de la poésie ibéro-américaine* (1956) de Federico de Onís, quien se dejaba por el camino a poetas como Pablo Neruda y Octavio Paz, junto con otros, ciertamente menos conocidos, como César Moro o Martín Adán[14].

Al mismo tiempo, en estos años, Vargas Llosa comienza ya a publicar ficción, aunque también en la prensa. Así, había aparecido ya algún cuento: «El abuelo» (suplemento dominical de *El Comercio*, Lima, 9 de diciembre de 1956: 1, 5 y 9), «Los jefes» (*Mercurio Peruano*, Lima, febrero de 1957, vols. XXXII-XXXVIII, núm. 358: 93-110), que daría título a su primer libro de relatos, y «El desafío» (*Cultura Peruana*, núm. 117, marzo de 1958: 16-19), posteriormente recogidos en *Los Jefes*. El último relato ganó el premio de la *Revue Française* en 1957 —con un jurado formado por Sebastián Salazar Bondy, André Coyné, Luis Jaime Cisneros, el director de la revista y Jorge Basadre—. Este premio le permitiría realizar su primer viaje a París en febrero de 1958, y verlo traducido al francés como «Règlement de comptes», gracias a André Coyné y a Georgette de Vallejo —quien revisó el texto—, en *La Revue Française* (núm. 98, París, 1958: 75-78),

---

[14] Vargas Llosa se manifestaba como *enfant terrible* de las letras peruanas, al comentar que su literatura colonial «no dio un solo poema que pueda ser leído sin estupor». Luis Loayza lo apoyó, mientras Francisco Bendezú, desde *La Prensa* (24 de junio de 1957) lo considerará un «erudito a la violeta». También lo corregirán Alejandro Romualdo y Augusto Tamayo Vargas, de quien era asistente en la UNMSM.

como relata extensamente en el capítulo «El viaje a París» de sus memorias (Vargas Llosa, 1993: 455-467).

1.4. *Rubén Darío, un modelo literario*[15]

A su regreso de París, en 1958, Vargas Llosa, con veintidós años y la idea de dedicarse a la docencia, presentaba en la Facultad de Letras de la UNMSM, su *alma mater,* una tesis para optar al grado de bachiller en humanidades. El título de este trabajo de investigación, muy explícito, fue *Bases para una interpretación de Rubén Darío.* El lector se puede preguntar por qué Vargas Llosa eligió a Rubén Darío, aparentemente tan alejado de lo que será su obra, para redactar su primer ensayo literario ambicioso. Muy posiblemente, sus profesores de entonces, Luis Alberto Sánchez —quien le sugiriera el tema— y Raúl Porras Barrenechea, con quien colaboraba, jugaron un papel decisivo, como el propio Vargas Llosa deja entrever en sus agradecimientos, en la edición publicada en 2001. Además, Darío era un escritor que había estado muy presente en su infancia, ya que su abuelo (Pedro Llosa Bustamante) le había enseñado a memorizar sus poemas, algo que recuerda como una de sus «temeridades preliterarias» (Vargas Llosa, 1993: 19), y representaba un espíritu cosmopolita y un reconocimiento literario que había trascendido fronteras, y que encarnaba el ideal de su deseo juvenil como autor en ciernes. Este estudio le servirá también para reflexionar sobre algunas cuestiones fundamentales en sus propios comienzos como escritor, imbuidos de lecturas de escritores franceses y angloamericanos parece llevar a cabo en él una lectura especular, viendo en Darío un ejemplo del que aprender a

---

[15] Cfr. Gras (2016: 17-31). Este apartado resume lo esencial de lo planteado en aquel artículo más amplio.

partir del análisis de un momento decisivo, al principio de su carrera, que significará asimismo su consagración en *Azul...* (1888), publicado por el nicaragüense con apenas veintiún años. Como ocurre tantas veces, cuando un escritor escribe sobre otro, en el fondo está escribiendo sobre sí mismo, como advierte también Américo Mudarra en el prólogo a la edición del ensayo realizada muchos años más tarde, «la elección de este literato como tema de tesis obedece a la búsqueda de referentes que legitimen la propia aventura del crítico» (2001: 11).

Tras esta primera aproximación a la obra de Darío —por la que obtuvo la máxima nota, *summa cum laude*—, deseaba profundizar en el tema en una tesis doctoral. Con esta finalidad viajaría a Madrid, gracias a la concesión de la ya mencionada beca Javier Prado, para el curso 1958-59, lo que le permitió llevar a cabo una estancia de diez meses en la Universidad Complutense[16]. Sin embargo, este proyecto se truncará, tanto por el ambiente asfixiante de la academia española durante esos años del franquismo como para dar paso a una urgencia mayor: la escritura de su primer proyecto narrativo de largo aliento, iniciado ese mismo año, que acabaría convirtiéndose en *La ciudad y los perros,* ya instalado y pluriempleado en París, como se reseguirá un poco más adelante.

Volviendo a *Bases para una interpretación de Rubén Darío,* a lo largo de cinco capítulos, Vargas Llosa se ocupa, básicamente, de lo que pudo suponer para Darío la lectura de Émile Zola durante su viaje (iniciático) a Chile en 1887,

---

[16] Con anterioridad, el autor había realizado un trabajo de curso titulado «Darío y el artista puro. La literatura y la vida en los cuentos de Darío» (1957; publicaría dos artículos en el suplemento dominical de *El Comercio:* «Sobre Rubén Darío en sus cuentos» (13 oct. 1957: 2) y «Táctica de la evasión en *Azul...*» (12 de abril de 1959: 2); y, finalmente, «Cartas inéditas de Chocano a Rubén Darío» *(Cultura peruana,* XIX, núm. 127, s. p).

que lo llevó a la asunción momentánea y tentativa de los postulados naturalistas, mientras trabajaba en la aduana de Valparaíso, y las implicaciones inmediatas posteriores del descarte de este camino apenas transitado: un punto de inflexión significativo en su trayectoria literaria.

Vargas Llosa apunta una serie de cuestiones que unen las imágenes duplicadas de ambos autores como en un espejo, como si se tratara de un reflejo en el que se van identificando los elementos comunes, los paralelismos, tales como: a) la coincidencia de una historia familiar compleja, donde destaca la ausencia del padre y su sorpresiva aparición posterior, que redunda en el refugio en los libros (y que lleva a una interpretación casi psicoanalítica: «el catálogo de sus lecturas juveniles [...] el drama interior de que es síntoma» (Vargas Llosa, 2001: 56); b) la precocidad literaria; y c) el temprano ejercicio del periodismo y, por tanto, la profesionalización de su vocación de escritor. Y, más importante si cabe, la reflexión en torno al papel de los modelos literarios, la imitación y la consecución de una voz literaria propia, así como las referencias al cosmopolitismo, con París como referente.

En el primer capítulo («La indecisión inicial»), apunta el escritor peruano, poniendo de manifiesto cierta identificación o empatía:

> Todos o casi todos los grandes autores han vivido en sus primeros años literarios una situación semejante, en la que vacilaban entre diversos centros de atracción [...] deben atravesar aquella ascesis indispensable de imitación, y a veces plagio, de los autores contemporáneos o anteriores. Esa literatura de los comienzos es efímera y nada agrega a la obra valiosa de un autor, que solo comienza cuando este ha concluido la etapa inicial de búsqueda y copia, y avanza por su propia ruta. Los que no superan aquella etapa de simple asimilación de influencias, aquellos que solo repiten, con mayor o menor habilidad, sus lecturas, son los que conocemos como poetas menores o mediocres (Vargas Llosa, 2001: 57).

La imagen que le devuelve Darío a Vargas Llosa es, no obstante, invertida, ya que el escritor peruano se reconoce más bien en el proceso contrario al de la producción torrencial del nicaragüense, de tener que realizar un gran esfuerzo para poder canalizar y vehicular su aliento narrativo. Mostrará también que el «artepurismo» que se atribuye a Darío va acompañado, en ocasiones, de crítica social (como en su cuento «El fardo»); en su caso, por el contrario, el camino del compromiso literario, a la manera sartreana, no le hacía olvidar la importancia de los elementos formales.

Compartirán ambos, también, la fascinación por el iniciático viaje a París. Para el nicaragüense, como señala en su *Autobiografía* (1913), la capital francesa se configura como un espacio idealizado donde proyecta sus sueños infantiles (Darío, 1990: 69). Igualmente, Vargas Llosa apunta unas décadas después en la misma dirección, en la idealización de la Ciudad Luz y la sensación, al visitarla, finalmente, de convertir en realidad un sueño, apenas unos meses antes:

> Dudo que, antes o después, me haya exaltado tanto alguna noticia como aquella. Iba a poner los pies en la ciudad soñada, en el país mítico donde habían nacido los escritores que más admiraba. «Voy a conocer a Sartre», le repetía esa noche a Julia y a los tíos Lucho y Olga, con quienes fuimos a celebrar el acontecimiento (Vargas Llosa, 1993: 455).

Fue a la vuelta de este primer encuentro con la ciudad soñada, en febrero de 1958, experiencia compartida con el escritor nicaragüense, cuando

> me puse a trabajar en la tesis sobre los cuentos de Rubén Darío, en todos los momentos libres, en la biblioteca del Club Nacional, entre los boletines de Panamericana, y, en las noches, en mi casa, hasta quedarme a veces dormido sobre la máquina de escribir (Vargas Llosa, 1993: 467).

39

París es, para ambos autores, la meca de su destino literario y, aunque lograrán cumplir ese sueño, también descubrirán pronto su espejismo. Darío irá mostrando ese desencanto respecto al mito de París, sobre todo en sus crónicas, como la que escribe en 1904, «En el "País Latino"», de su volumen *Parisiana* (1917: 169-174), más de diez años después de su primer encuentro con la ciudad de sus sueños, en 1893. Por su parte, Vargas Llosa conocerá en París a Albert Camus y, más tarde, a sus admirados Sartre y Simone de Beauvoir, y compartirá con ellos incluso actos públicos, del mismo modo que Darío pudo conocer, aunque para su desilusión, a Paul Verlaine en el café D'Harcourt. Vargas Llosa recordará también, muchos años después:

> En París crecí, maduré, me equivoqué y rectifiqué, y estuve siempre tropezando, levantándome y aprendiendo, ayudado por libros y autores que, en cada crisis, cambio de actitud y de opinión, vinieron a echarme una mano y a guiarme hacia un puerto momentáneamente seguro en medio de las borrascas y la confusión [...]. Mis siete años parisinos fueron los más decisivos de mi vida. Aquí me hice escritor (Cueto, 2010: 90).

Por otro lado, Darío va a liderar el Modernismo, un movimiento que, por primera vez, va a internacionalizar la literatura hispanoamericana y exportarla del Nuevo al Viejo Mundo, del mismo modo que Vargas Llosa va a convertirse en uno de los referentes del llamado *boom*, ese segundo momento, ya plenamente desde el siglo XX, en que se vuelve a producir, o se continúa, un fenómeno semejante, aunque esta vez en el ámbito de la narrativa y no de la poesía, estrictamente. Dos escritores con una misma vocación mundial, global, muy temprana, de trascender fronteras, reflejados, a través del tiempo, más allá del sueño compartido de París.

1.5. *Entre Lima, Madrid y París: «Literatura» y «Cultura Peruana»*

A principios del año 1958, la revista *Literatura* fue fundada por Luis Loayza, Abelardo Oquendo y Mario Vargas Llosa. La relación entre los tres resulta fundamental en este período de formación del escritor, como también lo fue para la redacción y edición final de *La ciudad y los perros,* como se pondrá de manifiesto más adelante. *Literatura,* de corta vida, ya que apenas duró tres números, hasta agosto de 1959, parece inspirada en *Littérature* (1919-1924), órgano de comunicación surrealista de Louis Aragon, André Breton y Philippe Soupault. La fugaz revista limeña contribuye a reconstruir el campo literario peruano de mediados del pasado siglo, desde los márgenes que corresponden a la vanguardia literaria emergente, en esa modernidad periférica de la que surgió en esos años Vargas Llosa. En sus páginas, el escritor peruano va a dedicar artículos al poeta César Moro, cuya obra revisa a partir del recuerdo personal, que más adelante transformará, ficcionalmente, en el personaje del profesor Fontana de *La ciudad y los perros,* como ya se ha adelantado. También traducirá, junto a Loayza, poemas de Robert Desnos, quien fuera amigo de Moro, y reflexionará sobre la creación poética y el compromiso literario, y los extremos en la vinculación entre política y literatura a partir de *Edición extraordinaria* (1957) de Alejandro Romualdo. No obstante, el modelo de Sartre como intelectual comprometido lo llevará a manifestarse sobre cuestiones como la pena de muerte, tema no solo político sino moral, esencial y del que ya se había ocupado con anterioridad (cfr. «Campanario. Pena de muerte», *La Industria,* 5 de octubre de 1952: 2).

Literatura acoge traducciones de textos de escritores extranjeros como Paul Bowles, artículos de autores peruanos

41

ya posicionados como J. E. Eielson o el ya mencionado Sebastián Salazar Bondy, junto con miembros jóvenes de la Generación del 50, como los poetas Carlos German Belli, Javier Sologuren y Raúl Deustúa, o narradores de los que entonces se esperaba casi todo, como Eleodoro Vargas Vicuña, y nuevos talentos como José Miguel Oviedo, quien acabaría dedicándose, finalmente, a la docencia y a la crítica literaria y escribiría uno de los primeros y más reveladores ensayos sobre Vargas Llosa: *Mario Vargas Llosa: la invención de una realidad* (1970, 1982). Las contribuciones de Vargas Llosa eran, esencialmente, ensayos de crítica literaria y no textos de ficción[17], puesto que el autor peruano se hallaba inmerso en su labor como docente, aunque también estuviera escribiendo relatos que acabarán formando parte de *Los Jefes.*

Finalmente, en esta panorámica sintética de la trayectoria inicial de Vargas Llosa, cabe señalar que, entre marzo de 1956 y diciembre de 1959, es decir, hasta su segundo viaje a París, tras un año en España, estuvo colaborando en la revista *Cultura Peruana,* con su nombre completo o empleando solo sus tres iniciales (M. V. Ll.), con artículos, casi mensuales. Primero, en la sección «Hombres, libros, ideas», que evidenciaba el magisterio de Raúl Porras Barrenechea, donde trazaba esbozos biográficos de figuras relevantes de la historia peruana, intelectuales y políticos de los siglos XVIII al XX, destacados por sus ideas sobre la complejidad peruana —desde Juan Pablo Viscardo y Guzmán a José Carlos Mariátegui, pasando, entre otros, por Francisco García

---

[17] Concretamente, en el primer número, «Nota sobre Moro», tras una selección de sus poemas, y el manifiesto «Contra la pena de muerte», firmado junto a Oquendo y Loayza; en el segundo, la selección y traducción de los poemas «Tomas la primera calle *[Tu prends la première rue à droite]*» y «Poema a la misteriosa» *[À la mystérieuse]* de Robert Desnos y «*Carta de amor,* de César Moro»; en el tercero y último, «¿Es útil el sacrificio de la poesía?».

Calderón o José de la Riva Agüero—. De entre todas estas colaboraciones, destaca una contribución, pensada y realizada ya totalmente desde España, que dedicará a Martín Adán y a su obra de culto *La casa de cartón* (1928). Lo que llama la atención en ella es la reflexión sobre el realismo que realiza en sus páginas, justo en un momento clave, en medio de la redacción inicial de *La ciudad y los perros*. Ante la obra de Martín Adán, Vargas Llosa lleva a cabo una interesante pirueta interpretativa que, una vez más, se vuelve sobre su propia creación. De este modo, reivindicará el realismo inherente en *La casa de cartón,* no por su vinculación con la genealogía balzaciana o flaubertiana, sino por su necesario distanciamiento, de tal modo que el joven escritor ya demuestra tener formada su idea sobre la novela: «En una novela una porción de la realidad se reconstruye, pero se la dota de un espíritu personal único, que precisamente sirve para distinguirla de aquella realidad y otorgarle categoría literaria. El novelista, [sic] siempre traiciona a la realidad» (núm. 135/136, septiembre-octubre de 1959: s. p.).

A partir de su llegada a España y hasta los inicios de su posterior estancia en París, seguirá escribiendo para la revista, dando cuenta de su experiencia transatlántica como corresponsal, desde la sección «Cuaderno de notas». Así, dará a conocer, en «Cartas inéditas de Chocano a Rubén Darío» (núm. 127, enero de 1959), el archivo del escritor nicaragüense, que el joven frecuentará durante su estadía en la Universidad Complutense de Madrid para tratar de realizar la tesis doctoral para la que había sido becado. De hecho, en este artículo, más allá de la información sobre el propio archivo y las críticas a Chocano, llama la atención cómo Vargas Llosa reconoce en él «su concepción de la literatura como un ejercicio excluyente, que requería la máxima responsabilidad, es decir, la entrega total y su afán de llevar la literatura al público, de hacer participar a los demás de su trabajo», frente al que identifica como el terrible drama del escritor peruano, que escribe para ser leído por sus familiares y, si tiene suerte, por otros escritores, que se sabe separado por un abismo de la sociedad, que lo tolera como a un animalito inofensivo, pero que no lo combate ni lo apoya, y lo deja vivir y morir en un exhibicionismo furibundo [...].

Un comentario que resulta inevitable conectar con la preocupación del joven escritor por ese camino que él mismo había elegido, a pesar de las dificultades.

2. «LA CIUDAD Y LOS PERROS», UNA OBRA EN MARCHA

2.1. *Hacia «La ciudad y los perros»: primera escala, Madrid*

Esta segunda parte da cuenta del proceso de redacción y publicación de la novela, fundamentalmente a partir del intercambio epistolar entre Mario Vargas Llosa y su amigo Abelardo Oquendo, en el que aparecerán también referencias a los comentarios de Luis (o Lucho) Loayza, quien acompañó, de algún modo, al arequipeño en su segundo y decisivo viaje a Europa. También aparecen otros protagonistas, como el editor Carlos Barral, director de la editorial Seix Barral, que publicaría *La ciudad y los perros* en 1963, o sus compatriotas y amigos José Miguel Oviedo y Sebastián Salazar Bondy, entre otros[18].

La primera carta entre Vargas Llosa y Oquendo data del 10 de septiembre de 1958, tras unos doce días de viaje,

---

[18] Las cartas citadas en esta parte de la introducción forman parte de la correspondencia de Mario Vargas Llosa (C0641, subserie 3A, caja 89, carpetas 14-15) y de Abelardo Oquendo [C0778, caja 1, carpetas 3-9 (1958-1964)], quien adelantó parte de su contenido en 1999 (89-100), y se encuentran depositadas en la biblioteca Firestone de la Universidad de Princeton.

después de embarcar en Río de Janeiro —«esa ciudad frenética»—, a la que había llegado en avión junto a su mujer y donde se había encontrado con su colega Loayza. Vargas Llosa aprovecha la travesía para escribir artículos, que serían publicados en *Cultura Peruana* y hacer contactos en las escalas para conseguir colaboradores para *Literatura*. Justo el día en que cruzaron la línea ecuatorial, el 13 de septiembre de 1958, que solía celebrarse con una fiesta, Vargas Llosa seguía, incansable, fichando libros de Manuel González Prada, a la vez que confesaba a Oquendo que

> [e]n las noches, después de escribirte este resumen de actividades, pienso en la novela que quiero escribir y sudo frío y se me escarapela todo el cuerpo. ¿Te das cuenta, viejo, lo que sería haberse metido en esta aventura para concluir por hacer una piojosa cataplasma de novela?

Dudas lógicas y comprensibles, ante la perspectiva de semejante proyecto, que, en realidad, acababa de comenzar[19].

Paralelamente, va informando del trayecto y de las sensaciones que va experimentando, a modo de diario de viaje o cuaderno de bitácora. Ya desde su segunda carta a Oquendo, expedida cerca de Lisboa el 18 de septiembre de 1958, tras haber leído prensa española en las islas Canarias, comenta su impresión ante los efectos del fran-

---

[19] La Negrita, como llamaban familiarmente a Julia Urquidi, y también la Rotita por su origen chileno, recuerda de forma algo distinta el inicio de la novela: «Cuando estuvimos instalados [en el barco], le pedí a Varguitas que cumpliera la promesa que me había hecho: es decir, comenzar sus apuntes para escribir el libro sobre su paso por el colegio militar Leoncio Prado. [...] Todas las mañanas se sentaba al lado de la piscina a hacer sus notas. Por las noches, cuando no íbamos al cine, seleccionaba lo más interesante de cuanto había escrito, hacía fichas y escribía algunas páginas a mano. Aún tardaría cuatro años en finalizar el libro. Lo copié tantas veces a máquina, que lo sabía de memoria» (Urquidi, 1983: 72).

quismo. Apenas diez días después, desde la capital de España, tras desembarcar en Barcelona, se ratifica en sus sospechas: «La realidad comenzó a mostrarse solo un poco después, cuando un empleado de una librería, en las Ramblas, me advirtió que no había que pedir libros de Sartre en España» (Madrid, 28 de septiembre de 1958). En esta carta, además de hacerse eco del elevado coste de la vida en España, comenta también el estado de la prensa y el nivel cultural general al que asiste. En comparación con su país de origen, la España de la época no sale muy favorecida, sino que muestra la mediocridad ambiental que, de hecho, ya se esperaba.

Nada más llegar, solo el sueño de París lo motiva. Tras la victoria de los nacionales, apenas veinte años atrás, en la vida cotidiana se hace notar, a diario, la ideología conservadora de los vencedores: el control político se lleva a cabo, no hay que olvidarlo, gracias a la omnipresencia del estamento militar y a un estricto dominio de orden religioso y moral, que andan de la mano. Ambas instituciones, el ejército y la iglesia, son bien conocidas por el joven escritor, cuya adolescencia transcurrió bajo el dominio de la dictadura odriísta, período en que transcurre *La ciudad y los perros*. Por ello, va a ser muy crítico, en su intercambio epistolar, ante los símbolos que sustentaban el poder del general Francisco Franco.

Para el autor, aunque la vida en España como becario le permitía, por primera vez en su vida, hacer libremente lo que tanto ansiaba —escribir—, también lo limitaba por lo reducido de la oferta cultural del ambiente. Por su parte, la Universidad Complutense se le mostrará como un laberinto habitado por minotauros menos sensibles que el de Borges, y que, más bien, se parecían al Fafnir de la saga de los Nibelungos, ya que custodiaban el tesoro del archivo de Rubén Darío, donado apenas dos años atrás por la viuda del poeta, Francisca Sánchez. Así, la idea de Vargas Llosa de continuar en Madrid con su investigación sobre el nicaragüense se verá pronto truncada. De entre los cancerberos destacaba, sobre todo, a un académico, el catedrático Antonio Oliver, que por esos años estaba preparando su biografía sobre el poeta, que se titularía *Este otro Rubén Darío* (1960), y con la que obtendría el premio Aedos. Vargas Llosa tuvo que cambiar de planes sobre la marcha:

> [...] me han vuelto a cerrar las puertas del Archivo. En este país monasterio-cuartel la gente expulsa las energías intrigando. [...] Creo que tendré que hacer mi tesis sobre otro tema; no tengo el menor interés en darme de cabezazos con los archiveros, filólogos y caníbales que manducan los restos de Darío (Madrid, 26 de noviembre de 1958).

Tendrá que dejar en el tintero la relación epistolar que deseaba explorar a fondo entre Darío y dos escritores peruanos, José Santos Chocano —como tanteaba en su artículo ya citado de *Cultura Peruana*— y Francisco García Calderón. Y acabará matriculando una tesis doctoral sobre otro autor de forma casi improvisada: el poeta peruano José María Eguren. Apenas tres meses después de llegar a España, se le hacía ya difícil continuar y doctorarse en la Complutense, y comenzaba a sopesar otras opciones en Francia o Italia, ya que «[e]l drama de España me conmueve y espanta pero yo he venido a escribir y no a torturarme por la lepra que quiere devorar a un país que no es el mío» (Madrid, 26 de noviembre de 1958)[20]. Aun así, aprovechaba al máximo su experiencia en la capital española, siguiendo con sus aficiones, sus urgencias y sus deseos: «voy al teatro tres veces por semana, y siempre vocifero; duermo plácidas siestas, leo, escribo; intento [...] no sé por qué, ingresar al Instituto Cinematográfico; sueño con París» (Madrid, octubre de 1958). Un sueño que se hará realidad, aunque en algunos momen-

---

[20] Vargas Llosa obtendría la nacionalidad española muchos años después, en 1993.

tos se convierta en pesadilla, como se verá más adelante. En cualquier caso, ese lacónico «leo, escribo», escondía mucho más.

Más allá de su objetivo académico oficial, se hallaba su proyecto literario, que comenzaba entonces a despegar, y al que se entregaba con gran entusiasmo, como compartirá con Oquendo: «No creas que me escarbo las tripas: estas últimas semanas he trabajado como no lo había hecho nunca y el optimismo y la euforia me recorren como una onda eléctrica» (Madrid, 6 de diciembre de 1958). Trabaja, de forma frenética, en la primera versión de los capítulos iniciales de *La ciudad y los perros,* redactados en la cafetería El Jute, junto al parque del Retiro y de la pensión de la familia Bergua, en la calle Doctor Castelo, 12, 4to. 1.ª, donde se alojaba. Al mismo tiempo, toma su estancia en Madrid como un reto y como un momento crucial, mientras continúa con sus proyectos anteriores, que desembocarán en la que será su primera publicación en España, el libro de relatos titulado *Los jefes.* Un par de semanas después, contrarresta las dudas lógicas de los inicios y de la revisión de materiales anteriores con una frenética hiperactividad, que da muestra de su lucha creativa, con una imagen muy gráfica, con una pesada gravidez y un durísimo alumbramiento, en el que subraya la dura sensación física, no solo mental, del proceso de escritura:

> Después de unos días de debilidad, volví a ponerme a trabajar, olvidándome de la penosa relectura de mis cuentos. He conseguido liquidar el abatimiento, reemplazándolo por la neurosis y el desvelo. El desgarramiento y los dolores de una madre que, caminando, pare quíntuples, es una ridícula punzada de aguja, en comparación con lo que se siente al escribir una novela. Ignoro si siempre ocurre así. Pero yo estoy a salir loco: frente a la máquina siento malhumor, palpitaciones, odio, impotencia, excitación, fiebre, frío, diarrea, contención, ahogo, asco, vómito, vérti-

go, una inexpresable y espantosa desesperación (Madrid, 11 de diciembre de 1958).

Tras los primeros capítulos, escritos a mano en unos cuadernos Centauro Blue (cfr. apéndice), empieza a pasar a limpio una primera versión mecanoscrita, en la que comenzaba la ardua tarea de la reescritura, y que disparaba de nuevo los recuerdos («toda la tragedia y el sufrimiento de dos años, que creía olvidados»), no tan lejanos, en forma de pesadillas, refiriéndose a su paso por el Colegio Militar Leoncio Prado, cuando realizaba el tercer y cuarto curso de secundaria:

> Dejo la máquina y me acuesto: sueño despeñarme por abismos larguísimos y siniestros en cuyas simas me aguardan las lucientes bayonetas de los cadetes del Colegio Militar como una anchurosa cama de fakir, o revivo los malditos sábados y domingos de consigna, paseándome como una fiera rabiosa dentro de la grisácea cárcel de la Perla, sin poder salir, y las humillaciones matutinas, vespertinas y nocturnas, constantes, ineludibles, bochornosas, de suboficiales, oficiales, brigadieres; la rutina y la disciplina, devorándote como un océano de arenas movedizas, hasta succionarte la más mínima capacidad de raciocinio; la horrorosa soledad en medio de un mundo íntegramente hostil; las noches interminables, tendido en una litera, soñando con Miraflores, en la hosca oscuridad de la cuadra; la maniatada búsqueda del amor en las escasas salidas [...] (Madrid, 12 de diciembre de 1958).

Recuerdos, como el de su amor venal por una prostituta «menuda, grave, bondadosa», que le reportó una gonorrea adolescente, y que transformará, de forma ficcional, en la Pies Dorados, por ejemplo[21]. La escritura le trae pedazos del pasa-

---

[21] Experiencia que mezclará con sus lecturas de novela erótica francesa dieciochesca, realizadas en la biblioteca del Club Nacional y, en especial, las de Restif de la Bretonne, fascinado por el pie femenino como fetiche (Vargas Llosa, 1993: 336).

do, concatenados, de forma desbocada, que lo llevan a reflexionar sobre la relación entre realidad y ficción, uno de los temas que le van a preocupar a lo largo de toda su trayectoria:

> Ahora mismo releo este párrafo: es artificioso y declamatorio, falsifica mortalmente la verdad. Es eso exactamente lo que está ocurriendo en lo que escribo. Me doy cuenta a pesar de que no he querido releer las setenta páginas que tengo acabadas. Las voy a dejar aquí en Madrid: volveré a seguir trabajando, cuando regrese, dentro de cuatro semanas más o menos. Adjetivos aparte, cada vez desconfío más de mí mismo. Si antes de terminar el año de beca no escribo algo que realmente me parezca valioso, creo que voy a rectificar mis planes: sería una tontería que insistiera en hacer cojudeces decorosas (Madrid, 11 de diciembre de 1958).

La memoria del pasado se mezcla con la autocrítica del presente en un discurso que parece vomitar, sin filtro apenas, quizás debido a la lectura en la que se hallaba inmerso por aquel entonces, y que acompaña su vocación desde un principio, como él mismo advierte, irónicamente, a Oquendo, a miles de millas de distancia, en otra carta algo anterior, del 6 de diciembre: «[...] y ya me enredé, carajo, porque estuve leyendo al cojudo de Faulkner y me siento a la máquina y vomito chorros esquizofrénicos [...]». También lo precipitaba su segundo viaje a París, una ciudad que ya conocía, cuyo sabor ya había probado, cuyo aire ya había respirado, y el agobio que sentía, de forma cada vez más intensa, en la capital de España, tan parecida a la Lima del Ochenio:

> Mañana parto para París [...]: quisiera comunicarte el desasosiego afiebrado que tengo ante la perspectiva de saltar de la Edad Media al siglo XX, la frenética alegría de volver a encontrar un mundo respirable sin censores, sin Opus, sin mentiras, sin filólogos demasiado visibles, sin *ABC,* un mundo libre, donde se discuta y se piense en voz alta, con teatros, con revistas, con escritores de verdad (Madrid, 11 de diciembre de 1958).

A dos días de su regreso de esta segunda corta visita a París, prospectiva, Vargas Llosa se siente todavía conmocionado, en comparación con todo lo que significaba volver al provincianismo y a la cerrazón de la capital española de esa época, un contraste absoluto:

> París transtorna y desequilibra: te sume en un vértigo, alucinante, formidable y mortal, del que espero me libre, en pocos días, la pastosa rutina española. Un mes es un plazo relativamente corto, pero creo haberlo aprovechado bastante bien. He visto buen cine y buen teatro, he conocido a algunas personas interesantes, he descubierto que el periodismo puede ser un género literario de primer orden, me he sentido bien (Madrid, 17 de enero de 1959).

A su regreso, vuelve a revisar todos los materiales que había dejado reposar, y continúa «trabajando un poco», como sigue comentando a Oquendo:

> Terminé los dos primeros capítulos de la novela y me parece que están bien. Te la mandaré cuando la termine. Quizá llegue a tiempo para el concurso de Mejía Baca. Si no, tal vez se pueda colocar en uno de los festivales[22] (Madrid, 3 de febrero de 1959).

Sus expectativas, por tanto, todavía parecían reducirse a su posible vuelta al Perú, a conseguir un reconocimiento en el ámbito nacional. Pero seguía luchando, a brazo partido, aunque se resistía, a pesar de los avances, con mucho esfuerzo, en la tarea de corrección y revisión de los materiales, para que fueran tomando forma, algo nada fácil, un reto que lo fascinaba:

---

[22] Se refería a los festivales del libro que, por aquellos años, organizaba Manuel Scorza (cfr. Gras, 2001).

En la novela avanzo y me retuerzo. Me cuesta mucho trabajo. Creía tener el argumento perfectamente armado y ahora le encuentro puntos débiles, lunares, incoherencia. Me paso horas enteras corrigiendo unas páginas o tratando de cerrar un diálogo y de pronto me lanzo a escribir sin parar una decena de páginas. No tengo la menor idea acerca de cómo está saliendo, pero me siento embriagado. Escribir es lo único realmente apasionante que existe (Madrid, 6 de abril de 1959).

De hecho, una de las imágenes que se repetirá en su correspondencia será la de la escritura de la novela como si estuviera, de algún modo, condenado a trabajos forzados, «como un galeote» (Madrid, 17 de abril de 1959), remando incansablemente por el proceloso mar de la imaginación. Y con un futuro inhóspito, ya que, en esa misma carta, recordaba que solo le quedaban cuatro meses de beca y el plazo pendía sobre él como la espada de Damocles.

2.2. «Los jefes» (1959) y el premio Leopoldo Alas: una pequeña confirmación

A pesar de todo, los esfuerzos comienzan a dar fruto en forma de un primer premio, el Leopoldo Alas de cuento, cuya noticia recibirá el 7 de febrero de 1959, y que le permitirá ver publicado su primer libro, *Los jefes,* en la barcelonesa editorial Rocas. A finales de marzo, Vargas Llosa viaja a la Ciudad Condal —donde se había alojado a su llegada a España, en la pensión Fernando— para recoger el premio y conocer a los organizadores:

Barcelona es una ciudad muy hermosa: me ha hechizado. La había conocido muy por encima. Esta vez la recorrí íntegra. En el asiento trasero de una motocicleta ascendí al Tibidabo y a Monjuich [sic], recorrí sus anchas calles y avenidas europeas, el barrio de los pescaderos, sucio y oloroso y el largo malecón contiguo a ese barrio, que me hizo pensar en Río. Los barrios chino y gótico los hice a pie, de noche, discutiendo de literatura (Madrid, 1 de abril de 1959).

Sin embargo, a pesar de esa imagen y de la simpatía de los miembros del jurado del premio[23], su primera experiencia con la censura española será, justamente, con la publicación de *Los jefes*. En este caso, la respuesta que va a obtener va a ser fácil de solventar, puesto que solo le van a pedir un par de molestos cambios, como continuará informando a Oquendo: «La censura me devolvió el libro, junto con una extensa carta en la que pide a Dios que me dé larga vida, después de indicarme, secamente que suprima las palabras "puta" y "maricón"» (Madrid, 17 de abril de 1959).

Mientras tanto, el 23 de mayo de 1959 emprende un viaje en solitario a Marruecos y, unos meses después, tras un viaje a Italia en camping, en agosto de 1959, decide abandonar Madrid definitivamente, aunque apenas se había quedado un año. Buscaba, sin éxito, desesperadamente, becas —incluso en Alemania Oriental—. Al mismo tiempo, le denegaron prorrogar cuatro meses la que había tenido en España, que era el tiempo que decía necesitar para acabar la tesis (Madrid, 8 de julio de 1959). No obstante, a pesar de todo ello —o, quizás, precisamente, por ello—, el joven Vargas Llosa se lanza, en los siguientes meses, sin red, a su definitiva aventura parisina, con apenas una pequeña beca de 36.000 francos, del gobierno francés, que obtuvo apoyado por Porras Barrenedrea.

---

[23] Los médicos Martín Garriga Roca y Manuel Carreras Roca eran los mecenas y fundadores de la editorial, de ahí su nombre. Formaban también parte del jurado, junto a Esteban Padrós Palacios, Enrique Badosa, Manuel Pla y Salat Gonzalo Lloveras, Miguel Dalmau y Juan Planas Cerdá.

2.3. ¿Otro americano en París, o pobre gente de París?

La primera carta que envía Vargas Llosa, desde París, a su amigo Abelardo Oquendo, data del 21 de agosto de 1959, y lo primero que hace es disculparse por haber tardado en hacerlo, sumido no tanto en las maravillas de la ciudad sino en las penurias de la supervivencia, desde una pequeña habitación en el hotel Wetter —9 rue de Sommerard—, de la capital francesa. La fecha, realmente, no era la mejor para recurrir a amigos o conocidos, ni siquiera para ser atendido por las instituciones oficiales, ya que coincidía en pleno período vacacional estival en Europa. Por este motivo, tenía que recurrir a una simbólica quema de las naves, es decir, al dinero del pasaje de vuelta, para poder pasar esos días hasta el reinicio de la actividad laboral. Mientras tanto, el joven escritor hará lo que había ido, precisamente, a hacer:

> Para evitar la reflexión y el suicidio, los otros cinco días me he dedicado a trabajar a fondo. Solo salgo del hotel, prácticamente, para comer. He dado un buen empujón a la novela y cada día me convenzo más de que esto sí puede ser algo valioso. Olvídate de todas las estupideces que he escrito, ejercicios ridículos de adolescente: tengo la impresión que si la novela sale tal como la presiento, seré, por fin, un escritor. Te confieso que es lo único que me retiene en Europa. Si veo que todo es un espejismo, haré las maletas y —no sé cómo— me regreso a Lima y no vuelvo a escribir una línea. No sabes cuánto lamento que no estés aquí (París, 21 de agosto de 1959).

Para poder resistir, pensaba en la posible venta de un terreno en Perú, porque el dinero con el que podía contar hasta entonces, incluido el del billete de vuelta, no podía durarle más de un mes y medio, y no sabía, en esos instantes, cómo resolver la situación y comenzar a ganar dinero para mantenerse él y su mujer, ya que ni podía cobrar su exigua beca ni sabía nada del resultado de otras a las que había postulado en Alemania. Sin embargo, a pesar de las dificultades cotidianas, añadía:

> ¡es tan maravilloso escribir en París! La ventana de mi hotel da a la calle; en las mañanas el sol da una luminosidad mágica a este cuarto y el optimismo me ahoga; en la tarde, llueve y me deprimo horriblemente. Ese es exactamente el contraste que necesito trasladar a la novela. Dudo que en alguna otra parte pueda quedarme sentado a la máquina cinco horas seguidas. Creo que el dinero del terreno bastará para mantenerme hasta que la termine. Después veré la forma de regresar (París, 21 de agosto de 1959).

En su siguiente carta a Oquendo, Vargas Llosa seguía con la nostálgica necesidad de continuar con la revista *Literatura,* a la vez que le manda su libro, *Los jefes,* aunque se desentiende de parte de la obra, acaso por pudor: «No tengo la culpa del prólogo y el colofón[24] que conocí aquí; solo de los cuentos adolescentes» (París, 9 de septiembre de 1959). Trataba de conseguir algún dinero por cualquier medio, ya que no veía cómo quedarse de otro modo en París, hasta el punto de pensar ya en un pronto regreso, y en las posibilidades de trabajar juntos, quizás, de nuevo, en Lima, ya que encontrar algo en la capital francesa le parecía prácticamente, imposible. Y su situación va a seguir empeorando en las semanas siguientes, aunque, a pesar de todo, seguía escribiendo:

> Tengo algunos cuentos sin terminar y el tiempo que tengo libre y el poco ánimo de que ahora dispongo lo dedico a la novela, que va avanzando mal que mal.

---

[24] Se refería al prólogo de Juan Planas Cerdá. En cuanto al colofón, solo se indica, como es habitual, la fecha y lugar de impresión (julio de 1959, en los talleres Socitra de Barcelona).

> Mi situación, en cambio, empeora. [...] Naturalmente no tengo cómo [sic] vivir hasta enero, apenas me quedan unos docientos [sic] dólares, lo suficiente para un mes y medio. [...] si tengo que ir a Les Halles, a cargar verduras en la madrugada, será una experiencia aprovechable (París, 26 de septiembre de 1959).

Unas semanas después, no obstante, empezó a resolver los problemas más acuciantes de subsistencia, volviendo al ritmo ya conocido del pluriempleo, como había hecho en Lima. La ilusión de vivir en París hace que se tome cualquier obstáculo con humor. Uno de los trabajos será como profesor de español en la misma academia en la que James Joyce había sido profesor de inglés en Trieste, la reconocida Berlitz. También llevó a cabo tareas de traductor en la Agencia France Press, donde coincidirá con Julio Ramón Ribeyro[25]. Otro de los trabajos que conseguirá, y sigue describiendo en la misma carta, será el de los programas en español, dirigidos al público de América Latina, emitidos desde la RTF. Este, de hecho, será el puesto que acabará desempeñando durante más tiempo, hasta el final de su estadía parisina. Finalmente, también ejerció una labor más peregrina, de entre toda «[e]sta acumulación de empleos pintorescos», como él mismo dirá, que le ayudaba a llegar a fin de mes:

> Por último, lo increíble: dos horas al día hago de escritor fantasma. Hay una peruana que vive en el hotel. Ha dado la vuelta al mundo dos veces y publicado ya un libro sobre el Asia. Después de rondarme un buen tiempo terminó ofreciéndome servirle de corrector de estilo: ella crea en bruto y yo pulo. El asunto está resultando mucho más sorprendente de lo que había imaginado (París, 25 de octubre de 1959).

---

[25] Quien tampoco lo tuvo fácil en la Ciudad Luz. Como tantos otros escritores, entre los que hay que incluir también a Gabriel García Márquez.

El proyecto saldrá adelante, y se publicará en Lima, en los talleres gráficos de P. L. Villanueva, con el título de *Pieles negras y blancas* (1960), firmado por Cata Podestá, aunque, como ha indicado Guillermo Niño de Guzmán (2013: 36-37), bien podría ser considerada, acaso en la práctica, la primera novela de Vargas Llosa. Sin embargo, como buen «autor de alquiler», trató de reproducir, al máximo, el estilo, repleto de exotismo, de su empleadora, quien le dictaba sus aventuras africanas, por las mañanas en párrafos como este:

> En África, la sabia naturaleza agrupa a los animales en manada, a los negros en comunidades o tribus y a los blancos en clubs. Una mujer blanca, viajando sola por ese continente tendrá que hacerse valer por muchos y aceptar la explotación para seguir adelante (Podestá, 1960: 93).

Una experiencia que recordará también jocosamente Julia Urquidi (1983: 103), junto con el pago religioso de los viernes, y que le servirá a Vargas Llosa de base para *Kathie y el hipopótamo* (1982), obra teatral protagonizada por Santiago Zavala, personaje central de *Conversación en La Catedral*.

En cualquier caso, el alto precio a pagar por la supervivencia era, como es lógico, el tiempo, ya que le tomaba casi todo el día ir de acá para allá desempeñando tan diversas funciones. Aun así, lograba sacar horas para seguir avanzando en la novela, en la que creía («Todavía creo que puede ser algo bueno»), a pesar de instantes de dudas, cuando no podía dedicarse a ella todo lo que deseaba y necesitaba. El único día que se tomaba libre era el domingo, aunque aprovechaba también para alimentarse culturalmente, asistiendo a museos y exposiciones o yendo al teatro. A principios de 1960, la exigencia de los trabajos de supervivencia continuaba siendo tan importante que había tenido que dejar su proyecto literario en un segundo plano:

> La literatura está olvidada, traicionada, engañada, escarnecida. No escribo nada hace tiempo. Mi novela se apo-

lilla, inconclusa; lo mismo, tres cuentos. Después de terminar esta carta trataré de terminar rápidamente los artículos para *C[ultura]. P[eruana]*. Es lo único que escribo. Espero tener un respiro el próximo mes, en que disminuyen las lecciones en la Berlitz. Por lo demás, si no consigo otra cosa, un trabajo más decente, después del verano creo que regresaré. Trabajando como un camba[26], no tiene sentido quedarse en París; es una pérdida de tiempo (París, 12 de febrero de 1960).

Sin embargo, un mes después, volvía a retomar su proyecto, con fuerzas renovadas: «He vuelto a ocuparme de la novela. Creo que esta vez ya no paro hasta terminarla. La he releído y me parece bastante buena, aunque todavía hay que corregir bastante. Calculo unos dos meses más de trabajo» (París, 14 de marzo de 1960). Los altibajos pueden resultar algo normal y frecuente en el proceso creativo, que depende de múltiples factores, tanto ambientales o contextuales como, en este caso, debido a la gran carga de trabajo y el poco tiempo para dedicarlo a la propia obra, como intrínsecos y consustanciales a la producción, por las dificultades inherentes a la escritura. La angustia por la falta de tiempo y el cansancio por el pluriempleo llevaban consigo momentos de hundimiento, mientras que la posibilidad efectiva de concentrarse en su proceso creativo conducían, a menudo, momentos de euforia.

Un par de semanas después, imaginaba cómo podría cambiar su vida si tuviera más oportunidades para dedicarse a la escritura: «Si tuviera los días libres, todavía me quedaría un tiempo, podría terminar la novela, escribir otras cosas que planeo hace tiempo» (París, 3 de abril de 1960). Y sigue compartiendo descubrimientos, como el de Claude Lévi-Strauss: «[...] te diré que desde la época en que descu-

---

[26] Término usado en Bolivia, proveniente del guaraní y que significa «negro».

brí a Sartre ningún otro autor me había exaltado tanto». Los arrebatos ideológicos le ayudan también con las temidas «crisis de desánimo», sobre todo cuando iban acompañados también de un fuerte impulso creativo, como el que parecía estar experimentando:

> Ocurre que trabajo en mi novela maravillosamente. Ya no me asaltan esas dudas, esas depresiones súbitas que me detenían todo el tiempo. He conseguido disciplinarme y hace más de un mes y medio que dedico cuatro o cinco horas diarias al trabajo. Siento otra vez la exaltación fascinante de escribir y, creo que por primera vez, tengo fe en lo que hago. Pronto terminaré la primera redacción y comenzaré inmediatamente la segunda que espero sea definitiva. No quiero descuidar ahora la novela y por eso no intentaré presentarme al concurso de cuentos[27], tendría que corregir y terminar los que tengo y (hora de la emisión, lo siento) (París, 29 de junio de 1960).

El corte repentino correspondía al inicio del programa radiofónico nocturno en el que trabajaba, su empleo más estable, en las emisiones en español de la RTF. Tras largos meses de tensiones políticas, tanto en Francia, con la guerra de Argelia de fondo y la masacre de París en primer plano, como en el Perú, durante la etapa final del gobierno de Manuel Prado Ugarteche, Vargas Llosa le cuenta a Oquendo el 8 de diciembre de 1961 que, azarosamente, se había hecho realidad uno de sus sueños:

> Anoche oí hablar a Sartre. Ya sabes que esta era una vieja aspiración de adolescente. [...] estoy muy impresio-

---

[27] Hasta 2019, con «El hombre de negro», *Letras libres,* 247 (2019: 10-16), Vargas Llosa no había vuelto a publicar ningún cuento, a excepción de «Ma parente d'Arequipa» (1981), traducido por Albert Bensoussan (2003: 61-65).

nado y tengo una urgencia por hablar de eso, horas de horas. [...] los amigos que tengo aquí [...] no pueden comprender lo que esto significa exactamente [...] pensarían que soy un pequeño burgués incorregible, un alienado, un beato. Tú y Loayza, en cambio, saben que Sartre no es para mí una estrella de cine, sino un instrumento, el único creo que tiene respuestas precisas y definitivas para los problemas que me tocan de veras.

Loayza era quien lo había bautizado, burlona y amicalmente, como el «sartrecillo valiente», jugando con el título del conocido cuento infantil, que fusionaba con el apellido del famoso filósofo existencialista. Así que este encuentro fue, realmente, muy importante para el joven Vargas Llosa, para quien representaba la encarnación del intelectual integral, orgánico, que le servía de modelo, en el que quería convertirse y en quien deseaba reflejarse.

Por otra parte, también por esas mismas fechas, Vargas Llosa comenzaba a atisbar el final del túnel del proceso de escritura de la obra que acabaría convirtiéndose en *La ciudad y los perros,* y tanteaba el terreno para considerar su publicación en Perú, pero todavía le quedaba mucho trabajo, más del que se imaginaba, por delante:

> He trabajado mucho en la novela estas últimas semanas y me siento un poco saturado. Ya está casi terminada. Finalmente tendrá unas 500 páginas. Solo tengo que corregir algunos episodios, creo que de manera general me satisface. Avísame si hay alguna posibilidad de publicarla allá. (París, 8 de diciembre de 1961).

Mientras tanto, su compañero de aventuras parisinas, Loayza, había regresado a Lima, y se había incorporado a trabajar en el recién fundado periódico *Expreso,* como le relataba Oquendo (Lima, 30 de diciembre de 1961). Muy posiblemente, Vargas Llosa pensaba que ese podía ser también su propio destino.

60

2.4. *El tramo final*

A principios de 1962, Vargas Llosa comenzaba a enfilar ya el tramo final de la escritura de su primera novela. Sin embargo, todavía no tenía claro a qué editorial podría enviarla, e incluso temía tener que dejarla en un cajón después de tanto esfuerzo. Eran momentos de gran agotamiento mental, y físico, porque comenzaba a descubrir que esa última etapa, de múltiples correcciones y reescritura, era, precisamente, la más dura, la que requería también de más disciplina, por el cansancio acumulado, como le confesará a Oquendo:

> [...] la verdad es que estoy completamente absorbido por la novela y en las noches ya no tengo aliento para sentarme a la máquina.
>
> No puedes saber hasta qué punto es fatigoso y exasperante este trabajo. A medida que avanzo en la revisión, tengo la sensación de que las arenas movedizas me devoran. Podría pasarme toda la vida corrigiendo el texto; a veces es el argumento, que presenta huecos, contradicciones, vaguedades; otras, el diálogo, demasiado forzado, vulgar o rígido; otras, la técnica. Y cada corrección me obliga a rehacer capítulos íntegros, porque todo se modifica. En fin, a pesar de que estoy convencido de que con un poco de paciencia y de esfuerzo, la novela podría salir realmente bien, he decidido dejarla tal como está. Me deprime su dimensión (700 páginas), su tema y ya no tengo simpatía por los personajes. Me parece que le he dedicado demasiado tiempo, es mejor que pase a otra cosa. Ojalá se pueda publicar allá, aunque su extensión espantará a los editores. Sería triste que se quedara inédita (París, 10 de febrero de 1962).

Esa capacidad de trabajo, al límite, será también fuente de inspiración para Vargas Llosa en la recta final de su primera novela, de la que prometía, en la misma carta, mandarles ya una copia a últimos de mes, y para la que manejaba ya algunos títulos, entre los que destacaba el de *Los impostores,* aunque también había otras posibilidades, que les consultaba —*Colegio Militar, Las cuadras*—. Loayza será el primero en responder, esta vez porque le recriminaba haberle pedido ya el título en varias ocasiones:

> Por cierto que todos los que propones me parecen muy malos. *Los impostores* es muy flojo y recuerda a otros cien títulos, si es que ya no fue utilizado; *Colegio Militar* es título como para una opereta cinematográfica mexicana); *La vida en las cuadras* es francamente humorístico. No se me ocurre ningún título aunque sí, en este momento, una idea. Puesto que la novela es sobre adolescentes, una crítica feroz de la versión usual, inocente e idílica de la adolescencia, [¿]por qué no aludir a eso con un título como *La Edad de Oro* o algo así? En fin tengo que leerla antes de proponer nada (Lima, 8 de marzo de 1962).

Vargas Llosa se demoraba en el envío del mecanoscrito, como él mismo reconocerá, en parte, debido al *impasse* en que se hallaba tras darle punto final:

> [...] Estoy esperando algún viajero para mandarles la novela. Uno se queda un poco inquieto cuando termina una obra a la que ha dedicado tanto tiempo, no sabe qué hacer con esa libertad súbita. He pasado unas dos semanas sin hacer nada, sumido en una suave modorra (París, 31 de marzo de 1962).

En ese tiempo libre, como seguirá comentando en esta carta, jugaba con la idea de sacar de nuevo la revista *Literatura,* a la que consideraba «un refugio decoroso, honesto», pensando en su posible regreso a Lima. Y, al mismo tiempo, en aquellos momentos, extrañaba a sus amigos, deseaba tenerlos al lado en un momento tan decisivo como aquel, hasta el punto de pedirle a Oquendo, siquiera, «una foto tuya y de Luis, juntos, para ponerla en el escritorio, junto a los libros de Sartre, bajo una gran cachimba bretona, a la izquierda de un fragmento de tejido "Chancay" (mil años de antigüedad), que me regaló Sebastián: es el sitio más visible» (París, 4 de marzo de 1962). Necesitaba tenerlos cerca, de algún modo, en un instante en que se sentía solo, tras acabar su primer proyecto literario ambicioso, agravado por una crisis matrimonial que acabaría siendo definitiva.

En esos momentos de tensión conyugal, y en los múltiples intentos de reconciliación, a menudo se comunicaban los todavía esposos Vargas con pequeñas notas, entre las que vale la pena destacar la siguiente, dirigida a su mujer Julia, que trabajaba en aquel tiempo también en la RTF, como él, y donde se puede observar cómo, por un lado, el escritor había logrado que aceptaran en una importante editorial francesa su mecanoscrito, para revisión, y, por otro, cómo, aún antes siquiera de conseguir publicar su primera novela, ya comenzaba a ser conocido internacionalmente, no solo en Francia, sino en una publicación fundamental para la época como es el semanario *Marcha*:

> *Madame* Julia Vargas— *Chère Madame*: [...] Tengo muy buenas noticias para anunciarle: a) *Marcha* de Montevideo me acepta como colaborador y me apresura para hacer la traducción del libro de Couffon; b) el jueves aparecerá en *Las Letras Francesas [Les Lettres Françaises]* un artículo sobre la representación de *La bella Malmaridada* de Lope de Vega en el Teatro de las Naciones; c) Couffon me dice que, probablemente, Ruedo Ibérico me pida escribir un ensayo sobre Vallejo de cien hojas, seguido de una antología; d) mi libro ya está en la Comisión de Lectura de Julliard [...] (París, 22 de mayo de 1962, Urquidi, 1983: 115).

En todo ello se puede observar la mano del emblemático hispanista y traductor Claude Couffon, que era un estrecho colaborador de Maurice Nadeau, tanto en su revista *Les Lettres Françaises* como en su editorial, Julliard (cfr. Nájar, 2013). Sin embargo, Couffon no se detuvo ahí, sino que intervino, de forma providencial y decisiva, en el futuro del joven escritor, al hablarle de su novela al editor de Seix Barral (Couffon, 2009: 329-331). Así, después de la intervención de Couffon, Vargas Llosa escribirá a Carlos Barral proponiéndole revisar la novela, y luego recibirá una respuesta del editor, el 28 de mayo de 1962, interesándose por el mecanoscrito para someterlo al comité de lectura de su editorial. Barral asignó el manuscrito a un lector de su editorial, Luis Goytisolo, aunque finalmente él leería también la obra durante el verano, convenciéndose de su gran potencial[28].

Años más tarde, preguntado al respecto, públicamente, Vargas Llosa había señalado la importancia del hispanista y traductor francés Claude Couffon, quien, tras saber que el escritor había mandado su obra a distintas editoriales, sin éxito, le aconsejó ponerse en contacto con la editorial Seix Barral:

> me dijo: «Hay en Barcelona una editorial que lucha por publicar literatura de vanguardia, ¿por qué no la envías allí?». Yo le contesté: «No creo que mi novela tenga ninguna posibilidad de ser publicada en España». Me dijo: «No hay problema, porque a ellos si la novela les interesa la publicarán afuera». Habían publicado una novela de Juan Goytisolo —me confesó Couffon— en México. [...] Pensé que el silencio de Seix Barral era una manera diplomática de rechazarla, de decirme que la novela no les había gustado, pero siempre recordaré una mañana en que, al despertarme, me sorprendió la llegada de un telegrama, un telegrama de Carlos Barral (Vargas Llosa, 1985: 14).

---

[28] Como analiza Carlos Aguirre (2016: 82-83), existen diversas versiones sobre el papel de Luis Goytisolo en identificar el valor del mecanoscrito, así como el motivo por el que Carlos Barral decidió leerlo personalmente.

No obstante, no será el único pretendiente que tendrá. Unas semanas después, el 2 de julio de 1962, Julio Cortázar, desde su dirección parisina, escribirá a Joaquín Díez Canedo, que comenzaba su andadura al frente de la editorial mexicana Joaquín Mortiz, para disculparse por no poder enviarle ningún original para formar parte de su catálogo y proponerle, en su lugar, la novela de Vargas Llosa. Poco después, su amigo Salazar Bondy le hará llegar también copia de una carta que le había enviado al escritor español Juan Goytisolo, hermano de Luis, quien trabajaba como lector para la prestigiosa editorial francesa Gallimard. En aquella carta, fechada en Lima, el 6 de agosto de 1962, el limeño le proponía de forma entusiasta a Goytisolo que leyera la novela.

Asimismo, Salazar Bondy aprovechaba para comunicar a Vargas Llosa la franca impresión que le había producido la lectura del mecanoscrito de la novela, y se permitía indicarle algunos pequeños cambios —que, como se verá más adelante, coincidían, en parte, con las recomendaciones de Oquendo y Loayza—. Pero, sobre todo, llevaba a cabo un primer análisis, breve, aunque de notable profundidad, en el que demostraba ver más allá de la historia concreta del Leoncio Prado, que trascendía los límites nacionales y captaba, como no podía ser de otra manera, dada su experiencia, la crítica social y política implícita que podía aplicarse a toda América Latina, por lo que seguirá recomendando su publicación, como menciona, a otras editoriales, en Argentina y México:

Como sabes, la terminé de leer. La lectura completa el conjunto y, salvo detalles (como aquel de la guerra con el Ecuador, que puede suprimirse sin desmedro), es una exposición de la crisis socio-económica del Perú a través de la juventud de su clase media, tensa entre la inevitable proletarización y su inclinación rastacuera al modo de vida oligárquico. No hay crisis de la juventud —bien se sabe—, sino juventud de la crisis, y en tu novela veo el muestrario de las contradicciones del mundo subdesarrollado, inarmónico y deforme en el cual precariamente vivimos. Esto estallará, está estallando. De ahí que crea que no hay que postergar demasiado la publicación (6 de agosto de 1962).

A pesar de la confianza y las recomendaciones de los amigos —y admirados colegas—, todo ello motivo de contento, sin duda, ya que demostraba el apoyo y el reconocimiento de sus pares, Vargas Llosa se enfrentaba a algunos problemas, familiares y domésticos. El más grave fue la catástrofe aérea en la que falleció su prima Wanda Llosa, hija de los tan queridos tíos Lucho y Olga —hermana de Julia—, el 23 de junio de 1962, en Pointe-à-Pitre. La joven, recientemente prometida, llevaba una larga temporada viviendo con el escritor y su esposa en París, y se le había unido su hermana pequeña, Patricia, un tiempo atrás. El escritor tuvo que viajar hasta la isla de Guadalupe para recuperar sus restos y seguir hasta Lima para llevárselos a la familia, una experiencia dura y dolorosa.

Mediante el trabajo, trataba de amortiguar el dolor de la pérdida de su joven prima, y también intentaba poner en orden el terremoto sentimental que experimentaba en aquellos días, y que lo acercaba, cada vez más, a su todavía adolescente prima Patricia, transida por la pena de la muerte de su hermana Wanda, y que lo distanciaba de su todavía esposa, Julia Urquidi, tía de las jóvenes.

2.5. *Historia (ya no tan) secreta de un premio*

Mucho se ha escrito sobre el premio Biblioteca Breve recibido por Mario Vargas Llosa, como indica Mario Santana (2000: 74-75). Existen múltiples versiones en las que se atribuyen unos y otros el mérito de haberlo rescatado la novela del montón de mecanoscritos recibidos. Por ejemplo, como refiere Armas Marcelo (1991: 27-28), Barral apuntó en diversas ocasiones que fue él mismo quien lo desenterró de entre los libros apilados presentados al premio. Sin embargo, la correspondencia de Vargas Llosa revela que el interés del editor fue anterior incluso a su presentación al premio, ya que fue el mismo Barral, después de leer el texto y verse deslumbrado por sus páginas, quien, a principios de septiembre, optó por viajar a París para ver a Vargas Llosa y proponerle la publicación del libro en su editorial. Asimismo, también le propuso presentar el original al premio Biblioteca Breve, que se iba a fallar a principios de diciembre, como parte de la estrategia para su promoción, y también para facilitar su paso por la censura.

Por lo tanto, a menudo, la realidad es mucho menos romántica y heroica, mucho más terrenal que el relato que se impone como historia oficial, embellecido por una cierta épica, recubierto de silencios y deformado por el paso de los años. Como ocurre en este caso, cuando se lee la carta que escribe desde París, una vez más, Mario Vargas Llosa a Abelardo Oquendo, donde se da cuenta de lo que significó, finalmente, ese encuentro:

> Hace tres días cayó a la casa de improviso el editor Carlos Barral de Barcelona. Está entusiasmado con mi novela. Después de releerla yo la encontré juvenil y mediocre y ni siquiera la mandé a México así que le dije a Barral que no quería ya publicarla, en todo caso no antes de rehacerla. Pero él no quiere que la toque, quería obligarme a firmar el contrato en el acto y para convencerme me propuso un anticipo de doscientos mil francos (París, 15 de septiembre de 1962).

En esta misma carta continuaba dando detalles de la visita sorpresa de Barral, adelantando, incluso, aspectos concretos que van a convertirse, más tarde, en cuestiones clave de la publicación de la novela, como será el tema, ineludible, de la censura: «Me aseguró que la censura no suprimirá nada, pero que en caso de que quiera hacer cortes, hará dos ediciones simultáneas, una censurada (de cien ejemplares) y la otra integral de cuatro mil». Como poco, resulta interesante la revelación de esta práctica, no tan conocida, para sortear la censura imperante en el momento en la España franquista. Sin embargo, en este caso, no parece que se recurriera a esta opción, después de todo[29].

Por otro lado, a partir de los detalles que sigue comentando Vargas Llosa, puede observarse cómo Barral ya comenzaba a actuar como agente, de algún modo, de su posible autor, al prohibirle, tajantemente, mover la novela entre editoriales extranjeras: «Le dije que estaba en comité de lectura en Julliard y me exigió que la retirara porque dice estar seguro de colocarla en Gallimard, en mejores condiciones, y también de vender los derechos al inglés, al alemán y al italiano» (París, 15 de septiembre de 1962). También le pidió que tuviera lista la versión definitiva en un mes, a mediados de octubre. La urgencia del plazo estaba relacionada con su presentación al premio Biblioteca Breve, tal como le había mencionado Barral a Vargas Llosa antes del verano. De hecho, el plazo de entrega de manuscritos ya se había cerrado, pero Carlos Barral quería seguir adelante en cualquier caso. En su correspondencia con Oquendo, Vargas Llosa consideraba «completamente inmoral» este procedimiento (París, 15 de septiembre de 1962), aunque, a pesar de ello, se avino a seguir los planes del editor[30].

---

[29] El cotejo entre la primera —en el ejemplar de José María Valverde— y la segunda ediciones —ambas fechadas en octubre de 1963— no revela ningún cambio relevante, solo una corrección necesaria, por el error de repetición de una frase, y la supresión de una fotografía, como se referirá posteriormente.

[30] Para un mayor detalle sobre la forma en que Carlos Barral gestionó la presentación del manuscrito al premio, véase Aguirre (2016: 88-96).

En relación a este plazo, va a requerir de sus amigos que lo ayuden a revisar la novela para enviar la versión final, ya que se veía incapaz de llevar a cabo ese último paso por la saturación, después de tanto tiempo leyendo y releyendo sus páginas, que le impedía ver ya nada, al tiempo que les pedía máxima discreción («Y que nadie se entere, hermano, de este proyecto»):

> En ese tiempo no podré sino corregir algunos capítulos y, como estoy embrutecido y no veo con claridad cuáles son las fallas más saltantes, quisiera que tú y Lucho me ayudaran. ¿Qué partes se pueden suprimir, qué frases convendría cambiar, etc.? No dejen de hacerlo, por favor, y lo más pronto posible, pues tengo que mandar el libro antes del quince de octubre. Me gustaría que me indicaran los cambios posibles de manera bien precisa, indicando incluso el número de página (París, 15 de septiembre de 1962).

Apenas una semana después, les comentaba las ofertas que, de la noche a la mañana, recibía de distintas editoriales internacionales, que, prácticamente, lo asaltaban para obligarlo a firmar contratos para la traducción y publicación de la obra, como si ya la hubieran leído, a pesar de su completo desconocimiento. Todo ello lo sumía en un estado de sobreexcitación y aturdimiento, que contrastaba con su abatimiento anterior, como les confesaba, y le impedían corregir la novela, por lo que reiteraba su petición de ayuda, que ampliaba esta vez a Salazar Bondy y a Oviedo, respecto a posibles modificaciones, supresiones y, sobre todo, un nuevo título. El tiempo corría, el plazo se acercaba a pasos agigantados y tenía que entregar todo antes de viajar a México, para cubrir la noticia del viaje del presidente francés, tarea para la que había sido comisionado por la RTF, y que le permitiría también saltar a Cuba por primera vez.

A Oquendo le molestaba el final en forma de epílogo, donde se resolvían —para él, de forma precipitada y poco creíble— las dudas respecto al futuro de los personajes. Algo que Vargas Llosa no cambiará. Respecto al tema de las edades de los personajes, la verdad es que es un aspecto que queda bastante difuminado para todo aquel que no sea peruano y no conozca su sistema educativo, por las indicaciones vagas a los alumnos de tercero, cuarto y quinto curso de secundaria[31]. Sí que eliminará las referencias al conflicto bélico con Ecuador, y también, lo que resulta todavía más importante, el explícito episodio protagonizado por el Esclavo, presa de los abusos de un pedófilo que encuentra en el parque —que puede leerse en el apéndice final de esta edición—. Esta última eliminación es, sin lugar a dudas, un gran acierto, una decisión fundamental que va a contribuir decisivamente en la mejora del conjunto.

Asimismo, en la carta recogía las ideas de Loayza, entre las que destacaba la necesidad de «cambiar el nombre de alguna de las dos aparentes Teresas del libro, a fin de no hacer la misma persona a la enamorada de Jaguar y de Alberto y el Esclavo». Una propuesta que no aceptará Vargas Llosa, y que fue también criticada tras la publicación de la novela, pero que tiene un sentido simbólico esencial, como se considerará más adelante. Aunque el personaje de Teresa ya había sufrido una importante transformación en el proceso de escritura —véase el apéndice final—. A pesar de todo, Oquendo seguía apuntando, «[c]reemos ambos que la novela es buena. Tiene ese "algo" que supera todos sus defectos», a la vez que le confesaba que se sentía «francamente excitado por tu proximidad al "éxito". No pierdas esta ocasión, hermano» (Lima, 5 de octubre de 1962).

---

[31] Como indicará Vargas Llosa (1971a: 79): «[...] la edad de los cadetes leoncipradinos oscilaba entre los trece y los dieciséis años».

Finalmente, en las instrucciones que redactaron y le enviaron, de forma conjunta, Loayza y Oquendo, poco después, se repiten algunas de las ya indicadas por Loayza con anterioridad, aunque se formulen de forma más específica y concreta:

Tomo I

— Suprimir enteramente 103-111.
— Suprimir enteramente 264-275.

Tomo II

— Suprimir 344 a 360.
— Cambiar el nombre de El Purulento. Hacer de Teresita dos personajes con nombres distintos: una para el Esclavo y Alberto, otra para Jaguar. (No hay sino que cambiar el nombre de una de ellas).
— Suprimir el Epílogo. La novela debe terminar en la pág. 621.
— Eliminar todos los epígrafes. No usar epígrafes.

(Lima, 10 de octubre de 1962).

Vargas Llosa tampoco tocaría los epígrafes. Al parecer, Oquendo no recibió una respuesta inmediata a las indicaciones que había realizado junto con Loayza, así que no sabía su opinión, ni si sus propuestas habían sido consideradas o no por Vargas Llosa, por lo que le vuelve a escribir, un mes y medio después, recordándole el envío, y haciéndose eco también de la inminencia del fallo del premio Biblioteca Breve:

Ahora veo, en una de las notas de prensa que Seix Barral suele enviarme, que el primero de diciembre se dará el premio Biblioteca Breve y que, del Perú, hay dos obras presentadas. [¿]Es una la tuya? Por lo que me contaste, espero ver, antes de que tenga tiempo de llegarme tu respuesta, una noticia en los diarios diciendo que mi amigo, mi hermano, ha sido lanzado súbitamente a la fama (Lima, 27 de noviembre de 1962).

Entre tanto, en menos de un mes, la relación entre Barral y Vargas Llosa había pasado de un formal «muy señor mío» a un «querido amigo», como puede observarse en carta del primero al segundo, fechada en Barcelona, a 6 de octubre de 1962, donde el editor le informaba de sus gestiones en la Feria del Libro de Frankfurt para preparar un lanzamiento importante, a la vez que le recuerda y le pide, de nuevo, que no contraiga compromisos con editoriales extranjeras porque eso corresponde a su editor. Apenas unos días después, Barral insistía en este último punto de forma taxativa:

> Mi nuevo y muy querido autor: Siento no haber podido hablar por teléfono contigo. Confío que me llamarás. No contraigas ni siquiera conceptos morales con editores franceses, dígante lo que te digan acerca de las conversaciones que yo haya podido tener con ellos. La política editorial no se caracteriza propiamente por su claridad. No olvides por otra parte que yo «mitifiqué» tu novela en Frankfurt, como resultado de lo cual hay muchos, demasiados editores teóricamente interesados en ella, lo cual es muy útil para «bien placer» tu libro, pero son menester muchas maniobras. Las cosas de la edición son así. Knopf, por ejemplo, a quien no vi en Frankfurt, me manda un nervioso billete pidiéndome la opción sobre LOS IMPOSTORES. ¿Cómo habría llegado hasta él el rumor? Tú déjame hacer (Barcelona, 9 de octubre de 1962).

Desde luego, la experiencia de Barral era incuestionable. De hecho, Vargas Llosa había iniciado este proceso llevando, con Couffon, su novela a Julliard para su consideración; Cortázar, por su parte, había hablado de ella con Plon; Salazar Bondy había mediado con Gallimard a través de su lector Juan Goytisolo; Seuil ya había llamado, literalmente, a su puerta, donde se había personado su jefe de ediciones, Michel Chodkiewicz... Se trata, desde luego, de las editoriales francesas más prestigiosas de esos momentos, en lo que respecta a literatura. Y Knopf era, sencillamente, «la» editorial en lengua inglesa en la que todos los autores querían publicar, dado su reconocimiento internacional (cfr. Levine, 2004 y Gras, 2018).

Paradójica, y acaso también algo cínicamente, desde Barcelona Barral le hacía llegar, a apenas cuatro días de la concesión del premio, ni más ni menos que... las bases del mismo. Con leer sus palabras, una vez más, el comentario sobra:

> Te incluyo unas bases del Premio Biblioteca Breve, que no debes conocer. La votación se celebra en Madrid el día 1 de diciembre, según reza la invitación que te incluyo.
> En caso de que tu novela tuviese la suerte que esperamos tendrías que venir unos días más tarde para retirar el premio, depositado en las cajas de Hacienda.
> Guarda rigurosísimamente el secreto de tu candidatura (Barcelona, 27 de noviembre de 1962).

El fallo se produjo el 2 de diciembre de 1962, con el resultado sabido. En su «Panorama de arte y letras», la revista *Destino,* en el núm. 1323 (15 de diciembre de 1962: 58), daba detalles del proceso de votación. El jurado estaba formado por el mismo Carlos Barral, José María Castellet, Juan Petit, Víctor Seix y José María Valverde. En la cuarta votación ya se aclararían las posiciones, y *La morada del héroe* —que era como se había presentado la obra de Vargas Llosa— ya destacaba con cinco puntos. En la quinta y última votación, finalmente, el jurado optaría, de forma unánime, por esta última, a la que cambiaron el nombre durante el escrutinio, por el provisional de *Los impostores.* La nota también refería que el jurado quería hacer constar «[q]ue resulta altamente satisfactoria la abundancia de la concurrencia de origen hispanoamericano».

2.6. *Del premio al libro: de «Los impostores» a «La ciudad y los perros»*

Como se mencionaba al inicio de esta introducción, el premio Biblioteca Breve va a marcar un antes y un después no solo en la trayectoria literaria de Mario Vargas Llosa en particular, sino en el ámbito de la literatura hispanoamericana en general, ya que este hecho va a ser considerado como el principio del llamado *boom* en lo que respecta al proceso de internacionalización de sus autores.

Tras la noticia, que apareció en los periódicos españoles más importantes, y las primeras entrevistas, el escritor peruano tendrá que hacer frente también a los primeros ataques, que le van a llegar, insospechadamente, del Perú. En lugar de manifestar su satisfacción debido a que un compatriota acababa de obtener uno de los premios literarios más prestigiosos de España, el entonces cónsul general del Perú en Barcelona, Enrique Larosa, publicaba una carta al director en *La Vanguardia* (9 de diciembre de 1962: 25) en la que acusaba al autor galardonado de antiyanqui y de antimilitarista por sus declaraciones dos días antes en el mismo periódico *(La Vanguardia,* 7 de diciembre de 1962: 29). La reacción de Vargas Llosa no se va a hacer esperar, así que va a escribir una respuesta de inmediato, que envía en copia a Oquendo, desde Barcelona, el mismo 9 de diciembre de 1962, donde niega las acusaciones y despliega su fino sentido de la ironía:

> Por el contrario, siento una irremediable simpatía por la inocencia congénita y el buen humor del pueblo norteamericano; y admiro, incluso, su civilización hecha de

grandes novelistas, gomas de mascar y artistas de celofán. Ahora bien, preferiría como la mayoría de mis compatriotas, que las riquezas naturales del Perú —el petróleo, el cobre, el uranio, el algodón, la caña de azúcar— beneficiasen a los propios peruanos (que tienen uno de los niveles de vida más bajos del mundo) y no a la Cerro de Pasco Cooper Corporation, la Marcona Mining, la Casa Grace, la International Petroleum Company y a las demás empresas norteamericanas que tienen bajo su control, y en condiciones humillantes para el Perú, las principales fuentes de riqueza nacional.

Sin embargo, esta carta abierta de Vargas Llosa al director de *La Vanguardia* no fue publicada en su momento por el diario, como el autor sospechaba que ocurriría. En cualquier caso, el recién premiado temía las consecuencias que pudiera tener, sobre todo respecto a la posible censura, como comentaba a Oquendo en una carta posterior, enviada ya desde París, donde, a pesar de todo, manifestaba que «[e]n todo caso los de la editorial se portaron muy bien: me dijeron que contestase como me diera la gana y que si la censura intervenía, publicarían la novela en México» (París, 11 de diciembre de 1962).

Vargas Llosa agradecía las notas que había recibido de sus amigos Luis Loayza y José Miguel Oviedo, felicitándolo por el premio, y aprovechaba para pedirle a Oquendo un par de favores, relacionados con el diseño de la edición de la novela, que todavía estaba por decidir:

Antes que me olvide. Barral me ha pedido alguna foto de Lima, que pueda ir en la portada del Libro. Pienso que sería ideal una vista del Colegio Militar y de los acantilados. ¿No podrías conseguirme alguna? O si no, una foto aérea del colegio: si no recuerdo mal, en el prospecto de ingreso figuraba una imagen así. También (y ya es mucho joder) quieren un plano de Lima, donde se vean bien diferenciados los barrios que aparecen en la novela: Breña, Miraflores, La Punta, el Callao, Lince (París, 11 de diciembre de 1962).

Es decir, la idea inicial para la portada era la de una fotografía del Leoncio Prado, lo que hubiera identificado y ligado, absolutamente, la novela al centro educativo todavía más de lo que ya lo estaba, lo que se desestimó más adelante. En cambio, resultará fundamental la reproducción del plano de la capital peruana, a pesar del peligro de que esta imagen pudiera reducir y limitar, aparentemente, el libro a ese espacio tan concreto y a un realismo pertinaz. Sin embargo, para el lector peruano significaba la reflexión sobre el sentido implícito de la pertenencia de los personajes a cada uno de los barrios que integraban la ciudad, por su connotación socio-económica específica. Y para el español, o para cualquier otro extranjero, le servía de guía para orientarse y situar las acciones de los personajes, aunque fuera sobre el papel. Y no solo eso: la imagen de la ciudad de Lima subrayaba, precisamente, esa coordenada geográfica otra, situaba los hechos en la distancia, respecto a España, como si esa realidad no tuviera nada que ver con la que, por otro lado, estaban experimentando en la península bajo el autoritarismo del régimen franquista. Desgraciadamente, después de las primeras ediciones y reediciones, la reproducción de este plano desapareció porque incrementaba los costes de producción, hasta ser reincorporado por la edición conmemorativa de la RAE de 2012.

La primera noticia del título definitivo de la novela puede encontrarse en la carta que Vargas Llosa envía a Oquendo desde París, tras un viaje relámpago en tren en Barcelona. El motivo del repentino y necesario viaje se debió a un incidente inesperado, y también algo difícil de explicar:

> Resulta que un «corrector de estilo», un espontáneo de la imprenta, metió la mano a los originales y perfeccionó a

su gusto el texto. Creí volverme loco cuando recibí las galeras: los monólogos del Boa, que tanto trabajo me dieron, eran irreconocibles. Tuve una pataleta y tomé el tren. La verdad, no fue culpa de los editores, ellos estaban tan escandalizados como yo. Lo divertido del caso es que el corrector —probablemente con la mejor voluntad del mundo— había puesto tanto empeño, tanto fervor en su trabajo, que lo encontré en el hospital, devorado por la fiebre. Los peruanismos y «leísmos» sudamericanos lo habían trastornado. En fin, todo quedó resuelto y ahora están componiendo el libro de nuevo (París, 30 de abril de 1963).

Resulta, por lo menos, sorprendente que un tipógrafo se tomara semejantes libertades, por su cuenta y riesgo, sin siquiera consultar al respecto. Aunque, ciertamente, los peruanismos presentes en la novela resultaban más que llamativos para alguien no familiarizado con esta rica variante del español, en una época en que lo habitual era imponer como norma el español peninsular. Sin embargo, hay que destacar como positivo que, quizás a raíz de este contratiempo, finalmente se decantara por un título definitivo, que será el que conocemos: «Le he cambiado de título: *La ciudad y los perros*. Creo que es más imparcial que el otro *[Los impostores]*. Pensé ponerle el que me sugirió Oviedo[32]: *Los perros y el mar*, pero en realidad creo que la ciudad está más presente» (París, 30 de abril de 1962). Es verdad que el de *Los impostores* sugería una connotación negativa, de juicio, respecto al comportamiento de los personajes, aunque también, por ello mismo, resultaba revelador.

La ciudad y los perros, en fin, tenía ya vida propia y seguirá su andadura, acompañada por Barral, al ser propuesta como candidata al Premio Formentor, un premio internacional lanzado por un grupo de editores europeos donde participaban, además de Seix-Barral, editoriales europeas

---

[32] Oviedo (2014: 211) lo recuerda algo distinto.

como Einaudi, Gallimard, Rowohlt, Weidenfeld & Nicolson, y la estadounidense Grove Press. Hay que recordar que el gobierno franquista había prohibido que se llevaran a cabo las deliberaciones del premio en España, por considerar su posicionamiento político como disidente, por lo que, desde ese año, tuvo que reunirse el jurado en el extranjero. Desde Corfú, el editor le hará llegar una postal firmada por todos los miembros hispanoamericanos del jurado, que se solidarizaban con él por no haber conseguido triunfar esta vez, como compartía con su amigo Oquendo:

> Es conmovedora. Me dicen que el fallo fue muy reñido, que perdí solo por un voto y debido a «una maniobra nada limpia», de Gallimard que quería imponer a su candidato. [...] nunca creí que esa novela (ya está vieja la pobre) tuviera todas estas peripecias. Pero, además, me dicen una cosa que es FORMIDABLE: todos los editores del Premio han adquirido ya los derechos para la traducción; no acabo de creerlo todavía. Va a ser traducida a doce idiomas, espero los contratos de un momento a otro (París, 9 de mayo de 1963).

Ya podía considerarse premio suficiente conseguir todos los contratos de las editoriales participantes, lo que aseguraba las traducciones y una difusión internacional sin precedentes para un escritor latinoamericano novel. No obstante, lo que más le preocupaba a Barral eran las «consecuencias» que este resultado podía implicar, respecto a la publicación en España de *La ciudad y los perros*. No hubiera sido lo mismo si hubiera ganado un premio internacional como el Formentor, que hubiera obligado, de inmediato, a la censura española a aceptar la publicación íntegra del texto por temor a la vergüenza pública de ponerse en evidencia por prácticas inquisitoriales de otras épocas. La no obtención del premio devolvía a Barral y a Vargas Llosa al campo literario nacional peninsular, con sus reglas de juego ya conocidas, y que pasaban por la inevitable negociación con las instancias censoras.

2.7. *Una doble censura, entre España y Perú*

Hay que decir que Vargas Llosa resultaba, de entrada, ya algo sospechoso porque se estaba posicionando políticamente de forma significativa no solo en las entrevistas, como se ha visto desde un principio, sino también con acciones que podían verse como cuestionables desde España, como su viaje a La Habana y sus manifestaciones en apoyo a quienes eran considerados por el gobierno de su país como guerrilleros, como el joven poeta Javier Heraud, muerto, acribillado, por sus ideas políticas en la selva peruana el 15 de mayo de 1963 (Vargas Llosa, 1983: 42-43). En este sentido, el intercambio epistolar entre Oquendo y Vargas Llosa muestra su frustración no solo personal, sino también política por la imposibilidad de protestar abiertamente y por la constatación de las ilusiones perdidas de forzar un cambio de gobierno en el Perú durante el fugaz mandato militar de Nicolás Lindley (3 de marzo-28 de julio de 1963), tras el de Ricardo Pérez Godoy (18 de julio-3 de marzo de 1963).

Unos meses antes había empezado la agonía censora para la novela, ya que el 16 de febrero de 1963 se presentó el libro a la oficina de censura y fue rechazado doblemente. El «lector» —eufemismo para censor—, en su informe del 25 de febrero de 1963, estimaba que:

> [u]n poco a lo *Buscón* por el desenfado truculento del lenguaje, se aparta, sin embargo, del patrón quevedesco por una marcada complacencia en las descripciones obscenas, sobre todo en la de adulterio incestuoso [...]; en la de la visita al lupanar [...]; en la de los actos de sodomía [...]; en la de la escena de voluptuosa depravación; en la meramente literaria [...] y en la de bestialidad [...]. Plagada de palabrotas de cuartel y prostíbulo [...] hace también [...] una

enumeración nefanda completísima, pone en solfa al capellán de la academia [...] y deja malparada la rectitud y el valor de los mandos militares del centro.

Pero, sobre todo, por la fruición salaz con que el autor entra en los pormenores de una hedionda depravación juvenil, <u>debe prohibirse la publicación de la obra</u>.

Por este motivo, y dada la insistencia de Barral, había que proceder a un cambio de título, algo bastante frecuente, en estos casos, para volver a iniciar el proceso administrativo censor, como si se tratara de un texto distinto. Después de diversas interacciones con la editorial, en mayo recibe un dictamen favorable a la edición, pero con numerosas propuestas de revisión y recortes, lo que llevó a nuevos esfuerzos de la editorial en los meses siguientes[33]. Así, Carlos Barral intentó contactar directamente con los responsables de autorizar la publicación del libro en España y pidió apoyo a José M. Valverde, crítico literario y profesor de la Universidad de Barcelona, que había sido miembro de jurado del premio y mantenía buenas relaciones en los ámbitos gubernamentales, además de ser conocido por su catolicismo progresista. Los resultados no se hicieron esperar, tal y como informaba a Vargas Llosa durante el mes de junio:

Hoy por la mañana me llamaron desde el Ministerio de Madrid para decirme que el Ilmo. Director General de Información pasaría 30 minutos en el aeropuerto de Barcelona, en escala de un viaje oficial a Roma y que deseaba verme. He acudido pues al aeropuerto donde el ilustrísimo señor me estaba esperando con tu pesado manuscrito en sus manos. Me ha dicho que se trataba de hablar de tu libro, y ha comenzado la conversación mientras retiraba de entre las páginas del manuscrito una abundante documen-

---

[33] Para un seguimiento más detallado del proceso de revisión del manuscrito por parte de la censura franquista en aquellos meses, véase Aguirre (2016: 109-146).

tación (informes de distintos lectores, una carta de Valverde, los informes de lectores extranjeros como Alastair Reid que le he ido enviando, etc.). Ha admitido que se trataba de un libro excepcional, y me ha dicho que había tomado el asunto como cuestión personal saltándose a la torera lo que habían dicho sus lectores (Barcelona, 17 de junio de 1963).

La sorna barraliana está implícita en la repetición constante del título de «ilustrísimo» que aplica, una y otra vez, al Director General de Información, Carlos Robles Piquer, cuñado del entonces reciente ministro de Información y Turismo, Manuel Fraga Iribarne. La urgencia del encuentro mostraba la importancia de la cita, a la que acudía el censor mayor bien preparado, habiendo leído el original y formada su propia opinión. De hecho, este desestimó los informes negativos previos de los lectores y pasó a un plano más particular, a una negociación entre el editor, el autor y el censor, quien reconocía el valor de la novela. No obstante, este último propondrá «suavizar» algunos pasajes para rebajar su tono, que consideraba que podía resultar escandaloso:

Me ha dicho que por lo tanto no debía tomar en consideración las tachaduras en lápiz rojo, y que estaba dispuesto a autorizar el libro siempre que tú «suavizases» algunos pasajes que en él había indicado con un trazo a pluma en el margen. Entiende por suavizar «desadjetivizar» y «descargar» algunas descripciones. Ha hecho indicaciones en 17 páginas. Con frecuencia sus trazos son largos, es decir, se refieren a varios párrafos de la página. Me ha dicho también que si tú estabas en principio dispuesto a suavizar, tendría mucho gusto en recibirte y en comentar contigo las suavizaciones. Me ha sugerido, aunque insistiendo en que no era una sugerencia imperativa, que el libro llevase en la primera edición un prólogo de Valverde (Barcelona, 17 de junio de 1963).

Como indica Barral, la cantidad de cambios que proponía Robles Piquer, en un primer momento, aún era bastante considerable, y podía poner en peligro la integridad de la novela. Sin embargo, la aceptación *a priori* de algunos cambios en el texto, como muestra de buena voluntad, podía permitir el inicio de un diálogo más concreto, en el que cabía margen de maniobra, y así se lo transmitía a Vargas Llosa. Dada su experiencia, el editor catalán veía positivo este inicio de negociaciones y se mostraba optimista con los posibles resultados, habida cuenta de lo que había ocurrido en ocasiones anteriores:

> Mi opinión acerca de todo ello es que, como en el caso de *Tormenta de verano* se ha abierto una negociación, y que algo habrá que ceder aunque menos de lo que él ahora pide. Qué te parece más indicado: ¿que te mande una lista de las indicaciones de ilustrísimo señor y tú las estudies?, ¿o que espere a tu llegada si es inminente, y las veamos juntos? En todo caso las cosas van por bastante buen camino y tu libro ya está salvado de la denegación definitiva. Espero con impaciencia tus puntos de vista. A propósito de todo esto tendría que hablarte de trucos y maniobras, pero mejor personalmente que por carta (Barcelona, 17 de junio de 1963).

Para ello, para darle personalmente las instrucciones pertinentes en ese tira y afloja con la censura, Barral invitará al joven escritor a pasar unas semanas a su casa de veraneo en la costa catalana, en Calafell. Desde allí, Vargas Llosa se trasladó personalmente a Madrid para mantener una entrevista con Robles Piquer a principios de julio de 1963, siguiendo la sugerencia que le había hecho a Carlos Barral en su encuentro en el aeropuerto de Barcelona unas semanas antes —algo, por otra parte, muy excepcional—. En dicha entrevista comentaron directamente las diversas «suavizaciones» que el Director General había propuesto. A su regreso de Madrid, Vargas Llosa introdujo algunos cambios en las galeradas y escribió la carta que puede encontrarse en el expediente de censura 1031/63 del Archivo General de la Administración (AGA), donde se dirigía al «[e]xcelentísimo señor», directamente, es decir, a Robles Piquer, dando cuenta de los cambios efectuados. Esta carta, sobre todo en su primera parte, es una obra de arte de la ironía —específicamente, de la litote, porque indica todo lo contrario de lo que quiere decir, en realidad—, donde el autor peruano manifiesta:

> Me es muy grato dirigirle estas líneas, en relación con ciertas modificaciones que acabo de efectuar en mi novela. He realizado esta tarea teniendo en cuenta sus amables sugerencias, aunque (permítaseme una confidencia) sin alegría ni convicción alguna. De todos los párrafos señalados como sospechosos de inmoralidad o de irreverencia con las instituciones y los hombres, he corregido ocho, porque ellos no alteraban en lo fundamental ni el contenido ni la forma del libro. En algunos casos he suprimido los términos objetados y, en otros, los he reemplazado por conceptos más imprecisos y genéricos. Asimismo, he suavizado algunos episodios, introduciendo un clima de ambigüedad a base de eufemismos y frases elípticas (Calafell, 17 de julio de 1963).

El eufemismo será también la base de este intercambio epistolar, ya que las «amables sugerencias» no son otra cosa que las frases censuradas, de tal modo que de los diecisiete fragmentos a los que Barral se refería, en un primer momento, como susceptibles de cambios para Robles Piquer, Vargas Llosa apenas cedía en ocho, aun en contra de su voluntad. De todos modos, aceptaba realizar «ciertas modificaciones», es decir, entraba en el juego de la negociación. Sin embargo, en esta carta el narrador demostrará su capacidad de argumentación, al darle la vuelta a algunas de las partes censuradas, atribuyendo al desconocimiento de la variante del español del Perú la posible confusión en la lectura realizada por Robles Piquer, en tanto que peninsular, de tal modo que consideraba que este hecho le eximía de acatar su recomendación, fruto de la simple confusión:

> En la entrevista que tuvo usted la gentileza de concederme, me permití hacerle observar que, en dos episodios del manuscrito —por lo demás imprescindibles para la cabal comprensión de la historia y de la conducta de los personajes—, las llamadas de atención se debían, probablemente, a un malentendido lingüístico. Me refiero sobre todo al empleo «argótico» del verbo «tirar», subrayado en el texto como excesivamente malsonante, y que fue elegido por mí, entre los abundantes sinónimos del lenguaje coloquial peruano, precisamente por su duplicidad semántica, por su anfibología. Como se puede comprobar en el propio texto, dicho verbo se utiliza en el Perú en vez de «robar» y en este sentido lo emplean con frecuencia los personajes de la novela. Como, aparte de ello, en ambos episodios la escritura es deliberadamente compleja y hasta laberíntica para aminorar la violencia de los hechos, no he efectuado en ellos cambio alguno. Sinceramente creo que nada hay en esas páginas capaz de alarmar aun al lector más susceptible (Calafell, 17 de julio de 1963).

A pesar de todo, en el último párrafo de la carta, no podrá evitar poner las cartas sobre la mesa, a pesar de su juventud y su falta de experiencia —o quizás precisamente por ello mismo—, con lo que demostrará valentía y honestidad ante una actividad como la censora, contra la que se había manifestado siendo casi un niño en las páginas de *La Industria* como ya se ha referido, y que le parecerá, por supuesto, improcedente, indefendible e inmoral:

> Finalmente, me siento en la obligación moral de decirle que, con estas explicaciones, quiero cumplir un deber de cortesía con usted, por las amabilidades que ha tenido conmigo, pero que esto en nada modifica mi oposición de principio a la censura, convencido como estoy de que la creación literaria debe ser un acto eminentemente libre,

sin otras limitaciones que las que dictan al escritor sus propias convicciones (Calafell, 17 de julio de 1963).

Más allá de los tejemanejes censores, y del dilema moral que pudiera debatirse en su interior, durante aquellas semanas de julio, Vargas Llosa disfrutará de unas auténticas vacaciones, haciendo lo que más deseaba: leer y escribir. Algunos días más tarde, ya de vuelta en París, le cuenta a Oquendo sus impresiones sobre esta negociación y su entrevista con Robles Piquer, donde señala la necesidad de eliminar la famosa referencia zoológica, tan citada posteriormente, por la crítica, aunque no menciona algunos otros cambios escasamente relevantes que también introdujo:

> La novela aparecerá en noviembre, si no hay nuevas complicaciones. Podría escribir un libro entero con todas las peripecias editoriales. Como te conté, la censura la prohibió en sus dos instancias. Después del Formentor, Barral hizo una nueva tentativa, directamente ante el viceministro, un fofo individuo llamado Carlos Robles Piquer, que es el jefe supremo de la censura. Acompañó la solicitud de cartas de todos los jurados del [Premio Biblioteca] Breve y de los informes que hicieron sobre el libro en las discusiones de Corfú. El cabrón ese entonces me hizo ir a Madrid y me pidió que accediera a «amortiguar» algunos episodios [...]. Después de cuatro, o tal vez cinco horas, acabó por aceptar que aparezca el texto íntegro, con la excepción de las frases «vientre de cetáceo» y «vientre cilíndrico» aplicadas al coronel (parece que ambas frases podrían recordar la barriga del caudillo). Pero puso como condición que en la solapa aparezcan testimonios de personalidades internacionales, que le pueden servir a él de escudo, si los «reaccionarios» (¿te das cuenta?) lo critican por haber autorizado la publicación de un libro inmoral (París, 27 de julio de 1963).

En la carta de finales de julio a Oquendo también resulta relevante la mención de Vargas Llosa a los argumentos que le planteó Robles Piquer —para «suavizar» el libro— sobre las divisiones internas del régimen franquista, al revelar el conflicto interno existente, respecto a los posicionamientos de diversos miembros del gobierno dictatorial, entre las figuras más radicales y las más moderadas:

> porque (cito textualmente [a Robles Piquer]), «aunque él comprendía lo injusto que era pedirle a un autor que "suavizase" su libro, debía tener en cuenta la opinión de la extrema derecha, que quería poner fin de una vez a la política de liberalización que él mismo y el Ministro Fraga habían iniciado». Me dijo que «los reaccionarios» podían utilizar mi libro («que no dejará de chocar al público») para atacarlos a ellos, «los liberales» (París, 27 de julio de 1963).

Barral, que ya estaba avanzado en la edición de la obra, retuvo la carta de Vargas Llosa a Robles Piquer del 17 de julio, durante casi dos semanas, y no se la envió hasta el 30 de julio de 1963. No se trataba, en absoluto, de negligencia ni de olvido, sino de estrategia. Mandada un día antes del último de julio, la carta no podía llegar hasta agosto, mes de vacaciones de verano en España, en el que cierran las instituciones del gobierno, con lo que, como se verá, sin una respuesta negativa rápida que pudiera contradecir sus decisiones, ponía en jaque al censor, que no pudo responder hasta principios de septiembre. El editor, no obstante, justificaba el envío de su carta en esas fechas del siguiente modo:

> Me entregan hoy, en víspera de mi partida de vacaciones, las compaginadas de *La ciudad y los perros* de Mario Vargas. Como verá en la carta del autor que le acompaño, se han practicado en el texto la mayor parte de las modificaciones que se sugirieron en nuestra última entrevista.
>
> Puesto que el libro debe aparecer en octubre y no tengo aún el texto de Valverde que debe figurar en él a título de

nota liminar, hago el envío prescindiendo de este, que le remitiré más adelante. (La edición comenzará a imprimirse en ausencia mía durante este mes de agosto. Ante la imposibilidad de estimar exactamente la extensión del prefacio de Valverde, foliamos el libro prescindiendo de él y foliaremos dicho prefacio en romanas) (Barcelona, 30 de julio de 1963).

El editor aseguraba que se habían incorporado los cambios solicitados y le comunicaba, por tanto, que no era necesario detener más el proceso, que se hallaba ya bastante avanzado, con las compaginadas, habida cuenta que el plazo de publicación estaba ya a la vuelta de la esquina. También confirmaba el prólogo de Valverde, tal y como había sugerido el propio Robles Piquer, como una adaptación de la carta que este le había enviado apoyando la autorización del libro. Por otra parte, Barral insistía en que, para poder cumplir con la fecha establecida para la aparición del libro, incluso se había procedido a su impresión, parcial. Se refería también, a continuación, a las famosas frases de apoyo de intelectuales reconocidos para arropar la publicación, o *blurbs,* con lo que hacía como que reconocía la gran iniciativa que había tenido Robles Piquer con esa idea, como si le diera la razón —dorándole la píldora, como suele decirse— en cuanto a su necesidad:

Juntamente con el prefacio le enviaré las frases que según convinimos deben figurar en la sobrecubierta y de las que tengo ya algunas (Salazar Bondy, Julio Cortázar, A. Reid, Roger Caillois...). Estoy seguro que estas breves e incisivas manifestaciones acerca de la excepcionalidad del libro harán menos probables las «reservas mentales» que fueran de temer en algunos críticos o lectores (Barcelona, 30 de julio de 1963).

Pero lo mejor estaba por venir, ya que, en el siguiente y último párrafo, Barral, después de los pases previos, le dará la estocada final, con puntilla de remate:

Por las razones que le indiqué —retraso inevitable del lanzamiento del libro a título de ganador del Biblioteca Breve, desventaja en la concurrencia con el ganador del Prix Formentor que ha aparecido ya en Francia, impaciencia de la crítica latinoamericana que ha hablado ya de él basándose en la lectura del manuscrito, necesidad de suministrar ejemplares a los traductores extranjeros, etc.— resulta imprescindible lanzar el libro a principios de la próxima temporada, por lo que me he atrevido a dar la orden de impresión sin esperar a tener la definitiva autorización de censura, autorización que considero implícita en nuestras últimas conversaciones (Barcelona, 30 de julio de 1963).

El censor le responderá el primerísimo día después de su vuelta de vacaciones, el lunes 2 de septiembre de 1963, lo que demuestra la importancia que daba a este caso, con acuse de recibo de su carta, junto a la que le había hecho llegar de Vargas Llosa, y dos ejemplares de capillas —es decir, de los pliegos sueltos que estaban imprimiéndose— del libro. Sin embargo, Robles Piquer le reclama, astutamente, a Barral, el ejemplar del mecanoscrito que le había dejado con sus indicaciones para comprobar si, realmente, se habían realizado los cambios requeridos. También le escribe el mismo día a Vargas Llosa para argumentar su punto de vista sobre la utilidad de la censura, para proteger «los intereses de la comunidad» de las «manifestaciones pseudo-literarias» y también «a los auténticos escritores», a la vez que mencionaba como ejemplo la venta de pornografía en la famosa Place Pigalle, para mostrar que también era hombre de mundo.

A principios de septiembre, desde Barcelona, Barral ponía al día a Vargas Llosa respecto a las últimas novedades sobre el candente tema, y le revelaba sus juegos de manos, ya que lo había tenido, en parte, al margen. En primer lugar, le adjunta el intercambio epistolar entre los tres, en el que se destaca la respuesta de Robles Piquer a la carta que le había dirigido Vargas Llosa, y aprovecha también el editor para informarle de la estrategia elegida para zanjar el asunto: «Como ves, aunque con resistencias, acepta la teoría del hecho consumado» (Barcelona, 6 de septiembre de 1963). Con ello, Barral se refería a la jugada de farol en la que había informado a Robles Piquer de que ya se había realizado la impresión de la novela. Para el editor, estas estratagemas, después de todo, formaban parte natural, consustancial, de sus tareas cotidianas en el contexto de la España de la época y, por tanto, consideraba que el proceso avanzaba «sin novedades de mayor importancia». La autorización definitiva de la censura llegó formalmente a finales de septiembre a la editorial, posiblemente después de algunos ajustes de último momento negociados a lo largo de ese mes.

La posición de Robles Piquer parecía, de algún modo, seguir las pautas del juego de «poli bueno-poli malo», ya que este se esforzaba por mostrar su empatía con el autor y reconocía su punto de vista, que parecía incluso compartir, apoyado por el nuevo ministro de Información y Turismo, Manuel Fraga Iribarne. Ellos se tenían por los «liberales» dentro del Movimiento y, por tanto, susceptibles de ser atacados por facciones más extremistas de quienes ellos mismos consideraban «reaccionarios» (cfr. Robles Piquer, 2011: 178-211). Y temían que una muestra de debilidad o de concesión, por su parte, fuera aprovechada para ponerlos en evidencia y destruir esa supuesta labor de zapa, interna, para lograr un cierto aperturismo. Ese mismo argumento fue el que, sabiamente, supo utilizar Barral en este baile censor, ante la intransigencia inicial del joven Vargas Llosa, porque, como dicen, «más sabe el diablo por viejo que por diablo», y el editor ya llevaba años bregando, y tenía experiencia en esas lides, como el escritor seguirá informando a Oquendo. Efectivamente, Barral jugó con las propias cartas de Robles Piquer, las del aperturismo que pretendía ya por esos años esa nueva ala del poder agrupada en torno a Fraga Iribarne, y posiblemente, estos tenían ya una predisposición favorable a la publicación de la novela a pesar de los temores que les podía suscitar (Aguirre, 2016: 140).

Una de las últimas revisiones de la censura, ya después del verano, fue la relativa a las frases promocionales que precisamente había solicitado Robles Piquer para apoyar la edición de la obra. Así, no se autorizó el texto promocional escrito por Julio Cortázar, que ponía el dedo en la llaga abierta del franquismo. Barral se lo comunicó a Vargas Llosa a finales de septiembre, con el ruego de no seguir insistiendo. Las referencias implícitas al autoritarismo militar, en general, del excelente texto de Cortázar, y, en particular a las representaciones a caballo del Caudillo, diseminadas por toda la geografía española, no pasaron en ningún caso desapercibidas por la censura en este caso, como se puede observar:

> En el centro mismo de *La ciudad y los perros* late como un corazón colérico la denuncia de una inautenticidad; mejor aún, de las formas por las cuales se desemboca en esa inautenticidad que pesa trágicamente en el panorama contemporáneo del Perú, es decir, de toda Sudamérica. Pero esa denuncia no tendría el valor catártico que alcanzará algún día si no estuviera escrita como sabe hacerlo Mario Vargas. Implacable testigo del infierno, su alucinante experiencia puede ser también fórmula de redención el día en que nuestros pueblos descubran la libertad profunda que espera su hora enterrada al pie de las estatuas ecuestres de las plazas (Julio Cortázar, Buenos Aires).

Así fue como, *grosso modo,* se consiguió negociar de forma bastante favorable para Vargas Llosa la publicación de *La ciudad y los perros* y su lanzamiento en Seix Barral. Ciertamente, los textos que acabaron apareciendo en la contraportada y, sobre todo, el introductorio de Valverde, actuaron de parachoques hasta cierto punto ante posibles críticas dentro del propio régimen franquista, como el mismo catedrático de estética de la Universidad de Barcelona admitiría unos años después en «Carta informativa sobre un prologuillo a *La ciudad y los perros*» (1972: 100-106). Hay que reconocer que algunas escenas de la novela resultan, aún hoy, chocantes por la brutalidad manifestada de las acciones de los jóvenes protagonistas. En cualquier caso, Vargas Llosa se lamentaba de la situación y se compadecía de sus colegas peninsulares, a la vez que comparaba los dos regímenes militares entonces en el gobierno en Perú y España:

> Qué absurdo, qué triste. Pobre España y pobres escritores españoles, nadie puede saber en qué condiciones pavorosas viven y trabajan. Es un verdadero milagro que, en medio de ese túnel asfixiante, haya todavía novelistas honrados y de talento. Los tiranuelos peruanos solo quieren robar en paz, no tratan de domesticar los espíritus. Lo que ocurre en España no tiene nombre, es la dictadura total, el control de la gente en todos los órdenes de la vida, en todos los momentos (París, 27 de julio de 1963).

No es hasta su regreso de un viaje a los Países Bajos, como le comenta a Oquendo, que Vargas Llosa recibe, por fin, un ejemplar de *La ciudad y los perros,* durante el mes de noviembre de 1963. Así que puede estimarse, ya que el envío es por correo aéreo, que el libro posiblemente se terminó de imprimir en Barcelona entre finales de octubre y principios de noviembre:

> [...] llego de Bruselas y me encuentro los dos primeros ejemplares de *La ciudad y los perros,* que me había enviado Barral por avión. He tenido una sensación extraña al ver impresa por fin la novela, una mezcla de vanidad, miedo, sorpresa. Me gusta mucho la edición, está hecha con cuidado y buen gusto (París, 20 de noviembre de 1963).

Un sueño hecho realidad. Sin embargo, comenzaba en ese momento otra etapa no menos complicada, que era la de lidiar con la recepción de la novela, no solo por las críticas que pudieran hacérsele, sino por el juego político en el que podían querer entrar los periodistas, buscando el titular provocador y, con ello, la atención mediática momentánea. Algo que podía ser peligroso, sobre todo al principio de su difusión, por las consecuencias que podía tener tanto en España como en Perú. Así, iba a cruzarse por el camino un asunto inesperado, con epicentro en el Perú, relacionado, como ya se anticipaba, con la institución militar del Leoncio Prado.

De hecho, el enredo entre Perú y España a propósito de la publicación de *La ciudad y los perros* fue bastante rocambolesco. Al llegar *La ciudad y los perros* a Lima, en la edición de Seix Barral, finalmente, y caer en manos de los militares, estos no solo pudieron leer la tan llevada y traída novela, sino que vieron, en las famosas páginas amarillas de esa primera edición, la fotografía del colegio militar que habían realizado o Loayza u Oquendo —ni ellos mismos sabían quién era el autor— en sus instalaciones, como ya le había comentado este último en una carta anterior. Su reacción no se debió hacer esperar y, muy probablemente, desde la cancillería peruana se pusieron en contacto, a través de su embajada en Madrid, con el Ministerio de Información y Turismo para exigir la incautación de todos los ejemplares, porque el libro, desde su punto de vista, y como sospechaban, denigraba la vida castrense que ofrecía su institución. Así, la reacción del ministerio español fue proceder a dictar una orden de requisa de inmediato, el 11 de diciembre de 1963, de todos los ejemplares existentes[34].

Parece ser que, como le refiere a Oquendo, Vargas Llosa le había mandado a José Miguel Oviedo una carta del

---

[34] Agüirre (2016: 177-178) refiere una conversación con Vargas Llosa donde este sostiene que a los ejemplares confiscados se les arrancó la página donde estaba la fotografía del Colegio Militar Leoncio Prado. Sobre el impacto en el Perú de esta medida, que finalmente se hizo pública, véase también Aguirre (2016: 177-190).

subdirector de Seix Barral, Jaime Salinas, junto con una fotocopia del acta de intervención de los ejemplares de la novela, para que se las hiciera llegar y darle a conocer los detalles del asunto. De hecho, en esta carta trata de hacerle «un resumen rápido del lío», aunque bastante detallado:

Al llegar de Londres, encontré varios mensajes de Salinas, que me había llamado por teléfono a la radio. Logré comunicarme con él esa noche y me explicó el asunto. Me pidió que hablara con Lima y pidiera alguna publicación que asustara a Fraga, que como sabes, pasa por el «ministro liberal» del régimen. Yo hablé contigo una hora después. A la mañana siguiente me llamó Barral, que acababa de llegar de Milán. Me dijo que la gestión de Lima podía ser decisiva: había ya entrado en conversaciones con el Director de Información, Robles Piquer, primer colaborador (y cuñado) de Fraga. Este le pedía que la propia editorial recogiera los libros distribuidos, para que la requisación se llevara a cabo de manera disimulada. Barral se negó a hacerlo (París, 2 de enero de 1964).

Al parecer, de la editorial le pidieron a Vargas Llosa que se pusiera en contacto con algún medio de comunicación peruano que pudiera amenazar a Fraga Iribarne, el ministro español, con dar a conocer cómo estaban cediendo al chantaje del Leoncio Prado y habían decidido retirar toda una edición tras haber aceptado su publicación. Por lo tanto, el escritor consiguió que su amigo y colega Salazar Bondy, de trayectoria reconocida y colaborador entonces en *La Prensa,* amenazara con cubrir toda la información del suceso de forma pormenorizada, lo que podía dañar la imagen del ministro. A cambio de no retirar los libros, sin embargo, se acordó una solución, como queda constancia en las siguientes líneas:

Al día siguiente volvió a llamarme Barral: Fraga había recibido el telegrama de S[ebastián] S[alzar] B[ondy]. Robles Piquer echaba chispas, Barral le dijo que no sabía cómo había podido llegar la noticia al Perú. Llegaron a un acuerdo: no se recogían los ejemplares de librerías, pero la segunda edición aparecería sin la fotografía del Colegio Militar. Inmediatamente después de saber esto, te envié el telegrama (París, 2 de enero de 1964).

Es por este motivo que la segunda edición de la novela, en Seix Barral, ya no contiene la fotografía del Leoncio Prado[35] que habían tomado Loayza y Oquendo, y que Fraga negara públicamente cualquier tipo de intervención. De todas formas, la noticia de su prohibición en España contribuyó a la difusión de la obra del autor en el Perú, y a identificar la novela con el colegio militar. Así, en medio de toda esta situación y de todas estas tensiones transatlánticas, estaba apareciendo en el Perú la edición de *Los jefes* en Populibros Peruanos, y el editor y escritor, Manuel Scorza, también leonciopradino, como se advirtió, aprovechaba la situación para conseguir publicidad y atención mediática, anunciando a Vargas Llosa como «autor prohibido en España» y recordando que el general Franco, «asesino de García Lorca y de Miguel Hernández es enemigo de toda forma de cultura y dignidad humana» *(El Comercio,* 15 de diciembre de 1963: 22; ver apéndice final). Es por ello que, también, Vargas Llosa temía que el colegio militar pudiera ser capaz de manipular o silenciar las reseñas de algún modo, para preservar su supuesto honor mancillado, como intentaron a través de algunos medios de comunicación en el Perú. Por otra parte, el libro recibió rápidamente algunas críticas en España, favorables, aunque algo repetitivas en sus comentarios, de tal manera que Vargas Llosa advertía que el ambiente literario español, después de todo, no acababa de superar el nivel del peruano y, por tanto, esperaba reseñas más interesantes de fuera.

---

[35] Que es la que se ha recuperado para la portada de la presente edición.

2.8. *La recepción (inmediata) de «La ciudad y los perros»*

2.8.1. Éxito de crítica

La recepción inmediata de *La ciudad y los perros,* una vez la obra salió al mercado, primero en España y, posteriormente, en América Latina, fue, desde un principio, un éxito, como le comentaba Vargas Llosa a su amigo Oquendo en carta fechada en París a 6 de febrero de 1964[36]. Si se destacan, a continuación, algunas reseñas publicadas en España, es porque «prácticamente toda su obra vio la luz en España y de ahí fue "exportada" a otros países, su Perú natal incluido» (Gnutzmann, 2005: 53). Estas reseñas, que suponen el primer impacto crítico sobre la obra, aparecieron en los periódicos y revistas más prestigiosos del momento en la península, como *La Vanguardia, El Noticiero Universal, Informaciones, Ínsula, Triunfo, Cuadernos para el Diálogo* y *Revista de Occidente* (Marco y Gracia, 2004). Todos fueron muy elogiosos, auguraban un gran futuro al autor, y, de algún modo, siguieron la pauta marcada por el juicio de Valverde que servía de pórtico a la primera edición, sobre todo en lo que respecta a la sorprendente poesía de sus páginas.

La primera de las reseñas, en *La Vanguardia,* firmada por Juan Ramón Masoliver (15 de enero de 1964), relacionaba su aparición, justo a principios de año, como anuncio de la

---

[36] La revista *Destino* (núm. 1378, 4 de enero de 1964: 25), en España, publicó un anuncio donde se informaba de que se había «agotado la primera edición en dos semanas» y que la editorial había puesto ya a la venta la segunda edición. A Perú se habían mandado 500 ejemplares de esa primera edición, que quedaron un tiempo retenidos, lo que molestó a los libreros limeños por los problemas de distribución de Seix Barral. Dadas las expectativas, la novela, a un precio de 90 soles, se vendió rápido como informa Oquendo (Lima, 14 de febrero de 1964).

«[r]enovación de todo un género, porque es de los claramente llamados —fuera circunloquios— a marcar época». Resulta importante que Masoliver ya pusiera de relieve que «el novelista no apunta a educador, sociólogo ni moralista», con lo que no solo buscaba, de alguna manera, la ansiada imparcialidad flaubertiana, sino que apuntaba ya hacia la universalidad de su propuesta, porque «[s]u material es el hombre y la verdad, pero su instrumento es la técnica narrativa, su fin el arte. Y qué gozosa profusión de medios expresivos [...] Qué obra de verdadero artista, en una palabra». Asimismo, remarcaba el enfoque en esos años de formación de los personajes y, por tanto, en la experiencia compartida por el lector de esa etapa de aprendizaje, «[...] la pubertad, ese supuesto paraíso que los adultos, los niños de otrora, nos empeñamos en mitificar, mixtificar, desfigurándolo al punto que ya no nos es dado penetrarlo, entenderlo».

Por su parte, Julio Manegat, desde *El Noticiero Universal* (18 de febrero de 1964), hacía referencia a la densidad y dificultad de la obra, a la unión «de las modernas direcciones narrativas [...] y una servidumbre a una tradición», como también apuntara Valverde, y al contraste continuado, bien dosificado, de recursos y temas, para enfocar «la condición humana», gracias a la poesía. Y, por último, pero no menos importante, destacaba su importancia en un ámbito más amplio: el de la «lengua española; y decimos español, y no castellano, para resaltar también las peculiaridades del lenguaje peruano, o americano en general [...]». Hay que destacar que Masoliver, como presidente del jurado, y Manegat, eran miembros de la asociación de críticos españoles que concedería el premio de la Crítica 1963 a la novela de Vargas Llosa.

La crítica Concha Castroviejo, en *Informaciones* (11 de abril de 1964), hacía hincapié en la «experiencia vital» relatada y las trampas técnicas con las que se enfrentaba el lector, elementos interrelacionados, fondo y forma, como «la piel a los nervios, los músculos y los huesos que cubre».

Quizás, por ser mujer, advertía de forma más clara la crítica inherente al sistema machista, al que Vargas Llosa ponía en evidencia y neutralizaba con dosis de antiheroísmo en los personajes para mostrar «la dimensión humana».

Jorge Campos, en su tribuna habitual de *Ínsula* (abril de 1964), aprovechaba para reivindicar, una vez más, en general, la emergencia de la literatura hispanoamericana —ya desde el título de la reseña: «Otra gran novela»—, aunque observara, en este caso, un cambio importante de los grandes espacios naturales habituales hasta entonces por el escenario urbano y «la inesperada penumbra de un cuarto cerrado», el colegio militar Leoncio Prado. Más allá del realismo, incidía en la poesía («entendiendo por poesía una idea profunda y elemental, sin nada que ver con la busca de lo poético en la forma»). Y en el choque y contraste de los dos mundos en conflicto y dos instituciones —el colegio militar y la familia—, que abocaba a los personajes a la tragedia y al desconocimiento de la verdad. En este sentido, destacaba el epígrafe de Sartre, como clave, y traía a colación la lectura de Carlos Fuentes y de James Joyce, por el juego formal.

Por su parte, Ricardo Doménech, desde la emblemática *Triunfo* (30 de mayo de 1964), hablaba de la «gran resonancia» que estaba alcanzando la novela «dentro y fuera de España», aunque vaticinaba que no era más que el comienzo de su repercusión, ya que consideraba que estaba «llamada a ocupar un puesto muy importante en la novelística castellana de nuestro tiempo». También él subrayaba la tragedia de sus personajes como consecuencia de la falta de libertad, de la ocultación de la verdad y del reino de la hipocresía, que cuestionaban, de forma crítica, la condición humana y parecían ratificar «el nacimiento progresivo de una gran literatura hispanoamericana».

En *Cuadernos para el diálogo* (junio de 1964), Pedro Altares la reconocía como «una de las novelas realmente importantes en lengua castellana de los últimos años». Identificaba, asimismo, la filosofía de Sartre como el marco teórico empleado por Vargas Llosa y, sobre todo, la idea de que «el infierno son los otros», y la consideración del ser humano «dentro de su aparente bajeza, de su egoísmo y de su mediocridad», como «problemática universal», que desvinculaba a la obra de ese entorno representado, tan marcado y connotado hasta el punto de afirmar que «no es en absoluto una novela localista».

Finalmente, en este breve recorrido, llama la atención la reseña aparecida en *Revista de Occidente* (26 de mayo de 1965), firmada por José Escobar, más elaborada y reflexiva, y más distanciada del momento de aparición de la novela, a la que ya tildaba de «acontecimiento literario», y que desdecía la crisis del género, tema que se había vuelto lugar común en la crítica de la época. Más allá de los hechos narrados, ponía de manifiesto «los entresijos de la existencia», es decir, el «hervidero existencial de las "conciencias semilúcidas y semioscuras» que pone en evidencia una «relatividad generalizada» que Sartre postulaba en su ya clásico *Qu'est-ce que la littérature?* / *¿Qué es la literatura?* (1948), mediante la «orquestación de conciencias» y que daba razón de la «pluridimensionalidad» de la experiencia que debía captar la novela contemporánea. En esta reseña, por primera vez, se desgranan las diferentes voces narrativas a las que recurre el escritor peruano y que entrelaza en su obra, como se verá en la tercera parte de esta introducción. Con ello, evidencia que la complejidad de la novela se basa en «el entrecruzamiento de perspectivas», que se corresponde con «la naturaleza del hombre y en su historia» y se aleja de las propuestas de la pretendida «objetividad matemática» de Alain Robbe-Grillet y el *nouveau roman,* ya que el escritor peruano se decantaba por comunicar el «calor animal», biológico, es decir, «el elemento humano» (Escobar, 1965: 267).

Del mismo modo, la novela fue distribuida en toda América Latina, primero en la edición de Seix Barral, como artículo de importación en cada país, y comenzó a cosechar críticas positivas de norte a sur. De vuelta a su querido domicilio de París en el número 17 de la rue Tournon, Vargas Llosa informaba a Oquendo de cómo iba la recepción en México, a la vez que se interesaba por cómo estaba funcionando la novela en el Perú, sin saber todavía siquiera si ya estaba a la venta: «[...] a *La ciudad [y los perros]* le fue muy bien en México, espléndidas críticas, las mejores, y se agotó en una semana. A propósito, hermano, ¿qué pasó en el Perú con el libro? ¿Llegó, lo prohibieron, está en librerías?» (París, 6 de marzo de 1964). A pesar de la recepción internacional, continuaba pendiente de su referente más inmediato, el Perú, para superar un pasado en el que sentía que no había logrado triunfar, como reconoce ante Oquendo:

> Tengo curiosidad por lo que dirá Escobar del libro; todavía no he olvidado el escalofrío que me corrió por la espalda, esa noche, en El Patio, cuando ejecutó sumariamente un cuento que yo leí. Debía ser un cuento malísimo, pero me dolió en el alma y estuve avergonzado no sé cuánto tiempo (París, 25 de marzo de1964).

Alberto Escobar, en esta ocasión, algo más tarde, escribirá una reseña muy elogiosa y esencial («Impostores de sí mismos») para la *Revista Peruana de Cultura* (núm. 2, julio de 1964: 119-125). Así, el ya confirmado escritor, compartía con su amigo Oquendo las opiniones de las reseñas que iba recibiendo, y también con su editor, Barral, ya que, sin fotocopiadoras en la época, los recortes de periódicos y revistas iban de acá para allá, entre París, Barcelona y Lima, no necesariamente en este orden, y había que esperar y confiar en el correo para la circulación de los materiales.

También comenta entusiastas reseñas en semanarios como *Marcha* (Uruguay), con gran circulación en toda América Latina, que encargaron sus reseñas a plumas que ya se estaban configurando como referentes, como Ángel Rama y

Mario Benedetti: «(L)a segunda parte del de Benedetti me asombró, ese tipo conoce mi novela mejor que yo» (París, 18 de marzo de 1964). En lo que respecta al resto de América Latina, las reseñas tampoco se hicieron esperar, como recuerda, por ejemplo, el escritor argentino Tomás Eloy Martínez, entonces periodista del prestigioso semanario *Primera plana,* para el que le pedía colaboraciones y también participar como jurado en su concurso de novela, después de haber leído la novela y sus artículos en el *Expreso* de Lima (Buenos Aires, 2 de abril de 1965).

Por otra parte, Carlos Fuentes le escribió una carta, impulsivamente, justo después de finalizar la novela, impresionado por su factura, como le confiesa de forma espontánea, de tal modo que sitúa su obra como parte de todo ese mismo momento de renovación narrativa que sentía que estaban compartiendo:

> Acabo de terminar *La ciudad y los perros,* y me cuesta trabajo escribirte y saber por dónde empezar. Siento envidia, de la buena, ante una obra maestra que, de un golpe, lleva la novela latinoamericana a un nuevo nivel y resuelve más de un problema tradicional de nuestra narrativa (México, 29 de marzo de 1964).

Hacía mención también a la transformación que consideraba que estaba experimentando entonces la narrativa latinoamericana, y destacaba la obra de Vargas Llosa por haber trascendido ya ese estadio, que todavía conectaba con las formas más tradicionales de la novela decimonónica, para ir más allá, sobre todo, en cuanto a la construcción ficcional de la ciudad y la ausencia de un juicio moralizante por parte del narrador:

> Pero la plena personalización de la novela latinoamericana (en un doble sentido: personajes vivos vistos desde el punto de vista personal de un escritor) solo se alcanza,

creo, en *La ciudad y los perros*. ¿Para qué te voy a decir todo lo que me ha impresionado en tu maravillosa obra? El misterio auténtico, secreto, de la obra; la increíble encarnación de todos los problemas planteados en la actualidad de los personajes, de manera que el relieve moral de la obra corre paralelo a y es inseparable de la trama novelesca: has matado, para siempre, la terrible disposición nuestra a la aceptación, la moraleja, el sermón: no hay nada en tu obra que no se desprenda tácitamente de la propia acción, y lo que se desprende ¡es tanto! (México, 29 de marzo de 1964).

Por su parte, Julio Ramón Ribeyro, desde la Ciudad Luz, tanto en una carta que le dirige, como en su diario íntimo (16 de marzo de 1964, 1993: 75), le confiesa: «acabo de terminar la lectura de tu novela. La encuentro sensacional. De un *"coup de maître"* le has dado a la novela peruana su dimensión universal. Un saludo aún asombrado de Julio Ramón» (París, 19 de marzo de 1964). Por tanto, la recepción de sus pares fue también, tanto en el caso de sus colegas peruanos, como en el de Cortázar en París o el de Fuentes, desde México, de un gran reconocimiento.

Ese verano de 1964 —de algún modo, el de su definitiva confirmación— sería para Vargas Llosa largo y triste, en soledad, separado de Julia Urquidi y lejos de Patricia Llosa, en la ciudad de París, que le parecía «una ciudad maldita y todos sus habitantes perros rabiosos, yo también» (París, 24 de julio de 1964), con un calor agobiante, mientras trataba de terminar su segunda novela, en la que trabajaba frenéticamente a la espera de que *La ciudad y los perros* apareciera en Populibros Peruanos sin más percances[37]. Y, sin embargo, después de todo, era un momento de absoluto despegue. Comenzaban a llegarle propuestas de todo tipo, de

---

[37] Para una aproximación a esta iniciativa editorial, impulsada por Manuel Scorza, véanse Gras (1998: 131-143 y 723-727 y 2003: 67-75) y Aguirre (2016.2017: 204-222).

colaboración en revistas y periódicos —que trataba de aceptar, por los problemas económicos que entonces tenía, puesto que había cedido los derechos de la novela a Julia Urquidi, como parte del acuerdo de divorcio—, o incluso de nuevas obras que le encargaban, y que mostraban el reconocimiento que estaba alcanzando, aunque la falta de tiempo efectivo le impidiera aceptar.

Por todo ello, puede considerarse que la consolidación y reconocimiento de Vargas Llosa comenzarán de forma temprana. Ya en 1964, obtuvo el Premio de la Crítica 1963, en la modalidad de narrativa castellana, por *La ciudad y los perros,* un premio creado en 1956 por la Asociación Española de Críticos Literarios, sin dotación económica, a los libros publicados en España durante el año anterior[38]. Un doblete que muy pocos autores —Luis Mateo Díez, Juan Marsé, Ramiro Pirulla, Rafael Chirbes y Javier Marías, hasta ahora— han conseguido. Entre los escritores hispanoamericanos galardonados con este premio cabe citar a José Donoso (1978), Juan Carlos Onetti (1979), Andrés Neuman (2009) y Ricardo Piglia (2010).

2.9. *Traducciones*

Aún antes de aparecer la primera edición de la novela en Seix Barral, Vargas Llosa comenzará ya a trabajar con los traductores, debido a los contratos que había logrado al quedar finalista en el premio Formentor[39]. Primero comen-

[38] Pocos años después, en 1967, lo volverá a obtener por su segunda novela, *La casa verde,* que también recibiría el premio Rómulo Gallegos ese mismo año y el premio Nacional de Cultura del Perú.

[39] Para un acercamiento a un estudio de la recepción de la novela en otras lenguas, véase King (2012) para el ámbito inglés; Souviron, Ortega y Caprara (2012), para un estudio comparado de las recensiones en

zará con la versión holandesa, *De stad en de honden,* que aparecerá en Meulenhoff, para la que el traductor, J. G. Rijkmans, le mandaba listas de peruanismos para que se los explicara, como le contaba el escritor peruano a su amigo Oquendo, dada la novedad, y que comentará con humor:

> Ya creía haberme librado para siempre de *La ciudad y los perros,* pero he comenzado a recibir listas de palabras, del traductor holandés, que tengo que explicarle minuciosamente. Es mucho más difícil de lo que parece. Es un viejito muy simpático. Me pidió que le explicara «hacer carpas», yo lo hice, y él me contesta ahora: «tengo la impresión que esa costumbre no existe aquí en mi país» (París, 7 de septiembre de 1963).

Una de sus mayores preocupaciones, como es obvio, era la traducción francesa, ya que seguía viviendo en París y deseaba ver su obra en las librerías de la Ciudad Luz. Y quería que el encargado fuera alguien cercano, de confianza, como Claude Couffon, que, como ya se ha indicado, había tenido un papel decisivo en la publicación final de la novela. Sin embargo, habrá problemas para ello, ya que Gallimard quería disponer de la traducción rápidamente (París, 18 de septiembre de 1963). Finalmente, esta estuvo a cargo de Bernard Lesfargues, y apareció en la colección Le Croix du Sud, en 1966, con el título de *La ville et les chiens*[40].

Las traducciones se irán sucediendo. En el caso alemán, a pesar de que el interés general por la literatura latinoamericana se produjera un poco más tarde, a partir de la segunda mitad de la década de los años 70 (cfr. Wiese, 1992: 142-147, Von Römer y Schmidt-Welle, 2007 y Einert, 2018:

_____

francés, alemán, inglés e italiano; para el caso holandés, cfr. Steenmeijer (2015: 99-104).
[40] Posteriormente, Albert Bensoussan ha sido su traductor habitual al francés, gran especialista en su obra (1995, 1999, 2003, 2009, 2011).

127-157 y 243-258), la versión alemana de la novela *(Die Stadt und die Hunde)* llegó de la mano de Wolfgang Luchting en 1966, en la editorial Rowohlt, aunque más tarde tanto el traductor como las obras de Vargas Llosa pasarían a la emblemática Suhrkamp. Con anterioridad, no obstante, había sido tanteado por Piper Verlag en unos términos inviables, como compartía con Oquendo:

> Con la traducción alemana hay una especie de *impasse*. Vino a verme el director literario de la editorial Pipper [sic] y después de darme estadísticas sobre el coste del papel y los porcentajes que reciben los distribuidores me preguntó si autorizaría que hicieran cortes, a fin de que el libro se vendiera a menos precio. No lo insulté pero le dije que jamás aceptaría semejante absurdo. Me ha pedido que vaya a Munich a convencer a Herr Pipper de que una novela no es un género que se vende a retazos al gusto del cliente. Quedó en escribirme y no lo ha hecho, así que la cosa me huele mal. De las otras traducciones no sé nada (París, 18 de setiembre de 1963).

Muy pronto tendrá conocimiento de otras propuestas, como la británica, que no solo se limitarán a la mera traducción, como le comunicará a Oquendo tras un viaje a Londres que realizó a finales de 1963:

> Mi novela aparece en abril en la editorial Weidenfen [sic], donde he conocido gente muy simpática, entre ellas un príncipe que dice ser descendiente de Gengis Khan y que me da un cocktail el miércoles. Este príncipe y Alastair Reed [sic] están gestionando una adaptación al cine con un productor inglés. Si el asunto saliera me vendría a vivir a Londres un año. A[lastair]. R[eid]. Irá a Lima en febrero, le he dado tu dirección, y los de S[ebastián] S[alazar] B[ondy] y J[osé] M[iguel] O[viedo] (Londres, 8 diciembre de 1963).

Se refería a la productora estadounidense King Brothers, vinculada a la lucha antimacartista. De todos modos, no prosperó y, a pesar de los detalles, la novela tampoco aparecería en esta editorial, que era Weidenfeld & Nicolson, sino en Grove Press, en Nueva York, en 1966, y en Jonathan Cape, en Londres, en 1967, en ambos casos en la traducción de Lysander Kemp y con el título de *The Time of the Hero,* que se deslindaba del título en español, pero parecía recurrir a uno de los que tuvo provisionalmente, *La morada del héroe,* aunque enfocando no en el espacio, sino en el tiempo. En cualquier caso, desgraciadamente, las negociaciones para la adaptación cinematográfica no salieron adelante esta vez, y estas no se producirían hasta mediados de los años 80, realizadas una por Francisco Lombardi, en 1985, y otra por Sebastián Alarcón en 1986.

Tras la publicación de la novela en inglés, el crítico David Gallagher, que solía colaborar en *The Times Literary Supplement,* le escribía, para, de algún modo, disculparse por la pobre recepción de su obra en el Reino Unido, a la vez que le pedía asesoría para un número especial sobre literatura latinoamericana que estaba preparando:

> Si Ud. odia Inglaterra, [¡]tiene toda la razón! Quedé impresionado con la indiferencia con que se recibió aquí su magnífico libro *La ciudad y los perros.* Todavía la mayoría de los críticos ingleses no se han [sic] librado de una mentalidad grotescamente insular: si aparece en sus escritorios un libro no solo de un autor (para ellos) desconocido sino aún peor de un autor latinoamericano, ni se molestan en leerlo! Le juro que no me cabe la menor duda que 80 por ciento de las reseñas que se escribieron de su libro fueron escritas por imbéciles que ni siquiera lo habían leído, o que solo habían leído el *blurb* (Londres, 1 de noviembre de 1967).

Hubo otros casos algo tardíos, como el italiano, aunque en última instancia, después de todo, también consiguió aparecer en un catálogo del prestigio de Feltrinelli Editore, como *La città e i cani.* Uno de sus principales colaboradores, Marcelo Ravoni, le comunicaba, tras la traducción del reconocido Enrico Cicogna, la necesidad de promoción de su obra para conseguir el éxito esperado en Italia, por lo que le pedía su directa implicación. Por este motivo solicitaba, con urgencia, material informativo que pudiera aportar sobre su obra. Poco después, no obstante, Valerio Riva, co-fundador de Feltrinelli Editore, se burlaba, irónico, de la promoción que requería la literatura extranjera para darse a conocer en Italia:

> Para llevar tu gloria al triunfo, nos hacen falta fotos tuyas: muchas, bonitas, y posiblemente desnudo. Y por supuesto nos necesita tu presencia [sic]: eso de llegar a Italia el día 13, además de ser de malo [sic] augurio, es lamentable, porque será muy difícil explotarte bien para la propaganda de Navidad (5 de noviembre de 1967).

En cualquier caso, la obra de Vargas Llosa parecía no tener fronteras, acaso porque, después de todo, más allá de situar su novela en Lima, con plano y todo, las pequeñas pero tremendas tragedias narradas en sus páginas trascendían una lectura en clave nacional para incidir en la fibra sensible de los temas universales.

3. Una aproximación a la lectura
   de «La ciudad y los perros»

En esta tercera parte se va a situar la obra dentro del contexto literario español, peruano y latinoamericano y, también, dentro de la trayectoria del escritor. Se analizan asimismo las características de la primera edición, y se propone un acercamiento interpretativo a la estructura formal y a los temas más importantes en torno a los que gira *La ciudad y los perros*. Para ello, se utilizará principalmente, el despliegue terminológico que acuña el mismo autor a lo largo de sus distintos ensayos literarios —escritos con posterioridad a esta novela, pero ya latentes, de forma intuitiva, en la práctica—, resumido y sistematizado en *Cartas a un joven novelista* (1997a), que será el principal punto de partida para estas páginas[41].

3.1. *Un triple contexto literario*

Para entender el impacto de *La ciudad y los perros* en toda su dimensión, hay que tener en cuenta tres campos literarios que se entrecruzan y entrelazan en el momento de aparición de la novela. Por un lado, resulta fundamental vincular a Mario Vargas Llosa con su entorno inmediato, con el campo literario peruano de la época, del que surge dentro del contexto marcado por la llamada Generación del 50. Por otro, la obtención del premio Biblioteca Breve y, después, el de la Crítica, como ya se ha indicado, así como la misma publicación en España, hacen necesario considerar la situación de la novela en el campo literario peninsular. Finalmente, hay que tener en cuenta también el papel de la obra en lo que se ha dado en llamar el *boom* de la narrativa hispanoamericana, tras la repercusión internacional conseguida con los distintos premios mencionados y las numerosas traducciones a otras lenguas y su extraordinaria circulación.

---

[41] Se hace difícil proceder por partes porque todo está interconectado. No obstante, como bien indica el propio autor: «[...]la técnica, la forma, el discurso, el texto, o como quiera llamársele [...] es un todo irrompible, en el que separar el tema, el estilo, el orden, los puntos de vista, etcétera, equivale a realizar una disección en un cuerpo viviente. El resultado es, siempre, aun en los mejores casos, una forma de homicidio» (Vargas Llosa, 1997a: 149). O, incluso, una especie de informe forense, cuando, en cambio, el proceso de lectura ensambla todas las piezas diseminadas por el escritor y les da vida.

3.1.1. Tras los pasos de la Generación del 50

En el prefacio a su *Autobiografía fugaz,* desde una perspectiva muy personal, Carlos Eduardo Zavaleta lleva a cabo un repaso de la llamada Generación del 50, a la que perteneció, de escritores nacidos entre 1925 y 1935, y pone énfasis en «el trabajo serio y difícil que emprendimos quienes buscamos un camino distinto del seguido por costumbristas e indigenistas, en pos de una vía integral, mestiza, peruana» (2000: 9). Quizás ese sea, en resumen, el objetivo común de ese grupo heterogéneo de escritores que va a abrir camino a Vargas Llosa, y que fue su referente inmediato en el campo literario del que surgía y que él mismo, como se ha comentado, contribuyó a perfilar en sus entrevistas y críticas. Por ello, cabe preguntarse hasta qué punto Vargas Llosa y su entorno formaban también parte de la misma generación, ya que les separaban unos pocos años. En este sentido, Oviedo, también juez y parte de ese tiempo, así lo plantea: «creo que nosotros éramos una suerte de grupo tangencial a la Generación del 50, con una actitud literaria que vinculaba ese momento con el que lo seguiría: una especie de conexión o engranaje intergeneracional» (2014: 102-103).

Miguel Gutiérrez, en *La Generación del 50: un mundo dividido* (1988: 87), establece una nómina, tanto de poetas como de narradores, e incluye, aunque sea en último lugar, la figura de Vargas Llosa —en cuyo caso se trataría de un epígono extraordinario—. Como señala, entre 1953 y 1965 aparecerán en Perú obras de escritores vinculados a este grupo, como Eleodoro Vargas Vicuña, Sebastián Salazar Bondy, Carlos Eduardo Zavaleta, Julio Ramón Ribeyro, Oswaldo Reynoso, Enrique Congrains y, por último, Luis Loayza, en la narrativa, cuyo denominador común será la búsqueda de una renovación. Sin embargo, también resultará clave, en la mayoría de ellos —a excepción de Vargas Vicuña y Zavaleta—, la construcción de un espacio literario urbano que manifiesta la emergencia de una modernidad periférica.

En el caso peruano, el paisaje urbano adquiría connotaciones específicas porque se alejaba, o parecía alejarse, de la narrativa indigenista que había constituido el tronco mayor de la tradición peruana. Hasta cierto punto, porque, como bien indicara Efraín Kristal (1987, 1988), dentro de la narrativa pretendidamente urbana también se va a continuar mostrando el devenir de la población indígena, de origen andino, serrano, aunque en un marco distinto, que evidenciaba la heterogeneidad esencial peruana (cfr. Cornejo Polar, 1994), algo que también estará muy presente en la novela de Vargas Llosa, como se verá. El crecimiento económico experimentado por el Perú en esos años, en la década de los 40 y de los 50, se había traducido en un gran movimiento migratorio interno, sobre todo de población de la sierra hacia las ciudades de la costa y, muy especialmente, hacia la capital, Lima, que cambió rápidamente su rostro y configuración.

En todo caso, resulta interesante mencionar el artículo que publicara Julio Ramón Ribeyro en *El Comercio* en 1953, «Lima, ciudad sin novela», donde constataba la ausencia de una novela urbana que reflejara su complejidad (Ribeyro, 2012: 31-34). Por ello, animaba «a colocar la primera piedra» de esa construcción literaria de la ciudad, a lo que él mismo contribuyó con su libro de relatos *Los gallinazos sin plumas* (1955), poco después. No obstante, las obras que van a ocuparse de la ciudad hasta la aparición de *La ciudad y los perros,* van a enfocar, sobre todo, en el margen, que era el espacio emergente que reconfigurará la imagen de la capital en esos momentos, y llamaba la atención por desconocido y por romper con la mítica belleza colonial, virreinal, de la Ciudad de los Reyes, ligada a un pasado nostálgico que no se corres-

109

pondía ya con la realidad cambiante del presente (Valero, 2003: 185-220). La fascinación por esa nueva realidad se halla, en todo su apogeo, en los relatos de Enrique Congrains, en *Lima, hora cero* (1954), un título que no puede ocultar su referente neorrealista italiano —Roberto Rossellini—, como si la ciudad pareciera un paisaje después de la batalla, metafóricamente hablando: el espacio que aparece representado no ha sido devastado por ninguna guerra, pero comparte la desolación y la lucha cotidiana por la supervivencia en los asentamientos ilegales que darán lugar a los llamados pueblos jóvenes o barriadas, como el del significativo nombre de Esperanza, sin ningún servicio municipal, a los que sus pobladores llegaban atraídos por las expectativas de un futuro mejor, «fantasías optimistas» (Congrains, 1967: 6) encarnadas en la capital.

Por su parte, Oswaldo Reynoso, en *Lima en rock (Los inocentes)* (1961), sitúa en el espacio citadino a la collera, el grupo de adolescentes, jóvenes a medio camino entre el «pícaro y palomilla» (41) que se reúnen para escuchar «boleros y guarachas en la radiola» (45) y, como los cadetes de *La ciudad y los perros* (cfr. Muñoz Parietti, 2014), quieren aprender a ser hombres, aunque confunden, igualmente, el código de la edad adulta: «Siempre he querido ser hombre. [...] Si uno quiere tener amigos y gilas hay que ser valiente, pendejo. Hay que saber fumar, chupar, jugar, robar, faltar al colegio, sacar plata a maricones y acostarse con putas» (Reynoso, 1961: 16). La capital se muestra también con trazos que recuerdan a las descripciones de Vargas Llosa, porque, después de todo, se remiten a una misma ciudad, y a una misma época. De hecho, desde la contraportada de la edición de Populibros, se considerará como un «retrato de nuestra compleja ciudad» y citará, a modo de cesión del testigo generacional, la opinión de José María Arguedas sobre la novela:

Mientras leía los originales [...] creí comprender con júbilo sin límites, que esta Lima en que se encuentran, se mezclan, luchan y fermentan todas las fuerzas de la tradición y las indetenibles fuerzas que impulsan la marcha del Perú actual, había encontrado a uno de sus intérpretes.

Lo más importante en este conjunto de relatos, cuyas historias se entretejen como en una novela, es, asimismo, su técnica narrativa, algo que se destacaba también en la contraportada de la edición ya mencionada, y que tendrá como eje el monólogo interior.

La mirada urbana de Vargas Llosa en *La ciudad y los perros,* tan evocadora como crítica, estará en sintonía con el ensayo que su mentor, Salazar Bondy, publicaría un año después, *Lima la horrible* (1964), en cuyo título evocaba un poema de *La tortuga ecuestre* (1957) de César Moro[42], admirado por ambos. En este ensayo, trataba de romper con la «extraviada nostalgia» (Salazar Bondy, 1964: 11) —en palabras de Raúl Porras Barrenechea—, con la imagen idílica, arcádica, idealizada de la Lima del pasado, ya saturada, desde una mirada crítica, fruto del profundo conocimiento que tenía de su ciudad natal y del sentimiento que le suscitaba. Precisamente, para Salazar Bondy, la gran oleada migratoria hacia la capital peruana de esos años había puesto en evidencia ese pasatismo, encarnado en el criollismo más folklórico y clasista —del puente a la alameda—, en el «kitsch nacional» (14) de «la Lima que se va», de la que hablaba José Gálvez, de tal modo que «como romeros de

---

[42] Concretamente, el colofón de «Viaje hacia la noche» (Moro, 1967: 63). El poema concluía con una interesante enumeración, en aparente prosa poética, de la que destacan elementos como «...[c]ontador en un banco, [...] cura, profesor de secundaria [...] Supiera [...] química, [...] instrucción militar [...]», que parece relacionarse con la experiencia docente del poeta en el Leoncio Prado y con la novela de Vargas Llosa.

todo el Perú, las provincias se han unido y, gracias a su presencia frecuentemente desgarradora, reproducen ahora en multicolor imagen urbana el duelo de la nación» (10). Aunque citara a Luis Loayza, quien lamentaba que «los peruanos no hemos forjado todavía ninguna imagen universal de nosotros mismos» (15), esta estaba presente ya, de algún modo, en *La ciudad y los perros*. La *opera prima* de Vargas Llosa representa un parteaguas en el campo literario nacional peruano, por el afán totalizador de su propuesta y el precoz alarde técnico que despliega, de tal modo que, como subraya Niño de Guzmán (2018: 14), «nos insertó de golpe en la modernidad. A partir de ese momento, el panorama de la narrativa peruana quedó dividido en dos: antes y después de Vargas Llosa».

3.1.2. España: en torno al «realismo crítico»

Ya se ha referido, de forma general, la opinión que le merecía a Vargas Llosa el panorama de la literatura española del momento. Sin embargo, hacía algunas excepciones, entre las que se hallaban las publicaciones de la editorial Seix Barral, como le comentaba en una carta casi premonitoria a Oquendo (Madrid, 8 de febrero de 1959). Con la creación de la colección Biblioteca Breve y del premio homónimo, la editorial Seix Barral había tratado de abrirse «a la búsqueda de una *Weltliteratur* que rompa con cualquier atadura endogámica o provinciana» y que conectara con la «literatura viva», para lo que los contactos del director literario Joan Petit con editoriales como Gallimard —con Juan Goytisolo como asesor— y Éditions de Minuit —con Alain Robbe-Grillet al frente—, además de las inquietudes ya conocidas de Carlos Barral y el apoyo estructural de Víctor Seix, serán fundamentales (Bonet, 2016: 2). En un primer momento, el premio Biblioteca Breve irá a parar a manos de jóvenes valores peninsulares que trataban de mostrar su descontento con la situación política del país de un modo sutil. En las convocatorias anteriores, el premio había recaído en Luis Goytisolo *(Las afueras,* 1958), Juan García Hortelano *(Nuevas amistades,* 1959) y J. M. Caballero Bonald *(Dos días de setiembre,* 1961, tras declararse desierto el año anterior, en 1960). En las votaciones habían comenzado a destacar autores ultramarinos, que quedaban finalistas[43], hasta que, a partir de *La ciudad y los perros,* este va a recaer, sobre todo, en escritores latinoamericanos hasta la cancelación definitiva del premio, en 1972 (cfr. Sánchez, 1998 y 2018; Pohl, 2003). Por ello, la obra de Vargas Llosa puede considerarse como la que inicia el interés en España por la literatura del otro lado del Atlántico, como el primer desembarco narrativo que va a conquistar el favor de la antigua metrópoli, encerrada prácticamente hasta este momento, desde el final de la Guerra Civil, en la autarquía literaria, con un campo literario puramente nacional (cfr. Marco y Gracia, 2004).

En este sentido, se observa en *La ciudad y los perros* una cierta continuidad, a la vez que un cambio, respecto a los autores y las novelas premiadas con anterioridad, lo que puede explicar, hasta cierto punto, quizás, la clave de su éxito. Es decir, por un lado, el escritor peruano parece seguir los postulados del llamado «realismo social» o «realismo crítico» en España (cfr. Morales Saravia, 2011), aunque, a la vez, le da una nueva dimensión, acaso poética, pero también técnica, reforzada por la ruptura de la estructura tradicional, algo que, sin embargo, ya se había producido en el campo literario español en 1962 con la novela *Tiempo de silencio* de Luis Martín-Santos, publicada también en Seix-Barral. Este «realismo crítico» se inspiraba en la novela behaviorista norteamericana, y pretendía mostrar

---

[43] Como el chileno Carlos Doguett con *Patas de perro,* en 1961, apoyado por José María Valverde en las votaciones.

la realidad como a través del objetivo de una cámara cinematográfica, pero también en la tradición del realismo español, y una particular revisión de la picaresca. Estas propuestas fueron discutidas esos años en distintos medios y, de algún modo, recogidas en dos obras que actuaron casi como manifiestos, *Problemas de la novela* (1959) de Juan Goytisolo (cfr. Sanz Villanueva, 2010) y *La hora del lector* (1957) de José María Castellet (cfr. Gallén y Ruiz Casanova, 2015). Lo que se subrayaba era, sobre todo, la responsabilidad social y ética del autor y la necesidad de crear artísticamente un retrato crítico de la realidad, en el que la voz autorial debía desaparecer por su posible subjetividad, desplazada por la solidez de la mirada objetiva.

En este sentido, una manera de abordar las propuestas narrativas renovadoras de Vargas Llosa en *La ciudad y los perros* puede realizarse desde la revisión del ensayo de José María Castellet, porque esta primera obra del peruano parece encajar a la perfección con el despliegue teórico del crítico y editor catalán, quien, además, fungía como director literario de la colección Biblioteca Breve y fue parte del jurado que premió la novela. La sintonía entre ambos textos, probablemente, se deba a que los dos autores comparten referencias comunes como, principalmente —y una vez más—, Jean-Paul Sartre[44] y, en especial, sus consideraciones en el ya citado *Qu'est-ce que la littérature? / ¿Qué es la literatura?* No en vano, décadas después, Vargas Llosa (1998: 177) reconocerá que, durante su larga estadía en Barcelona, en

---

[44] En la edición conmemorativa de *La hora del lector,* Laureano Bonet incluye dos estudios respecto al diálogo que Castellet establece con su ensayo. En «Sartre, el gran tótem» (2001: 155-160), recuerda que también otros intelectuales de su generación —conocida como la Escuela de Barcelona— eran adictos a la revista *Les Temps Modernes,* que leían en la biblioteca del Instituto Francés (2001: 152). En «Una metafísica ensangrentada» (2001: 161-167), por su parte, lleva a cabo un cotejo con la edición que Castellet manejaba del texto de Sartre, en traducción de Aurora Bernárdez y publicado por Losada en 1950.

Sarriá, ya en los años 70, «José María Castellet actuaba como nuestro ideólogo, era el que nos orientaba políticamente, y el que nos decía qué era correcto y qué era incorrecto», también en materia literaria.

Como ya se indica en el título de su ensayo, Castellet observaba un cierto cambio de paradigma, que tenía que ver con el nuevo papel del lector «como activo creador de la obra de arte literaria» (Castellet, 2001: 15), en la recepción de la misma, casi como co-(e)laborador del texto (cfr. Ingarden, 1931), junto con el propio escritor. Castellet se hacía eco de la paulatina y progresiva desaparición del autor, en pos de un mayor deseo de objetividad y, por tanto, el abandono de su supuesto papel de mediador o, por lo menos, de su presencia o visibilidad en la novela contemporánea, en comparación con la decimonónica. Esto, paradójicamente, llevaba a la representación de los personajes desde dentro, con el extendido uso del monólogo interior; de este modo, se llevaba a cabo «un nuevo realismo» (Castellet, 2001: 31) que permitía comunicar «la dimensión más profunda y compleja del hombre: su propia subjetividad» y «el abandono de la seguridad y del orden social-burgués, a los que sustituye por la inestabilidad y la soledad individuales» (32). Asimismo, Castellet subrayaba el *«progresivo oscurecimiento de la expresión* y de *complejidad narrativa»* (38), junto con el «abandono del principio de la linearidad» (39), con los ejemplos de Joyce, Kafka o Faulkner. De este último, destacaba que «es incapaz de construir una sola obra si no es remontándose hacia el pasado para hacer, generalmente, bruscas caídas en el presente, a la vez que simultanea dos o más historias que nada tienen que ver anecdóticamente unas con otras» (39), algo que se cumplirá, exactamente, en la novela de Vargas Llosa.

El crítico señala también, por otra parte, a partir de la lectura de *L'age du roman américain (La era de la novela americana,* 1948) de Claude-Edmonde Magny, la importancia del cine, y al hecho de *«ver narrar»,* en «la formación de la nueva

115

técnica literaria de las *narraciones objetivas*» (Castellet, 2001: 33), en la línea de la novela norteamericana y del «behaviorismo», que «describirá únicamente los hechos exteriores, sin comentarios ni interpretación psicológica» (34). En este sentido, hace referencia a los frecuentes cambios de plano, así como a los fundidos —*fade out* o *fade in*— a las sobreimpresiones, que realizaban los escritores como si fuesen realizadores cinematográficos, hasta el punto de referirse, de hecho, al «*novelista-cámara*», al que identifica como aquel que «enfoca y reproduce —concreta, directa y obligatoriamente— conductas humanas *en situación*» (35), término propio de la filosofía sartreana, y que incidía en la decisión del autor en limitarse a narrar objetivamente, *desde fuera,* situaciones dadas en un espacio y tiempo concretos, negándose a toda posibilidad de analizar, juzgar o comentar la conducta de sus personajes, como solía hacer el escritor decimonónico.

Por otra parte, obviamente, además de encajar de alguna forma con esas propuestas que buscaban la apertura y la modernización narrativas, muy probablemente el éxito de la novela en el campo literario español pudo deberse también a la lectura translaticia que muchos españoles pudieron hacer de la obra, sustituyendo fácilmente el contexto leonciopradino y odriísta por el de su realidad bajo el régimen de Franco, como unos años después señalaría Juan Marsé —quien obtendría también el premio Biblioteca Breve en 1965 por *Últimas tardes con Teresa*—, a propósito de *La ciudad y los perros*:

> [...] cuando de un país latinoamericano, próximo a nosotros, y hermano por lengua y otras cuestiones, sobre todo por ciertos esquemas socio-políticos todavía en vigor, nos viene un libro como el citado, el lector español, ávido de estos temas (consciente de su avidez o no) y tantos años necesitado de esa novela que transpira libertad, crítica, denuncia y emociones fuertes, amén de calidad literaria, forma hoy un campo abonado para que fructifique el *boom* (Tola de Habich y Grieve, 1971: 201).

3.1.3. El *boom:* de los múltiples campos literarios nacionales al ámbito transnacional

En su *Historia personal del 'boom'* (1972, 1983), el escritor chileno José Donoso atribuye a la publicación de *La ciudad y los perros* el estallido del llamado *boom*[45] de la narrativa hispanoamericana, siguiendo la metáfora de la explosión, que había acuñado, probablemente, el entonces periodista Tomás Eloy Martínez (Oviedo, 2014: 213). En este sentido, hay que distinguir entre lo que se conoce como el *boom* y la Nueva Novela Hispanoamericana, términos que, a menudo, se usan de forma intercambiable y que, sin embargo, no designan lo mismo. Si se habla de *boom,* se hace referencia a ese período específico de gran difusión de la narrativa latinoamericana, en la década de los 60 y principios de los 70, que definirá y periodizará Donoso. Para él, de hecho, la publicación de *La región más transparente* (1958) y de *La muerte de Artemio Cruz* (1962) de Carlos Fuentes en FCE, en México, ya anticipaban lo que habría de venir después, con epicentro en Barcelona, tras el premio Biblioteca Breve a Vargas Llosa. El tercer momento, culminante, se produciría con la publicación de *Cien años de soledad* (1967) en la editorial argentina Suda-

---

[45] Además del de Donoso, que es una crónica muy personal, como bien indica el título, aparecieron, en torno a esos años, otros ensayos escritos por narradores y críticos implicados directamente con el *boom* (cfr. Fuentes, 1969; Rodríguez Monegal, 1972; Benedetti, 1974; Rama, 1984, entre otros). A más de cincuenta años después del inicio del llamado *boom,* la bibliografía sobre el tema, desde distintos enfoques, se ha desarrollado extensamente (cfr. Downing, 1992; Santana, 2000; Franco, 2003; Gilman, 2003; Pohl, 2003; Marco y Gracia, 2004; Dravasa, 2005; Sorensen, 2007; López de Abiada y Morales Saravia, 2005; Herrero-Olaizola, 2007; Sánchez, 2009; Esteban y Gallego, 2009; Ayén, 2014; Gras, 2018, entre otros).

mericana, que se convertiría en *best-seller* mundial (cfr. Santana, 2020). El final, según el escritor chileno, tendría lugar en 1971, en Barcelona, tras la ruptura del consenso ideológico de los autores del *boom* ante el llamado Caso Padilla[46]. Apenas una década de duración, por tanto, que podría extenderse, desde la perspectiva de la crítica peninsular, hasta 1975, con la muerte del dictador Francisco Franco.

Por otro lado, si se habla de la Nueva Novela Hispanoamericana o de la Nueva Narrativa Hispanoamericana —para incluir el cuento— o, incluso, de la Nueva Narrativa Hispánica —atendiendo a las dos orillas, con un enfoque transatlántico— habría que remontarse a un período todavía anterior, porque la renovación narrativa comienza ya a finales de la década de los 30 del siglo XX, con autores como Juan Carlos Onetti, y se extiende a lo largo de los años 40 con obras de Miguel Ángel Asturias, Alejo Carpentier o Jorge Luis Borges, y también durante los cincuenta, década en la que, durante su primera mitad, publicó Juan Rulfo, para enlazar, inmediatamente, con ese período de todavía mayor intensidad de producción y circulación de la narrativa hispanoamericana posterior, conocido como el *boom* propiamente dicho. Asimismo, en este caso, el final no estaría claro; quedaría abierto, porque, de hecho, la re-

---

[46] El poeta cubano Heberto Padilla, que había ganado el premio de la UNEAC (Unión Nacional de Escritores y Artistas de Cuba) en 1968 por *Fuera del juego* —título revelador—, es obligado a realizar una autoinculpación pública como contrarrevolucionario, y a acusar a su mujer y amigos. Frente a este hecho, algunos intelectuales del ámbito internacional, capitaneados por Vargas Llosa, junto a Carlos Fuentes y a Juan Goytisolo, escribieron dos cartas abiertas de protesta a Fidel Castro por sus medidas represoras, lo que obligó a un posicionamiento político a favor o en contra, que podía ser utilizado contra la revolución. Esto supuso un escándalo internacional y rompió con la supuesta unidad ideológica de los escritores del *boom*: Fuentes y Vargas Llosa firmaron la protesta; Cortázar y García Márquez, no.

novación narrativa continuará con gran fuerza, evolucionando hasta nuestros días.

En la periodización y clasificación que Donoso establece en su ensayo, denomina e identifica, en primer lugar, lo que llama el *gratin* o *cogollito* del *boom*, para dar razón de los escritores centrales e indiscutibles, de mayor proyección, como Julio Cortázar (1914-1984), Gabriel García Márquez (1927-2014), Carlos Fuentes (1928-2012) y Vargas Llosa, el benjamín de todos ellos. También menciona una supuesta «silla móvil», que podría ser ocupada, de forma alterna, por Ernesto Sábato (1911-2011) —aunque se autoexcluyera— o él mismo, José Donoso (1924-1996). Aunque los narradores incluidos bajo la etiqueta del *boom* tienen cada uno estilos distintos y van a tomar caminos diferentes, comparten, sobre todo, en un primer momento, algunas características generales. En primer lugar, quieren romper con la novela regionalista, criollista o costumbrista anterior, que se centraba, especialmente, en el espacio rural (la llamada «novela de la tierra»), y utilizaba técnicas narrativas tradicionales, continuadoras del realismo y del naturalismo decimonónicos. Así, aunque García Márquez siga, de algún modo, vinculado a ese mundo rural en la construcción de Macondo en *Cien años de soledad*, y la apariencia discursiva sea más lineal, oculta sorpresas que el propio Vargas Llosa analizó en la que sería, finalmente, su tesis doctoral, *Historia de un deicidio* (1971). Los demás prefieren enfocarse en espacios urbanos, e incluso cosmopolitas, con formas rompedoras: además de la radiografía capitalina limeña de Vargas Llosa, Carlos Fuentes ya había dibujado antes la imagen multiforme de la Ciudad de México en *La región más transparente* y, por su parte, Julio Cortázar mostrará en *Rayuela* (1963), en paralelo, pero conectadas, a través de puentes imaginarios, a París y Buenos Aires. Asimismo, las múltiples voces que se escuchan en la obra de Fuentes se reducen a unas pocas en la de Vargas Llosa, aunque los saltos temporales, como ocurre también en la de

Cortázar —y de espacios, en este caso, también—, las alejan de la novela tradicional decimonónica, vehiculada, habitualmente, por un único narrador omnisciente que cuenta una historia lineal, de principio a fin.

Ese deseo de alejarse de la tradición narrativa hispanoamericana inmediatamente anterior, y que identificaban, en general, con el regionalismo o el criollismo, les hará leer vorazmente a autores de otras tradiciones —la europea y la angloamericana, sobre todo— que habían seguido, desde décadas atrás, una mayor experimentación y en los que aprenderán nuevas técnicas. Entre ellas, el empleo de distintas voces narrativas para contar una historia, siguiendo la práctica de la heteroglosia y la polifonía que, a menudo, se acompañaba de multiperspectivismo o punto de vista cambiante, vinculado en buena medida al monólogo interior (y el *stream of consciousness* o flujo de conciencia, a la manera de Virginia Woolf, Joyce o Faulkner) de distintos personajes. También optarán por la ruptura de la linealidad narrativa y el tiempo cronológico, mediante saltos atrás (analepsis o *flashbacks)* o, incluso, saltos hacia adelante (prolepsis o *flashforwards),* evidenciando el papel de narradores que, a menudo, se muestran poco o nada fiables y cuya participación redunda en la ambigüedad, lejos del discurso único. Todas estas técnicas, no obstante, surgirán no solo de otras tradiciones literarias, ni del reconocimiento de algunos precursores en las propias, sino de su exposición a otros medios y lenguajes narrativos, como la radio, pero, sobre todo, por su educación sentimental (y estética) cinematográfica. También resultará esencial el componente político presente en su literatura, con un evidente compromiso social, identificado, en un principio, con la figura del intelectual *engagé,* con Sartre como modelo. En este contexto, la Revolución cubana va a tener un papel importante, porque representa para muchos lectores un sueño utópico dentro del contexto mundial de la Guerra Fría (cfr. Franco, 2003; Gilman, 2003; Sorensen, 2007 y Alburquerque, 2010). La revolución literaria en el estilo debía ir acompañada de la revolución ideológica.

Es importante destacar, con Donoso, la importancia del proceso de internacionalización de la narrativa hispanoamericana que se lleva a cabo durante esta década prodigiosa: un interesante fenómeno que trascendió los límites de las literaturas nacionales para construir un campo literario único, transnacional, del mercado del libro en español. Hasta entonces, los autores y libros apenas tenían difusión dentro del subcontinente americano, ni siquiera entre países vecinos, a pesar de algunas excepciones, como la de los Festivales Continentales del Libro (cfr. Gras, 2001). El *boom* consiguió, en buena medida, romper con esas fronteras, pero, como subraya Donoso, citando a Ángel Rama: «[...] la incomunicación interna latinoamericana es la que explica... que las distintas regiones se vinculen y conozcan a través de centros extracontinentales..." Esta vinculación se hizo, más que nada, a través de Barcelona» (1983: 62). Ciertamente, la Ciudad Condal jugó un papel importante, con figuras como el editor Carlos Barral y la agente literaria Carme Balcells. Y Mario Vargas Llosa va a establecer una estrecha relación con ambos.

3.2. *«La ciudad y los perros» y la primera etapa narrativa de Mario Vargas Llosa: una vocación confirmada*

En su primera novela se observan diversos elementos relacionados con sus relatos anteriores, recogidos en *Los jefes*[47] (Oviedo, 1982: 99; Promis, 1982; Gnutzmann, 1992:

---

[47] Aunque la primera edición contaba solo con cinco cuentos —«Los jefes», «Arreglo de cuentas», «Hermanos», «Día domingo» y «El abuelo»—, finalmente, tras algún cambio en los títulos y una sustitución posterior, el libro ha quedado configurado por «Los jefes», «El desafío» —an-

35-38; Esteban y Aparicio, 2015: 11). El relato que daba título al conjunto, mostraba un conflicto entre los estudiantes de quinto y último curso de la secundaria, esta vez en un colegio religioso, el San Miguel, y en otra ciudad, Piura. Ese es apenas el punto de partida para un relato que logra transformar esa anécdota en un ejercicio literario, iniciado *in medias res,* donde ya se encuentran, a lo largo de cinco partes, las tensiones y los enfrentamientos entre adolescentes, la lucha por el poder y la violencia de las jerarquías, en un espacio cerrado, y también un núcleo duro alternativo —«los coyotes», liderados primero por el personaje narrador y luego por Lu, en quien Gnutzmann (1992: 36) ve una anticipación del Jaguar—, como después sucederá en la novela. Está ya presente la animalización de los personajes, vistos, en general, como «fieras» o «bestias» —del coyote al chivo, pasando, por supuesto, por los perros, puercos, cuervos, monos, ratas y asnos, entre otros—. Y el ansiado reconocimiento de la hombría, y el miedo a la debilidad, propios de la educación en una sociedad machista y homófoba (cfr. Mudarra, 2016). Asimismo, muestra también el componente del racismo, con las etiquetas, usadas despectivamente, de «serrano» o las referencias al origen oriental de Lu («ratita amarillenta», «ojos oblicuos», Vargas Llosa, 2015: 55 y 58). Incluso se plantea también la impostura y la simulación, al considerar al director del colegio como un actor o una estatua (52), por su hipocresía manifiesta, algo que se desarrollará de forma más axial en la novela. La referencia a la máscara y a la simulación se advierte también en «El desafío», en el enfrentamiento enre Justo y el Cojo. De nuevo está en juego la hombría, ser considerado hombre, y no mujer, niño o «muñeco» (80), de tal modo que, en la novela, el narrador omnisciente re-

---

tes, «Arreglo de cuentas»—, «El hermano menor» —en lugar de «Hermanos»—, «Día domingo», «Un visitante» y «El abuelo».

cordará por Ricardo Arana que, en su colegio anterior, le llamaban «muñeca» (VI [I], 392). En cuanto a la técnica, también puede advertirse aquí la anticipación del destino final de la víctima, que pasa casi desapercibida, pero también se manifiesta, en *La ciudad y los perros,* y pone en práctica ya magistralmente el dato escondido, con la revelación final que transforma todo el cuento en una tragedia aún mayor (Gnutzmann, 1992: 38). Asimismo, el tema de la delación aparece en «El visitante» y el triángulo amoroso en un contexto miraflorino se adelanta en «Día domingo».

La ciudad y los perros no solo mantiene puntos de contacto con *Los jefes,* sino también con su novela breve *Los cachorros,* tres obras que constituyen lo que el narrador y cineasta chileno Alberto Fuguet (2010: s. p.) ha llamado «el "combo" adolescente completo». En esta obra también enfoca en los jóvenes de los años 50, con sus fiestas y sus salidas al cine, y se centra, de nuevo, en el ambiente sofocante del burgués barrio de Miraflores, regido por las leyes del machismo que gobiernan la sociedad y que asfixian a su protagonista, llamado, irónicamente, Pichula Cuéllar, en el que se ceba la crueldad del medio: la cuestión de la masculinidad se configura como el eje principal para mostrar el enfrentamiento entre la diferencia y la uniformidad, la excepción y la norma, respecto a ser o no ser hombre. A la vez que sigue explorando la voz narrativa, plagada de onomatopeyas y preguntas retóricas, que mezcla un punto de vista individual y otro colectivo, más allá del ya ensayado en los monólogos interiores del personaje del Boa en su primera novela.

Las conexiones con el resto de la obra de Vargas Llosa no se detienen aquí. Desde un punto de vista técnico, hay que vincular *La ciudad y los perros* también con su siguiente novela, *La casa verde,* que lleva al extremo la experimentación narrativa que el escritor había iniciado, y con *Conversación en La Catedral,* aunque aquí muestre un mayor control. En cuanto a los temas, coinciden en un mismo afán totalizador, desde distintos ángulos, para dar cuenta de la sociedad peruana. Por tanto, pueden considerarse parte de una misma primera etapa en la larga y fecunda trayectoria de Mario Vargas Llosa (cfr. Omaña, 1987), que podría establecerse hasta su giro ideológico en 1971, con motivo del Caso Padilla, o, como el especialista Efraín Kristal (2006: 88-89) propone, considerando un «período socialista» extendido hasta 1975. Una etapa de tentativas consolidadas en logros brillantes y magistrales, de atrevimiento formal y experimentación, nunca arbitraria sino reveladora, dentro de la que *La ciudad y los perros* significó la absoluta confirmación de una vocación:

> en algún momento de mi juventud, bajo la influencia del voluntarismo de los existencialistas franceses —Sartre, sobre todo—, llegué a creer: que la vocación era también una *elección,* un movimiento libre de la voluntad individual que decidía el futuro de la persona [...] a partir de una primera disposición subjetiva, innata o forjada en la infancia o primera juventud [...] (Vargas Llosa, 1997: 10).

El escritor ha insistido, en múltiples ocasiones, en esta idea de la necesidad de un duro trabajo continuo para disciplinar la vocación, algo que va a aprender, sobre todo, durante su larga estadía en París, durante el arduo proceso de escritura de su primera y segunda novelas y con la lectura de la correspondencia de su admirado Gustave Flaubert, a quien pudo llegar, probablemente, una vez más, a partir de la lectura de Sartre, y concretamente a partir de textos como «Questions de méthode» (1957). Flaubert se convierte en un modelo de actuación para Vargas Llosa, en cuanto a que la vida está ligada al constante ejercicio literario que requiere una dedicación absoluta y exclusiva[48]. El peruano ejemplificará

---

[48] Por cuestiones de espacio, solo se puede hacer referencia aquí a estas conexiones intraliterarias y autorreferenciales a la trayectoria de Vargas

la vocación literaria con la solitaria (Vargas Llosa, 1997a: 7-20), el parásito intestinal que se alimenta de los nutrientes del cuerpo humano, creciendo, ocupándolo y vampirizándolo de algún modo.

3.3. *El elemento añadido: la relación entre realidad y ficción*

Tanto la crítica como el propio autor, en innumerables ocasiones, han comentado repetidamente la relación de la novela con su propia biografía particular, aunque hay que distinguir que la presencia de elementos autobiográficos no quiere decir que se trate de una novela puramente autobiográfica. Como ya se ha indicado, Vargas Llosa se vio recluido en el agobiante ambiente del Colegio Militar Leoncio Prado, durante dos años, por decisión paterna. La actitud intransigente de su padre fue un acicate para su vocación literaria, de tal modo que:

> [...] es probable que[,] sin el desprecio de mi progenitor por la literatura, nunca hubiera perseverado yo de manera tan obstinada en lo que era entonces un juego, pero se iría convirtiendo en algo obsesivo y perentorio: una vocación (Vargas Llosa, 1993: 101).

Por otro lado, la experiencia de vivir con ese padre, ausente durante toda su infancia, y que había aparecido, de forma inesperada y repentina, casi como de entre los muertos, va a suponer un trauma, su demonio mayor (cfr. Boland, 1988 y Zorrilla, 2000), que va a exorcizar literariamente: «En los años que viví con mi padre, hasta que entré al

---

Llosa en lo que respecta a esta primera etapa. No obstante, también pueden encontrarse conexiones con otras obras posteriores, como es lógico. Como ejemplo, cfr. Boland, 2018.

Leoncio Prado, en 1950, [...] descubrí la crueldad, el miedo, el rencor, dimensión tortuosa y violenta [...]» (101). Y será esa misma violencia la que aparecerá en las páginas de la novela, ficcionalizada.

La crítica suele subrayar paralelismos entre el propio Vargas Llosa y algunos personajes de *La ciudad y los perros,* como Alberto, el Poeta, porque, además de vivir en Miraflores, también escribió novelitas eróticas y redactaba cartas de amor para sus compañeros mientras estuvo interno. No obstante, comparte con el personaje de Ricardo Arana, el Esclavo, además del primer domicilio en Lima, en la Avenida Salaverry, en Magdalena Nueva, la pesadilla de la particular «resurrección» de un padre desconocido, severo y autoritario que querrá convertirlo en un hombre al ingresarlo en la institución militar. Y también tiene en común elementos con el Jaguar, porque también vivió en el Callao en una casita con sus padres, y por la experiencia compartida del empleo que encontrará al final de la novela. Remedando a Gustave Flaubert, y aquella famosa frase que se le atribuye *(«Madame Bovary c'est moi!»),* en la edición definitiva de Alfaguara, el escritor no se quedará aquí y afirmará: «Para inventar su historia, debí primero ser, de niño, algo de Alberto y del Jaguar, del serrano Cava y del Esclavo, cadete del Colegio Militar Leoncio Prado, miraflorino del Barrio Alegre y vecino de La Perla, en el Callao [...]» (Vargas Llosa, 1997b: 9).

Como el propio autor ha repetido en múltiples ocasiones, hay que tener en cuenta que

> toda novela es un testimonio cifrado: constituye una representación del mundo, pero un mundo al que el novelista ha *añadido* algo: su resentimiento, su nostalgia, su crítica. Este *elemento añadido* es lo que hace que una novela sea una obra de creación y no de información, lo que llamamos con justicia la originalidad de un novelista (Vargas Llosa, 1971a: 86).

126

Esto es, básicamente, lo que constituye uno de los ejes fundamentales de su reflexión teórica sobre la creación literaria: la presencia de lo que ha dado en llamar «el elemento añadido (o la muda)», que, justamente, permite trascender la pura y dura realidad, y que da lugar a una construcción ficcional. Lo que hace que una novela sea literatura y no un documento sociológico o autobiográfico es, precisamente, ese elemento añadido, lo que el escritor pone de su parte: la novela no refleja la realidad —el mapa no es el territorio—, sino que la finge, la simula. De hecho, ha referido, incluso, cómo tras una primera versión tuvo que eliminar los elementos más cercanos a la realidad porque no funcionaban: «[...] tuve una verdadera sorpresa al descubrir que justamente esos hechos reales, esos hechos verdaderos, al convertirse en ficción resultaban los más falsos del libro, los menos convincentes, los más irreales» (Vargas Llosa, 1971b: 81), hasta el punto de que, en la segunda versión, decidió suprimir

> casi todos los episodios reales que figuraban en el primer borrador, y me limité a conservar los episodios más o menos imaginarios, de tal manera que el libro, la novela, no es de ninguna manera una historia de los dos años que yo pasé en el colegio (82-83).

Entre ellos, cita uno de los que eliminó porque «creaba una dimensión realmente inauténtica»:

> La historia de un niño, de un muchacho que en el Leoncio Prado ejercía prácticamente la profesión de prostituta; era un niño de unos 13 años o 14 años y que era algo así como la prostituta del año mío; entonces él practicaba este oficio, hacía este juego de una manera casi humorística. Era algo horrible, desde luego, pero él practicaba ese horror con una especie de inocencia, como lo acompañaban o como era la actitud de sus clientes, de sus compañeros, de sus testigos de horror (81-82).

Aunque había pasado por el cedazo de la ficcionalización y justificado ese comportamiento con una historia de abusos pasados (ver apéndice final), esa parte del personaje de Ricardo Arana acabará, acertadamente, eliminada, como le aconsejaron sus amigos Oquendo y Loayza, para extender el alcance del personaje de Ricardo Arana, con todo el derecho a ser distinto, sin más, sin necesidad de justificación alguna.

Por lo tanto, tras la pertinente reflexión teórica y el ejemplo de Flaubert, para Vargas Llosa el novelista se erige como «deicida», un rebelde que se atreve a desafiar y a sustituir a Dios para configurarse como creador, o demiurgo, de una realidad otra, literaria, autónoma, que suplanta a la «realidad real». El escritor es un ser descontento con el orden establecido que necesita reordenar la realidad en la página en blanco para satirizar, criticar o protestar. A fin de cuentas, como insistirá también, «[e]l novelista no elige sus temas; es elegido por ellos» (Vargas Llosa, 1997a: 23), es poseído como por demonios (cfr. Luchting, 1971), remedando la famosa frase de Faulkner («un artista es una criatura impulsada por el ruido de sus demonios»). Asimismo, para explicar la labor del proceso creativo, Vargas Llosa ha comparado al escritor con un buitre que vive de sus propios despojos, u obsesiones, y de la carroña de la sociedad como punto de partida para su proyecto creativo (Cano Gaviria, 2011: 15). Y con un ser fantástico que se autofagocita, el catoblepas de la *Tentation de Saint-Antoine* (1874) de Flaubert (Vargas Llosa, 1997a: 21-31). Así, el referente autobiográfico representa apenas un punto de partida, la materia prima, el barro o el magma, con el que el autor va a trabajar y a transformar, para ordenar y estructurar el caos de la realidad y convertirla en literatura, en un proceso inverso al del *striptease*, añadiendo capas a la desnuda anécdota original.

Aunque, en su recepción, suscitara reacciones de una parte del público lector, que confundió realidad y ficción, como el comunicado de prensa de antiguos estudiantes leonciopradinos en apoyo de la institución tras la publicación de la novela en Perú *(El Comercio,* 17 de septiembre de 1964) o los rumores de la quema de ejemplares de la que el autor se hizo eco, Vargas Llosa también recibió cartas en señal de apoyo, como le refiere a su amigo Oquendo:

> Un cura que se llama Griffits o algo así, y que es capellán del Leoncio Prado, me ha escrito desde Madrid, muy entusiasmado con la novela. Me pide que se la dedique. Además, vino a verme un venezolano, que fue mi cadete, y estuvimos recordando los tiempos leonciopradinos. El libro le había parecido muy discreto, en relación con la vida real del colegio (París, 16 de diciembre de 1963).

Así, en su libro *El cadete Vargas Llosa. La mejor ficción nace de la realidad* (2011), Sergio Vilela lleva a cabo una investigación para reconstruir los dos años que permaneció el escritor en la institución. En las fotografías que ilustran el libro, se muestran imágenes del autor de adolescente, tanto fuera como, sobre todo, dentro del Leoncio Prado: se le puede ver en un primer plano con el quepí, o bien uniformado y formando en el patio, o también participando en una carrera de burros con otros compañeros, del mismo modo que se reproduce un boletín de notas donde aparece que formaba parte de la segunda sección de tercero. Asimismo, también se adjuntan algunos retratos de los posibles personajes que inspiraron a los principales protagonistas de la novela: concretamente, las fotos de Estuardo Bolognesi Cedrón, bisnieto del héroe de la batalla de Arica, que, según comenta Vilela que le reveló el propio autor, fue quien le inspiró el personaje del Jaguar, y de Alberto Lynch Martínez, que, parece ser, fue el punto de partida para modelar al Esclavo, a quien Vargas Llosa se refiere en una carta a Oquendo, donde especifica que su apodo era Huevas Tristes (París, 25 de marzo de 1964). Aunque Vilela apunta que pudo mezclar esta historia con la del cadete Duilio Poggi, que murió el 28 de diciembre de 1946 de una paliza, sin que se descubriera el culpable. En cualquier caso, todo ello constituye lo que Vargas Llosa va a considerar el magma o punto de partida: unas obsesiones que, desde luego, llevaba dentro, lo habían poseído durante años, como demonios, y que, como escritor, necesitaba exorcizar y transformar literariamente.

3.4. *La primera edición de la novela: la clave de los paratextos*

Para comenzar con el análisis de *La ciudad y los perros* hay que detenerse es decir, en un primer momento en lo que Gérard Genette llama «paratextos», de forma general, y, más concretamente, en los «peritextos», es decir, los elementos que se hallan alrededor del texto pero que lo acompañan, físicamente, de un modo directo. En este apartado se va a distinguir entre los peritextos específicos de la primera edición de la novela y los que forman parte intrínseca de la obra —especialmente el título y los epígrafes—.

3.4.1. Los peritextos

3.4.1.1. La portada

En la sobrecubierta de la portada del volumen 182 de la colección Biblioteca Breve, en blanco y negro —que oculta la sobria cubierta en color crema, rojo y negro del interior—, destaca el propio título, como es lógico, que hace referencia, por un lado, al espacio, «la ciudad», que se corresponde con Lima, la capital peruana —cuyo plano acompañaba esta primera edición de la novela, y se ha restituido posteriormente en la edición de la RAE y en la presente— y, por otro, a unos supuestos «perros» —ilustrados con una imagen del fotógrafo de la *gauche divine* barcelonesa Oriol Maspons—, pero que, como el lector pronto descubrirá, no hacen referencia concreta a estos animales, sino, metafóricamente, a los jóvenes cadetes de tercero de secundaria que se hallan encerrados entre los muros del Colegio

Militar Leoncio Prado. La fotografía mostraba a dos perros, uno en actitud violenta que amenazaba a otro, que retrocedía, y que sugería el ambiente animalizado representado en la novela. En la parte inferior, una faja en color azul petróleo recordaba al lector que se trataba del premio Biblioteca Breve 1962 y, en la pestaña lateral izquierda, aparecía la relación de los premiados desde la creación del premio, ya referida.

3.4.1.2. Las páginas amarillas

Además de destacarse del resto del libro, por el color, como si fuera casi, aparentemente, una separata, la autonomía de este cuadernillo o pliego, sin numerar, permitía poder trabajar en él independientemente y, por tanto, adelantar o atrasar su impresión según la necesidad. En él se reúnen elementos informativos que sirven para orientar al lector respecto al libro que tiene entre manos y a su autor, y que, en el caso específico de *La ciudad y los perros,* van a jugar un papel importante.

3.4.1.2.1. Presentación del autor y noticias sobre los premios

Se presenta al autor con una fotografía en la que se le muestra con bigote, a la manera de los galanes de la época, y con corbata. Además de mencionar su lugar y fecha de nacimiento, y de llevar a cabo un pequeño esbozo biográfico, se destacaba, sobre todo, su experiencia en el ámbito del periodismo en prensa escrita y en radio, y se daba cuenta de su trayectoria literaria hasta el momento —el estreno de su obra teatral y su libro de cuentos premiado—. Asimismo, se destacaba —como aparecerá también en la contraportada— que, además de haber recibido el premio Biblioteca Breve, había optado al premio Formentor 1963, y que había obtenido «3 votos sobre 7».

En la siguiente página, se ahondaba en la información sobre estos premios. Se especifican los cambios en el título de la novela ya referidos, así como el número de participantes en el premio Biblioteca Breve, «81 manuscritos, 30 de ellos procedentes de Latinoamérica». Y se menciona a la finalista Carmen Martín Gaite, ya conocida por haber recibido el premio Nadal en 1957 por *Entre visillos*. En cuanto al Prix Formentor 1963, se informaba de que esta había sido la única obra en español que se había presentado al premio y que el jurado se había reunido para deliberar «en Corfú (Grecia), en los primeros días de mayo de 1963». Se refiere que, en la última sesión, el interés se polarizó entre la obra de Vargas Llosa, que quedaría finalista, y la de Jorge Semprún (cuyo título era *Le grand voyage / El largo viaje)*, que resultaría ganadora.

Lo más llamativo, no obstante, era la fotografía que se incluía debajo de estas informaciones, y donde podía verse, perfectamente, una escultura de un militar de uniforme con la mano izquierda empuñando la espada y la derecha apoyada en la cintura, desafiante y, justo detrás, la fachada de un edificio que revelaba el nombre del héroe epónimo: «Colegio Militar Leoncio Prado». Por si hubiera dudas, el pie de foto que la acompañaba, rezaba: «Patio de entrada del Colegio Militar Leoncio Prado en que tiene lugar la acción de la novela». Se trata de la foto que tuvo que ser eliminada en la segunda edición —en la que llama la atención el hueco, el vacío que deja— para hacer posible, finalmente, la publicación y circulación de la novela, como se ha relatado.

3.4.1.3. «Un juicio del Dr. José María Valverde»

También en las páginas amarillas se incluyó la ya mencionada presentación de José María Valverde para tratar de mediar, en lo posible, y suavizar su inmediata recepción en

España. Este texto, que lleva el título de «juicio», parece jugar con el doble sentido de ser emitido por un miembro del jurado, como opinión, y por constituir el primer enjuiciamiento o comentario de la novela. De forma muy acertada y significativa, se abre con un epígrafe que consiste en unos versos del poema LVIII de *Trilce* (1922) del peruano César Vallejo, concretamente: «[...] En el redil de niños, ya no le asestaré / puñetazos a ninguno de ellos, quien, después, / todavía sangrando, lloraría: El otro sábado / te daré de mi fiambre, pero / no me pegues! / Ya no le diré que bueno...» (vv. 28-33; Vallejo 1993: 273). La mención a la violencia infantil, conectaba con uno de los temas centrales de la novela, que será también el punto de partida de las páginas de Valverde: el desplazamiento de la niñez por la adolescencia como «época ideal de divina plenitud paradisíaca», y los efectos del encierro y de la disciplina en el «desvelamiento moral» de los jóvenes, y su alcance de «fenómeno universal». El texto trataba de salvar los escollos ya existentes en el país de origen del escritor y también en el de acogida de la novela. Por ello insistirá en «el error de juzgar a los personajes ficticios» y en no olvidar «el dominio del arte», es decir, el hecho de hallarse ante una novela, una ficción y no una crónica. Valverde establecerá dos líneas de interpretación que se irán repitiendo en los epitextos posteriores —como entrevistas, reseñas y artículos—: por un lado, la novela combinaba armónicamente elementos clásicos con otros de vanguardia; por otro, a pesar de la «crudeza» de los famosos pasajes, «se trata de una novela "poética"».

Las páginas amarillas se cierran con una fotografía de los miembros del jurado, celebrando, probablemente, haber llegado al resultado final de la votación por unanimidad. A la izquierda puede verse al crítico y editor José María Castellet, junto al mismo José María Valverde, charlando animadamente con el director de Seix Barral, Víctor Seix y Carlos Barral, mientras Joan Petit mira, algo irónico, a la cámara.

3.4.1.3. *Plano de la ciudad de Lima metropolitana*

Incluir el plano de la ciudad de Lima en la novela parecía recordar al mapa que uno de sus modelos literarios reconocidos, William Faulkner, había colocado en una de las suyas, *Absalom, Absalom! / ¡Absalón, Absalón!* (1936), para establecer el escenario de los hechos narrados. No obstante, fue una petición del editor, Carlos Barral, y no una iniciativa propia del escritor, quizás para vincular, todavía más, la lectura del texto a un espacio concreto, identificado incluso con un mapa, con un correlato objetivo indudable, para desviar y desactivar a la censura española, estratégicamente.

En esta representación a escala de la capital peruana, donde se recogía, incluso, que la población en el último censo era de casi un millón ochocientos mil habitantes, destacan los carteles que indican la situación específica, casi en el extremo izquierdo, del Colegio Militar Leoncio Prado, para señalar, después, la avenida Costanera, donde se encuentra, y que sirve de conexión a los perros y demás cadetes con la ciudad, y finalmente el parque Salazar, el espacio de socialización, y uno de los centros de Miraflores, que se constituye como polo opuesto, geográfico y metafórico: de un extremo a otro, desde La Punta hasta Chorrillos, parecen contraponerse y enfrentarse, mirarse en la distancia, El Callao, Bellavista y La Perla —donde se encuentra el internado—, al noroeste, y Barranco y Miraflores, al sudeste. Entre ambos, pueden identificarse los distritos de Lince y Breña, y el de La Victoria, más al este, entre otros. Y, al frente, el omnipresente Océano Pacífico.

3.4.1.4. *Los «blurbs» de la contraportada de la primera edición*

Otros paratextos que hay que tener en cuenta son los que se publicaron en la contraportada, como *blurbs,* firmados por críticos reconocidos, con la función de acompañar y apoyar la novela. Los textos aparecieron en tres lenguas diferentes —español, francés e inglés—, como muestra de su voluntad de difusión internacional. Por un lado, el primero de ellos, de la mano de Sebastián Salazar Bondy, representaba el origen peruano del autor, y hacía hincapié en la capacidad de la novela para mostrar la realidad de su país a través de la «rica fuerza metafórica» del lenguaje empleado y la capacidad de superponer y encabalgar distintos planos, gracias al «arsenal de la imaginación». Por su parte, la presencia de Roger Caillois, al frente de la prestigiosa colección La Croix du Sud de la editorial Gallimard, con su texto en francés, anticipaba su vinculación con el escritor, quien vería próximamente la novela traducida en su catálogo. En tercer lugar, Alastair Reid destacaba la capacidad del escritor para la construcción narrativa, hasta el punto de afirmar, algo hiperbólicamente, que la obra dejaba al resto de sus contemporáneas en un mal lugar, ya que las hacía parecer, en comparación, *«shabby and thin»*, o «pobres y faltas de vigor», según la traducción libre que acompañaba al texto original en inglés. A continuación, se incluyó también un fragmento del prólogo de Valverde, en el que se destacaba la naturaleza poética de la obra. Cerraba esta concatenación de opiniones de expertos la del poeta, crítico y traductor danés Uffe Harder, en francés, que insistía en la novedad de la obra. Asimismo, no hay que olvidar, como ya se ha referido, que el comentario más suculento, y conflictivo, firmado por Julio Cortázar, había sido eliminado por la censura, dada su crítica soterrada, entre líneas, al régimen franquista.

3.4.2. El título y los epígrafes

Ya se ha comentado el título de la obra, y se han referido los últimos cambios que experimentó hasta decidir el definitivo. Sin embargo, Vargas Llosa y sus colegas Oquendo y Loayza barajaron múltiples opciones, como puede apreciarse en los comentarios que los últimos hicieron llegar (Lima, 10 de octubre de 1962): «*La morada del héroe* ni de vainas. *La niebla de Lima* tampoco. *La falsa violencia* puede predisponer desfavorablemente. *La edad violenta* es un poco mejor. No se nos ocurre ningún título. A medida que vengan, si vienen, enviaremos postales. [...] Bueno, pensar inútilmente un título nos ha dejado silenciosos y soñolientos».

Por otro lado, en cuanto a los epígrafes, las lecturas sartreanas se hacen patentes, sobre todo, en dos de los epígrafes de la novela. El que sirve de pórtico a la primera parte procede de una obra teatral de Jean-Paul Sartre, *Kean* (1954), inspirada en otra de Alexandre Dumas *(Kean, ou Désordre et génie,* 1836) sobre el mismo personaje, Edmund Kean (1787-1833), uno de los actores más reconocidos de la escena británica a principios del siglo XIX, especializado en el repertorio de William Shakespeare y, sobre todo, en el *Hamlet.* A lo largo de los cinco actos de la obra de Sartre, más allá de su figura donjuanesca, en torno a la que gira la trama, destacan los parlamentos sobre realidad y ficción, así como sobre la vida como representación en la línea del gran teatro del mundo calderoniano. De entre ellos, Vargas Llosa elige uno de la tercera escena del segundo acto, en el que Kean, en diálogo con la figura redentora de Ana, una admiradora, afirma: «*On joue les héros parce qu'on est lâche et les saints parce qu'on est méchant; on joue les assassins parce qu'on meurt d'envie de tuer son prochain, on joue parce qu'on est menteur de naissance*» («Se hacen papeles de héroe porque es uno cobarde, y papeles de santo porque se es un malvado; se hace de asesino porque se muere uno de ganas de matar al prójimo, se representa porque se es embustero de nacimiento», Sartre, 1983: 92; traducción de María Martínez Sierra). Es decir, se representa porque la impostura parece formar parte del ADN humano; es inherente a su propia esencia, a juzgar por las palabras de este personaje sartreano[49].

Cabe volver a repetir que uno de los títulos que manejaba el escritor peruano para su novela era, precisamente, *Los impostores*. Y los personajes están, constantemente, fingiendo, impostando, interpretando un papel, porque no saben cómo comportarse, son demasiado jóvenes, aunque se requiere de ellos que aprendan ya a ser hombres sin verdaderos modelos como referentes: los padres o están ausentes o constituyen un ejemplo a no seguir, y los militares o se inhiben de sus funciones educadoras o se aprovechan de ellas para abusar de su posición de poder. Por este motivo no les queda otra posibilidad que representar para poder ser, como el mismo personaje de Kean, una vez más, apunta en la obra de Sartre, jugando con la famosa cita hamletiana: «Ser o no ser. No soy nada, niña. Represento ser lo que soy» (Acto II, segundo cuadro, escena III, 85).

Por otro lado, el epígrafe que abre la segunda parte pertenece a Paul Nizan (1905-1940), amigo y compañero de estudios de Jean-Paul Sartre desde su juventud, a quien este llega a ver como un doble o reflejo de sí mismo, como recuerda en su prefacio de 1960 a *Aden Arabie / Adén Arabia* (1931), la obra de la que tomará Vargas Llosa la cita. En concreto, se trata del principio de su peculiar libro de viaje hacia una supuestamente exótica ciudad del Medio

---

[49] La cita, de hecho, continúa diciendo: «[...] porque se ama la verdad y se la detesta. Representa uno porque, si no representa, enloquecerá. Hacer papeles. ¿Cuándo sé yo si estoy o no estoy haciendo un papel? ¿Hay un solo momento en que deje de hacer un papel?».

Oriente, y que, en realidad, repite los vicios impuestos por la Colonia, de tal modo que se muestra como un espejo deformado que le devuelve al narrador una cruda imagen de sí mismo, en lo que se revela como un viaje hacia su interior: «*J'avais vingt ans. Je ne laisserai personne dire que c'est le plus bel âge de la vie*» («Yo tenía veinte años. No permitiré que nadie diga que es la edad más bella de la vida», Nizan, 1991: 65; traducción de Enrique Sordo). En este caso, resulta esclarecedor continuar con la cita unas líneas más: «Todo amenaza de ruina a un muchacho: el amor, las ideas, la pérdida de su familia, la entrada entre las personas mayores. Es dura de aprender su partida en el mundo».

En su novela, Vargas Llosa muestra, precisamente, esa ruina de la juventud, en relación con la educación autoritaria del colegio militar: los personajes se forman o, mejor dicho, se deforman, en su aprendizaje de la vida. En su obra, Nizan acusa del mismo crimen a otros culpables, en este caso, especialmente, a la Escuela Normal. Pero hay otros, ya que arremete también contra esos «perros guardianes» (69), entre los que se cuentan tanto los maestros como los padres (71), quienes, en realidad, no educan, sino que adiestran, domestican, a los jóvenes desde niños, pero que no los han preparado verdaderamente para ser hombres, idea que inculcan a los adolescentes como «la única empresa legítima» (75). En este contexto se integra el narrador en primera persona, que se diluye en el colectivo, en ocasiones, al reconocerse como parte del engranaje del sistema, gracias a esa pretendida educación que crea en realidad autómatas, ciegos y, en grupo, integrados o excluidos, caracterizados como un «Jano bifronte» (79), un hipócrita que se adapta, pero que sueña con huir, con escapar, aunque le sea imposible por haber sido mutilado emocionalmente.

Nizan enfoca también en «aquellos tiempos fláccidos, donde el asco o la impaciencia de ser hombres ascendían en todos los cuerpos como accesos de fiebre» (81), como si fuera una enfermedad, con «el recuerdo vergonzoso de haber querido, en la juventud, vivir como hombres: llegar a ser uno de sus servidores, cargado de tareas designadas por ellos y prescritas de cabo a rabo» (186). Con el deseo de no ser engullido, finalmente, por ese supuesto orden: «No quiero morir en la degradación de un banquero [...]» (186), aunque ese mismo será el destino de uno de ellos en la novela de Vargas Llosa.

Finalmente, el último epígrafe, como umbral al epílogo, corresponde a los versos del poeta peruano de la Generación del 50 Carlos Germán Belli (Lima, 1927), que proceden de «¡Cuánta existencia menos...!», en *¡Oh hada cibernética!* (1961): «...en cada linaje / el deterioro ejerce su dominio» (vv. 4-5; Belli, 1969: 46). El poemario, que destacaba en el panorama del momento por su mezcla de formas líricas tradicionales, reforzadas por un lenguaje arcaizante, inspirado en la poesía hispánica áurea, y de imágenes de la modernidad que resultaban disruptivas —como la misma «hada cibernética» del título—, se sitúa en una órbita parasurreal. En este poema, además, se plantea una crítica social bastante explícita, donde aparece una voz poética que parece enfrentarse a los ancestros, a los padres, a quienes acusa, indirectamente, de la degeneración inevitable de los hijos, como ocurre en «¡Oh padres, sabedlo bien...!» (41).

3.5. *Estructura narrativa y polifonía:*
entre un narrador omnisciente y el monólogo interior

El inicio propiamente dicho de la novela es uno de los más conocidos de la literatura hispanoamericana contemporánea: la primera palabra corresponde a un número («—Cuatro»), en boca del personaje del Jaguar, que se remite al resultado de la tirada de dados que pone en marcha los mecanismos del azar y del destino de los personajes, sin que sean conscientes de ello. Empieza *in medias res*, en medio de la acción a la que asiste el lector, repentinamente, sin que se haya llevado a cabo ninguna presentación previa, ni del espacio ni del tiempo ni de los personajes que intervienen en ella[50]. La escena inicial se sitúa en torno a la medianoche, entre las 11 y las 12, más concretamente, de un día de mediados de septiembre de principios de los años 50, que corresponde al final del invierno austral, y en los baños de las cuadras de los estudiantes de quinto curso de la primera sección del Colegio Militar Leoncio Prado. Un espacio interior, sin ventanas, frío, hediondo y, entre tinieblas en el que un narrador aparentemente omnisciente y en tercera persona, heterodiegético, enfoca en los cadetes que planean el robo de un examen de química. A partir de aquí, tanto la multiplicidad de voces narrativas como la aparente ruptura de la linealidad de la historia relatada se configuran como los dos aspectos más relevantes en cuanto a la construcción de su estructura, y como los dos ejes en torno a los que gira la renovación literaria que propone la novela.

En su ya clásico ensayo, *Mario Vargas Llosa: la invención de una realidad* (1970, 1982), José Miguel Oviedo resume el argumento de la novela, de forma esencial, haciendo evidente que, después de todo, resulta mínimo, ya que lo más llamativo no es qué, sino cómo, se cuenta:

> El cadete Porfirio Cava roba un examen de Química antes de que sea rendido, siguiendo el mandato del Círculo, secta que impone el terror y la violencia en el Colegio Leoncio Prado, y cuyo jefe indiscutido es el temible Jaguar. Se descubre el delito por un vidrio roto y las autoridades

---

[50] Un principio que, de algún modo, recuerda al de *La condición humana / La condition humaine* (1947) de André Malraux, salvando las distancias de los escenarios, tan distintos, pero coincide con la forma súbita en que se presenta la acción y en el claroscuro de la escena. Además, también tiene un epílogo final que remite a sucesos posteriores a la trama o diégesis principal, como en *La ciudad y los perros,* dividido, no obstante, solo en dos secuencias, y no en tres.

consignan a los encargados de la vigilancia. El más afectado es el muchacho al que llaman el Esclavo (su verdadero nombre es Ricardo Arana), que no puede salir a ver a su imposible novia Teresa. El Esclavo denuncia a Cava, que es expulsado de la institución. La sospecha de que hay un soplón en el grupo es general, pero obsesiona y enerva sobre todo al Jaguar, cuyo imperio exige el secreto y un «código de honor» en toda circunstancia. En unas maniobras militares, el Esclavo recibe un balazo en la cabeza y muere poco después. Ahora todos sospechan del Jaguar. Para el Colegio, que teme las perjudiciales consecuencias del escándalo, la versión oficial establece que se trata de un accidente. Alberto (llamado el Poeta, hipócrita niño bien, amigo del Esclavo) rompe con los pactos que lo unen al Círculo y acusa el crimen del Jaguar al teniente Gamboa, el hombre aparentemente más recto y más duro de la institución. Pero ahora los pactos del silencio incluyen también al colegio, a los profesores militares y a las mismas fuerzas armadas; por lo tanto, el caso se da por cerrado y la investigación no se reabre. El propio Alberto se ve impedido de seguir adelante porque las autoridades lo amenazan con mostrar a sus padres las novelitas pornográficas que escribía y vendía a sus compañeros. Alberto cede y Gamboa también, tras un apoyo inicial que le cuesta un ascenso. En el epílogo de la novela, que sigue al egreso de los cadetes del colegio, vemos a los protagonistas readaptándose a la brumosa vida corriente [...] (1982: 97-98).

Gnutzmann (1992: 41) reduce el argumento de la diégesis principal a tres unidades: 1) el robo del examen, su investigación y una primera delación; 2) la muerte del Esclavo y la expulsión de Cava, como consecuencia de la anterior; y, finalmente, 3) una nueva investigación, para tapar más que esclarecer las causas de la muerte de Ricardo Arana, y una segunda delación, fallida y sin consecuencias. Obviamente, quedan excluidas aquí las referencias al pasado de los personajes, que van a tener un importante papel en la novela, para configurarlos y explicar su comportamiento.

En cuanto a la estructura narrativa, la novela se divide en tres partes: las dos primeras tienen, prácticamente, la misma extensión, mientras que la tercera está constituida solo por un breve epílogo. Las dos primeras partes contienen, simétricamente, ocho capítulos cada una y cada capítulo, a su vez, está formado por una cantidad variable de lo que pueden considerarse «secuencias», como propone Oviedo, empleando el término cinematográfico, ya que, de hecho, parece como si se produjera un cambio de enfoque en la cámara de una película, vehiculado, en la novela, por las distintas voces narrativas presentes en sus páginas, que van entrelazándose sin un esquema fijo, como en la técnica del montaje cinematográfico. En este sentido, cabe recurrir aquí a Mijail Bajtin (1989) por su concepto de la polifonía, o construcción narrativa a partir de la alternancia de múltiples voces, algo que el crítico considera como una de las características principales de la novela moderna, ya desde Cervantes.

Como se hará evidente en la lectura de *La ciudad y los perros,* el juego con las distintas voces narrativas resulta fundamental. Por un lado, destacan las indicaciones de un narrador aparentemente omnisciente, heredero del realismo y del naturalismo del siglo XIX, aunque presenta una importante particularidad, que lo sitúa dentro de una tradición propia en el seno de la modernidad: enfoca, en ocasiones, a los personajes, como si los siguiera con una cámara, como una voz en *off* que va comentando y acotando sus acciones, que tiene acceso a sus recuerdos y demuestra conocer más que ellos mismos, como si ironizara sobre la pretendida omnisciencia decimonónica, porque no cuenta todo, sino que escamotea datos. Por lo tanto, encaja con la figura del llamado narrador no fiable (cfr. Gras, 2017) o, como ha sugerido el propio autor, tramposo, que se caracteriza también por hacer ostentación de saber más que los propios personajes, a pesar de ocultar información. Así, por ejemplo, el lector identificará pronto las secuencias que tienen que ver con Richi/Ricardito, Ricardo Arana, el niño que se convertirá en el Esclavo, por la manera que tiene el narrador de subrayar su mayor conocimiento de los detalles, al insistir, desde la primera vez que aparece, en una construcción sintáctica que va a repetir constantemente, que incide en señalar que sabe lo que incluso el propio personaje es incapaz de recordar: «Ha olvidado la casa de la avenida Salaverry, en Magdalena Nueva, donde vivió desde la noche en que llegó a Lima por primera vez» (I, I [2], 248).

No obstante, este narrador irónicamente omnisciente, tramposo o no fiable, se combinará con otras tres voces narrativas más, pertenecientes a tres personajes, que suponen una mirada introspectiva, ya que se articulan en forma de monólogos interiores, en primera persona, que se alternan para ocupar total o parcialmente las secuencias. En el primer caso se encuentran los que corresponden al personaje del Boa, entre una primera persona del singular y una del plural, como eco y espejo de la colectividad del colegio, que se dirigirá, además, en ocasiones, a un narratario, un interlocutor, su pobre perra Malpapeada; y también, por otro lado, las que se relacionan con un narrador no identificado en un principio, que se muestran de forma directa, sin ninguna mediación, cuya identidad no se revelará hasta el epílogo, para crear misterio y tensión en la novela. En el segundo, se hallan los que proceden del personaje de Alberto, que aparece siempre en secuencias mediatizadas por el pretendido narrador omnisciente, que lo enfoca y penetra en sus pensamientos, entrando y saliendo de ellos en estilo indirecto libre. En total, por tanto, suman cuatro voces narrativas distintas (cfr. Magnarelli, 1981). Sin embargo, también se escucharán, aisladamente, en los diálogos fragmentados, en estilo directo, las voces de múltiples personajes tanto de dentro como de fuera del colegio Leoncio Prado: entre los primeros, las de los perros, cadetes, profesores y oficiales; entre los segundos, los del círculo familiar y de amistades, especialmente de Alberto (su madre Carmela y su padre, significativamente sin nombre, los amigos del barrio —Tico, Pluto, Emilio, etc.— y de Teresa y su tía, entre otros), de Ricardo (su madre Beatriz y su padre, del que tampoco se conoce el nombre) y del personaje innominado (su madre y el flaco Higueras).

Debido a la complejidad que supone —sobre todo, al principio— el cambio de voces narrativas, varios críticos han tratado de orientar la lectura indicando en distintos esquemas esa alternancia para ayudar al lector a identificarlas, ya que van variando secuencia a secuencia, las cuales, afortunadamente, se ven separadas unas de otras por una pausa marcada por el espacio en blanco entre una y otra[51] (Tacca, 1973: 110; Boldori, 1974: 117; Standish, 1982: 35; Oviedo, 1982: 133; Gnutzmann, 1992: 62-63, entre otros). Sin embargo, estos esquemas, de gran interés, en cualquier caso, suelen mezclar, a menudo, las voces narrativas propiamente dichas con los personajes en los que estas están enfocando y, por lo tanto, pueden llevar a confusión si no se presta debida atención.

Por este motivo, se adjunta a continuación un nuevo esquema con la voluntad de aclarar y mostrar, precisamente, la presencia de las cuatro voces narrativas principales: «N» para el supuesto narrador omnisciente, tramposo o no fiable; «B» para el Boa, que narra, sin embargo, desde la primera persona del plural, sin salir nunca de los muros del Leoncio Prado; «I», pero entre corchetes, para la voz innominada o no identificada, porque se desconoce a quién pertenece esta en un primer momento y hasta el epílogo, donde se revelará a quién pertenece, por lo que se han eliminado entonces los corchetes correspondientes para re-

<hr />

[51] En las primeras ediciones, hasta llegar a la edición definitiva de 1997, donde ya no se lleva a cabo, las transiciones entre las secuencias se hacían más evidentes porque las primeras palabras aparecían en mayúscula, como sucedía en las primeras ediciones de las obras de William Faulkner. En las referencias a las citas de la novela, se indicará, en primer lugar, la parte y el capítulo donde se encuentra y, entre corchetes, la secuencia, porque en realidad no está numerada, para indicar, por último, la página.

presentarla; y, finalmente, «A» para Alberto, que se combina con la del irónico narrador omnisciente, que entra y sale del relato y parece ponerse junto a él, observándolo, o dentro de su mente y de sus pensamientos más íntimos[52]. Por otro lado, se observará que, respecto al narrador omnisciente, se acompaña, entre paréntesis, la inicial del personaje al que enfoca: «C» para los cadetes o el personaje colectivo, dentro y fuera de las cuadras, que actúa como un coro de fondo; «R» para el personaje de Ricardo Arana, porque en esas secuencias se enfoca al personaje fuera del Leoncio Prado y se introduce en sus recuerdos, incluso en los olvidados, donde no es conocido como el Esclavo; «T» para Teresa, y «G» para el teniente Gamboa:

Primera parte (40 secuencias)						
	Secuencias	Voces Narrativas				
Cap. I	5	N(C)	N(R)	N-A	N-A	B
Cap. II	6	N (C)	N-A	N(C)	N(C)	N(R)
		N(C)				
Cap. III	5	[I]	B	N-A	B	N(R)
Cap. IV	10	N-A	N(T)	N-A	N(T)	N-A
		N-A	N-A	N-A	N-A	N(C)
Cap. V	6	[I]	N (C)	N(R)	N (C)	N-A
		N-A				
Cap. VI	2	N(R)	N-A			
Cap. VII	5	[I]	B	N(A)	B	N(R)
Cap. VIII	1	N(C)				

[52] Como si se desdobara y hablara consigo mismo, en lo que Silva Cáceres (1965: 417) denominó como «diálogo interior».

Segunda parte (38 secuencias)						
	Secuencias	Voces Narrativas				
Cap. I	10	B	N-A	[I]	N-A	N(R)
		B	N-A	B	N(R)	N-A
Cap. II	4	[I]	N(C)	[I]	N(C)	
Cap. III	6	B	T	[I]	N-A	B
		N-A				
Cap. IV	5	B	[I]	N-A	[I]	N(G)
Cap. V	4	B	N (G)	[I]	N (C)	
Cap. VI	3	N-A	[I]	N-A		
Cap. VII	3	N(G)	[I]	N-A		
Cap. VIII	3	N(C)	N(G)	N-A		

Epílogo (3 secuencias)				
	Secuencias	Voces Narrativas		
Epílogo	3	N(G)	N-A	I

En total, por tanto, se contabilizan 81 secuencias, como ya indicara Oviedo: las más numerosas son las que combinan la voz del supuesto narrador omnisciente, no fiable o tramposo, en general, con otras parciales desde distintas perspectivas, entre las que destaca la de Alberto (en 23 casos), seguidas de las vehiculadas por la voz innominada, sin identificar (en 13 secuencias), y que no se sabe a quién se dirige, probablemente a sí mismo como flujo de la conciencia en el recuerdo de su pasado y confrontación consigo mismo, casi el mismo número que las relatadas por la perturbadora voz del Boa (en 12 de ellas), en ambos casos como monólogos interiores que ocupan las secuencias de forma completa, aunque en el último aparezcan reproducidos fragmentos de diálogos de los cadetes en estilo directo y la constante referencia a la Malpapeada-Malpateada, a la que parece dirigirse, para darle instrucciones que sugieren una relación zoófila.

Por otro lado, la lectura atenta pone de manifiesto que en realidad no hay una ruptura cronológica de la acción, después de todo, aunque esto no se aprecie debido a que la historia o diégesis principal de los hechos se ve interrumpida por el uso de los llamativos saltos atrás, *flashbacks* o analepsis, especialmente en las secuencias vehiculadas por los monólogos interiores de los personajes; así, la historia se desarrolla en un orden lineal, de principio a fin, a lo largo de los últimos meses del quinto curso, aunque el montaje, es decir, la fragmentación del relato en las distintas secuencias y las interrupciones del discurso, con las interferencias del pasado para conocer mejor a los personajes, puedan producir una sensación distinta en el lector, lo que demuestra que el joven Vargas Llosa ya era un verdadero maestro prestidigitador, capaz de jugar con la atención del lector. En este sentido, aunque el escritor se sirve del mecanismo del monólogo interior para dar paso a un discurso oral que trata de remedar el flujo de la conciencia, hay que advertir que no llega a la radicalidad de Joyce o Faulkner, en el caso anglófono, o de un Miguel Á. Asturias en el hispanoamericano. En los monólogos aparentemente más radicales, los del Boa, donde se muestra la oralidad con el empleo de onomatopeyas, con el juego fonético, cercano al del sonido y la furia verbal del Benjy de *The Sound and the Fury / El ruido y la furia* (1929) de Faulkner —y que sirve para proveer al lector con la información sobre la vida en el colegio, siguiendo un esquema cronológico, desde el bautizo inicial, en tercer año, hasta el momento presente de la narración durante el último curso—, hay una mayor organización, control y continuidad (cfr. Gnutzmann, 1999).

3.6. *La construcción del cronotopo: el tiempo y el espacio*

Como punto de partida para el análisis de cualquier novela se hace necesario referirse a los dos ejes que permiten la construcción de un mundo de ficción —como señala Mijail Bajtin (1989: 237-409)—: el tiempo y el espacio, que configuran lo que se ha dado en llamar el cronotopo. Este concepto, que se remite a la unión de los términos, en griego, para las dos categorías kantianas necesarias para la percepción —el tiempo y el espacio—, subraya su imbricación absoluta. A pesar de ello, como resulta imposible comentar ambas cuestiones a la vez, se partirá, en esta ocasión, del análisis del espacio representado antes de comentar el tratamiento narrativo temporal.

3.6.1. El espacio: microcosmos y macrocosmos

El espacio, ya desde el título, se muestra de forma dual, en dos ámbitos que se corresponden de algún modo: el de la ciudad, Lima —es decir, el exterior o abierto—, y el de los perros, o sea, el del colegio militar —interior o cerrado—, que se irán alternando en las secuencias de los distintos capítulos, sin un esquema fijo, como en un movimiento que Oviedo calificó de «pendular» (1982: 98) y que responde, sobre todo, a la búsqueda del efecto del contrapunto y del contraste, aunque también de la analogía a la manera del montaje cinematográfico desde Serguei Eisenstein. La crítica ha repetido, desde un inicio, la importancia de la contraposición, por tanto, entre un macrocosmos —que, incluso, no podía solo limitarse a la capital peruana, ni a todo el país, sino a toda la realidad latinoamericana e internacional, sin fronteras, establecida sobre fundamentos autoritarios— y un microcosmos —el del Leoncio Prado—, porque, de hecho, uno parece espejo del otro o, incluso, se establece un transvase entre ambos desde un punto de vista simbólico.

Como ya se ha referido, en la primera edición de la novela se adjuntaba un plano de la ciudad de Lima, que se ha recuperado, donde están marcados los distintos distritos mencionados en la obra de un extremo a otro, desde El Callao hasta Barranco. Con ello también se reforzaba el efecto de realidad buscado, de tal modo que el lector sentía que podía ubicar, en ese plano, los hechos narrados. Este recurso funcionaba, sobre todo, para los lectores alejados de la realidad peruana y, más concretamente, limeña, que desconocían los lugares mencionados. De forma distinta podía operar para quienes conocían de primera mano esas calles, con su propia experiencia vital de la ciudad, aunque, como ha señalado Alonso Cueto, también demostraba que las grandes historias no tenían que ocurrir solo en París, San Petersburgo o Londres, sino que podían tener lugar en sus mismas calles (2018: 104). De este modo, Vargas Llosa sitúa a Lima entre las metrópolis literarias de la modernidad emergente (cfr. Aubès, 1999).

Lima se presenta como uno de los personajes protagonistas, por tanto, como si fuera un «retrato geográfico y anímico» de la ciudad (Prado Alvarado, 2018: 69). Ese espacio geográfico y psicológico puede ser rastreado en las páginas de la novela, que se configura casi como máquina del tiempo, porque la transformación que ha vivido la capital peruana a lo largo de todas estas décadas ha cambiado significativamente su rostro. En guías, reportajes y documentales (cfr. León, 2008 y 2009; Ayén, 2012; De la Peña, 2019) de gran utilidad, se ha tratado de reconstruir la imagen de Lima que se muestra en sus páginas, a pesar de la dificultad que entraña, ya que hay que ser consciente de la distancia que separa estas imágenes de las del pasado: la urbe limeña ha cambiado tanto que ya no es la misma, buena parte de ella está cancelada, dejó de existir (cfr. Migoya, 2019). Así, como ha ocurrido también en casi todo el resto del mundo, ha desaparecido la mayor parte de las salas de cine que se mencionan en la novela, como el Ricardo Palma, en Miraflores, demolido para conectar los parques Kennedy y Central. Y lo que aún más relevante, si cabe: algunos de los medios de transporte que atraviesan la ciudad en la novela, conectando los distintos distritos, casi compartimentos estancos (León, 2008: 40), como el Expreso o los tranvías que toman los personajes, para cruzar de un extremo el trazado urbano, han dejado de circular hace tiempo. No obstante, como bien señala Rodríguez Vigil (cfr. Soto, 2013), no hace falta conocer Lima para entrar en la novela, ya que los nombres propios de lugares y calles sirven de anclajes para construir ese mundo posible, de ficción después de todo.

La ciudad aparece relacionada con las salidas, contadas, de los cadetes durante el fin de semana, después de las maniobras o los exámenes, hasta el domingo por la noche, o con referencia al pasado de los personajes. De esta cartografía capitalina destacan distintos distritos, que adquieren una connotación específica en cada caso. Entre el Callao y Miraflores no solo hay toda una ciudad, sino todo un mundo, marcado por las diferencias sociales y económicas. A cada uno de los extremos corresponden también los personajes que pueden considerarse antagonistas, el Jaguar y Alberto, el Poeta, porque no significa lo mismo vivir en Bellavista que en el llamado Barrio Alegre o, para evitar confusiones, el de Diego Ferré. Los trayectos en autobús y tranvía evidencian las fronteras invisibles que separan y territorializan la ciudad, y sustentan la discriminación social (León, 2008: 50).

El espacio urbano se despliega ante el lector de la mano de los personajes que la habitan, porque se delega la visión de la ciudad a través de su mirada y refleja los problemas de los personajes: devuelve su imagen, su aburrimiento, su melancolía, parece ser una extensión de los protagonistas de cierta inspiración romántica. Sobre todo ante la decrepitud de los antiguos barrios elegantes, como el paseo Colón —una especie de Champs-Élysées «criollos»—, emblema de la modernidad de la Lima republicana y aristocrática de finales del siglo XIX, ya pasada, y que ahora muestra una ciudad vetusta y provinciana. Pero también conecta con el contraste con la modernidad incipiente y supone un juego muy cinematográfico: a menudo, parece como si una cámara siguiera a Alberto en sus recorridos por la ciudad, como en un *travelling*, que alternara la neutralidad de los largos planos descriptivos del espacio urbano con la subjetividad de los pensamientos del personaje, como una voz en *off*, de La Perla a Miraflores, a Lince, el centro de Lima, La Victoria o Barranco. Aunque aparecen todavía chacras en medio de la ciudad, no se alude a las barriadas o pueblos nuevos, ni a los cerros —San Cristóbal, San Cosme—, a diferencia de lo que suceden en las obras de la Generación del 50, como *Lima, hora cero* de Congrains, aunque en un momento de la novela se muestre a gente escarbando en los tachos de basura, cerca de Lince (II, III [2], 544).

Las descripciones a través de Alberto recuerdan la escuela de la mirada del *«nouveau roman»* (cfr. Pollmann, 1971), distanciada y fría, que parece levantar el catastro de las calles, pero no como un *flâneur* sino como un ser alienado que parece no implicarse. Una mirada que muestra al «joven perdido en laberintos existenciales que él mismo desconoce pero que lo desfasan de cualquier lugar donde se encuentra» (León, 2008: 42). Su punto de referencia es ese Miraflores que recuerda, nostálgicamente, desde el colegio militar, como Arcadia, y más concretamente la calle Diego Ferré y, apenas, la «media docena de manzanas» del barrio, «entre la avenida Larco, el malecón y la calle Porta» (I, I, 4, 268), adonde llega, con su familia, desde San Isidro. Un paraíso perdido del que es expulsado, primero —tras la separación de sus padres— a la pequeña casa de un solo piso de la calle Alcanfores e, inmediatamente después, al Leoncio Prado («un colegio de cholos», II, I, 499), tres años atrás.

Asimismo, aparecen otros espacios en la novela, como el centro de Lima, donde se halla la oficina donde trabaja

151

Teresa, empleada de taqui-mecanografía, y que aparece representado, sobre todo, por la plaza San Martín, donde se hallaban los cines de estreno, aunque se configura apenas como lugar de intercambio, de bajador para llevar a cabo las conexiones que conducen casi siempre hacia otras partes de la ciudad y, muy especialmente, bajo el reloj de La Colmena, parada final del tranvía (I, IV [10], 366). Al sur del centro histórico se hallan avenidas radiales, de monumentalidad pública, como la penitenciaría —ahora hotel Sheraton—, el Palacio de Justicia, y parques como el de la Exposición, el de Neptuno o el de la Reserva (León, 2008: 46): «la fachada rojiza» de la siniestra cárcel y la imponente «gran mole blancuzca» del Palacio de Justicia conectan libremente, en la mente de Teresa, con los recuerdos de su padre, un alcohólico violento y pendenciero, mientras viaja en bus hacia Lince, donde vive, cerca del paradero del Expreso junto a la antigua sede del colegio Raimondi, en la décima cuadra de la Av. Arequipa (I, IV [6], 356).

Cerca vive Ricardo Arana, de quien se menciona la dirección adonde llega desde Chiclayo, siendo un niño, la Av. Salaverry, 38, junto al Campo de Marte, donde se realizaban los desfiles —y que coincide con una de las direcciones en que vivió Vargas Llosa en su infancia con sus padres (1993: 51)—. Su perspectiva es la mirada de un joven provinciano, entusiasmado al principio, de niño, con la idea de ver y conocer Lima, pero cuya realidad resulta brumosa ya desde su ominosa llegada nocturna a Magdalena Nueva (I, I [2], 248-249), un espacio familiar cuya violencia se reduplicará en el espacio cerrado del colegio militar, que lo tomará de chivo expiatorio. En distintos momentos de la primera parte se muestra al personaje melancólico, caminando sin rumbo, sin querer llegar a su casa, sobrepasado por el tráfico, aterrorizado por esa ciudad emergente, por la circulación, el tráfico, los embotellamientos y la falta de sol, en contraste con la pasada felicidad en la provincia, con su madre y la tía Adelina: «Lima le daba miedo, era muy grande [...]» (I, VII [5], 437).

Por último, Barranco, que se incorporó a Lima tras ser ciudad balneario en el XIX y principios del XX, y se halla junto a Chorrillos, se configuró en el pasado como el escenario modernista del poeta Eguren y de *La casa de cartón* de Martín Adán, y es donde se encuentra, en la calle Bolognesi, 327, la casa del teniente Gamboa, que emana una aparente tranquilidad. Diametralmente opuesto, geográfica y simbólicamente, aparece el otro espacio relevante en juego, el Callao. De su distrito de Bellavista proceden el Jaguar al igual que el narrador innominado, quien coincide, siendo todavía un niño, con su entonces vecina Teresa, de quien se enamora, como descubrirá el lector bajo la máscara del monólogo interior de la voz anónima cuya identidad no se revela hasta el final de la novela, en el epílogo. Sin dinero siquiera para el transporte público, que lo obligará a largas caminatas, ese será también el espacio de sus primeras incursiones en la delincuencia, sus primeros robos en antiguas casas de veraneo, con su amigo el flaco Higueras, más corruptor que mentor, y su banda.

También en el Callao se encuentran La Perla y el edificio del Leoncio Prado: no hay que olvidar que la acción de la novela se inicia dentro de los muros del colegio militar, un lugar inhóspito que va dibujándose en las descripciones de la primera parte y que contrasta con el falso folleto publicitario del centro, que no se corresponde con la realidad (II, I [5], 481-482). No obstante, el primer contacto del lector es con los baños de las cuadras de los cadetes, un espacio húmedo, nauseabundo y frío, aún más a esas altas horas de la noche, para crear un mayor dramatismo, como si una cámara, de repente, enfocara a esos jóvenes en penumbra. Este inicio se produce en un lugar que puede resultar ominoso, o casi infernal, donde se fragua no solo el destino de uno de los personajes, el elegido por el azar de los dados para robar el examen de química, Porfirio Cava, sino también de los demás estudiantes —más adelante se sabrá que se trata del baño de las cuadras de la primera sección del quinto curso— por el efecto dominó que se va a desencadenar. Se trata de un espacio claustrofóbico, cerrado dentro del recinto del colegio militar. La oscuridad de la escena y del baño, por otra parte, como ha sido analizado en diversas ocasiones (cfr. Oviedo, 1982: 122-123; Standish, 1982: 25-30; Gnutzmann, 1992; Ezquerro, 1999; Cueto, 2016: 36-40), marca no solo la ambientación inicial sino el resto de la novela, que se caracterizará, en numerosas ocasiones, por el empleo significativo y continuado del claroscuro y la oposición binaria y simbólica que representa en relación con la luz y las tinieblas, el bien y el mal. El recinto del cuartel, algo estragado por la decadencia —una cancha de fútbol cubierta de hierbajos, una pista de atletismo con baches y tribunas de madera podrida, el mismo galpón de los soldados, medio en ruinas, un salón de actos que es un cobertizo con banquetas rústicas—, se ve rodeado, por la parte de atrás, por donde se tiran las contras —es decir, por donde se escapan los cadetes—, de «un muro grisáceo donde acaba el mundo del colegio militar Leoncio Prado y comienzan los grandes descampados de La Perla» (I, I [3], 255). Por el otro lado, frente a la Prevención, ante la verja de entrada, se halla la estatua de Leoncio Prado, el modelo a seguir que da nombre a la institución y una particular bienvenida a la morada del héroe, que parece enfrentarse inútilmente a la inmensidad del mar, omnipresente con su ruido de fondo. Un océano que no tiene nada de pacífico y que une tanto como separa al personaje de Alberto de su querido y añorado Miraflores.

3.6.2. Los saltos temporales

Como recuerda Vargas Llosa, «el de las novelas es un tiempo construido a partir del tiempo psicológico, no del cronológico, un tiempo subjetivo al que la artesanía del novelista (del *buen* novelista) da apariencia de objetividad» (1997a: 73).

154

A pesar de ello, o justo por ello, en *La ciudad y los perros* puede llegar a establecerse una cierta cronología. Por un lado, las referencias a la música —los boleros y el mambo— y el cine —Glenn Ford, Rita Hayworth, los musicales de Gene Kelly— sitúan la obra en los años 50 y contribuyen a crear un ambiente de época, con su particular banda sonora y modelos de conducta para toda una generación (cfr. Prado Alvarado, 2018), sobre todo por lo que respecta a los «usos amorosos» de la época[53] y al aprendizaje de los roles de género en aquella sociedad. También hay alguna referencia concreta, aislada, a la situación política del momento, como cuando, durante las pruebas de atletismo, se citan la presencia y el nombre real del ministro de Educación, el general Juan Mendoza (1902-1995), y se menciona, irónicamente, que es «el que tiene más medallas» (I, III [4], 320), por lo que los hechos narrados en ese momento tienen que situarse durante ese período, antes del final de su mandato, mientras detentó ese cargo, entre 1948 y noviembre de 1952, durante el gobierno de Odría.

Por otro lado, como ya se ha señalado, la acción narrativa se inicia dentro del colegio, en el presente, que corresponde a los últimos meses del curso final —quinto año de secundaria— de los cadetes de la primera sección. Concretamente en torno a la medianoche de un viernes, justo antes del examen de química, que tendrá lugar el sábado por la mañana, hecho que los exime de las habituales maniobras militares. Se puede ser todavía más específico, porque se indica también que, tras descubrirse el robo, se consignan los imaginarias que estaban de guardia el 13 de septiembre (I, VI [2], 408). Esto lleva a pensar que, muy posiblemente, la historia comience poco antes de la mediano-

---

[53] En el sentido que emplea la expresión Carmen Martín Gaite en *Usos amorosos del dieciocho en España* (1973) y *Usos amorosos de la postguerra española* (1987).

che del 12 de septiembre de 1952, que era viernes[54]. Ese es, precisamente, el año que Vargas Llosa ya no cursó secundaria en el Leoncio Prado, sino en el colegio San Miguel de Piura, como se ha apuntado. Por otra parte, el final de la primera parte, que se cierra con Ricardo Arana herido de gravedad, sucede el segundo sábado del mes de octubre, es decir, posiblemente el 11 de octubre de 1952. Así que la duración de la diégesis de esa primera parte es de casi un mes. El ritmo de esta parte es más pausado, ya que en ella se procede a la descripción de los espacios y de los personajes, hasta terminar con el clímax, o cráter, ese momento significativo de gran intensidad, que supone el impacto de bala que recibe Arana durante las maniobras del sábado.

Al mismo tiempo hay que tener en cuenta que, además de la diégesis principal, a través de los monólogos interiores parciales y totales se van entrecruzando episodios del pasado en forma retrospectiva, de analepsis. A este respecto, hay que señalar también que estos saltos atrás son de dos tipos y tienen distinto alcance. Por un lado, el primer tipo se da en el discurso fragmentado del Boa, aunque consecutiva, cuyos recuerdos dan cuenta al lector de los eventos sucedidos desde el ingreso de esa promoción de cadetes a la institución Leoncio Prado, en tercero de secundaria, hasta la actualidad del relato, es decir, a lo largo de tres años. Por otro, el segundo tipo de analepsis, que tiene un alcance más extenso, se remonta más atrás, y se manifiesta en tres casos distintos: en primer lugar, está el caso del monólogo total del narrador innominado, cuya memoria se remite al recuerdo idílico de sus encuentros con la vecinita de Bellavis-

---

[54] No se trata tanto de establecer la cronología exacta, a la manera de los lectores paranoicos sobre los que ironizaba Umberto Eco (1996: 86-88), peligro del que advierte Marco Martos (2018: 97), ya que esta puede estar equivocada, sino de considerar la duración aproximada de los hechos narrados para comprender los distintos ritmos de cada una de las partes de la novela.

156

ta, Tere, mientras él era estudiante en el colegio Dos de Mayo, y se extienden a lo largo de dos años en los que las malas compañías lo hacen caer en la delincuencia, como si se tratara de una especie de relato picaresco en primera persona; en segundo lugar, en cuanto a los monólogos parciales de Alberto, mediatizados por el narrador irónicamente omnisciente, se remiten a una especie de edad dorada que comienza con la llegada de la familia Fernández Temple al paraíso de Miraflores, desde su anterior residencia en San Isidro, hasta la expulsión del mismo por las consecuencias en sus calificaciones en La Salle debido al desengaño amoroso con Helena y a la ruptura de sus padres; finalmente, en tercer lugar, el narrador no fiable dará cuenta de las circunstancias de Ricardo Arana, desde su llegada a Lima, a la Av. Salaverry, desde su Chiclayo natal, siendo él un niño de apenas ocho años, hasta su ingreso en el colegio militar, tras dos años preparando el examen de acceso para alejarse de su padre violento. Todas las analepsis van apareciendo de forma alterna, sin seguir ningún esquema fijo en las dos primeras partes de la novela, menos las que remiten a Ricardo Arana, que solo tendrán lugar a lo largo de la primera parte y hasta el primer capítulo de la segunda, por razones obvias. Estos flashbacks constantes son los que hacen pensar en la ruptura temporal de la novela, que en realidad no se produce, ya que, como se ha indicado, la diégesis principal sigue una progresión lineal de principio a fin, solo interrumpida por esas referencias, en las que se informa al lector de los personajes de la vida fuera de los muros del colegio militar y, sobre todo, de esas otras imágenes, o retratos, anteriores, que evidencian y cuestionan la máscara que han asumido en el presente, dentro del Leoncio Prado.

En cuanto a la segunda parte, comienza el día después del accidente, el 12 de octubre de 1952, posiblemente, y su primer capítulo termina con la muerte de Ricardo Arana tras una agonía de tres días (II-II [4], 513), probablemente, por tanto, el 14 de octubre, alrededor de las 19:00. El capítulo III sucede durante el sábado siguiente, el 18 de octubre, cuando Alberto le comunica a Teresa la muerte de su amigo y, posteriormente, se encuentra con el teniente Gamboa para acusar al Jaguar de su asesinato y delatar al Círculo como causante del acoso a Arana y de la corrupción de las cuadras. El capítulo IV comienza el domingo por la noche, 19 de octubre, hacia las 22:00, cuando Alberto Fernández Temple ingresa en el calabozo, una hora antes de que regresen los cadetes al colegio, después del permiso del fin de semana. Al día siguiente, el lunes, 20 de octubre, por tanto, se presenta ante el capitán Garrido, acompañado por el teniente Gamboa, para ratificar sus acusaciones. Posteriormente, en el capítulo VI, será recibido por el director del colegio, el coronel, a quien revela todos los chanchullos de las cuadras —el mercado negro de tabaco, alcohol, pornografía, uniformes y exámenes—, lo cual tiene, como consecuencia, como se menciona, que haya «[e]n tres días, más papeletas que en todo el mes pasado» (II, VII [1], 629). En ese tiempo, tanto Alberto como el Jaguar acaban, por distintos motivos, en el calabozo, y hasta coinciden por error en la misma celda, hasta que, al principio del capítulo VIII, ambos regresan a las cuadras, después del almuerzo, por lo que, probablemente, se trate del miércoles, 22 de octubre, o del jueves, 23 de octubre. En cualquier caso, por lo tanto, esta segunda parte transcurre a lo largo de diez días, aproximadamente. Y el ritmo es también más concentrado y rápido en cuanto a los sucesos narrados, centrados en la culpabilidad y la obsesión de Alberto, en su particular búsqueda de la verdad y la justicia, luchando contra el sistema.

Respecto al epílogo, la primera secuencia tiene lugar justo después de los exámenes finales del curso, es decir, dos meses tras los incidentes relatados al final de la segunda parte, antes de las vacaciones navideñas. En cambio, la segunda secuencia sucede todavía algo más tarde, unos dos meses después de haber terminado el curso, y hace referencia, en pasado, al reloj que Alberto recibe como regalo de

Navidad de su padre como premio por haber terminado la secundaria; es posible que se trate, por tanto, de finales de febrero de 1953. En cuanto a la tercera, su alcance es más amplio e indeterminado; pueden haber transcurrido largos meses o, incluso, algún año, para dar razón del destino final del narrador innominado, del que se descubre su identidad, como revelación o anagnórisis.

3.7. *La impostura de los personajes*

En una de sus primeras entrevistas, tras recibir el premio Biblioteca Breve, ante la pregunta de quiénes eran esos impostores que aparecían en el título provisional de la novela, Vargas Llosa respondía: «Estos muchachos, por el hecho de pertenecer a esta institución, que se sienten obligados a demostrar en todo momento el culto a la violencia y en la mayoría de los casos no responde a su propio espíritu. Por ello deben simular o dar a todos sus actos una apariencia falsamente viril. Por lo tanto, viven en una situación de impostura» (Del Arco, 1962: 29). También subrayaba que todo el Perú era eso, porque «la imagen oficial de exportación del Perú no corresponde a la situación real» y faltaban «[i]ndependencia económica, honradez política y moralidad administrativa», lo cual podía corregirse «[a]plicando los tres preceptos incas: Ama-sua, ama-llua y ama-kella. No seas ladrón, no seas mentiroso y no seas perezoso». Por su parte, en un fragmento de entrevista que reproducía *Blanco y negro,* el suplemento de *ABC,* para dar noticia del premio, insistía en su deseo de «mostrar, por encima de la radical impostura que viven, las reacciones profundas de un grupo de adolescentes en el heroísmo, la injusticia y la solidaridad» («Unanimidad», 1962: 89).

Asimismo, la cita del *Kean* de Sartre, ya comentada, refuerza la idea de que los personajes se caracterizan por representar, como mínimo, un papel ante los demás diferente de su realidad más íntima, que se manifiesta, sobre todo, en los monólogos interiores y en las escenas que enfocan su pasado. En ocasiones, esos papeles se multiplican, dependiendo de con quién estén interaccionando los personajes —si en el ámbito familiar, o en el colegio, ante autoridades o ante compañeros—, algo que tampoco extraña al lector, por propia experiencia. En la novela, el colegio militar se configura como el mayor espacio para la representación, ya que se basa, de entrada, en el simulacro: no es, verdaderamente, una academia militar para formar auténticos soldados ni pueden preparar a ningún cadete para participar, en realidad, en ningún conflicto armado —algo de lo que los propios mandos son conscientes, y a quienes, de algún modo, molesta esa misma falsedad y pretensión—. No obstante, lo que resulta más lamentable es que, en ocasiones, se lleguen a creer su propia interpretación, lo que puede explicar, de algún modo, el comportamiento de los cadetes, marcado por la simulación, generalizada en esos meses finales de sus estudios secundarios, antes de salir al mundo. De hecho, Vargas Llosa ha reconocido que:

> Desde el punto de vista ya formal, el problema mayor que tuve yo cuando escribí *La ciudad y los perros* fue el de diferenciar la sicología de los propios personajes, y después me he preguntado por qué; yo pienso que la razón es la siguiente: es que ese colegio, y tal vez el drama mayor de ese colegio, nivelaba a todos los muchachos, los estandardizaba, hacía de todos ellos una sola persona, les imponía una sicología, una mentalidad, una moral, una personalidad uniforme (Vargas Llosa, 1971b: 83).

Es por este motivo que trató de diferenciarlos, por un lado, a partir de las referencias a su pasado y, por otra, de los «distintos niveles de realidad» (83) que representan[55]. El

---

[55] Por otro lado, como señalara Jorge Edwards en su reseña a la novela, «[l]os personajes de Vargas Llosa [...] no son jamás de una sola pieza

personaje de Ricardo Arana, a quien apodan el Esclavo
—en torno a quien pivota, en realidad, toda la novela
(Harss, 1969: 430)—, aparece como un provinciano
trasplantado de Chiclayo a la capital, de naturaleza tímida y pacífica, del que se muestra su soledad y su desam-
paro ante su imposibilidad de aceptar la reaparición del
padre —ausente durante toda su infancia, en su vida, la
cual le obligará a simular en su presencia para evitar enfrentamientos. Su desubicación no es solo geográfica,
sino existencial, ya que no halla un lugar en el seno de su
familia ni en el del colegio, donde será marcado como
eslabón más débil de la jauría, y su inadaptación lo con-
denará a convertirse en víctima propiciatoria, a un trágico final, como se anticipa ya al principio de la novela, en
un par de ocasiones, cuando las literas parecen degollarlo
(I, II [2], 281) o en la alusión a Lázaro y a su resurrección
(I, V [3], 377).

En segundo lugar se encuentra Alberto Fernández Temple, más conocido como el Poeta, cuya infancia miraflorina, venida a menos por la separación de sus padres y el intento fallido de independencia de la madre, lo lleva a una
relación conflictiva con ambos, por la degradación que supone para él dejar el colegio La Salle y todo su entorno y
amigos, es decir, su confortable vida burguesa, para ingresar al Leoncio Prado. Su manera de encajar en el colegio
será escribiendo por encargo novelitas pornográficas y cartas para las enamoradas de los cadetes, impostando, en ambos casos, lo que es la escritura (cfr. Bensoussan, 1999), por
un lado, y el sexo, por otra, porque aún no lo conoce directamente, y el amor, simulando ser los jóvenes que le piden
las cartas. Pretendiendo, primero, cínicamente, que nada le
importa, engañando, después, a su supuesto amigo Ricar-

<hr>

ni están definidos de antemano», a pesar del realismo de la obra, porque
«en el ejercicio de su autonomía de hombres libres, se le escapan» (1965:
189-190), remitiéndose, una vez más, a Sartre.

do y traicionándolo con Teresa y, por último, convirtiéndose en un repentino y frenético abanderado de la verdad, como si deseara desempeñar, simbólicamente, el papel de héroe. Como indicará Vargas Llosa, se trata, quizás, del personaje más miserable después de todo, porque, tras su apariencia heroica, aceptará, en última instancia, las órdenes del sistema, tanto en el colegio militar como en su reintegración al ámbito de la familia y social del que procede, encarnando el papel que parecía detestar, mostrando, acaso, su verdadero rostro, pragmático, acomodaticio y cínico.

Finalmente, en el monólogo interior no identificado hasta el epílogo se relata una historia delictiva, las andanzas del personaje innominado «como vago y ratero por los barrios sórdidos del Callao, sus amores con Tere y su relación con la mujer del padrino» (Oviedo, 1982: 118-119), en un tono que recuerda el de la novela picaresca, como reconocía incluso el censor. En la última secuencia del epílogo se descubrirá esa duplicidad oculta, brutal y sensible a la vez, como confesó en el pasado a su amada y confiesa, en el presente, a su antiguo amigo de correrías y corruptor de menores, el flaco Higueras, para darle a conocer su redención y el cambio radical e inesperado de su destino, un puesto en el banco. Este hecho sustenta la idea sartreana por la que el hombre está condenado a ser libre y, por lo tanto, puede tomar decisiones que lo alejen de su supuesto destino[56]. Como el mismo Sartre apuntara en «El existencialismo es un humanismo» (1946):

---

[56] En este sentido, se quiebra el supuesto determinismo, y se distancia de la Condena del destino trágico, como sucede, en cambio, por ejemplo en *Madame Bovary* de su admirado Flaubert, cuya lectura realizó a su llegada a París, en el verano de 1959, y que, junto a la correspondencia del escritor francés, marcó, de forma temprana, su concepción literaria, como recuerda el autor en el ensayo que le dedicó, *La orgía perpetua* (1975) (Vargas Llosa, 1986: 17).

> El reproche esencial que nos hacen [a los existencialis-
> tas], como se sabe, es que ponemos el acento en el lado
> malo de la vida humana. [...] En consecuencia, se asimila
> fealdad a existencialismo; por eso se declara que somos na-
> turalistas; y si lo somos, resulta extraño que asustemos, que
> escandalicemos mucho más de lo que el naturalismo pro-
> piamente dicho asusta e indigna hoy día. [...] En el fon-
> do, lo que asusta en la doctrina que voy a tratar de expo-
> ner ¿no es el hecho de que deja una posibilidad de elec-
> ción al hombre?

Los tres protagonistas tienen, después de todo, algo en
común: Teresa, un personaje puente entre el mundo del
colegio y el de la ciudad, que encarnará a la vecina y enamorada platónica de Ricardo Arana, al supuesto «plancito
cholifacio» y acaso verdadero amor, como Teresita, de Alberto Fernández Temple, y a la amiga y futura esposa del
personaje innominado, como Tere. Esta coincidencia, algo
forzada para algunos críticos —incluidos sus amigos Oquendo y Loayza—, se demuestra, sin embargo, significativa,
porque parece querer indicar que, a pesar de las diferencias
sociales —un pretendiente de clase inferior, otro igual y
otro superior a ella— y los distintos modelos de masculinidad que representa cada personaje —la encarnación de la
brutalidad (el líder), del intelecto (el marginado) y del ingenio (el adaptado)—, se sienten atraídos en realidad por
un mismo tipo de mujer, tradicional en buena medida,
aunque no totalmente sumisa, modesta, seria y trabajadora.
Asimismo, gracias al personaje del Boa, a través de sus
recuerdos y de su voz, el lector tiene acceso a la cara oculta
de los cadetes, ya que cuenta los episodios más escabrosos,
como la brutal historia de bestialismo con las gallinas. El
inductor es Cava, quien, posiblemente, dada su procedencia
cia del medio rural, tuviera conocimiento de esas prácticas
con anterioridad, y también con otros animales, como se
sugiere en la referencia inmediatamente posterior a la

llama (I, I [5], 275). En su excitación violenta, acaban pateando y matando a la gallina, pasando del sexo a la muerte, de Eros a Thanatos (cfr. Boland, 1999). De este modo, además, literal e irónicamente, ponen en práctica la expresión coloquial con la que se refiere el acto sexual («comerse a alguien» o, en este caso, algo): «¿Y ahora nos la comemos de a deveras?» (I, I [5], 277). De hecho, la creación del personaje del Boa obedece a una necesidad técnica, como le confesara Vargas Llosa a Harss en *Los nuestros:*

> Para revelar un poco la fisonomía del colegio era necesario referir una serie de episodios, de escenas, de gran crudeza que literariamente eran muy difíciles de justificar sin caer en la truculencia, el tremendismo exhibicionista o la pornografía, es decir, el mero artificio, la irrealidad. Era muy difícil hacer eso por medio de narraciones directas. [...] Después de una serie de pruebas y de ensayos encontré que la manera de amortiguar más estas escenas sin que además perdieran su carácter, así, definitorio, era por medio de una conciencia en movimiento. Pero tenía que ser una conciencia muy poco intelectual para que no congelara esa violencia racionalizándola, explicándola. Así nació el Boa (Harss, 1969: 436-437).

Por su parte, entre los personajes de los oficiales, que encarnan y ejercen la autoridad en el colegio, hay que destacar al teniente Gamboa, el más respetado de los profesores por parte de los estudiantes, y que encarna los valores castrenses que se quieren transmitir en la institución, en un principio; aunque esta demostrará que está muy alejada en realidad de esos valores. Caracterizado por su apego a la ley, incluso en detrimento suyo, se enfoca en el personaje justo cuando va a convertirse en padre, significativamente, ya que, para él, el problema de fondo del colegio y de la sociedad en general son, precisamente, los padres, que no saben cuidar de sus hijos. Al mismo tiempo, es muy crítico con el estamento militar, y hasta pone en duda la necesidad de la vida castrense de los jóvenes. En una entrevista, Vargas Llosa explicaba, años más tarde, cómo la creación de este personaje había cambiado respecto a su idea original:

> Este era un personaje que iba a representar justamente la forma más negativa de la institución militar, pero que, al final, trata de ser leal a los principios de esa institución. [...] Y eso me ocurrió a mí de una manera totalmente impremeditada. El personaje no estaba concebido así (Setti, 1989: 93-94).

En *La ciudad y los perros,* Vargas Llosa denunciará también la impostura de los militares, que se rigen por reglamentos que cumplen y hacen cumplir a su gusto, prometiendo una educación y unos principios, incluso desde el himno («alto el pensamiento, firme el corazón», I, III [4], 332) y el lema («Disciplina-Moralidad-Trabajo») de la institución, que no pueden ofrecer dado su grado de corrupción. El propio centro es un simulacro, porque no es, después de todo, una academia militar, ni las maniobras tienen nada que ver con un enfrentamiento real, e incluso oficiales como el capitán Garrido dudan de que el Perú «tenga nunca una verdadera guerra» (I, VIII [1], 453), aunque fantaseen con los conflictos vecinales con chilenos y ecuatorianos (I, II [4], 284), en los que intuyen que los cadetes serían incapaces de pelear, serían «desertores o cobardes» (I, VIII [1], 453). Tras la muerte de Ricardo Arana, los oficiales conseguirán que los médicos maquillen el informe forense (II, II [2], 523), no les importará mentir a los padres sobre la consideración que tenían de su hijo, y se negarán, después, a abrir una investigación que pueda perjudicar la imagen del colegio. De la crítica generalizada a la institución tampoco escapará el capellán del colegio, en representación de la religiosa, que no se salva de la denuncia por su doble moral y por su hipocresía (I, V [2], 374).

3.8. *Técnicas narrativas renovadoras, entre la tradición y la vanguardia literaria (y el cine)*

Como se ha visto, ya en las entrevistas que publicaba en *El Comercio,* Vargas Llosa siempre fue muy consciente de la necesidad de emplear técnicas narrativas específicas para transformar el material magmático en una construcción ficcional sólida, autónoma, que se sostenga por sí misma y que el lector debe rellenar con su experiencia propia. Algo que, desde un principio, advirtió la crítica, al destacar en él no solo «el rigor de un constructor» sino su labor como «arquitecto que diseña con precisión la trama y fija las estructuras» (Niño de Guzmán, 2018: 16). Así, la voluntaria dificultad de *La ciudad y los perros* requiere paciencia y perseverancia en el lector, sobre todo en los primeros capítulos, hasta que se familiariza con la dinámica de los cambios de voces, de estilo y de perspectiva, y con su relativa ruptura respecto a la narrativa lineal, tradicional, técnicas que no son arbitrarias ni accesorias, sino esenciales. Después de todo, el orden lineal de un relato resulta más artificial, ya que la realidad cotidiana es caótica, simultánea y pone de manifiesto la relatividad de la experiencia humana. Así, tal y como señalara Sartre, en *Qu'est-ce que la littérature? / ¿Qué es la literatura?*

> [...] nuestro problema técnico consiste en encontrar una orquestación de las conciencias que nos permita transmitir la pluridimensionalidad del acontecimiento. Además, al renunciar a la ficción del narrador omnisciente, hemos asumido la obligación de suprimir los intermediarios entre el lector y las subjetividades-puntos-de-vista de nuestros personajes se trata de que el lector entre en las conciencias como en un molino e incluso que coincida sucesivamente con cada una de ellas (1950: 170; trad. de Aurora Bernárdez).

Por otra parte, no está de más hacer una pequeña reflexión, aunque sea casi entre paréntesis, sobre lo que va a significar el cine no solo para Vargas Llosa, quien estuvo incluso interesado en ingresar en la escuela de cinematografía a su llegada a Madrid en 1958, sino, en general, para todos los escritores del llamado *boom,* como experiencia formativa y en sus proyectos literarios. Estos narradores van a estar expuestos, desde su infancia, a los estrenos y a las sesiones continuas en los cines de barrio, de forma que van a interiorizar también una gramática narrativa cinematográfica, basada en la sintaxis del montaje, incluso de forma inconsciente, que luego tenderán a trasladar a sus novelas. Algunos de ellos, además de escribir, habitualmente, hicieron en sus inicios, crítica cinematográfica, como ya se ha visto que también hizo el propio Vargas Llosa, o van a dedicarse, incluso, a la industria del cine, como Fuentes y García Márquez[57].

3.8.1. Un preámbulo necesario: a propósito de Faulkner (y de Sartre)

Ya se ha mencionado la deuda de Vargas Llosa con Carlos Eduardo Zavaleta por descubrirle a Faulkner, sobre el que el segundo escribía su tesis doctoral, y a quien dedicaría diversos ensayos, como los recopilados en *Estudios sobre Joyce & Faulkner* (1993). Hay que tener en cuenta que la primera traducción de *Sanctuary / Santuario* (1931) aparecería en la editorial Espasa-Calpe en 1934 (Bravo, 1985: 13), y que, en Argentina, editoriales como Sudamericana y la misma Sur, entre otras, comenzaron a publicar sus obras, siendo la primera *The Wild Palms / Las palmeras salvajes* (1939) en 1940, en versión de Jorge Luis Borges (cfr. Bravo, 1985: 306-309),

---

[57] Vargas Llosa, en 1975, codirigiría, junto a José María Gutiérrez Santos, una adaptación de su novela *Pantaleón y las visitadoras* (1973), antes de que Francisco José Lombardi realizara la suya en 2000.

lo que marcará a más de una generación de escritores y entre ellos, el propio Vargas Llosa. Desde luego, el efecto de la lectura de la obra de Faulkner se hizo sentir en toda América Latina, de norte a sur[58]. Por otro lado, en las revistas francesas *(La Nouvelle Revue Française* o *Les Temps Modernes),* que circulaban también en el Perú, críticos y narradores como Maurice E. Coindreau, André Malraux o el mismo Jean Paul Sartre reseñaban la obra de Faulkner, que se traducía en Gallimard (cfr. Sapiro, 2016).

Zavaleta observa en su ensayo cómo, en sus primeras novelas, Faulkner utiliza más la técnica del «curso» —como él lo llama— o flujo de conciencia *(stream of consciousness),* mientras que, en las últimas, aparece más la técnica cinematográfica del *flash back,* o de la prolepsis (1993: 62), que, en Vargas Llosa, constituye los dos ejes fundamentales de su propuesta narrativa renovadora, en cuanto al contraste entre las distintas voces que constituyen su polifonía y también de los mismos personajes, en distintos momentos de sus vidas a través de los saltos temporales. Por otro lado, también apunta Zavaleta cómo en Faulkner, dentro del monólogo interior, a veces, junto al flujo de conciencia del

---

[58] Así, por ejemplo, Gabriel García Márquez, en un diálogo con Vargas Llosa, aseverará: «Yo creo que la deuda mayor que tenemos los nuevos novelistas latinoamericanos es con Faulkner... Faulkner está metido en toda la novelística de América Latina; y creo que... es decir, ya esquematizando demasiado y probablemente exagerando, creo que la gran diferencia que hay entre los abuelos y nosotros es Faulkner; fue lo único que sucedió entre esas dos generaciones...» (García Márquez y Vargas Llosa, 1968: 52-53). También recordará el colombiano en sus memorias su lectura de Faulkner en sus viajes por el río Magdalena. Sobre esa enorme deuda, sobre la asimilación faulkneriana en las letras hispanoamericanas, además del mismo ensayo de Zavaleta, cfr. Irby, 1956; Davis, 1981; Frisch, 1993; Gutiérrez, 1999; Oakley, 2002; Smith y Cohn, 2004 y Urdinola, 2004, entre otros. En cuanto al escritor peruano, le ha dedicado artículos como «El joven Faulkner» (1980) y «Faulkner en laberinto» (1981) (Vargas Llosa, 1983: 252-255 y 299-302), además de las referencias en sus memorias y en *Cartas a un joven novelista.*

personaje, asoma la voz del narrador. Esta puntualización, de hecho, resulta de gran utilidad, ya que hay que tenerla en cuenta en el caso de los monólogos interiores parciales del personaje de Alberto en *La ciudad y los perros*. Del mismo modo, también advierte cómo en algunas novelas, como ocurre en *The Sound and the Fury / El ruido y la furia* (1929), Faulkner sigue el dictado de Joyce en cuanto a la tendencia de escribir cada capítulo en un estilo diferente (1993: 67), algo que también puede observarse en *La ciudad y los perros,* ya que cada capítulo de la novela está consituido por distintas secuencias que van alternando las voces narrativas, aunque ninguna llegue al extremo de las de Molly Bloom en *Ulysses / Ulises* (1922) o la Sra. Compson en *The Sound and the Fury*.

Zavaleta destaca, asimismo, el hondo calado de la tragedia (77) en las obras faulknerianas, en torno al eje de la fatalidad o destino (88), y cuyos personajes ven «el presente como una herida» (89). De hecho, la reflexión sobre la tragedia resulta significativa, pues, en uno de los primeros comentarios sobre la novela que recibirá Vargas Llosa, de un colega ya con experiencia como Carlos Fuentes, este insistirá en esta filiación trágica, que se convertirá casi en un lugar común no solo en las primeras críticas que recibirá, sino también a lo largo del tiempo (Garayar, 2018: 23-25), desde la tirada de dados inicial que pone en marcha todo el engranaje, pasando por cada una de las peripecias, hasta la catarsis y la anagnórisis finales (Zavaleta, 1993: 134 y Cueto, 2018: 27-28). Sobre los personajes, precisamente, advertía Zavaleta que los de Faulkner, comparados con los antiguos héroes trágicos, podían revelar «alguna debilidad en la condición del hombre moderno» (1993: 127), como sucede, por otra parte, con los de *La ciudad y los perros* y, en especial, con Alberto, que muestra, al final de la novela, su verdadera naturaleza, para decepción de los lectores. Asimismo, al margen de la relación con la tragedia, Zavaleta también apunta algunas características de Faulkner aplicables a Vargas Llosa, como su deseo de producir una auténtica «impresión de realidad», como si deseara «mezclar la literatura con la vida», como si la imaginación pudiera «"crear" un mundo "idéntico" al mundo real» (141).

3.8.2. El dato escondido

Uno de los recursos que puede resultar más llamativo para el lector, en un primer momento, puesto que supone un reto —en todo caso, una dificultad— a la hora de seguir la historia narrada, consiste en la ocultación estratégica de algunos elementos relevantes en el texto. Dada su importancia, el escritor también le dedica todo un capítulo en *Cartas a un joven novelista* (1997a: 127-138), donde lo define como

> [...] silencios significativos, datos escamoteados por un astuto narrador que se las arregla para que las informaciones que calla sean sin embargo locuaces y azucen la imaginación del lector, de modo que este tenga que llenar aquellos blancos de la historia con hipótesis y conjeturas de su propia cosecha. Llamemos a este procedimiento «el dato escondido» (Vargas Llosa, 1997a: 127).

Reconoce haber aprendido esta técnica de la lectura de Ernest Hemingway —en *The Sun Also Rises / Fiesta* (1926) o «The Killers / «Los asesinos» (1927)— y de William Faulkner —especialmente en *Sanctuary / Santuario* (1931) y en *Light in August / Luz de agosto* (1932)[59]—, que ocul-

---

[59] Efraín Cristal (1998: 34-37) ha destacado, sobre todo, la importancia de esta novela como punto de referencia para *La ciudad y los perros,* tanto en cuanto a la estructura como a la relación entre el personaje del jaguar y el faulkneriano de Joe Christmas, no solo respecto a su conducta, sino a la ambigüedad que lo rodea, aunque su final sea muy distinto.

tan, deliberadamente, datos fundamentales que se evita mencionar de forma directa, porque, como sigue apuntando Vargas Llosa,

> [n]arrar callando, mediante alusiones que convierten el escamoteo en expectativa y fuerzan al lector a intervenir activamente en la elaboración de la historia con conjeturas y suposiciones es una de las más frecuentes maneras que tienen los narradores para hacer brotar vivencias en sus historias, es decir, dotarlas de poder de persuasión (1997a: 129).

En cualquier caso, como subrayará también el escritor peruano, «el dato escondido o narrar por omisión no puede ser gratuito y arbitrario» (128), ya que lo que se destaca por ausencia se hace, paradójicamente, más presente y, por lo tanto, adquiere un gran peso específico en la narración. Asimismo, establece también el arequipeño una diferencia entre dos posibles formas de emplear esta técnica: una que podríamos considerar absoluta, ya que llevará el silencio hasta sus últimas consecuencias, puesto que no se revelará ni se hará explícito ese dato escondido de ningún modo, y que Vargas Llosa denomina, de hecho, «dato escondido elíptico», y otra que podríamos considerar temporal, puesto que finalmente se evidenciará, aunque no de un modo inmediato sino en otro momento de la narración, por lo que Vargas Llosa le da el nombre de «dato escondido en hipérbaton», ya que su resolución se halla pospuesta, descolocada en cuanto al orden. En *La ciudad y los perros* se pueden encontrar ejemplos de cada uno de ellos. En primer lugar, el dato escondido elíptico, el vacío constitutivo de la novela sobre el que va a girar buena parte de la acción de la segunda parte, y que va a quedar sin resolver, va a ser la posible autoría de la muerte del personaje del Esclavo, ya que ni siquiera se sabrá si ha sido accidental —como ratifican las autoridades— o no —como sospecha y afirma el Poeta—. En este sentido, la segunda parte de la novela,

aunque de alguna manera gire en torno a una trama detec-
tivesca, aparentemente, encaja en el marco del neopolicial,
sin resolución del enigma: lo que reporta es cómo la supuesta búsqueda de la verdad se ve truncada por el sistema
y transforma a los personajes. Así, el final quedará, hasta
cierto punto, abierto, ambiguo, ya que cada lector tendrá
que tomar partido por una u otra posibilidad, y la ambigüedad será una de las características esenciales de la narrativa contemporánea que Fuentes destacará en su ensayo *La
nueva novela hispanoamericana* (1969). En segundo lugar,
el dato escondido en hipérbaton se manifiesta en la dificultad de identificar la voz narrativa que, tanto en la primera
como en la segunda parte, va contando todo su historial
delictivo, en paralelo a una historia de amor adolescente, y
que solo se revelará al final de la novela, en el epílogo, de tal
modo que se mantendrá el suspense hasta el último momento. Lo cual contribuirá a determinar el paso definitivo
de la adolescencia a la edad adulta.

3.8.3. Los vasos comunicantes

Vargas Llosa utiliza, metafóricamente, el término de este
conocido experimento de laboratorio para uno de sus recursos más innovadores y característicos de la primera etapa de
su trayectoria. En el ámbito narrativo, la técnica consiste en
narrar, de forma entrelazada, dos escenas que transcurren en
dos momentos y espacios, e incluso entre interlocutores, diferentes, para mostrar la interconexión entre ambas que, de
algún modo, las iguala o, en palabras del propio escritor, se
trata de «asociar dentro de una unidad narrativa dos o más
episodios que ocurren en tiempos y lugares distintos, para
que las vivencias de cada episodio circulen de uno a otro y se
enriquezcan mutuamente» (Harss, 1966: 439). Aunque,
añadía, con ello se conseguía de nuevo una cierta ambigüedad, para que fuera el lector quien extrajera sus propias con-

clusiones (Establier, 1998: 78), a partir del contrapunto que se le sugería, o para tratar de reproducir un efecto de simultaneidad —hasta el punto de que algunos críticos se referirán a esta técnica precisamente como «simultaneidad rítmica» (Martín, 1974: 181). Una vez más, un referente fundamental será Faulkner, especialmente en *The Wild Palms / Las plameras salvajes* (1939), cuya estructura se basa en dos historias separadas en el tiempo y en el espacio y protagonizadas por distintos personajes que, sin embargo, tienen un nexo en común.

En *La ciudad y los perros* puede observarse esta técnica en diversos momentos, como sucede al final del primer capítulo, en la primera parte, cuando se emplea para conectar dos escenas relacionadas por el abuso sexual, de tal modo que, mientras la voz del Boa da cuenta del repugnante acto zoófilo con una gallina, que será comida metafórica y literalmente, recuerda también otro episodio, en el que participaron también miembros del Círculo, en el que trataron de violar a un cadete menor (I, I [5], 273-278). Se usa también en la segunda parte, por ejemplo, en la secuencia en la que Alberto llama a Gamboa por teléfono desde un café para realizar su denuncia, y se alterna su conversación con la de un cliente que festeja con sus amigos su compromiso matrimonial (II, III [4], 555-556). También hay otros casos, múltiples, a lo largo de toda la novela, en los que los pensamientos de Alberto se superponen a conversaciones con su madre o con otros personajes, a la vez que se da cuenta de sus acciones o sus trayectos por la ciudad. La técnica es empleada, además, con gran efecto en la secuencia final de *La Ciudad y los Perros,* en el epílogo —uno de los momentos culminantes, en el que se produce la anagnórisis o revelación de la identidad de la voz que, hasta este momento, había discurrido innominada—, imbricando dos diálogos, uno del presente y otro del pasado, entre distintos interlocutores, con uno de ellos en común en ambos casos, que sirve de eje y que se intercala apenas, con lo que se produce un efecto de condensación narrativa, para la que se reclama, así, una mayor atención por parte del lector (III [3], 685-695).

3.8.4. Las cajas chinas

Esta técnica, también conocida como la de las muñecas rusas o las *matriuskas* (Vargas Llosa, 1997a: 117-125), es una de las más tradicionales, puesto que, después de todo, ya está presente en obras como *Las mil y una noches* y *El Quijote,* como recuerda el escritor. Como sugiere su mismo nombre, se trata de encajar unas historias en otras, como las famosas figuritas rusas, y derivar un relato de otro. El escritor advierte, no obstante, que este recurso no puede emplearse de forma mecánica, sin querer introducir «una consecuencia significativa —el misterio, la ambigüedad, la complejidad— en el contenido de la historia y [...] por consiguiente como necesaria» (117). De este modo, se hace más claro su empleo y puede constatarse cómo se correspondería, por ejemplo, con las historias que se relatan en los monólogos interiores completos, a través de la voz narrativa innominada y la del Boa, pero también en los parciales e, incluso, en lo que cuentan los propios personajes en sus diálogos. Esta información aparece, por tanto, mediada por estos y no referida por una instancia superior (un narrador omnisciente), y llega al lector de forma aparentemente más directa (Establier, 1997: 81).

3.9. *Reflexiones en torno al poder*

En *La ciudad y los perros* se hallan presentes distintos temas relacionados con la violencia, aunque se puede decir que todos ellos tienen un nexo común: poner en evidencia —y cuestionar— los mecanismos del poder, en general, y subrayar su corrupción (Kristal, 1998: 32-33). Los conflictos que el ejercicio del poder genera, en cualquiera de sus manifestaciones, se producen, constantemente, en enfrentamientos marcados por una bipolaridad, entre dos extremos (cfr. Ezquerro, 1999). Así, por ejemplo, se pone de manifiesto dentro del colegio militar, donde un núcleo de poder es parodia de otro, de tal manera que, como espejo deformado, destaca sus errores (y sus horrores): la sociedad secreta del Círculo se corresponde, a la vez que se enfrenta, con la disciplina y la jerarquía incuestionables del Ejército. La autoridad vertical, de arriba abajo, y desde fuera, ejercida por los superiores, profesores y militares, sobre los cadetes, se reproduce, desde dentro, de abajo arriba, desde la creación de ese Círculo inicial, originado durante el bautizo de los cadetes, cuando acababan de ingresar en el internado, para revelarse contra la violencia de los mayores, contra la novatada de un mes de duración, programada como rito iniciático o prueba de paso, como baño de humillación (I, II [5], 295-308).

Liderada por el Jaguar, la hermandad del Círculo, creada como protección, comenzará también con los abusos, convertirá a las víctimas en victimarios y será desmantelada, en un primer momento, por el teniente Gamboa (I, II [5], 304-306). La supuesta victoria del orden castrense frente a ese otro orden paralelo y alternativo deriva en la creación del segundo Círculo, aún más secreto y clandestino, puesto que no será descubierto hasta la delación final, aunque estuviera más extendido que el primero (I, III [2], 313). Su restringido núcleo duro —Porfirio Cava, el Rulos, el Boa y el Jaguar, su líder— encarnará la corrupción: frente a las ordenanzas militares, escritas, se impone, internamente ese otro código tácito de la ley de la selva, del más fuerte, como ponen en evidencia el acoso y derribo del Esclavo, con un comportamiento gregario que hoy etiquetaríamos con el anglicismo de *bullying*, acoso escolar o matoneo (II, III [6], 561-562), como evidencia el mismo apodo, que lo identifica como víctima.

Como considera el teniente Gamboa, la misma existencia de una institución como el Leoncio Prado parte de un error de base: pretender sustituir la falta de un entorno familiar adecuado, denominador común en la mayoría de estudiantes que se alberga entre sus muros. Para el militar, a punto él mismo de ser padre, el problema de fondo radica en el seno de las familias y en la incapacidad de los padres a la hora de educar a sus hijos: una mirada somera por los entornos familiares de los personajes revela un paisaje desolador, en el que la figura paterna, sin nombre, casi fantasmal, brilla por su ausencia. En el caso de Ricardo y Alberto, los hermana ser hijos de mujeres maltratadas y de maltratadores: Beatriz, la madre del Esclavo, es víctima de abuso físico, como su hijo, apenas un niño, a quien tuvo que criar sola durante casi diez años hasta el regreso inusitado de su esposo, quien había desaparecido de sus vidas, y a quien acepta, a pesar de todo, por el qué dirán; Carmela, la madre del poeta, por su parte, es también víctima de maltrato psicológico y escarnio público por las continuas francachelas e infidelidades de su marido, al que deja, a pesar de las dificultades económicas y el menoscabo social que implica, para refugiarse, momentáneamente, en la religión. Domitila, la madre del personaje innominado, asimismo, se inhibe en su silencio cómplice y descuida su función protectora para con sus hijos, pues no trata de evitar su carrera delictiva, con el mayor en la cárcel y el menor siguiendo sus pasos, después de la muerte de su esposo, que le dejó una pensión paupérrima tras más de treinta años trabajando para el gobierno. La madre de Teresa va incluso más allá y, tras la muerte de su marido, quien las ha sometido a constantes golpizas y escándalos en vida, la abandona en manos de una tía, que la atormenta y acusa de desagradecida por no apreciar debidamente el favor infinito que le está haciendo al acogerla entre sus cuatro míseras paredes. De un extremo a otro de la ciudad y de la pirámide social, todos y cada uno de ellos son, de alguna manera, huérfanos, se sienten solos, perdidos y desamparados frente al mundo: las familias desestructuradas se multiplican tanto en Miraflores, donde la burguesía favorece la doble moral siempre que no trascienda en público, como en Bellavista, donde la pobreza y la permisividad parecen andar de la mano, o también en Lince, en cualquier parte. Todas las familias infelices se parecen también unas a otras, en su desgracia, para corregir la famosa frase de Tolstói al principio de *Ana Karenina*.

La edad de los personajes, adolescentes procedentes de familias desestructuradas, juega, además, un papel fundamental, pues se trata de un momento decisivo en sus vidas, a menudo idealizado desde la perspectiva de los adultos, pero que, en realidad, en su mezquina cotidianidad, se revela en toda su crudeza y se encarna en el cuerpo: los cambios hormonales hacen que los jóvenes experimenten un cóctel químico explosivo, bombas de testosterona en potencia. La adolescencia no es una edad de oro, sino un interregno, una tierra de nadie, ignota, entre los cuidados necesarios que implica en teoría la infancia y las responsabilidades de la vida adulta. Y responde a mecanismos propios de exploración y descubrimiento de los límites, contra los que se rebela automáticamente, como un resorte: el adolescente no desea pertenecer a la etapa anterior de su desarrollo, detesta ser tratado como un niño, pero tampoco se reconoce como parte de la posterior, representada por los padres, a los que cuestiona y rechaza por su ejercicio del poder y la imposición de normas. El adolescente es un rebelde, un ser contradictorio que reivindica su diferencia e individualidad a la vez que busca integrarse y encajar entre sus iguales, ser uno más de esa otra familia alternativa de los amigos. En el grupo, no obstante, se reproduce la jerarquía y se marcan las diferencias con etiquetas o apodos, que borran la personalidad de los individuos casi tanto como los mismos uniformes de la institución militar. Por todo ello, de algún modo, a través de estos «conflictos de poder e identidad», la primera novela del escritor pone sobre la mesa «el fracaso implícito en el proyecto nacional» (Niño de Guzmán, 2018: 15).

3.9.1. Ser hombre vs. ser humano. Machos vs. hembras

Resulta interesante observar que, mientras los aspectos formales, en cuanto a la técnica narrativa empleada en la construcción de la novela, parecen centrar, en un primer momento, la recepción crítica de la obra, posteriormente, en los últimos años, hay un gran número de contribuciones que se ocupa de cuestiones temáticas, especialmente en torno al género y, sobre todo, la crítica, revisión y construcción de las masculinidades presentes en la novela (cfr. Nettel, 2011 y Delgado del Águila, 2017, entre otros). Así, a partir de referentes teóricos como *La dominación masculina* (2000) de Pierre Bourdieu, se llevan a cabo reflexiones sobre el concepto de «hombría», que, como indica Mudarra (2016: 64), «se desarrolla en dos esferas: la doméstica y la pública». En este sentido, respecto a la primera, hay que tener en cuenta que, a pesar de la práctica ausencia de los padres en los entornos familiares de la novela, son ellos quienes toman las decisiones importantes. Y, entre estas decisiones, cabe contar la de ingresar a sus hijos en el colegio militar, como si fuera una factoría de hombres o, más bien, una fábrica de machos (cfr. Martínez Hoyos, 2014), capaz de transformar la materia prima en bruto en el producto final deseado. En la novela se repite en incontables ocasiones el deseo o la necesidad de convertirse en hombres, como si se tratara de una transmutación alquímica; sobre todo, en casos que son considerados especialmente difíciles según el criterio de la figura paterna, como es el de Ricardo Arana. Sin embargo, esta obsesión incide en una cuestión de fondo, ontológica, que es la de preguntarse qué es un hombre.

Para la sociedad de la época, ser hombre tiene poco que ver con ser humano, sino con ser macho, cuya característica principal es, obviamente, el falo —del que hace ostentación el mismo personaje del Boa, en su apodo—, que se erige como eje de la masculinidad normativa hetero-patriarcal en toda su potencia, es decir, de su concepción tradicional, hegemónica, de alcance mundial, hasta la actualidad. En el machismo que impera dentro y fuera del colegio ni siquiera la amistad está exenta de mecanismos violentos, de esa lucha de todos contra todos y de esa demostración constante de la fuerza y la dominación sobre el otro, como evidencia, por ejemplo, la incipiente relación entre Arana y Fernández Temple o las provocaciones continuas entre los miembros del Círculo, como para establecer quién es el macho alfa de la jauría. Cuando en la novela se habla de ser, hacer o hacerse hombres, se relaciona esta abstracción con la concreción en la hombría, más que en la humanidad. Y la hombría se vincula con la virilidad, sin tener en cuenta algo importante, que se encuentra en la raíz etimológica de este último término: el término de virilidad procede del latín, de *vir,* que significa «hombre», cuya naturaleza se expresa en la *virtus,* que, en español, se traduce por «virtud», como es sabido. Sin embargo, el modelo de hombre que parecen producir instituciones como este colegio militar no se caracteriza, precisamente, por sus virtudes, como se hace patente. Esta reflexión realizada por el entonces joven escritor no se limitaba a lo autobiográfico, sino que se extendía al ámbito de lo ontológico, de lo filosófico, en la línea trazada en esos años por Sartre en textos ya mencionados, como «El existencialismo es un humanismo»[60].

---

[60] Como se ha estado constatando, Sartre —junto con otros escritores de su entorno, como Simone de Beuvoir y Albert Camus— constituían un referente para el peruano, cuya apreciación fue evolucionando a lo largo de los años, como puede reseguirse en la bibliografía final (Vargas Llosa, 1983: 11-14, 15-20, 44-48, 62-69, 84-87, 88-90, 97-100, 150-155, 301-308 y 321-342, y 1986: 135-138, 176-180, 229-243 y 295-298).

De hecho, como puede comprobarse, de ese mismo deseo de demostrar la supuesta hombría y el poder de unos sobre otros se cae en la tan temida —en el contexto de la novela— homosexualidad, dentro del internado de varones, como en el intento ya citado de violación del compañero más pequeño o en las actividades de La Perlita. Como suele ser tan habitual como erróneo, tradicionalmente no se considera homosexual al sujeto activo, al que inserta su miembro en el otro, sino al supuestamente pasivo, al que lo recibe, como si se tratara de una mujer. Como sucede con el personaje de Paulino, pederasta a quien se muestra realizando felaciones al cadete borracho que se lo permite en La Perlita, en los concursos de masturbación, algo tolerado como espacio de exploración y transgresión, precisamente, solo en grupo, como experiencia gremial o prueba compartida. A pesar de la terrible homofobia, fruto del temor a ocupar una pretendida posición inferior, sumisa, tanto sexual como socialmente, las prácticas homosexuales, más o menos inconscientes, están a la orden del día, aunque, paradójicamente, se rechacen, como se manifiesta en el maltrato y la humillación reiterada al profesor de francés, Fontana. Ese miedo, a la diferencia y a la otredad, a una masculinidad no normativa, separada del grupo y su conducta gregaria, se traduce en el empleo constante de insultos relacionados con la homofobia, integrada en el lenguaje, entre bromas y veras, en la feminización ofensiva a la que se someten unos a otros o el empleo de términos como «maricón» o «rosquete», como sucede continuamente, incluso con signos de la mano —uniendo el pulgar y el índice—. Y que reproducen el abuso de los superiores, de los oficiales, a los cadetes, como muestra, por ejemplo, el teniente Huarina al recriminarle a Cava: «Es usted una putita perdida, pero este no es un colegio de locas» (II, I [9], 506).

La debilidad se relaciona con la ausencia de falo, con la feminidad, de tal modo que, desde esta perspectiva, la mujer constituye el llamado «sexo débil». Esta contraposición deriva en la guerra de sexos, sobre todo en la relación entre la madre de Alberto y su marido o también entre su hijo y su fugaz enamorada Helena. Pero no hay que olvidar que las mujeres sostienen también el modelo machista de sociedad, clave de su continuidad, como es evidente en el comportamiento de la madre de Arana, que defiende a su marido, casi un desconocido, a pesar de maltratarla a ella y a su hijo, quien se siente traicionado por ello y solo ante peligro, abandonado. La sumisión es una de las estrategias del sujeto subalterno para asegurarse la supervivencia, después de todo. Las mujeres continúan viéndose representadas conforme a dos extremos, como santas o como prostitutas: en el primero, se encontrarían las madres, las esposas —o posibles futuras esposas— y las hijas; en el segundo, las profesionales del sexo —como la Pies Dorados, las chuchumecas que pueblan las fantasías pornográficas de Alberto o las polillas innominadas que revolotean en torno al padre.

3.9.2. «¿Usted es un perro o un ser humano?»

La animalización de los personajes parte ya del título de la novela. Los estudiantes de tercero, los más jóvenes, son tratados como perros, de la peor manera, por sus inmediatos superiores en la jerarquía, los cadetes más antiguos, como se revela en el famoso episodio del bautizo de la novatada (I, II [5], 295-308), algo aceptado tácitamente por la institución como parte de la doma, para doblegarlos desde un principio, y así serán llamados incluso por los oficiales, como si no pertenecieran siquiera al género humano. En ese episodio, los recién ingresados se ven transformados, de su condición humana, en perros. Esta metamorfosis, casi kafkiana, se logra por la fuerza y la humillación, ejercidas, además, por los mismos estudiantes que sufrieron las mismas vejaciones el año anterior: el sistema resulta tan perverso que convierte a las antiguas víctimas en victimarios. Aunque la transformación no se detiene aquí, sino que sigue hasta no solo cambiar la especie, sino el género, al sujeto, para reforzar la degradación según su orden de valores.

Pronto se advierte, sin embargo, que en esa jungla que parece ser el colegio todos y cada uno de sus residentes se muestran como animales, sin excepción, e impera la ley de la selva, la ley del más fuerte, y la lucha por la vida o *struggle for life,* propia de la evolución de las especies, con solo dos opciones para el darwinismo más acérrimo: la adaptación al medio o la desaparición. Los cadetes de tercer año son vistos como perros; del Jaguar, el rey de esa selva, y del Boa desconocemos siquiera los nombres; Richi se muestra como un gatito o, ya como el Esclavo dentro del Leoncio Prado, como un perro o una perra; Alberto se ve «como un animal olfateando una cueva» (I, I [3], 264); Vallano, como un roedor. A su vez, la novela está plagada de murciélagos, focas, insectos, palomitas, pájaros, larvas, arañas, escarabajos, monos, serpientes, lagartijas, buenos animalotes, entre tantos otros especímenes. Incluso entre los oficiales impera la animalidad, como demuestran sus apodos, como el Piraña para el capitán Garrido (I, VIII [1], 446-447) o el Rata para el suboficial Pezoa (I, II [4], 291), asimismo, el teniente Remigio Huarina es caracterizado como un batracio (I, I [3], 263) y Pitaluga «como una tortuga que se hunde en su caparazón» (I, VIII [1], 441), entre otros.

Por el contrario, los animales —especialmente la vicuña y la perra— parecen más humanos que los residentes de dos patas del Leoncio Prado, lo que lleva a cuestionar las fronteras entre unos y otros, entre la humanidad y la animalidad (cfr. Haraway, 2003). La vicuña, desubicada y fuera de lugar, se vincula con el mundo andino del que procede. En cuanto a la Malpapeada-Malpateada, como muestra el inicio de la segunda parte de la novela, encarna más virtudes supuestamente humanas que toda la cuadra (II, I [1], 465-467). Como la mayoría de los cadetes, evidencia un importante mestizaje, y por tanto se ve vinculada a dos grupos marginados y maltratados: los cholos y las mujeres. Por ello será agredida constantemente por su supuesto amo y mayor abusador, el Boa:

> [...] uno piensa que es una muchachita. Algo así debe ser cuando uno se casa. Estoy abatido y entonces viene la hembrita y se echa a mi lado y se queda callada y quietecita, yo no le digo nada, la toco, la rasco, le hago cosquillas y se ríe, la pellizco y chilla, la engrío, juego con su carita, hago rulitos con sus pelos, le tapo la nariz, cuando está ahogándose la suelto, le agarro el cuello y las tetitas, la espalda, los hombros, el culito, las piernas, el ombligo, la beso de repente y le digo piropos: «Cholita, arañita, mujercita, putita» (II, V [1], 593).

3.9.3. Costeños vs. serranos, racismo y clasismo sistémicos

Una de las cuestiones que pondrá en evidencia Vargas Llosa en la novela, como manifestación del abuso de poder, es la existencia de un racismo y de un clasismo estructurales que andan de la mano y se hallan presentes, como ya se ha comentado, desde la propia distribución geográfica de la capital peruana en distritos. En la novela se muestra una sociedad heterogénea, híbrida, mestiza, con grandes conflictos internos que generan constantes episodios de microviolencia, basados en el desconocimiento del otro y, por tanto, en los clichés y los estereotipos, un aspecto que ha sido estudiado desde un inicio por la crítica (cfr. Brown, 1981).

Dentro del colegio militar, finalmente, se encuentran reunidas «todas las sangres» del Perú (cfr. Arguedas, 1964), en una convivencia forzada. El color de la piel será determinante a la hora de establecer un orden interno entre los cadetes, porque lleva consigo, implícito, la estratificación social, como si todavía existieran las castas del pasado virreinal. Y los serranos, de procedencia andina y, en buena medida, indígena, se encuentran en uno de los lugares más bajos de la jerarquía, como se hace patente en las bromas racistas de los cadetes. Su presencia, no obstante, es mayoritaria en el colegio, como futura carne de cañón para engrosar las filas del ejército y como muestra de la migración que se estaba produciendo de las áreas rurales a las urbanas y, sobre todo, a la capital, gracias a un sistema de becas del colegio que permitía también cierta ascensión social si se tiene en cuenta cuál habría sido su destino en la sierra —desde la perspectiva capitalina—, o en los márgenes, en las barriadas. En la novela, la población de origen andino está representada, esencialmente, por Porfirio Cava, de quien ni siquiera se requiere descripción alguna, más que la de su procedencia. El término de cholo, asimismo, referido al mestizaje, se asimila a la ascendencia indígena y, a menudo, se refuerza, de forma enfática, como «cholo de porquería insultante y ofensiva» (I, V [4], 378), relacionado, nuevamente, con la extracción social, con la pobreza o con el arribismo —en este caso, identificado con la huachafería, con la pretensión de la simulación, de aparentar algo que no se es, de lo que se acusará, por ejemplo, a Teresa («huachafa fea», III [2], 677), según la pituca miraflorina Marcela, cuyo nombre es un anagrama de Carmela, su predecesora en la estirpe Fernández Temple—.

Otro de los personajes, Vallano, se ve caracterizado también por el color de su piel, y por todos los estereotipos y los tópicos que se le atribuyen, comenzando por el contraste con la blancura de sus dientes. No hay solidaridad entre sujetos subalternos como el serrano y el afrodescendiente, sino conflicto y tensión. La imagen del zambo lleva consigo toda una serie de connotaciones que pone de manifiesto los prejuicios implícitos, como, por ejemplo, la falta de confianza que parecen inspirar entre los blancos (I, I [3], 251), así como la falta de valor que se les supone por su posición subalterna, dado su pasado esclavo, de tal modo que Vallano es visto como «un cobarde como todos los negros» (I, I [3], 256). Por otro lado, entre los estereotipos se halla el de la sexualización máxima, aunque ambigua en ocasiones, por esa misma sumisión histórica forzada de la población afroperuana. Este tipo de generalizaciones están arraigadas y automatizadas en el imaginario popular, del que se hace eco la novela.

Los términos despectivos alcanzan a cada elemento de la heterogénea diversidad limeña, incluidos los personajes de origen asiático, como Paulino, al frente del establecimiento de La Perlita, en el interior del colegio, que es apodado «el injerto», término ofensivo que da cuenta de sus rasgos, que revelan su procedencia múltiple: «la asombrosa cara de Paulino, el injerto: ojos rasgados de japonés, ancha jeta de negro, pómulos y mentón cobrizos de indio, pelos lacios» (I, V [2], 372).

Por su parte, los estudiantes que pueden ser considerados blancos parecen estar en minoría en el colegio, son la excepción, como es el caso de Alberto y de otros como Arróspide, quien, no arbitrariamente, será el brigadier de la sección, por lo que estará, oficialmente, al mando, y se distingue de entre el resto de compañeros porque «[s]u rostro blanco destacaba entre los muchachos cobrizos de angulosas facciones» (I, II [5], 300). De tal modo que la pirámide social del exterior se reproduce en el interior del colegio. Incluso aunque Ricardo Arana sea también blanco es considerado ya inferior por provenir de la provincia y por vivir en un barrio de clase media como el de Magdalena, vecino a Lince. Algo que afecta aún más al Jaguar, quien, a pesar de sus «largas pestañas rubias, con unos ojos extrañamente azules» (I, II [5], 302), pertenece al margen por su origen social inferior —a pesar de ser huérfano de un funcionario del gobierno, aunque sea de baja categoría—, en el barrio de Bellavista, en el Callao, que se relaciona con el lumpen.

3.10. *Transtextualidades*

Como recuerda Gérard Genette en *Palimpsestos. La escritura en segundo grado* (1989), ninguna obra se da de forma aislada, sino que se remite a otras como parte de una red de referencias que constituye la tradición literaria. En este sentido, poner de manifiesto esas conexiones con otras obras del pasado, y también del futuro, no desdora su consideración, sino todo lo contrario, porque con ello se demuestra, en buena medida, la universalidad de sus propuestas. Es en este contexto que se puede hablar del constante diálogo entre textos que lleva consigo lo que Genette da en llamar, de forma amplia, «transtextualidad». En este sentido, Efraín Kristal (1998: 27-30) destaca lo que considera la amalgama creativa que es capaz de producir el escritor peruano desde el inicio, a partir de su lectura y asimilación de grandes autores —como se ha referido respecto a Flaubert, Faulkner, Sartre o Malraux—, de los que aprende técnicas esenciales.

3.10.1. Hipotextos y architextualidades

Ya Oviedo (1982: 136-137) se hacía eco de la larga lista de referentes literarios, cuyas reverberaciones habían sido anotadas por diversos críticos, entre las que se encontraban *Las tribulaciones del estudiante Törless* (1906) de Robert Musil y *El señor de las moscas* (1954) de William Golding, a pesar de que no habían sido leídas por Vargas Llosa cuando escribía su novela[61]. Y a la que se siguen añadiendo

---

[61] Oviedo hace referencia a toda una genealogía: *O Ateneu / El ateneo* (1888) de Raul Pompéia, *A Portrait of the Artist as a Young Man / Retrato del artista adolescente* (1916) de James Joyce, *Aden, Arabie* (1931) de Paul

nombres, como el de *Heart of Darkness / El corazón de las tinieblas* (1899*)* de Joseph Conrad (cfr. Cebreros, 2016). O el de Arthur Rimbaud y *Un coeur sous une soutane* (ca. 1870), texto que Vargas Llosa estuvo traduciendo mientras escribía la novela, en 1960, y que tardaría décadas en publicar como *Un corazón bajo la sotana* (1989) (cfr. Gladieu, 2015). En su prólogo a la traducción, Vargas Llosa (1999: 9) apuntaba que el poeta francés «consigue transformar una experiencia infantil de insubordinación contra valores constituidos (estado que, en sí, no tiene nada de original, pues el primer síntoma de pubertad suele ser el anticonformismo) en un escrito explosivo», algo que podría aplicarse a la misma novela del escritor, con la que presenta diversos paralelismos. Rimbaud muestra una educación sentimental (Gladieu, 2015: 119) en paralelo a la religiosa que recibe un joven seminarista (Leonardo), de una prostituta (Timotina) antes de tomar los votos. Así, el descubrimiento del sexo en un ambiente prostibulario, como le sucede a Alberto, y la revelación de la corrupción en una institución como la religiosa, junto con elementos coincidentes en la caracterización de Teresa y la Pies Dorados en relación con Timotina —y su fealdad—, o la humillación pública ante la producción pseudoliteraria de los protagonistas, resultan reveladores (119-120). Aunque quizás, como indica Vargas Llosa, compartan todavía más esa misma «atmósfera malsana, tan importante como los mismos he-

---

Nizan —ya mencionado—, *Studs Lonigan* (1932-1935) de James T. Farrell, *L'enfance d'un chef / La infancia de un jefe* (1939) de Jean Paul Sartre, los relatos de *Portrait of the Artist as a Young Dog / Retrato del artista cachorro* (1940) de Dylan Thomas, *Journal du voleur / Diario del ladrón* (1949) de Jean Genet, *Duelo en el paraíso* (1955) de Juan Goytisolo y *Las buenas conciencias* (1959) de Carlos Fuentes. Así como las que, de manera más específica, se sitúan en un entorno militar, como *End as a Man* (1947) de Calder Willingham, *The Naked and the Dead / Los desnudos y los muertos* (1948) de Norman Mailer o *From Here to Eternity / De aquí a la eternidad* (1951) de James Jones.

chos de la historia: el mal olor, el jadeo animal de los seminaristas, su aliento desagradable, las delaciones estimuladas [...] ese clima ruin, el aire sofocante, ese vaho de humores viscerales, de malos instintos y funciones fisiológicas que envuelven a las cosas y a los personajes» (Vargas Llosa, 1999: 10-11).

Todos ellos son ejemplos que podrían haber servido de hipotextos, o que, simplemente, mostraban ese «polen de ideas» del que hablaba Faulkner, al que la crítica sigue sumando posibles referentes y conexiones. Con todas estas obras, *La ciudad y los perros* tiene en común que puede considerarse una novela de formación o aprendizaje, o *Bildungsroman,* en la que se narra el paso de la adolescencia a la edad adulta como experiencia traumática, como rito de pasaje, no solo individual —aunque muchas de ellas se vertebren desde la primera persona— sino, a menudo, colectivo, generacional. Quizás, por ello, la relación dialógica que se puede establecer entre estas obras sería la de la architextualidad (Genette, 1989: 13-14), porque compartirían rasgos comunes de este tipo de relato.

No hay que olvidar, por otra parte, que ya desde el texto introductorio de Valverde se vinculaba la obra con la particular tradición latinoamericana de la novela de aprendizaje, al citar a una canónica del género, *Don Segundo Sombra* (1926), del argentino Ricardo Güiraldes. En América Latina, el *Bildungsroman* se ha utilizado también para vehicular una propuesta de proyecto nacional o mostrar su fracaso (Oliver, 2011: 182). Algo también muy presente en otra relevante obra, contemporánea aunque algo anterior, que Vargas Llosa pudo haber tenido en cuenta a pesar de las diferencias tanto de las situaciones como de la propuesta formal: *Los ríos profundos* (1958) de José María Arguedas. En este caso, a partir también de un punto de partida autobiográfico, la obra narra la difícil experiencia de un niño, Ernesto, en un colegio religioso, católico, de jesuitas, en la sierra, en Abancay, arrancado de su entorno natural y de su lengua, el quechua, y a quien se le impone un mundo autoritario, jerarquizado e insensible que no entiende. Aunque el escenario cambie, «rige el mismo ambiente de violencia, racismo y desprecio clasista, que en el Leoncio Prado» (Gnutzmann, 1992: 41, núm. 8). En ambas se manifiesta la realidad múltiple, heterogénea, del Perú, aunque desde dos perspectivas diferentes, desde la sierra y desde la costa, y desde dos modelos distintos de entender la modernidad, de tal modo que se retrata, a escala reducida, la relación entre etnicidad, clase y lengua —en forma diglosia— en la sociedad peruana (cfr. Huaytán, 2016).

3.10.2. Hipertextos y reescrituras

3.10.2.1. *«La sétima sección» de Felipe Buendía*

Aunque sin fecha, parece ser que *La sétima sección* apareció en 1969, seis años después de *La ciudad y los perros*. El título de su obra se refiere, precisamente, a la sección a la que pertenecía en el colegio militar, la séptima, de las diez que solían constituir una promoción, ordenadas por el tamaño de los estudiantes, de mayor a menor, de la primera a la décima. Es posible que su autor, Felipe Buendía (Lima, 1927-2002), periodista polifacético que había publicado habitualmente en el suplemento de *El Comercio,* como Mario Vargas Llosa en su juventud, y compartía su experiencia leonciopradina, leyera la novela antes de publicar su obra. Aunque se hace difícil afirmar que se trate de un hipertexto, es decir, de un texto que tuviera en cuenta, e incorporara, de algún modo, su lectura de *La ciudad y los perros* como referente anterior o hipotexto. No obstante, las coincidencias (la neblina, la omnipresencia del mar, la violencia interna —en forma de clasismo y racismo—, las maniobras, los castigos y las consignas, el sexo, la animalización) pueden deberse a esa misma vivencia tras los muros de la institución, como se hace palpable:

> [e]l sexo era todo. No había más que sexo. Un sexo caliente, de cal, de aluvión, de música. [...] Sexo inmortal, fuera de las preocupaciones cotidianas que esplendía en las páginas de la geografía escolar, campeaba en los discos rayados, florecía en los cinemas, endulcoraba [sic] la carne de la mujeres maduras, estucaba las estancias de soledad onanista [...] El sexo lo abarcaba todo con su misterio innombrable, inmaduro, tigresco, definitivo, patente en todo. Audaz en todo. Procaz en todo. [...] Sin el sexo no había vida ni tampoco muerte. Sin él no se podía vivir. [...] Sexo, sexo puro y químico. Sexo sin miedo. Sexo pirata, lleno de angustias gozosas, incomparable, matemático, orgiástico y místico, fálico y ritual, pianístico, rarificado (Buendía, s.f.: 40).

Pero, aunque la voz narrativa en primera persona enmascare recuerdos autobiográficos bajo el nombre de Bruno Garmendia, un joven sensible, melómano, que también escribirá novelitas pornográficas *(La mujer del puerto)* a partir de las visitas prostibularias, las diferencias entre ambas obras son mucho mayores por tener objetivos y alcances distintos, y también por referirse a épocas algo diferentes, separadas en el tiempo. Y en la que su autor coincidió, al parecer, con Manuel Scorza, transmutado, en sus páginas ficcionalmente como Sforza.

En las páginas de *La sétima sección,* la reflexión en torno al cuestionamiento de la construcción política y social del Perú es mucho más explícita, concentrada en torno al concepto de nación y de nacionalismo (88-90), y aunque mencione, también, la guerra con el Ecuador (93) y lleve a cabo una crítica al general Odría, esta es mucho más frontal y concreta, aunque, quizás, por ello mismo, menos profunda, al tildarlo de «tiranuelo latinoamericano» y describirlo como «un general con rostro adoquinado y rapaz [que] tomó el mando de la nación... ¿qué nación? [...]» (112).

En cualquier caso, resulta de interés su lectura, no tanto por las referencias comunes, sino por las grandes diferencias, a pesar de compartir la experiencia como interno en la institución.

3.10.2.2. Adaptaciones cinematográficas

Como ya se ha mostrado, el interés de Vargas Llosa por el cine se hace evidente en su novela de distintas formas. Y su novela también suscitó el interés de productoras cinematográficas casi desde un principio, aunque la traducción en imágenes de la obra no llegará hasta la década de los años 80. Como señala Rebolledo (2011: 143), «[u]no de los medidores más concretos para dimensionar el impacto cultural y artístico de un autor en estos días es la cantidad de relecturas que generan sus obras (reescrituras, obras de teatro, películas, etc.)». La adaptación cinematográfica puede considerarse como hipertexto, como traducción o reescritura que establece una relación muy estrecha con el hipotexto del que parte, es decir, la novela de Vargas Llosa, ya que propone un traslado del lenguaje literario al cinematográfico, de la palabra a la imagen: dos lenguajes con una gramática y una sintaxis muy distintas. Y cada director realiza, en última instancia, en las películas resultantes, una creación propia.

En 1985, el reconocido director peruano Francisco. Lombardi estrenó su adaptación homónima en el Festival de Cine de Donostia-San Sebastián y, apenas un año después, apareció otra más, en la entonces Unión Soviética, realizada por el chileno Sebastián Alarcón, rodada en ruso y con el título de *Yaguar* (1986). Hay que tener en cuenta que la compleja estructura narrativa de la obra de Vargas Llosa va a suponer un reto o, más bien, «una resistencia fundamental para el traslado de medio discursivo» (Rebolledo, 2011: 144), y obligará a tomar decisiones drásticas a ambos realizadores, algo relevante para comprender las grandes diferencias que se constatan en ambas películas.

3.10.2.2.1. Francisco J. Lombardi: *La ciudad y los perros* (1985)

Durante décadas, Francisco J. Lombardi (Tacna, 1949) ha sido el director peruano más internacional, y su filmografía se ha especializado, sobre todo, en adaptaciones literarias. Antes de *La ciudad y los perros,* Lombardi ya había llevado a cabo la transposición en imágenes de la novela de Enrique Congrains *No una, sino muchas muertes,* bajo el título de *Maruja en el infierno* (1983). Y, después, incursionaría de nuevo en otra adaptación, la de «Los gallinazos sin plumas» (1955) de Julio Ramón Ribeyro, que titularía *Caídos del cielo* (1990). Posteriormente, reincidiría en un proyecto con Mario Vargas Llosa, la segunda versión cinematográfica de *Pantaleón y las visitadoras* (1999). Y también ha vertido en imágenes las novelas *No se lo digas a nadie* (1994) de Jaime Bayly, en 1998, *Tinta roja* (1996) de Alberto Fuguet, en 2000 y *Grandes miradas* (2003) de Alonso Cueto, transformada en *Mariposa negra* (2006).

El director obtuvo la Concha de Plata al mejor director en el Festival de Cine de Donostia-San Sebastián en 1985, por *La ciudad y los perros,* para la que el poeta José Watanabe había escrito el guion adaptado. La película logra transmitir el ambiente claustrofóbico de la institución y el abuso de poder sistémico en todos los órdenes, aunque recurre a la *reductio* y a pesar de que emplea la técnica del *flashback* o analepsis, característica de la novela, se va a limitar a momentos anteriores solo dentro del colegio militar, y no al pasado más distante de los jóvenes en su seno familiar. Se eliminan las referencias a la infancia de esos personajes, que perfilaban sus comportamientos. También desaparecen las escenas más controvertidas y sórdidas —la violación de la gallina y del compañero de curso inferior, los abusos sexuales a la Malpapeada o el concurso de masturbación en La Perlita—. Y se prescinde de dos de las tres partes del epílogo, por lo que tampoco aparece referido el destino posterior de los personajes principales. Asimismo, llama la atención el cambio de nombre de la institución educativa, que se transforma en Colegio Militar de Lima, quizás para evitar posibles problemas como los que había tenido Vargas Llosa en su momento. Esto lleva consigo una sensación de limitación al espectador que ha leído previamente la novela, aunque logre comunicar las líneas generales a quien no ha efectuado la lectura con anterioridad.

Sin embargo, puede decirse que, después de ver la película, es difícil no leer o releer la novela con la imagen del personaje de Juan Manuel Ochoa como el Jaguar, que resulta muy convincente, igual que Gustavo Bueno en el papel del teniente Gamboa. Quizás los actores que interpretan al Esclavo (Eduardo Adrianzén) y al Poeta (Pablo Serra) resulten demasiado parecidos, casi intercambiables, pero eso mismo contribuye, de algún modo, al fin último e interpretación posible del director, ya que, después de todo, no hay una gran diferencia entre uno y otro y, sin embargo, sus destinos serán totalmente distintos.

3.10.2.2.2. *Sebastián Alarcón: «Yaguar»* (1986)

La obra del realizador chileno Sebastián Alarcón (Valparaíso, 1949-Moscú, 2019) no es tan conocida, ya que se desarrolló sobre todo en la antigua Unión Soviética, donde estudió cine y donde acabó quedándose por el golpe de estado de Augusto Pinochet en 1973, sobre el que girará la mayor parte de su filmografía, con títulos como *La noche sobre Chile* (1977).

En cuanto a *Yaguar,* es posible que pueda sorprender que un proyecto semejante fuera financiado en la Unión Soviética, pero hay que tener en cuenta los cambios que se van a llevar a cabo en la adaptación, y que, una vez más, servían para dar voz a una nueva manifestación en contra del golpe de Pinochet por parte del director. En primer lugar, llama la atención el título, porque evidencia una de las mayores transformaciones de la historia, al enfocar en el personaje del Jaguar en el guion firmado por el mismo director y por Tatyana Yakovleva. De hecho, se puede decir que este será el eje de la película, a diferencia de la adaptación de Lombardi, que estaba más centrada en el de Alberto. Al parecer, sin embargo, esta decisión no partió, en un primer momento, del propio director, sino que se debió, una vez más, a la amenaza de la censura, en este caso de la soviética, como recuerda en una entrevista:

> El 82, por ejemplo, escribí el guion de *El jaguar* basado en *La ciudad y los perros* de Vargas Llosa y lo presenté al Ministerio, porque todo pasaba por allí. [...] Me dijeron que no, yo les pregunté por qué y, de nuevo, la lucha de clases y la cosa ideológica. Y lo segundo, me decían que también tenemos ejército y en el de acá ocurren los mismos problemas que en el ejército que usted nos muestra... hay mucha coincidencia. Me catetearon y me obligaron a que al personaje del Jaguar le diera un enfoque más clasista y un final de luchador, optimista. Hacer los cambios era mi única posibilidad de hacer la película (Ehrmann, 1990: 22).

Por este motivo, la película, rodada en ruso, se sitúa en Chile, en los años 70, en el contexto de la dictadura y la lucha contra la represión política, así que hay una traslación de espacio y tiempo importante. Aunque se centre también en el colegio militar, son importantes las escenas exteriores, donde aparecen los manifestantes a favor del presidente asesinado, Salvador Allende. La música contribuye a la ambientación latinoamericana, pensada para un público extranjero, pero las referencias son distintas a las de la novela, aunque también haya boleros, como el popular «Reloj no marques las horas» del chileno Lucho Gatica y los del ecuatoriano Julio Jaramillo, como «Solito he de sufrir» y «Nuestro juramento», mientras el ritmo cubano del cha-cha-chá de «El bodeguero» sustituirá al del mambo de la novela. En cualquier caso, constituye un caso interesante de adaptación, que demuestra cómo los temas presentes en el hipotexto original se articulan como universales y conectan con realidades alejadas en el espacio y el tiempo.

3.10.2.3. «La noche de los alfileres» de Santiago Roncagliolo, y más allá

La novela del narrador peruano Santiago Roncagliolo, *La noche de los alfileres* (2016), pone de manifiesto cómo la novela de Vargas Llosa se ha convertido en referente e hipotexto, parte de la tradición con la que escritores posteriores dialogan. Esta obra de Roncagliolo puede leerse como una especie de *reboot* ficcional o como *La ciudad y los perros 2.0,* ya que su punto de partida es, nuevamente, la historia de un grupo de adolescentes —Beto, Moco, Carlos y Manu— y su experiencia en un colegio —de jesuitas, en esta ocasión—, también solo para varones, como es el de la Inmaculada, y que el primero de los relatores, Carlos, describe «como una gigantesca olla a presión llena de hormonas» (2016: 17). Un espacio privilegiado, una isla en medio del contexto al que se remite, otra Lima, la de 1992, marcada por el conflicto armado en sordina, con el telón de fondo de la guerra sucia y de los atentados de Sendero Luminoso, que finalmente se habían apoderado de la ciudad.

Aunque el contexto histórico cambie, la sensación de encierro y aislamiento y la obsesión por un único tema, el sexo, se mantienen como constantes. Aquí es el personaje de Moco el que se constituye como «traficante oficial de porno de la promoción» (18), y para él ser hombre significa «cachar-tirar-chingar-funcar-coger-follar-beneficiar-atracar» (161); y el de Beto es el que se revela como el eslabón más débil, por su homosexualidad:

> Yo era el afeminado, el chivo, el cabro, el mariposón, el cacanero, el putito, el gay. Todas las promociones tenían uno. Uno que hacía 'rosquetadas' como leer. Uno que hablaba más suave que los demás, sin decir 'huevón' cada tres palabras. Un buen blanco para burlas. Estaba bien visto ser ladrón, asesino o delincuente. Pero maricón, de ninguna manera (28).

Cada personaje encarnará también una posición distinta en el orden social y evidenciará un mismo origen de familias desestructuradas, con padres ausentes y madres conservadoras, que se inhiben de su deber formador. Y una sociedad absolutamente animalizada, poblada por cachorros, buitres, murciélagos, pirañas, atunes, orangutanes, halcones, palomas, barracudas, hipopótamos, gallinazos, urracas, monos, zorras, perros rabiosos, tigres, panteras, paquidermos, simios, conejitos temblorosos, pájaros heridos, chacales, hurones, lobos, pollos, gavilanes, cotorras... Como si pretendiera superar al mismo modelo de *La ciudad y los perros,* al que rinde homenaje.

Asimismo, también coincide, hasta cierto punto, la construcción formal, ya que el relato va entretejiendo las distintas voces, compartimentadas, de estos jóvenes, que graban sus testimonios en primera persona desde la perspectiva de su presente, como adultos que recuerdan un pasado de veinte años atrás y, muy especialmente, un hecho que hasta entonces había permanecido oculto, y en el que juega un importante papel la tensión entre su recuerdo reprimido y su necesario olvido. Un importante dato escondido. Esta vez, sin embargo, no hay narrador omnisciente que sirva de conector o mediador, ni siquiera mínimo o no fiable, sino que es la cámara la que lleva a cabo esta función directamente. También las referencias cinematográficas son constantes, desde la misma grabación en vídeo de sus testimonios, que estructura la novela, hasta su temprana identificación como «[l]os Goonies de Surco», en referencia a la película de aventuras homónima de Steven Spielberg y, sobre todo, en los monólogos del personaje de Moco, que dice haber visto todas las películas, que no para de citar, y para quien el mundo del cine representa una clave de interpretación del mundo, de su realidad inmediata y del país, sumido en el caos.

La novela de Roncagliolo no oculta la deuda, sino que hace alarde de ella y pone de manifiesto su reconocimiento a la obra de Vargas Llosa. Y no es la única que puede leerse desde esta clave, ya que otras, a pesar de las diferencias, como *Mala onda* (1991) de Alberto Fuguet, o, más recientemente, *Los divinos* (2017) de Laura Restrepo y *Mandíbula* (2018) de Mónica Ojeda, pueden entrar en esa misma órbita. Como mencionara Vargas Llosa, en 2010, en su discurso de aceptación del premio Nobel, «[s]i convocara [...] a todos los escritores a los que debo algo o mucho sus sombras nos sumirían en la oscuridad. Son innumerables» (2011: 20); como se ha visto en estas páginas, a esas sombras del pasado podrían sumarse presencias actuales, de quienes a su vez han tomado su obra como un referente sin fronteras. Además de los mencionados, autores como Antonio Muñoz Molina, Javier Cercas, Roberto Bolaño, Carlos Franz, Iván Thays, Edmundo Paz-Soldán, Leonardo Valencia, Juan Gabriel Vásquez, Jorge Volpi, Ignacio Padilla, Guadalupe Nettel o Zoé Valdés, entre muchos otros, han dialogado, de un modo u otro, con su obra, en general.

La formación literaria de Vargas Llosa en estos primeros años, como se ha visto, evidenciaba la búsqueda de interlocutores más allá de los límites nacionales, que logrará traspasar ya con su primera novela, en la que conectaba con experiencias universales de los lectores, movido por la rebeldía y la búsqueda de la libertad, y demostrando con ello la utilidad de la novela. Así, muchos años después, ante el público reunido en Estocolmo, Vargas Llosa había de recordar aquellos inicios remotos en que la literatura le dio a conocer su poder:

> Sin las ficciones seríamos menos conscientes de la importancia de la libertad para que la vida sea vivible y del infierno en que se convierte cuando es conculcada por un tirano, una ideología o una religión. Quienes dudan de que la literatura, además de sumirnos en el sueño de la belleza y la felicidad, nos alerta contra toda forma de opresión, pregúntense por qué todos los regímenes empeñados en controlar la conducta de los ciudadanos de la cuna a la tumba, la temen tanto que establecen sistemas de censura para reprimirla y vigilan con tanta suspicacia a los escritores independientes (2011: 21).

Cuarenta y siete años después de la aparición de *La ciudad y los perros,* en ese mismo discurso, insistirá en la utilidad de la literatura, volviendo, por un momento, a sus germinales lecturas sartreanas, porque gracias a ella, gracias a esas supuestas mentiras que son las ficciones, se logra tantas veces conocer la verdad, desenmascarar la impostura y, además, «vuelve a los ciudadanos más difíciles de manipular, de aceptar las mentiras de quienes quisieran hacerles creer que, entre barrotes, inquisidores y carceleros viven más seguros y mejor» (2011: 21). En cualquier caso, por encima de todo, «[l]a buena literatura tiende puentes entre gentes distintas [...] nos une por debajo de las lenguas, creencias, usos, costumbres y prejuicios que nos separan» (2011: 22).

Esta edición

Para la realización de la presente edición se han tenido en cuenta, esencialmente, cuatro ediciones: la primera y la segunda, publicadas por Seix Barral en 1963; la llamada definitiva, de Alfaguara, en 1997; y la conmemorativa, realizada por la RAE en 2012.

Como ya se ha indicado, la diferencia entre la primera, aparecida entre octubre y noviembre de 1963, y la segunda, apenas unas semanas más tarde, radica, sobre todo, en la retirada de la fotografía de la estatua del héroe epónimo del Colegio Militar Leoncio Prado —que se ha utilizado, en la presente edición, en la cubierta—, para posibilitar su circulación. Por otro lado, en la segunda se elimina también una frase que aparecía repetida en la primera por error («—Basta —dijo la voz—. Ahora con ritmo de bolero», Vargas Llosa, 1963: 47), y se sustituye por otra («—Bueno —dijo la voz—. ¿Cuál ha pegado más fuerte?»). Para este cotejo se ha utilizado el ejemplar donado a la Universitat de Barcelona por el Dr. José María Valverde, catedrático de estética en esta institución y miembro del jurado del premio Biblioteca Breve, como se ha referido; en sus páginas puede advertirse alguna corrección a mano (p. ej., *losa*, en lugar de «loza» y *cristinas* en lugar de «cristianas», Vargas Llosa, 1963: 59). En cualquier caso, se ha ratificado que no hubo otros cambios significativos en relación a las negociaciones con la censura, como algún comentario del editor había podido sugerir en algún momento.

En cuanto a la edición de Alfaguara que apareció en 1997 como definitiva, destaca el breve pero significativo prólogo que escribió el autor para la ocasión; asimismo, supone un primer intento de actualización. De este modo, por ejemplo, se eliminan las comillas que indicaban los nombres de los lugares en todas las ediciones hasta ese momento («La Perlita», «Bar Zela»...), y las características palabras en versalita que marcaban el inicio de las distintas secuencias dentro de cada capítulo de la obra, y que ayudaban al lector a reconocer el constante cambio de voz narrativa —que es una de las propuestas innovadoras del autor, y uno de los grandes retos para el lector—. Probablemente, el uso de las versalitas de este modo se debiera al empleo que hiciera de ellas William Faulkner —escritor de referencia reconocido por Vargas Llosa, como se ha visto—, de la misma manera, al principio de los capítulos de sus obras.

Finalmente, cabe destacar la edición conmemorativa de la Real Academia Española, institución de la que forma parte Vargas Llosa. Esta ejemplar edición dirigida por el presidente de la Academia Peruana de la Lengua, el Dr. Marco Martos, fue realizada en 2012, después de que Vargas Llosa recibiera el premio Nobel de Literatura en 2010 y de que el texto fuera revisado por el propio autor. Se trata, por tanto, de una edición que corresponde a la consagración literaria del escritor. Además, restituye el plano de la ciudad de Lima de la primera edición, reproduce su portada en páginas interiores y se acompaña de artículos de gran interés realizados por especialistas internacionalmente reconocidos, así como de un elaborado glosario y de una completa bibliografía.

Por último, se han consultado también los dos cuadernos manuscritos de 1958 y las distintas versiones mecanoscritas, que se hallan depositadas en el archivo del escritor peruano en la Rare Books Collection de la Firestone Library en la universidad de Princeton. Una pequeña muestra y una breve explicación de estos materiales se pueden encontrar en el apéndice final.

Por todo ello, en esta edición se han manejado todas las anteriores citadas, y se indica en nota si hay alguna incidencia relevante. No obstante, dado que, como se ha planteado en la introducción, se desea establecer una primera imagen del autor, a pesar de incorporar los cambios normativos fundamentales implementados por la edición de la RAE de 2012, se mantienen las características más destacadas del estilo de aquel joven escritor, que impactaron al público lector de la época, y que todavía pueden representar cierta dificultad para el actual, con el deseo de comunicar la experiencia que pudo significar su lectura en aquel instante. Por este motivo, se ha mantenido la minúscula, entre comillas, para dar razón de los pensamientos o de los parlamentos de los personajes, como si se estuvieran tomando al vuelo; y se ha respetado también la manera de marcar parcialmente, de forma general, algunos diálogos, incluyendo los *verba dicendi* o de pensamiento, de manera muy personal dentro del entrecomillado. Se ha dejado así porque la repetición constante de este modo de citar parece responder a una voluntad consciente del joven escritor, y no a errores tipográficos aislados.

Como ejemplo del primer punto puede verse, a continuación, a qué me estoy refiriendo: en la primera columna, como se adelantaba, aparece ese modo particular de transcribir los pensamientos del personaje en la primera edición, y que se ha mantenido en la presente, mientras que, en la segunda, se muestra la versión corregida y normativa de la edición de la RAE:

Iba con el rostro pegado a la ventanilla y sentía su cuerpo roído por la excitación: «voy a ver Lima». A veces, su madre lo atraía hacia ella, murmurando: «Richi, Ricardito». Él pensaba: «¿por qué llora?» (Vargas Llosa, 1963.)

Iba con el rostro pegado a la ventanilla y sentía su cuerpo roído por la excitación: «Voy a ver Lima». A veces, su madre lo atraía hacia ella, murmurando: «Richi, Ricardito». Él pensaba: «¿Por qué llora?» (Vargas Llosa, 2012.)

Respecto a la segunda cuestión, se vuelve a proceder del mismo modo, para tratar de mostrar también, de forma más clara, donde residen los cambios:

«No sé, le dije, creo que sí. ¿Por qué?». «Me debes cerca de veinte soles, me respondió. ¿No es cierto?». Sentí una culebra en la espalda, ya no me acordaba que ese dinero era prestado y pensé, ahora me va a pedir que le pague y qué hago. (Vargas Llosa, 1963.)	«No sé», le dije, «creo que sí. ¿Por qué?». «Me debes cerca de veinte soles», me respondió. «¿No es cierto?». Sentí una culebra en la espalda, ya no me acordaba que ese dinero era prestado y pensé: «Ahora me va a pedir que le pague y qué hago». (Vargas Llosa, 2012.)

Obviamente, no se trata de cambios sustanciales, copernicanos, sino de detalles, aunque significativos, ya que hay que tener en cuenta que la aparición de *La ciudad y los perros* en 1963 se relaciona directamente, como se ha subrayado, con el comienzo de ese estallido renovador que se conoció como el *boom* de la narrativa hispanoamericana. Y, de hecho, el joven Vargas Llosa de esos años estaba explorando nuevas formas de contar, como la mayoría de sus colegas y compañeros de viaje. Y una de sus formas de experimentación, tentativa, se va a producir, precisamente, en la manera de transcribir las voces narrativas de los personajes: hibridándola en ocasiones con esa otra voz narrativa, juguetona e irónicamente omnisciente de un narrador que se descubre, a fin de cuentas, como no fiable, o tratando en otras de mostrar una continuidad narrativa, como si el lector estuviera asistiendo directamente a esos parlamentos o pensamientos. Por estos motivos, en suma, me he atrevido a restituir ese modo de referirse a las palabras de otros o al propio flujo de conciencia, en primera persona, de algunos de los personajes.

En este sentido, y trazando un paralelismo musical, son bien conocidas las dos versiones realizadas por Glenn Gould de las famosas *Variaciones Goldberg* (1741) de Johann Sebastian Bach: en la primera de ellas, y su debut, de 1955, el joven pianista lleva a cabo su interpretación en apenas treinta y nueve minutos, mientras que la que realiza hacia el final de su trayectoria, en 1981, dura algo más de cincuenta y uno. Ninguna es mejor que la otra, son dos ejecuciones diferentes, en las que una muestra el brío y la frescura de la juventud y la otra la reflexión de la madurez. De este modo, en lo que atañe a Vargas Llosa, la primera y segunda ediciones muestran también la provocación y la ruptura de un joven escritor, mientras que ya las de 1997 y sobre todo 2012 obedecen a un autor consagrado por los premios y la academia. Muy especialmente, lo que hace la edición de la RAE es pulir aquel diamante en bruto, que aquí se quiere mostrar como producto de una época, de la búsqueda de un estilo y de una voluntad artística y literaria conscientes.

Esta ha sido, por mi parte, la decisión más difícil de tomar de todas, y su objetivo es acercar al lector a esa primera etapa de un escritor que está buscando cómo romper con lo establecido, hasta el punto que, en su siguiente novela, *La casa verde,* la ruptura va todavía más allá, al prescindir de casi cualquier indicación respecto a la procedencia de las voces narrativas que se mezclan libremente en el texto, y cuyo juego identificativo contribuye al placer del lector atento, entendido como colaborador —o co-elaborador— en la construcción de sentido del texto. En palabras de Jean Genet, una lectura que Vargas Llosa realizó en paralelo a la escritura de la novela y también compartida por José María Castellet en *La hora del lector* (2001: 50): «La oscuridad es la cortesía del autor hacia el lector».

Pensando también en este público más especializado, se trata de indicar en nota al pie no solo la definición de algunas palabras que puedan resultar más difíciles de comprender fuera de su contexto en el Perú de aquellos años, sino también, en la medida de lo posible, la procedencia de las mismas. Es decir, se señala si se trata, en general, de un americanismo o, más concretamente, de un indigenismo o de un peruanismo o, también, de un anglicismo, o de una palabra de otra procedencia. El oído extraordinario de Vargas Llosa, dada su sensibilidad por el género teatral, captó al vuelo expresiones coloquiales del momento, que se han intentado explicar, sobre todo, al público peninsular y al lector no nativo. A este respecto, debo agradecer a mis colegas Emma Martinell, Antonio Torres y, sobre todo, Cristina Illamola, de la Universitat de Barcelona, especialistas en el estudio del español de América, su generosa ayuda a la hora de recomendarme bibliografía específica, así como la revisión del texto anotado, por sus horas de revisión y anotaciones, por su tiempo y su atención. Las referencias que han quedado en nota, finalmente, no reflejan el intenso trabajo de cotejo exhaustivo realizado por Cristina Illamola a partir de los diccionarios utilizados (Morínigo 1993, Richard 2000, Álvarez Vita 2008, ASALE 2010, RAE 2014); por este motivo, en cualquier caso, asumo la responsabilidad última de la simplificación realizada respecto a sus indicaciones, contrastadas también con Vargas Ugarte (1946), Hare (1999) y Domínguez y Panizo (2012).

También quiero agradecer a los distintos archivos, bibliotecas e instituciones que he consultado para realizar esta edición, y también a las personas que me han ayudado, dentro y fuera de ellos: a AnnaLee Pauls, en la biblioteca Firestone de la Universidad de Princeton; a Julio Ortega, por su ejemplo y su consejo de revisar todo al detalle; a Carlos Antonio Sam Anlas de la Biblioteca Nacional del Perú; a Enrique Larrea, por conseguir, gracias a la familia de Abelardo Oquendo, un ejemplar de *Cuaderno de composición;* a Agustín Prado Alvarado, de la UNMSM, por su generosidad y su conocimiento de la ciudad de Lima, así como por su complicidad en la admiración por aquel joven escritor que escribiría *Conversación en La Catedral;* a Carmen Ollé, única y ejemplar, desde Barranco, por atender mis dudas peregrinas sobre la vecindad entre Teresa y Ricardo Arana; a José Tábara por acompañarme al Colegio

Militar Leoncio Prado y guiarme por La Perla, Bellavista, El Callao y La Punta; a Juan Manuel Chávez, Luis Fernando Cueto y Santiago Roncagliolo por su apoyo desde Barcelona; a Gabriela Wiener por las risas, entre Barcelona y Berlín; a Ulrike Mühlschlegel y a Anna Buchholz, en el Iberoamerikanisches Institut (IAI) de Berlín; a la BNF, por un lado, y a Florence Olivier, por otro, por invitarme a la U. Paris III, en una estadía que me permitió seguir los pasos del escritor por los escenarios donde terminó la novela, desde su llegada al hotel Wetter (en el 9 rue du Sommerard, ahora el Best Western de Le Jardin de Cluny) y su posterior departamento en el 17 rue de Tournon, y establecimientos como la pastelería Mulot, restaurantes como La petite hostellerie, el Allard o La Coupole, y cafés como La Rhumerie, siguiendo la ruta realizada por el Instituto Cervantes para imaginar esos años trascendentales para el joven Vargas Llosa; al IMEC en Caen; a Patricia de Souza, por mandarme una copia de la edición de la obra del autor en la Pléiade, por su humor, su fuerza y su amistad, con la tristeza de que no podrá ver estas páginas, aunque siempre vaya a estar en mi corazón; a Daniel Gozalbo Gimeno, en el Archivo General de la Administración, en Alcalá de Henares; a Ana María Chagra, por su solidaridad y su conocimiento editorial. Quiero agradecer también a los estudiantes con los que he leído y comentado esta obra en clase, por su complicidad y entusiasmo, en los cursos de Literatura hispanoamericana del siglo XX y en Nuevos narradores hispanoamericanos: la herencia del *boom*. Finalmente, agradecer la paciencia y el apoyo de mi familia —Núria, Quimi, Rosi, Sergi y Mireia, Darcy, Mel, Tete y Xisma— y, sobre todo, de Jacint, sin quien nada sería posible para mí.

El proceso ha sido largo, por diversas razones, profesionales y personales. Además, no es fácil editar a un premio Nobel en activo. Este proceso empezó a perfilarse cuando pude acceder al archivo de Mario Vargas Llosa, gracias a una beca de la biblioteca Firestone de la Universidad de

Princeton, en el año 2001, aunque no empezó a hacerse realidad hasta mediados de 2015. No se trata, en absoluto, de una edición definitiva, sino tentativa, a la espera de una posible edición crítica, genética, que pueda dar razón, a cabalidad, de los cambios y del proceso de escritura de sus páginas. En cualquier caso, esta edición no hubiera sido posible sin todas las contribuciones críticas que, año tras año, durante décadas, han ido sumándose al estudio de la obra; y lamento si he dejado fuera a alguien. Por todo ello, agradezco la paciencia de mis editores en Cátedra, Josune García, Raimundo Pinar y Juan Fernández, así como la de la agencia Carme Balcells, por su confianza y comprensión. Gracias también a Mario Vargas Llosa por su rebeldía y su tesón en esos primeros años, contra viento y marea, como un galeote, por haber escrito una novela que no solo logró exorcizar sus demonios tempranos y romper con las expectativas narrativas de su época, sino que logra todavía, tantas décadas después, emocionar y sorprender al público lector, sin fronteras de espacio ni de tiempo, como el clásico que es.

Bibliografía

Adán, Martín, *La casa de cartón* (1928), Barcelona, Barataria, 2009.

Aguirre, Carlos, «El proyecto editorial Populibros peruanos», *Políticas de la memoria,* Buenos Aires, núm. 17, verano 2016/2017, 204-222.

Agüero, Luis, Larco, Juan, y Fornet, Ambrosio, «Sobre *La ciudad y los perros,* de Mario Vargas Llosa», *Casa de las Américas,* La Habana, V, 30 (mayo-junio de 1965), 63-80.

Alburquerque F., Germán *La trinchera letrada. Intelectuales latinoamericanos y Guerra Fría,* Santiago de Chile, Lom, 2010.

Álvarez, Federico, y Batis, Huberto, «Los libros al día: Reseña a *La ciudad y los perros*», *La Cultura en México,* México D. F., 105, 19 de febrero de 1964, XVIII.

Arce Espinoza, Mario Rommel, *Belisario Llosa y Rivero. El primer escritor de la familia Llosa de Arequipa,* Arequipa, Cascahuesos, 2014.

Arguedas, José María, *Todas las sangres* (1964), Madrid, Alianza Editorial, 1999.

Aubès, Françoise, «Le paysage limènien dans *La ciudad y los perros*», en Néstor Ponce (coord.), *Lectures d'une œuvre. «La ciudad y los perros»,* París, Éditions du Temps, 1999.

Ayala, José Luis, *Los abismos de Mario Vargas Llosa,* Lima, Fondo Editorial Cultura Peruana, 2017

Ayén, Xavi, «Vargas Llosa: Barcelona me hizo escritor», *La Vanguardia,* 10 de octubre de 2010.

— «Vargas Llosa. Viaje a las entrañas de Lima», Código Único, mayo de 2012, núm. 8, 44-51.

— *Aquellos años del boom,* RBA, Barcelona, 2014.

BAJTÍN, Mijail, «Las formas del tiempo y del cronotopo en la novela; ensayos de poética histórica», en *Teoría y estética de la novela*, Madrid, Taurus, 1989, 237-409.

BAREIRO SAGUIER, Rubén, «Entrevista a Mario Vargas Llosa», *Alcor*, Asunción, 33, noviembre-diciembre de 1964, 6-7.

BARRAL, Carlos, «Carta de Seix Barral a los lectores de *La Vanguardia*», *La Vanguardia*, Barcelona, 4 de diciembre de 1962, 14.

BARRIGA TELLO, Martha, «*Bases para una interpretación de Rubén Darío*», en Miguel Ángel Rodríguez Rea (ed.), *Mario Vargas Llosa y la crítica peruana*, Lima, Editorial Universitaria-Universidad Ricardo Palma, 2011, 293-300.

BENDEZÚ, Francisco, «Defensa de la poesía peruana», *La Prensa*, Lima, 24 de junio de 1957.

BENEDETTI, Mario, «Encuentro con Mario Vargas Llosa. Me entusiasman las novelas de caballería», *La Mañana*, Montevideo, 10 de julio de 1964.

— «Vargas Llosa y su fértil escándalo», *Letras del continente mestizo*, Montevideo, Arca, 1967, 237-258.

BENSOUSSAN, Albert (dir.), *Mario Vargas Llosa. L'Herne*, París, Éditions de l'Herne, 2009.

BOLAND, Roy, *Mario Vargas Llosa: Oedipus and the Papa State*, Madrid, Voz, 1988.

— «El simbolismo de los animales en *La ciudad y los perros*», en Néstor Ponce (coord.), *Lectures d'une œuvre. «La ciudad y los perros»*, París, Éditions du Temps, 1999, s. p.

— «Gallinas, vicuñas, vinchucas y yucumamas: una comparación entre *La ciudad y los perros* y *El sueño del celta*», en Sandro Chiri Jaime y Agustín Prado Alvarado, (coords.), *«La ciudad y los perros» y el «boom» hispanoamericano. Actas del Congreso realizado por la Casa de la Literatura Peruana*, Lima, Estación La Cultura, 2018, 51-61.

BOLDORI DE BALDUSSI, Rosa, *Vargas Llosa: un narrador y sus demonios*, Buenos Aires, Fernando García Cambeiro, 1972.

BOURDIEU, Pierre, *La dominación masculina* (2000), Barcelona, Anagrama, 2006.

BRAVO, María-Elena, *Faulkner en España. Perspectivas de la narrativa de posguerra*, Barcelona, Península, 1985.

BROWN, James W., «El síndrome del expatriado: Vargas Llosa y el racismo peruano», en José Miguel Oviedo, *Mario*

Vargas Llosa. El escritor y la crítica, Madrid, Taurus, 1981, 15-24.

CABALLERO WANGÜEMERT, María, *Borges y la crítica. El nacimiento de un clásico,* Madrid, Editorial Complutense, 1999.

CARINI, Sara, «"Si trata di documenti e testi necessari": Giangiacomo Feltrinelli entre política y literatura. Apuntes preliminares», en Dunia Gras y Tania Pleitez (eds.), *Más allá del estrecho dudoso. Intercambios y miradas sobre Centroamérica,* Granada, Valparaíso, 2018, 249-265.

CEBREROS, Diego, «Puntos de encuentro entre *La ciudad y los perros* y *El corazón de las tinieblas*», en Gladys Flores Heredia (ed.), *La invención de la novela contemporánea: tributo a Mario Vargas Llosa,* Lima, Academia Peruana de la Lengua, 2016, 75-88.

CERCAS, Javier, «La pregunta de Vargas Llosa», en Mario Vargas Llosa, *La ciudad y los perros. Edición conmemorativa del cincuentenario,* Madrid, Real Academia Española, 2012, 473-498.

«Concesión de los premios "Crítica" 1963», *La Vanguardia,* Barcelona, 19 de abril de 1964, 1 y 29.

CONGRAINS, Enrique, *No una, sino muchas muertes,* Lima, Embajada Cultural Peruana, 1957.

CONTERIS, Hiber, «Imagen de esta turbia, adolescente América», *Época,* Montevideo, 2 de marzo de 1964.

CORNEJO POLAR, Antonio, *Escribir en el aire. Ensayo sobre la heterogeneidad socio-cultural de las literaturas andinas,* Lima, Horizonte, 1994.

COUFFON, Claude «Petite histoire d'un grand roman», en Albert Bensoussan, dir., *Mario Vargas Llosa. L'Herne,* París, Éditions de l'Herne, 2009, 329-331.

CROCE, Marcela (comp.), *Polémicas intelectuales en América Latina. Del "meridiano intelectual" al caso Padilla (1927-1971),* Buenos Aires, Simurg, 2006.

CUETO, Alonso (ed.), *Mario Vargas Llosa. La liberté et la vie,* París, Gallimard-Maison de l'Amérique Latine, 2010.

— «Las novelas de Mario Vargas Llosa: una teología del poder», *Estudios Públicos,* Santiago de Chile, 122, 2011, 568-588.

DARÍO, Rubén, «Parisiana (1907)», *Obras completas,* t. V, Madrid, Ed. Mundo Latino, 1917.

— *Autobiografía* (1913), Madrid, Mondadori, 1990.

— *Azul...* (1888), Madrid, Cátedra, 1995 (ed. de José María Martínez Sánchez).

DAVIS, Mary E., «La elección del fracaso: Vargas Llosa y William Faulkner», en José-Miguel Oviedo, *Mario Vargas Llosa: El escritor y la crítica,* Madrid, Taurus, 1981, 35-46.

DEL ARCO, «Mano a mano. Mario Vargas Llosa», *La Vanguardia* (Barcelona), 7 de diciembre de 1962, 29.

DE LA PEÑA, Chema, *Mario y los perros,* Madrid, Media Azul-RTVE, 2019.

DELGADO, Washington, *«La ciudad y los perros»*, *Visión del Perú*, Lima, núm. 1, agosto de 1964, 27-29.

DELGADO DEL ÁGUILA, Jesús Miguel, *Protagonismo violento y modos de representación en «La ciudad y los perros»* (1963), Lima, Universidad Nacional Mayor de San Marcos, 2017.

DOMÍNGUEZ, Carlos, y PANIZO, Agustín, «Glosario e índice onomástico», en Mario Vargas Llosa, *La ciudad y los perros. Edición conmemorativa del cincuentenario,* Madrid, Real Academia Española, 2012, 577-608.

DONOSO, José, *«La ciudad y los perros*. Novela que triunfa en el mundo», *Ercilla,* Santiago de Chile, núm. 1530, 16 de septiembre de 1964, 12-13.

DRAVASA, Mayder, *The Boom in Barcelona. Literary Modernism in Spanish and Spanish American Fiction (1950-1974),* Nueva York, Peter Lang, 2005.

DURÁN LÓPEZ, María de los Ángeles «La educación antigua como referente en una fábula de la adolescencia», en Cristóbal Macías Villalobos y Guadalupe Fernández Ariza (eds.), *El silencio y la palabra: estudios sobre «La ciudad y los perros» de Mario Vargas Llosa,* Málaga, Universidad de Málaga, 2012, 55-78.

ECO, Umberto, *Seis paseos por los bosques narrativos,* Barcelona, Lumen, 1996.

EDWARDS, Jorge, «Comentarios bibliográficos y notas. Reseña a *La ciudad y los perros»*, *Anales de la Universidad de Chile,* Santiago de Chile, enero-marzo de 1965, 188-192.

EINERT, Katharina *Die Übersetzung eines Kontinents. Die Anfänge des Lateinamerika-Programms im Suhrkamp Verlag,* Berlín, Tranvia-Walter Frey, 2018.

Eisenstein, Serguei, *El sentido del cine* (1942), México D. F., Siglo XXI, 1974.

— *La forma del cine* (1949), México D. F., Siglo XXI, 1999.

«El comunismo y los intelectuales», *ABC,* Madrid, 12 de mayo de 1963, 80.

«El libro de Vargas Llosa no tiene otra importancia que la económica para su autor», *El Comercio,* Lima, 20 de diciembre de 1963, 9.

«El premio internacional Formentor ha sido otorgado a *El gran viaje* de Georges Semprun», *ABC,* Madrid, 2 de mayo de 1963, 55.

«Enorme éxito de 4ta. Serie Populibros», *El Comercio,* Lima, 17 de diciembre de 1963, 22.

«España da pase a novela prohibida», *Expreso,* Lima, 22 de diciembre de 1963, 8.

Esteban, Ángel, y Gallego, Ana, *De Gabo a Mario. La estirpe del «boom»,* Madrid, Espasa Calpe, 2009.

Ezquerro, Milagros, «El dos y el cuatro», en Néstor Ponce (coord.), *Lectures d'une œuvre. «La ciudad y los perros»,* París, Éditions du Temps, 1999, s. p.

Fernández, Teodosio, «El entorno peruano», en Cristóbal Macías Villalobos y Guadalupe Fernández Ariza (eds.), *El silencio y la palabra: estudios sobre «La ciudad y los perros» de Mario Vargas Llosa,* Málaga, Universidad de Málaga, 2012, 15-30.

Fernández Ariza, Guadalupe, *«La ciudad y los perros o el macrocosmos peruano», Analecta Malacitana,* Málaga, 3, 2, 1980, 277-289.

— «El orden y el caos como fantasía de la vida», en Cristóbal Macías Villalobos y Guadalupe Fernández Ariza (eds.), *El silencio y la palabra: estudios sobre «La ciudad y los perros» de Mario Vargas Llosa*, Málaga, Universidad de Málaga, 2012, 139-160.

Flaubert, Gustave, *Madame Bovary* (1857), Madrid, Cátedra, 1986 (ed. de Germán Palacios).

— *Correspondance, 1851-1858,* vol. II, París, Gallimard, 1980.

Fornet, Ambrosio, «*La ciudad y los perros», Casa de las Américas* (La Habana), núm. 26, octubre-noviembre de 1964, 129-132.

Franco, Jean, *Decadencia y caída de la ciudad letrada. La literatura latinoamericana durante la Guerra Fría,* Barcelona, Debate, 2003.

211

Fressard, Jacques, «Adolescentes en uniforme», *La Quinzaine Littéraire,* París, 1-15 de octubre de 1966, 10-11.

Freyre, Carlos Enrique, Yaguas, Eduardo, Huamán, Héctor, y Morocho, Luis, *Mario. Cuaderno de un viajero,* Lima, Estruendomudo, 2017.

Frisch, Mark, *William Faulkner. Su influencia en la literatura hispanoamericana (Mallea, Rojas, Yáñez, García Márquez),* Buenos Aires, Corregidor, 1993.

Fuentes, Carlos, *La nueva novela hispanoamericana,* México, D. F., Joaquín Mortiz, 1969.

Fuguet, Alberto, «Mario Vargas Llosa: La ciudad y los huachos», *Primera parte,* Santiago de Chile, Aguilar, 2000, 396-405.

Gallén, Enric y Ruiz-Casanova, José Francisco, *Josep M. Castellet, editor i mediador cultural,* Lérida-Barcelona, Punctum & Edicions 62, 2015.

Gálvez, Lucio, y Macera, César, «Asociación de excadetes del colegio militar "Leoncio Prado"», *El Comercio,* Lima, 17 de septiembre de 1964.

Garcés, Julio, «Comunicado de la Embajada Española. Novela de M Vargas Llosa no fue prohibida en España», *El Comercio,* Lima, 21 de diciembre de 1963, 8.

Gilman, Claudia, *Entre la pluma y el fusil. Debates y dilemas del escritor revolucionario en América Latina,* Buenos Aires, Siglo XXI, 2003.

Gladieu, Marie-Madeleine «Arthur Rimbaud, un *trastexto* de Mario Vargas Llosa», *Alma máter,* Lima, diciembre de 2015, vol. 2, núm. 3, 115-125.

Gnutzmann, Rita, *Cómo leer a Mario Vargas Llosa,* Madrid, Júcar, 1992.

— «El monólogo interior del Boa o el caos organizado», en Néstor Ponce (coord.), *Lectures d'une oeuvre. «La ciudad y los perros»,* París, Éditions du Temps, 1999, s. p.

— «Mario Vargas Llosa y su obra en la prensa española», en José Manuel López de Abiada y José Morales Saravia (eds.), *Boom y Postboom desde el nuevo siglo: impacto y recepción,* Madrid, Verbum, 2005, 53-76.

González Vigil, Ricardo, «Faulkner y *La ciudad y los perros*», *Libros & Artes,* Lima, año IX, núms. 44-45, diciembre de 2010, 30-33.

Goytisolo, Juan, *Problemas de la novela,* Barcelona, Seix Barral, 1959.

— «L'école des mâles», *Le Nouvel Observateur,* París, 89, 27 de julio-2 de agosto de 1966, 31-32.

GRAS, Dunia, «Mario Vargas Llosa y las afinidades electivas: *La verdad de las mentiras*», *Anuari de Filologia,* Barcelona, 1996, vol. XIX, núm. 7, 49-64.

— «"De color modesto": etnicidad y clase en la narrativa de Julio Ramón Ribeyro», *Revista de Crítica Literaria Latinoamericana* (Dartmouth-Lima), año XXIV, núm. 48, 1998, 173-184.

— *Manuel Scorza, un mundo de ficción,* Barcelona, Universitat de Barcelona, 1998.

— «"De color modesto": etnicidad y clase en la narrativa de Julio Ramón Ribeyro», *Revista de Crítica Literaria Latinoamericana,* año XXIV, núm. 48, 1998, 173-184.

— «Manuel Scorza y la internacionalización del mercado literario latinoamericano: del Patronato del Libro Peruano a la Organización Continental de los Festivales del Libro (1956-1960)», *Revista Iberoamericana,* Pittsburg, núm. 197, 2001, 741-754.

— «Introducción», a Manuel Scorza, *Redoble por Rancas,* Madrid, Cátedra, 2002, 11-143.

— *Manuel Scorza, la construcción de un mundo posible,* Lérida, Universidad de Lérida-AEELH, 2003.

— «Otra cara del éxito: Julio Ramón Ribeyro y *La tentación del fracaso*», en José Manuel López de Abiada y José Morales Saravia (eds.), *Boom y Postboom desde el nuevo siglo: impacto y recepción,* Madrid, Verbum, 2005, 77-98.

— «El "boom" desde dentro: Carlos Fuentes y las redes informales de promoción cultural», en Dunia Gras y Gesine Müller (eds.), *América Latina y la literatura mundial: mercado editorial, redes globales y la invención de un continente,* Frankfurt, Iberoamericana-Vervuert, 2015, 197-222.

— «Mario Vargas Llosa, lector de Darío: un juego de espejos», *Cuadernos hispanoamericanos,* Madrid, núm. 796, octubre de 2016, 17-31.

— «Narradores no fiables, de Borges a Bolaño: del olvido como motor literario», en Carla Fernandes (ed.), *D'Oublis et d'abandons. Notes sur l'Amérique Latine,* Burdeos, Orbis Tertius, 2017, 235-255.

— «José Donoso y Carlos Fuentes: otra historia personal del "boom"», *Anales de Literatura Chilena,* vol. 29, 2018, 83-108.

213

GRAS, Dunia, y MÜLLER, Gesine, eds. *América Latina y la literatura mundial: mercado editorial, redes globales y la invención de un continente,* Iberoamericana-Vervuert, Frankfurt a. M, 2015.

GRAS, Dunia, y SÁNCHEZ, Pablo «La consagración de la vanguardia (1967-1973)», en Joaquín Marco y Jordi Gracia (eds.), *La llegada de los bárbaros. La recepción de la literatura hispanoamericana en España, 1960-1981,* Barcelona, Edhasa, 2004, 107-152.

GÜICH, José, y SUSTI, Alejandro, *Ciudades ocultas. Lima en el cuento peruano moderno,* Lima, Fondo Editorial de la Universidad de Lima, 2016.

GUTIÉRREZ, Miguel, *La generación del 50: un mundo dividido,* Lima, Ed. Sétimo ensayo, 1988.

— *Faulkner en la literatura latinoamericana,* Lima, Editorial San Marcos, 1999.

— «*La generación del 50: un mundo dividido,* veinte años después», *Temas y variaciones de literatura,* México D. F., núm. 35, 2010, 145-159.

GUZMÁN, Miguel, «Vargas Llosa se reconcilia con el ejército peruano», *La Vanguardia,* 18 de marzo de 2011.

HAHN, Óscar, «*La ciudad y los perros:* testimonio de una lectura y otros sucesos colaterales», *Estudios públicos, Santiago de Chile,* 122, otoño de 2011, 46-62.

HANCOCK, Joel, «Técnicas de animalización y claroscuro: el lenguaje descriptivo de *La ciudad y los perros*», en José Miguel Oviedo, *Mario Vargas Llosa. El escritor y la crítica,* Madrid, Taurus, 1981, 79-90.

HARE, Cecilia, «Peruanismos en *La ciudad y los perros*», en Néstor Ponce (coord.), *Lectures d'une oeuvre. «La ciudad y los perros»,* París, Éditions du Temps, 1999, s. p.

HARSS, Luis y DOHMANN, Bárbara, «Mario Vargas Llosa, or the Revolving Door», *Into the Mainstream. Conversations with Latin-American Writers,* Nueva York, Harper & Row, 1967, 342-376.

— «Mario Vargas Llosa, o los vasos comunicantes», *Los Nuestros* (1966), Buenos Aires, Sudamericana, 1969 (3.ª ed.), 420-462.

HERRERO-OLAIZOLA, Alejandro, «The Writer in the Barracks. Mario Vargas Llosa Facing Censorship», *The Censorship Files. Latin American Writers and Franco's Spain,* Nueva York, SUNY Press, 2007, 37-70.

Hirschhorn, Gérald, *Sebastián Salazar Bondy: pasión por la cultura,* Lima, UNMSM, 2005.

Huamán, Miguel Ángel, «*La ciudad y los perros:* el impacto de la novela en la narrativa peruana y latinoamericana», en Néstor Ponce (coord.), *Lectures d'une oeuvre. «La ciudad y los perros»,* París, Éditions du Temps, 1999, s. p.

Huaytán Martínez, Eduardo, «Para ser hombres. Escuela, adolescencia y sexualidad en *La ciudad y los perros* de Mario Vargas Llosa y *Los ríos profundos* de José María Arguedas», en Gladys Flores Heredia (ed.), *La invención de la novela contemporánea: tributo a Mario Vargas Llosa,* Lima, Academia Peruana de la Lengua, 2016, 89-108.

Ingarden, Roman, *La obra de arte literaria* (1931), México D. F., Taurus, 1998.

Irby, James E., *La influencia de Faulkner en cuatro narradores hispanoamericanos,* México, Universidad Autónoma de México, 1956.

King, John, «Una ficción incendiaria: reflexiones sobre la recepción de *La ciudad y los perros* en Estados Unidos y el Reino Unido», en Mario Vargas Llosa, *La ciudad y los perros,* Madrid, Real Academia Española, 2012, 517-537.

Köllmann, Sabine, *A Companion to Mario Vargas Llosa,* Woodbridge, Tamesis, 2014.

Kristal, Efraín, *The Andes Viewed from the City: Literary and Political Discourse on the Indian in Peru (1848-1930),* Nueva York, Peter Lang, 1987.

— «Del indigenismo a la narrativa urbana en el Perú», Revista de Crítica Literaria Latinoamericana, 27, 1988, 57-74.

— *Temptation of the Word. The Novels of Mario Vargas Llosa,* Nashville, Vanderbilt University Press, 1998.

— «"The Fault is not in the Stars…". Moral Responsibility in the Political Novels of Mario Vargas Llosa», en Miguel Ángel Zapata (ed.), *Mario Vargas Llosa and the Persistence of Memory: Celebrating the 40th Anniversary of «La ciudad y los perros» (The Time of the Hero) and Other Works,* Lima, Universidad Nacional Mayor de San Marcos, 2006, 87-99.

— «Refundiciones literarias y biográficas en *La ciudad y los perros*», en Mario Vargas Llosa, *La ciudad y los perros,* Madrid, Real Academia Española, 2012, 539-557.

215

— *Tentación de la palabra. Arte literario y convicción política en las novelas de Mario Vargas Llosa,* Lima, FCE, 2018.

KRISTAL, Efraín, y KIHG, John (eds.), *The Cambridge Companion to Mario Vargas Llosa,* Cambridge, Cambridge University Press, 2012.

«*La ciudad y los perros.* España da pase a novela prohibida», *Expreso,* Lima, 19 de diciembre de 1963, 8.

«La delegación española no votó, en Corfú, la novela de Jorge Semprún», *La Vanguardia,* Barcelona, 22 de mayo de 1963, 12.

LAMA, César, «Mario Vargas Llosa. Premio "Biblioteca Breve"», *La Vanguardia,* Barcelona, 2 de diciembre de 1962, 6.

LAROSA, Enrique E. «Cartas a *La Vanguardia.* Información para un ciudadano peruano», *La Vanguardia* (Barcelona), 9 de diciembre de 1962, 25.

LARRAZ, Fernando, *Una historia transatlántica del libro. Relaciones editoriales entre España y Améria Latina (1936-1950),* Gijón, Ediciones Trea, 2010.

LASSUS, Jean-Marie, «Le cercle brisé ou la quête du dénouement dans *La ciudad y los perros*», en Néstor Ponce (coord.), *Lectures d'une oeuvre. «La ciudad y los perros»,* París, Éditions du Temps, 1999, s. p.

LEÓN, Rafo, *La Lima de Mario Vargas Llosa. Ruta literaria*, Promperú, Lima, 2008.

— «La Lima de Vargas Llosa», *Tiempo de viaje,* Lima, 2009, <https://www.youtube.com/watch?v=RyzFAmsg83I>. [Consulta: 15 de junio de 2018.]

LEVINE, Suzanne Jill, «El *boom*: una perspectiva norteamericana», *Cuadernos Hispanoamericanos,* Madrid, 651-652, 2004, 9-23.

LINDE NAVAS, Pilar, «La hora del héroe», en Cristóbal Macías Villalobos y Guadalupe Fernández Ariza (eds.), *El silencio y la palabra: estudios sobre «La ciudad y los perros» de Mario Vargas Llosa,* Málaga, Universidad de Málaga, 2012, 107-138.

Literatura, Lima, Editorial Universitaria, 1958-1959, 3 números.

LOAYZA, Luis, «Cartas a Mario Vargas Llosa», *Mario Vargas Llosa Papers* (C0641), serie 3 (correspondencia), caja 86, carpeta 25, Princeton, biblioteca Firestone, Universidad de Princeton, inédito.

— «El Premio Biblioteca Breve para Mario Vargas Llosa», *Expreso,* Lima, 3 de diciembre de 1962, 11.

— *Una piel de serpiente,* Lima, Populibros Peruanos, 1964.

— *Ensayos,* Lima, Universidad Ricardo Palma, 2010.

— *Relatos,* Lima, Universidad Ricardo Palma, 2010.

LOAYZA, Luis, OQUENDO, Abelardo, ROMUALDO, Alejandro, y SALAZAR BONDY, Sebastián, *Cuaderno de composición. La estatua,* Lima, Talleres Gráficos P. L. Villanueva, 1955.

LOMBARDI, Francisco, *La ciudad y los perros,* Lima, Inca Films, 1985.

LÓPEZ DE ABIADA, José Manuel, y MORALES SARAVIA, José (eds.), *Boom y Postboom desde el nuevo siglo: impacto y recepción,* Madrid, Verbum, 2005.

«*Los impostores,* de Mario Vargas, premio Biblioteca Breve», *ABC,* Madrid, 2 de diciembre de 1962, 103.

«*Los jefes,* de Mariano [*sic*] Vargas, premio Leopoldo Alas», *ABC,* Madrid, 8 de marzo de 1959, 74.

LUCHTING, Wolfgang, «Los demonios de Vargas Llosa y los fantasmas de Sábato», *Norte,* Ámsterdam, 12, 1971, 137-149.

MACÍAS VILLALOBOS, Cristóbal, «La novela como retrato de vidas», en Cristóbal Macías Villalobos y Guadalupe Fernández Ariza (eds.), *El silencio y la palabra: estudios sobre »La ciudad y los perros» de Mario Vargas Llosa,* Málaga, Universidad de Málaga, 2012, 31-54.

MACÍAS VILLALOBOS, Cristóbal, y FERNÁNDEZ ARIZA, Guadalupe (eds.), *El silencio y la palabra: estudios sobre «La ciudad y los perros» de Mario Vargas Llosa,* Málaga, Universidad de Málaga, 2012.

MAGNARELLI, Sharon, «*La ciudad y los perros:* la libertad esclavizada», en José Miguel Oviedo, *Mario Vargas Llosa. El escritor y la crítica,* Madrid, Taurus, 1981, 91-105.

— «*La ciudad y los perros*: Women and Language», *Hispania,* vol. 64, núm. 2, mayo de 1981, 215-225.

MAGNY, Claude-Edmonde, *L'age du roman américain,* París, Seuil, 1948.

— *La era de la novela americana,* Buenos Aires, Juan Goyanarte editor, 1972.

MANEGAT, Julio, «El libro de la semana. *La ciudad y los perros,* de Mario Vargas Llosa», *El Noticiero Universal,* 18 de febrero de 1964, 12.

MARCO, Joaquín y GRACIA, Jordi (eds.), *La llegada de los bárbaros. La recepción de la literatura hispanoamericana en España, 1960-1981,* Barcelona, Edhasa, 2004.

MARTIN, Gerald, «Vargas Llosa: nueva novela y realismo», *Norte,* XII, 5-6 (1971), 112-121.

MARTÍN, José Luis, *La narrativa de Vargas Llosa. Un acercamiento estilístico,* Madrid, Gredos, 1974.

MARTÍN GAITE, Carmen, *Ritmo lento,* Barcelona, Seix Barral, 1963.

— *Usos amorosos del dieciocho en España,* Madrid, Siglo XXI, 1972.

— *Usos amorosos de la postguerra española,* Barcelona, Anagrama, 1987.

MARTÍNEZ HOYOS, Francisco, «La fábrica de machos en *La ciudad y los perros*», *La Colmena,* 85, enero-marzo de 2015, 10-29.

MARTOS, Marco, «*La ciudad y los perros:* áspera belleza», en Mario Vargas Llosa, *La ciudad y los perros,* Madrid, Real Academia Española, 2012, XIII-XXIX.

MARTOS, Marco, GARAYAR, Carlos, CUETO, Alonso, y PRADO ALVARADO, Agustín, «*La ciudad y los perros* en debate (mesa redonda)», en Sandro Chiri Jaime y Agustín Prado Alvarado (coords.), «*La ciudad y los perros» y el «boom» hispanoamericano. Actas del Congreso realizado por la Casa de la Literatura Peruana,* Lima, Estación La Cultura, 2018, 91-104.

MASOLIVER, Juan Ramón, «Un ventarrón corroborante. Donde los perros y donde la ciudad», *La Vanguardia,* 15 de enero de 1964, 12.

MERINO RONDÓN, Tatiana, *Análisis de procesos de manipulación cultural en la obra «La ciudad y los perros» de Mario Vargas Llosa, traducida al inglés por el traductor Lysander Kemp,* trabajo de grado de la facultad de Educación e Idiomas, Lima, Universidad César Vallejo, 2013.

MICHAUD, Stéphane, «Introduction. Une oeuvre monde», en Mario Vargas Llosa, *Oeuvres romanesques,* t. I, París, Gallimard, 2016, XIII-XXXIV.

MIGOYA, Hernán, «La Lima de *La ciudad y los perros* ya no existe», *El Comercio,* 17 de mayo de 2019, disponible en: <https://elcomercio.pe/luces/libros/lima-ciudad-perros-existe-noticia-ecpm-636300?fbclid=IwAR1-9oHYfZkVC0L6WAs8MtqXri7DSk_2oDtYxtYM-KY9wQ0zoh62CPwqOPs>. [Consulta: 15 de julio de 2019.]

MILLER, Nicola, *In the Shadow of the State. Intellectuals and the Quest for National Identity in Twentieth-Century Spanish America,* Nueva York-Londres, Verso, 1999.

Molina Huete, María Belén, «La sublimidad del extrañamiento elocutivo», en Cristóbal Macías Villalobos y Guadalupe Fernández Ariza (eds.), *El silencio y la palabra: estudios sobre «La ciudad y los perros» de Mario Vargas Llosa,* Málaga, Universidad de Málaga, 2012, 161-184.

Molloy, Sylvia, *La diffusion de la littérature hispano-américaine en France au XXe siècle,* París, Presses Universitaires, 1972.

Montes, Cristián, «El imaginario perruno en *La ciudad y los perros* de Mario Vargas Llosa», *Revista Chilena de Literatura,* Santiago de Chile, noviembre de 2011, núm. 80, 65-86.

Morales Saravia, José, «*Aisthesis* en el realismo crítico de *La ciudad y los perros* de Mario Vargas Llosa», *Revista Chilena de Literatura,* Santiago de Chile, noviembre de 2011, núm. 80, 87-115.

Moraña, Mabel (ed.), *Marcha y América Latina,* IILI, Pittsburgh, 2003.

— *Arguedas/Vargas Llosa. Dilemas y ensamblajes,* Madrid/Frankfurt, Iberoamericana-Vervuert, 2013.

Moro, César, *La tortuga ecuestre,* Lima, Ediciones Trigondine, 1957.

Morote, Herbert, *Vargas Llosa, tal cual,* Lima, Jaime Campodónico, 1998.

Mudarra, Américo, «Cuerpo, violencia y poder: primera aproximación a *Los jefes* de Mario Vargas Llosa», en Gladys Flores Heredia (ed.), *La invención de la novela contemporánea: tributo a Mario Vargas Llosa,* Lima, Academia Peruana de la Lengua, 2016, 59-73.

Muñoz Parietti, Camila, *Adolescencia dolorosa: representación literaria y masculinidad en «Los inocentes» de Oswaldo Reynoso y «La ciudad y los perros» de Mario Vargas Llosa,* Santiago de Chile, Universidad de Chile, 2014.

Nájar, Jorge, «Couffon: el intermediario, el poeta, el inefable», *Habla Sonia Luz,* 19 de diciembre de 2013, <https://hablaso nialuz.wordpress.com/2013/12/19/>. [Consulta: 1 de julio de 2018.]

Nettel, Guadalupe, «El hombre en cautiverio. Modelos de masculinidad en *Los cachorros* y *La ciudad y los perros»*, *Estudios Públicos,* 122, otoño de 2011, 78-95.

Ney Barrionuevo, Carlos, «Sobre Vargas Llosa y su última novela. *La Crónica,* semillero de situaciones personales», *Estam-*

pa. Suplemento dominical de *Expreso,* Lima, 17 de marzo de 1970.

Niño de Guzmán, Guillermo, «La señora Cata y el escribidor», *El País,* 16 de noviembre de 2013, 36-37.

— «Una novela ante la prueba del tiempo», en Sandro Chiri Jaime y Agustín Prado Alvarado (coords.), *«La ciudad y los perros» y el "boom" hispanoamericano. Actas del Congreso realizado por la Casa de la Literatura Peruana,* Lima, Estación La Cultura, 2018, 13-16.

Noguerol, Francisca, «Atraídos por Lutecia: el mito de París en la prosa hispanoamericana», *Hispanorama,* 76, mayo de 1997, 83-95.

Oakley, Helen, *The Recontextualization of William Faulkner in Latin American Fiction and Culture,* Lewiston, The Edwin Mellen Press, 2002.

«Obra de Vargas Llosa no ha sido prohibida», *El Comercio,* Lima, 1 de diciembre de 1963, 14.

Oliver, Antonio, *Este otro Rubén Darío,* Barcelona, Aedos, 1960.

Oliver, Felipe, «De la formación del sujeto al sujeto apestado: la novela del aprendizaje en Hispanoamérica», *Itinerarios,* Varsovia, vol. 13, 2011, 177-189.

Omaña, Balmiro, «Ideología y texto en Vargas Llosa: sus diferentes etapas», *Revista de crítica literaria latinoamericana,* Dartmouth-Lima, año XIII, núm. 26, 1987, 137-154.

Oquendo, Abelardo, «Cartas del Sartrecillo Valiente (1958-1963)», *Hueso Húmero,* Lima, núm. 35, diciembre de 1999, 89-100.

— «Cartas a Mario Vargas Llosa: 30 de diciembre de 1961, 8 de marzo, 6 de agosto, 5 y 10 de octubre, y 27 de noviembre de 1962», *Mario Vargas Llosa Papers* (C0641), serie 3 (correspondencia), caja 89, carpeta 14, Princeton, biblioteca Firestone, Universidad de Princeton, inédito.

— «Carta a Mario Vargas Llosa: 14 de febrero de 1964», *Mario Vargas Llosa Papers* (C0641), serie 7 (papeles adicionales), Princeton, biblioteca Firestone, Universidad de Princeton, inédito (y restringido hasta el 31 de diciembre de 2018).

Ortega, Julio, «Mario Vargas Llosa: el habla del mal», en José Miguel Oviedo, *Mario Vargas Llosa. El escritor y la crítica,* Madrid, Taurus, 1981, 25-34.

OVIEDO, José Miguel, «Mario Vargas Llosa: visión de un mundo angustiado y violento», suplemento dominical de *El Comercio*, Lima, 1 de marzo de 1964, 6-7.

— *Mario Vargas Llosa. El escritor y la crítica*, Taurus, Madrid, 1981.

— *Mario Vargas llosa: la invención de una realidad* (1970), Barcelona, Seix Barral, 1982.

— «La primera novela de Vargas Llosa», en Mario Vargas Llosa, *La ciudad y los perros. Edición conmemorativa del cincuentenario*, Real Academia Española, Madrid, 2012, XXXI-LIX.

— «El grupo de los sábados. Fragmento de *Una locura razonable: Memorias de un crítico literario*», *Cuadernos de Literatura*, Bogotá, vol. XVII núm. 34 (julio-diciembre de 2013), 314-326.

— *Una locura razonable. Memorias de un crítico literario*, Aguilar, Lima, 2014.

PACHECO, José Emilio, «Vargas Llosa: el sentido y la razón de la novela», *La Cultura en México*, suplemento de *Siempre!* (México D. F.), 4 de marzo de 1964, XVII.

— «Introducción», *Mario Vargas Llosa. Voz viva de América Latina*, UNAM, 1968, 1-7.

PANORAMA DE ARTE Y LETRAS, «Mario Vargas ganó, con *Los impostores,* el premio Biblioteca Breve», *Destino*, 1323 (15 de diciembre de 1962), 58.

— «Los premios literarios», *Destino*, 1375 (14 de diciembre de 1963), 56.

PODESTÁ, Cata, *Pieles negras y blancas,* Lima, Talleres Gráficos P. L. Villanueva, 1960.

POHL, Burkhard, *Bücher ohne Grenzen. Der Verlag Seix Barral und die Vermittlung lateinamerikanischer Erzählliteratur im Spanien des Franquismus,* Frankfurt, Vervuert, 2003.

POLLMANN, Leo, *La «nueva novela» entre Francia e Iberoamérica,* Madrid, Gredos, 1971.

PONCE, Néstor (coord.), *Lectures d'une oeuvre. «La ciudad y los perros»,* París, Éditions du Temps, 1999.

POPE, Randolph, «How One Becomes What One Is (Not?): Vargas Llosa's Autobiographical Myth», en Miguel Ángel Zapata (ed.), *Mario Vargas Llosa and the Persistence of Memory: Celebrating the 40th Anniversary of «La ciudad y los perros» (The Time of the Hero) and Other Works,* Universidad Nacional Mayor de San Marcos, 2006, 19-26.

Prado Alvarado, Agustín, «*La ciudad y los perros*: una ciudad para la cultura de masas», en Sandro Chiri Jaime y Agustín Prado Alvarado (coords.), *«La ciudad y los perros» y el "boom' hispanoamericano. Actas del Congreso realizado por la Casa de la Literatura Peruana,* Lima, Estación La Cultura, 2018, 63-78.

Prats, Nuria, *La novela hispanoamericana en España, 1962-1975,* Granada, Universidad de Granada, 1995.

Promis Ojeda, José, «Embriones de una novelística: *Los jefes,* de Mario Vargas Llosa», en José Miguel Oviedo, *Mario Vargas Llosa. El escritor y la crítica,* Madrid, Taurus, 1981, 69-78.

Rama, Ángel, «*La ciudad y los perros*», *Literatura y sociedad,* Buenos Aires, 1 (1), oct.-dic. de 1965, 117-121.

— (ed.), *Más allá del boom: literatura y mercado,* Folios Ediciones, Buenos Aires, 1984.

— *La ciudad letrada* (1984), Arca, Montevideo 1998.

Rama, Ángel, y Vargas Llosa, Mario, *García Márquez y la problemática de la novela,* Buenos Aires, Corregidor-Marcha, 1973.

Rebolledo, Matías, «La palabra, la imagen y el mundo: las novelas de Vargas Llosa en el cine», *Revista Chilena de Literatura,* noviembre de 2011, núm. 80, 143-170.

Reynoso, Oswaldo, *Lima en Rock (Los inocentes)* (1961), Lima Populibros Peruanos.

Ribeyro, Julio Ramón, «Lima, ciudad sin novela», *El Comercio,* Lima, 31 de mayo de 1953, en *La caza sutil* (1976), Santiago de Chile, Ediciones Universidad Diego Portales, 2012, 31-34.

— *La tentación del fracaso,* vols. I-III, Lima, Jaime Campodónico, 1993.

— «Los gallinazos sin plumas (1955)», *Cuentos completos,* Madrid, Alfaguara, 1994, 21-80.

Riera, Carme, *La escuela de Barcelona,* Barcelona, Anagrama, 1988.

Rimbaud, Arthur, *Un corazón bajo la sotana* (1989), Renacimiento, Sevilla, 1999, prólogo y traducción de Mario Vargas Llosa, edición bilingüe.

Robles Piquer, Carlos, *Memoria de cuatro Españas. República, guerra, franquismo y democracia,* Barcelona, Planeta, 2011.

Rodríguez Monegal, Emir, *El boom de la novela hispanoamericana,* Caracas, Tiempo Nuevo, 1972.

Rodríguez Rea, Miguel Ángel, *Tras las huellas de un crítico: Mario Vargas Llosa,* Pontificia Universidad Católica del Perú, 1996.

— (ed.), *Mario Vargas Llosa y la crítica peruana,* Lima, Editorial Universitaria-Universidad Ricardo Palma, 2011.

— «Bibliografía», en Mario Vargas Llosa, *La ciudad y los perros. Edición conmemorativa del cincuentenario,* Madrid, Real Academia Española, 2012, 559-576.

ROLDÁN, Julio, *Vargas Llosa, entre el mito y la realidad. Posibilidades y límites de un escritor latinoamericano comprometido,* Marburg, Tectum Verlag, 2000.

ROMERO DOWNING, Gloria, *Los escritores latinoamericanos y la censura franquista: 1939-1976,* Ann Arbor, UMI, 1992.

ROMUALDO, Alejandro, *Edición extraordinaria,* Lima, Ediciones de Cuadernos Trimestrales de Poesía, 1958.

RONCAGLIOLO, Santiago, *La noche de los alfileres,* Madrid, Alfaguara, 2016.

SALAZAR BONDY, Sebastián, «El laberinto y el hilo. Novela y realidad», *Oiga,* Lima, 78, 11 de junio de 1964.

— *Lima la horrible,* Lima, Populibros Peruanos, 1964.

— *Sombras como cosas pálidas y otros poemas,* Barcelona, Ocnos-Llibres de Sinera, 1974.

— *La luz tras la memoria. Artículos periodísticos sobre literatura y cultura (1945-1965).* Edición de Alejandro Susti. Tomos I y II, Lápix Editores, Lima, 2014.

SALVATIERRA, Fátima, «Acerca del nombre de "Cahuide": nuevos datos», *Escritura y pensamiento,* año XII, núm. 24, 2009, 215-229.

SANABRIA, Ludy, «Los impostores del poder en *La ciudad y los perros* de Mario Vargas Llosa», *Espéculo,* Madrid, núm. 47, 2011, <https://webs.ucm.es/info/especulo/numero47/ciuperro.html>. [Consulta: 15 de junio de 2018.]

SÁNCHEZ, Pablo, «El Premio Biblioteca Breve y la novela hispanoamericana», *Homenaje a José Donoso,* Murcia, Cajamurcia, 1998, 277-284.

— *La emancipación engañosa. Una crónica transatlántica del boom (1963-1972),* Alicante, Universidad de Alicante, 2009.

— «La España literaria que Vargas Llosa ayudó a cambiar», en Sandro Chiri Jaime y Agustín Prado Alvarado (coords.), *«La ciudad y los perros» y el "boom" hispanoamericano. Actas del Congreso realizado por la Casa de la Literatura Peruana,* Lima, Estación La Cultura, 2018, 79-90.

SÁNCHEZ-REY, Alfonso, *El lenguaje literario de la «Nueva Novela» hispánica,* Madrid, Mapfre, 1991.

SANTANA, Álvaro, *Ascent to Glory. How «One Hundred Years of Solitude» Became a Global Classic,* Nueva York, Columbia U. Press, 2020.

SANTANA, Mario, «The Search for Poetic Realism», *Foreigners in the Homeland. The Spanish American New Novel in Spain, 1962-1974,* Lewisburg, Bucknell University Press, 2000, 64-90.

SANZ VILLANUEVA, Santos, *La novela española durante el franquismo. Itinerarios de la anormalidad,* Madrid, Gredos, 2010.

SAPIRO, Gisèle, «Faulkner in France. Or How to Introduce a Peripheral Unknown Author in the Center of the World Republic of Letters», *Journal of World Literature,* 2016, núm. 1, 391-411.

SARLO, Beatriz, *Una modernidad periférica. Buenos Aires: 1920-1930,* Buenos Aires, Nueva Visión, 2003.

SARTRE, Jean Paul, *Qu'est-ce que la littérature?,* Gallimard, París, 1948.

— *¿Qué es la literatura?,* Buenos Aires, Losada, 1950 (trad. de Aurora Bernárdez).

— «Questions de méthode», *Temps modernes,* París, 139 y 140, septiembre y octubre de 1957, 338-417, 654-694.

— *L'idiot de la famille: Gustave Flaubert de 1821 à 1857,* París, Gallimard, 1971-1972, 3 vóls.

— *Kean* (1954), Madrid, Alianza Editorial, 1983 (trad. de María Martínez Sierra).

— «Prefacio (1960)», a Paul Nizan, *Aden Arabia,* Paradigma, Barcelona, 1991, 5-60 (trad. de Enrique Sordo).

SCHWARTZ, Marcy Ellen, *Writing Paris. Urban Topographies of Desire in Contemporary Latin American Fiction,* Nueva York, SUNY Press, 1999.

SETTI, Ricardo A., *Diálogo con Vargas Llosa,* Buenos Aires, Intermundo, 1989.

SILVA CÁCERES, Raúl H, «Sección bibliográfica. Reseña a *La ciudad y los perros», Cuadernos hispanoamericanos,* Madrid, 173, mayo 1964, 416-422.

SMITH, Jon, y COHN, Deborah (ed.), *Look Away! The U. S. South in New World Studies,* Durham, Duke University Press, 2004.

SOLOGUREN, Javier, *Tres poetas, tres obras: Belli-Delgado-Salazar Bondy (Claves para su interpretación),* Lima, Instituto Raúl Porras Barrenechea, 1969.

Sorensen, Diana, *A Turbulent Decade Remembered: Scenes from the Latin American Sixties,* Stanford, Stanford University Press, 2007.

Soto, Juan Carlos, «*La ciudad y los perros* es un clásico que puede leerse sin conocer Lima», *La República,* Lima, 16 de marzo de 2013, <https://larepublica.pe/archivo/697996-la-ciudad-y-los-perros-es-un-clasico-que-puede-leerse-sin-conocer-lima/>. [Consulta: 15 de junio de 2018.]

Souviron López, Begoña, «El aprendizaje y sus modelos literarios. Escritura y diferencia», en Cristóbal Macías Villalobos y Guadalupe Fernández Ariza (eds.), *El silencio y la palabra: estudios sobre «La ciudad y los perros» de Mario Vargas Llosa,* Málaga, Universidad de Málaga, 2012, 79-107.

— Emilio Ortega y Giovanni Caprara, «Una obra sin fronteras», en Cristóbal Macías Villalobos y Guadalupe Fernández Ariza (eds.), *El silencio y la palabra: estudios sobre «La ciudad y los perros» de Mario Vargas Llosa*, Málaga, Universidad de Málaga, 2012, 185-207.

Standish, Peter, *Vargas Llosa: «La ciudad y los perros»,* Londres, Grant & Cutler, 1982.

Steenmeijer, Maarten, «Los pasos perdidos: la primera presencia de la literatura hispanoamericana en Holanda», en Dunia Gras y Gesine Müller (eds.), *América Latina y la literatura mundial: mercado editorial, redes globales y la invención de un continente,* Frankfurt, Iberoamericana-Vervuert, 2015, 99-104.

Susti, Alejandro, *Todo esto es mi país. La obra de Sebastián Salazar Bondy,* Lima, Universidad de Lima Fondo Editorial, 2018.

Tamariz Lúcar, Domingo, *Memorias de una pasión: La prensa peruana y sus protagonistas,* Lima, Jaime Campodónico, 1997.

Tola de Habich, Fernando, y Grieve, Patricia, *Los españoles y el «boom»,* Caracas, Tiempo Nuevo, 1971.

Tolentino, Luis Antonio, «Esquemas narrativos de manipulación y gran otro perverso en *La ciudad y los perros»,* en Gladys Flores Heredia (ed.), *La invención de la novela contemporánea: tributo a Mario Vargas Llosa,* Lima, Academia Peruana de la Lengua, 2016, 109-121.

«Unanimidad en el premio Biblioteca Breve», *Blanco y negro,* Madrid, 15 de diciembre de 1962, 89.

Urdinola Uribe, Amparo, *Faulkner en siete obras del «boom»,* Cali, Universidad del Valle, 2004.

Urquidi, Julia, *Lo que Varguitas no dijo,* La Paz, Editorial Khana Cruz, 1983.

Valero Juan, Eva M., *Lima en la tradición literaria del Perú. De la leyenda urbana a la disolución del mito,* Lleida, Edicions de la Universitat de Lleida, 2003.

Vallejo, César, *Trilce,* 1922, Madrid, Cátedra, 1993 (ed. a cargo de Julio Ortega).

Valverde, José María, «Un juicio del Dr. José M. Valverde», en Mario Vargas Llosa, *La ciudad y los perros,* Barcelona, Seix Barral, 1963, s. p.

— «Un juicio español sobre *La ciudad y los perros* de Mario Vargas Llosa», suplemento dominical de *El Comercio,* Lima, 22 de diciembre de 1963, 6.

— «Carta informativa sobre un prologuillo a *La ciudad y los perros*», en Luis A. Diez (ed.), *Asedios a Mario Vargas Llosa,* Editorial Universitaria, Santiago de Chile, 100-106.

«Vargas Llosa, autor prohibido en España desde mañana en 4ta. serie de Populibros», *El Comercio,* Lima, 15 de diciembre de 1963, 22, y *La Prensa,* Lima, 15 de diciembre de 1963.

Vargas Llosa, Mario, «Esfuerzo a favor del teatro en el Perú», *La Crónica*, Lima, 16 de febrero de 1952.

— «Algunas consideraciones sobre el chiste», *La Crónica,* Lima, 8 de marzo de 1952, 2.

— «Veinte mil tuberculosos y una droga», *La Crónica,* Lima, 12 de marzo de 1952, 2 y 4.

— «Cuidado con las boticas...», *La Crónica,* Lima, 22 de marzo de 1952, 2.

— «Un espectáculo sensacional», *La Crónica,* Lima, 27 de marzo de 1952, 2.

— «Buenos días: Malecón. Problema. Baile», *La Industria,* Piura, 20 de mayo de 1952, 2.

— «Buenos días: De Catacaos», *La Industria,* Piura, 24 de mayo de 1952, 2.

— «Buenos días: Moral pública», *La Industria,* Piura, 26 de mayo de 1952, 2.

— «Suenan las maracas: Sin título», *La Industria,* Piura, 9 de agosto de 1952, 3.

— «Campanario: Las piernas dormidas», *La Industria,* Piura, 15 de septiembre de 1952, 2.

— [Oiram Sagrav], «Campanario: Pena de muerte», *La Industria,* Piura, 5 de octubre de 1952, 2.

— «Reseña a *Cuaderno de Composición*», suplemento dominical de *El Comercio,* Lima, 21 de agosto de 1955, 9.

— «Narradores de hoy: José María Arguedas», suplemento dominical de *El Comercio,* Lima, 4 de septiembre de 1955, 9.

— «Narradores peruanos: Carlos Eduardo Zavaleta», suplemento dominical de *El Comercio,* Lima, 16 de octubre de 1955, 9.

— «Narradores peruanos: Enrique Congrains», suplemento dominical de *El Comercio,* Lima, 30 de octubre de 1955, 9.

— «Narradores peruanos: Sebastián Salazar Bondy», suplemento dominical de *El Comercio,* Lima, 23 de noviembre de 1955, 9.

— [Vincent N.], «Cinema: *Rebelde sin causa*» y «Las horas vacías. Enrique Congrains», *Extra,* Lima, núm. 72, 5 de junio de 1956, 21 y 23.

— [Vincent N.], «Cinema: *El hombre del brazo de oro*» y «Las horas vacías. Zavaleta», *Extra,* Lima, núm. 76, 3 de julio de 1956, 21 y 23.

— [Vincent N.], «Tres aniversarios», *Extra,* Lima, núm. 79, 5 de junio de 1956, 7.

— [Vincent N.], «Las horas vacías: Una iniciativa feliz», *Extra,* Lima, núm. 91, 16 de octubre de 1956, 23.

— [Vincent N.], «Cinema: *La antesala del infierno*», *Extra,* Lima, núm. 92, 23 de octubre de 1956, 21.

— «Escritores peruanos: Manuel Scorza», suplemento dominical de *El Comercio,* Lima, 2 de diciembre de 1956, 4.

— «El abuelo», suplemento dominical de *El Comercio,* Lima, 9 de diciembre de 1956, 1, 5 y 9.

— «Los jefes», *Mercurio Peruano,* Lima, febrero de 1957, vol. XXXII-XXXVIII, núm. 358, 93-110.

— «La vida de los libros: Poesía peruana en francés», suplemento dominical de *El Comercio,* Lima, 9 de junio de 1957, 9.

— «Sobre Rubén Darío en sus cuentos», suplemento dominical de *El Comercio,* Lima, 13 de octubre de 1957, 2.

— «Règlement de comptes», *La Revue Française,* París, núm. 98, 1958, 75-78 (trad. de André Coyné y Georgette Philippart).

— «Entretien», *Le Figaro,* París, enero de 1958.

— «Nota sobre Moro», *Literatura,* Lima, I, [febrero] 1958.
— «El desafío», *Cultura Peruana,* Lima, núm. 117, marzo de 1958, 16-19.
— «"Tomas la primera calle" y "Poema a la misteriosa" de Robert Desnos (traducción)» y «*Carta de amor,* de César Moro», *Literatura,* Lima, II, [junio] 1958.
— «Cartas a Abelardo Oquendo: 10, 13, 18 y 28 de septiembre, octubre, 26 de noviembre, 6, 11 y 12 de diciembre de 1958», *Abelardo Oquendo Papers* (C0778), caja 1, carpeta 3, Princeton, biblioteca Firestone, Universidad de Princeton, inédito.
— «¿Es útil el sacrificio de la poesía?», *Literatura,* Lima, III, [agosto] 1959.
— «Cuadernos manuscritos Centauro Blue (1958-1959)», *Mario Vargas Llosa Papers* (C0641), serie 1 (Cuadernos), caja 3, carpetas 1 y 2, Princeton, biblioteca Firestone, Universidad de Princeton, inédito.
— «Cuaderno de notas: Cartas inéditas de Chocano a Rubén Darío», *Cultura Peruana,* Lima, vol. XIX, núm. 127, enero de 1959, s. p.
— «Táctica de la evasión en *Azul...*», suplemento dominical de *El Comercio,* Lima, 12 de abril de 1959, 2.
— «La sierra y el indio», *Chasqui,* Madrid, núm. 1, 1959, 13-14.
— «Hombres, libros, ideas: *La casa de cartón.* I: La poesía y el realismo», *Cultura perua*na, Lima, vol. XIX, núms. 135-136, septiembre-octubre de 1959, s. p.
— *Los jefes,* Barcelona, Editorial Rocas, 1959.
— «Cartas a Abelardo Oquendo: 17 de enero, 3 de febrero, 1, 6 y 17 de abril, 8 de julio, 21 de agosto, 26 de septiembre y 25 de octubre de 1959», *Abelardo Oquendo Papers* (C0778), caja 1, carpeta 4, Princeton, biblioteca Firestone, Universidad de Princeton, inédito.
— «Carta de Chicais, pueblo amazónico», *Perspectivas de la UNESCO,* París, núm. 354, 8 de abril de 1960.
— «Cartas a Abelardo Oquendo: 12 de febrero, 14 de marzo, 3 de abril y 29 de junio de 1960», *Abelardo Oquendo Papers* (C0778), caja 1, carpeta 5, Princeton, biblioteca Firestone, Universidad de Princeton, inédito.
— «Le grand-père», *Lettres nouvelles,* París, julio de 1961 (trad. de Claude Couffon).

- «Cartas a Abelardo Oquendo: 8 de diciembre de 1961», *Abelardo Oquendo Papers* (C0778), caja 1, carpeta 6, Princeton, biblioteca Firestone, Universidad de Princeton, inédito.
- «César Vallejo, poète tragique», *Les lettres françaises,* París, núm. 923, 19 de abril de 1962.
- «Vladimir Pozner y el realismo», *Marcha,* Montevideo, número 1108, 25 de mayo de 1962, 31.
- «Lope de Vega à Paris», *Les lettres françaises,* París, núm. 929, 31 de mayo de 1962.
- «Revisión de Albert Camus», *Marcha,* Montevideo, núm. 1113, 29 de junio de 1962, 31.
- «A Cuba en état de siège», *Le Monde,* París, 23 de noviembre de 1962.
- «Crónica de la revolución», *Marcha,* Montevideo, núm. 1136, 7 de diciembre de 1962, 12-13.
- «Cartas a Abelardo Oquendo: 10 de febrero, 4 y 31 de marzo, 15 de septiembre, 9 de octubre, 27 de noviembre, y 9 y 11 de diciembre de 1962», *Abelardo Oquendo Papers* (C0778), caja 1, carpeta 7, Princeton, biblioteca Firestone, Universidad de Princeton, inédito.
- «Alain Robbe-Grillet y el simulacro del realismo», *Marcha,* Montevideo, núm. 1145, 15 de febrero de 1963, 23 y 18.
- «Javier Heraud: Poeta, guerrillero y hombre. Dos notas de Sebastián Salazar Bondy y Mario Vargas Llosa», *Marcha,* Montevideo, núm. 1159, 7 de junio de 1963, 31.
- «Especial de nuestro corresponsal en Francia, Mario Vargas Llosa. Don Zoilo en París», *Marcha,* Montevideo, núm. 1160, 14 de junio de 1963, 22.
- «Carta a Carlos Robles Piquer: 17 de julio de 1963», expediente 1031/63, Alcalá de Henares, Archivo General de la Administración (AGA).
- «José María Arguedas descubre al indio auténtico», *Marcha,* Montevideo, núm. 1165, 19 de julio de 1963, 30-31.
- «Cartas a Abelardo Oquendo: 30 de abril, 9 y 15 de mayo, 27 de julio, 7 y 18 de septiembre, y 8 de diciembre de 1963», *Abelardo Oquendo Papers* (C0778), caja 1, carpeta 8, Princeton, biblioteca Firestone, Universidad de Princeton, inédito.

— «Borrador A *[La ciudad y los perros]*», *Mario Vargas Llosa Papers* (C0641), serie 2 (Obras), caja 14, carpetas 1 y 8, Princeton, biblioteca Firestone, Universidad de Princeton, inédito.
— «Borrador B *[La ciudad y los perros]*», *Mario Vargas Llosa Papers* (C0641), serie 2 (Obras), caja 14, carpetas 10 y 14, Princeton, biblioteca Firestone, Universidad de Princeton, inédito.
— «Borrador C *[La ciudad y los perros]*», *Mario Vargas Llosa Papers* (C0641), serie 2 (Obras), caja 14, carpeta 15 y caja 15, carpetas 1-5, Princeton, biblioteca Firestone, Universidad de Princeton, inédito.
— «Borrador D *[La ciudad y los perros]*», *Mario Vargas Llosa Papers* (C0641), serie 2 (Obras), caja 16, carpeta 1, Princeton, biblioteca Firestone, Universidad de Princeton, inédito.
— «Borrador E *[La ciudad y los perros]*», *Mario Vargas Llosa Papers* (C0641), serie 2 (Obras), caja 16, carpetas 3-4, y caja 17, carpetas 1-2, Princeton, biblioteca Firestone, Universidad de Princeton, inédito.
— *La ciudad y los perros,* Barcelona, Seix Barral, 1963, 1.ª ed.
— *La ciudad y los perros,* Barcelona, Seix Barral, 1963, 2.ª ed.
— «Cartas a Abelardo Oquendo: 2 de enero, 6 de febrero, 6 y 25 de marzo y 24 de julio de 1964», *Abelardo Oquendo Papers* (C0778), caja 1, carpeta 9, Princeton, biblioteca Firestone, Universidad de Princeton, inédito.
— *La casa verde,* Barcelona, Seix Barral, 1966.
— «La literatura es fuego», *Mundo nuevo,* París, 17, 1967, 93-95.
— «Novela primitiva y novela de creación en América Latina», *Marcha,* Montevideo, enero 10, 1969, 29-36.
— *Conversación en La Catedral,* Barcelona, Seix Barral, 1969.
— *García Márquez. Historia de un deicidio,* Barcelona, Seix Barral, 1971a.
— «Génesis de *La ciudad y los perros*», *Studi di letteratura ispanoamericana,* Roma, 3, 1971b, 77-85.
— *La historia secreta de una novela,* Barcelona, Tusquets, 1973.
— *Pantaleón y las visitadoras,* Barcelona, Seix Barral, 1973.
— *La tía Julia y el escribidor,* Barcelona, Seix Barral, 1977.
— *La orgía perpetua. Flaubert y «Madame Bovary»* (1975), Barcelona, Seix Barral, 1986.
— *La señorita de Tacna,* Barcelona, Seix Barral, 1981.

230

— *La guerra del fin del mundo,* Barcelona, Seix Barral, 1981.
— *Entre Sartre y Camus,* Río Piedras, Huracán, 1981.
— *Kathie y el hipopótamo,* Barcelona, Seix Barral, 1983.
— «Prólogo a *Entre Sartre y Camus* (1981)», «Revisión de Albert Camus (1962)», «Un mito, un libro y una casta (1964)», «Homenaje a Javier Heraud (1963)», «Los otros contra Sartre (1964)», «Hemingway: ¿un hombre de acción? (1964)», «Sartre y el Nobel (1964)», *«Una muerte muy dulce* (1964)», «En torno a un dictador y el libro de un amigo (1964)», «Camus y la literatura (1965)», «Sartre y el marxismo (1965)», «Elogio de Sebastián (1965)», *«Los secuestrados* de Sartre (1965)», «Sebastián Salazar Bondy y la vocación del escritor en el Perú (1966)», *«Las bellas imágenes* de Simone de Beauvoir (1967)», «El regreso de Satán (1972)», «Resurrección de Belcebú o la disidencia creadora (1972)», «Flaubert, Sartre y la nueva novela (1974)», «Albert Camus y la moral de los límites (1975)», *Contra viento y marea I,* Barcelona, Seix Barral, 1983, 11-14, 15-20, 36-41, 42-43, 44-48, 54-57, 62-65, 66-69, 74-77, 84-87, 88-90, 93-96, 97-100, 111-135, 150-155, 263-270, 271-284, 300-308 y 321-342.
— *Historia de Mayta,* Barcelona, Seix Barral, 1984.
— «Sartre, veinte años después (1978)», «Sartre, Fierabrás y la utopía (1979)», «El mandarín (1980)», «El joven Faulkner (1980)», «Calígula, "Punk" (1981)», «Faulkner en Laberinto (1981)», «El espectador comprometido (1983)» y «Entre tocayos (1984)», *Contra viento y marea II,* Barcelona, Seix Barral, 1986, 135-138, 176-180, 229-243, 252-255, 295-298, 299-302, 371-375 y 408-417.
— *La Chunga,* Barcelona, Seix Barral, 1986.
— *¿Quién mató a Palomino Molero?,* Barcelona, Seix Barral, 1986.
— *El hablador,* Barcelona, Seix Barral, 1987.
— *Elogio de la madrastra,* Barcelona, Tusquets, 1988.
— *Los cachorros* (1967), Madrid, Cátedra, 1989 (edición a cargo de Guadalupe Fernández Ariza).
— «Madrid cuando era aldea (1985)», «El locutor y el divino marqués (1966)», «El país de las mil caras» (1983), «Ribeyro y las sirenas (1984)», «El nacimiento del Perú (1985)», «La prehistoria de Hemingway (1986)» y «Las ficciones de Borges

(1988)», *Contra viento y marea III,* Barcelona, Seix Barral, 1990, 9-13, 14-18, 227-246, 351-355, 365-378, 379-388 y 463-476.

— *La verdad de las mentiras: ensayos sobre literatura,* Barcelona, Seix Barral, 1990.

— *El pez en el agua,* Barcelona, Seix Barral, 1993.

— *El loco de los balcones,* Barcelona, Seix Barral, 1993.

— *Lituma en los Andes,* Madrid, Planeta, 1993.

— Desafíos a la libertad, Madrid, El País, Aguilar, 1994.

— *La utopía arcaica. José María Arguedas y las ficciones del indigenismo,*México, FCE, 1996.

— *Ojos bonitos, cuadros feos,* Lima, Peisa, 1996.

— *Cartas a un joven novelista*, Ariel, Barcelona, 1997a.

— *La ciudad y los perros (edición definitiva),* Madrid, Alfaguara, 1997b.

— *Los cuadernos de don Rigoberto,* Madrid, Alfaguara, 1997.

— «El día que me instalé en Sarriá», en Arcadi Espada (ed.), *Dietario de Posguerra,* Barcelona, Anagrama, 1998, 169-192.

— «El corruptor» (1960), en Arthur Rimbaud, *Un corazón bajo la sotana,* Sevilla, Renacimiento, 1999, 7-13.

— *La fiesta del Chivo,* Madrid, Alfaguara, 2000.

— *Bases para una interpretación de Rubén Darío* (1958), Lima, Universidad Nacional Mayor de San Marcos, 2001.

— *El lenguaje de la pasión,* Madrid, Aguilar, 2001.

— *Literatura y política,* México, Ariel, 2001.

— *Diario de Irak,* Madrid, Aguilar, 2003.

— *El paraíso en la otra esquina,* Madrid, Alfaguara, 2003.

— «Ma Parente d'Arequipa (1981)», en Albert Bensoussan, *Entretien avec Mario Vargas Llosa,* París, Terre de Brume, 2003, 61-65 (trad. de Albert Bensoussan).

— *Un Demi-siècle avec Borges,* Éditions de L'Herne, París, 2004.

— *La tentación de lo imposible: Víctor Hugo y «Los miserables»,* Madrid, Alfaguara, 2004.

— *Diccionario del amante de América Latina,* Madrid, Paidós, 2006.

— *Israel/Palestina, paz o guerra santa,* Madrid, Aguilar, 2006.

— *Travesuras de la niña mala,* Madrid, Alfaguara, 2006.

— *Odiseo y Penélope,* Barcelona, Galaxia Gutenberg, 2007.

— *Al pie del Támesis,* Madrid, Alfaguara, 2008.

— *El viaje a la ficción. El mundo de Juan Carlos Onetti,* Alfaguara, Madrid, 2008.

— *Las mil noches y una noche,* Madrid, Alfaguara, 2009.

— *El sueño del celta,* Madrid, Alfaguara, 2010.

— «Elogio de la lectura y la ficción. Discurso de aceptación del premio Nobel (7 de diciembre de 2010)», en Miguel Ángel Rodríguez Rea (ed.), *Mario Vargas Llosa y la crítica peruana,* Lima, Editorial Universitaria-Universidad Ricardo Palma, 2011, 19-35.

— *La ciudad y los perros. Edición conmemorativa del cincuentenario,* Madrid, Real Academia Española, 2012.

— *La civilización del espectáculo,* Madrid, Alfaguara, 2012.

— *Los jefes* (1959), Madrid, Verbum, 2015 (edición a cargo de Ángel Esteban y Yannelis Aparicio).

— *Los cachorros* (1967), Madrid, Verbum, 2015 (edición a cargo de Ángel Esteban y Yannelis Aparicio).

— *Los cuentos de la peste,* Madrid, Alfaguara, 2015.

— «Avant-propos», *Oeuvres romanesques,* t. I, París, Gallimard, 2016, IX-XII (trad. de Anne-Marie Casès).

— «El hombre de negro», *Letras libres,* México D. F., 247, 2019, 10-16.

— *Tiempos recios,* Madrid, Alfaguara, 2019.

VARGAS LLOSA, Mario, y GALLO, Rubén, *Conversación en Princeton,* Madrid, Alfaguara, 2017.

VARGAS LLOSA, Mario, LOAYZA, Luis, y OQUENDO, Abelardo, «Contra la pena de muerte», *Literatura,* Lima, I, 1958.

VARGAS LLOSA, Mario, y MAGRIS, Claudio, La literatura es mi venganza, Lima, Seix Barral, 2011.

VECIANA, Mar, *La recepción crítica de la novela hispanoamericana en España (1927-1958),* Barcelona, Universitat de Barcelona, 2016.

«Vetan novela de peruano: España», *Expreso,* Lima, 14 de diciembre de 1963, 3.

VILELA, Sergio, *El cadete Vargas Llosa. La mejor ficción nace de la realidad,* Madrid, Alcalá, 2011.

VILLANUEVA, Darío, *Teorías del realismo,* Madrid, Espasa-Calpe, 1992.

— «De *La ciudad y los perros* al Nobel de literatura», en Mario Vargas Llosa, *La ciudad y los perros. Edición conmemorativa del cincuentenario,* Madrid, Real Academia Española, 2012, CI-CXXIX.

VON ROEMER, Diana, y SCHMIDT-WELLE, Friedhelm (eds.), *Lateinamerikanische Literatur im deutschprachigen Raum,* Frankfurt a. M., Vervuert, 2007.

VV. AA., *Mario Vargas Llosa. Semana de Autor,* Madrid, Ediciones de Cultura Hispánica-ICCI, 1985.

VV. AA., *Literatura (1958-1959). Edición facsimilar,* Lima, Universidad Nacional Mayor de San Marcos, 2011.

WIESE, Claudia, *Die hispanoamerikanischen Boom-Romane in Deutschland. Literaturvermittlung, Buchmarkt und Rezeption,* Frankfurt a. M., Vervuert, 1992.

WILLIAMS, Raymond L., *Vargas Llosa: Otra historia de un deicidio,* México D. F., Taurus, 2001.

— *Vargas Llosa: A Life of Writing,* Austin, University of Texas Press, 2014.

ZAPATA, Miguel Ángel (ed.), *Mario Vargas Llosa and the Persistence of Memory: Celebrating the 40th Anniversary of «La ciudad y los perros» (The Time of the Hero) and Other Works,* Universidad Nacional Mayor de San Marcos, 2006.

ZAPATA OLIVELLA, Manuel, *En Chimá nace un santo,* Barcelona, Seix Barral, 1964.

ZAVALETA, Carlos Eduardo, «Narradores peruanos: la generación de los cincuenta. Un testimonio», *Cuadernos Hispanoamericanos,* núm. 302 (agosto de 1975), 454-463.

— «La obra inicial de Vargas Llosa», *Cuadernos Hispanoamericanos,* núm. 444 (junio de 1987), 7-21.

— *Estudios sobre Joyce & Faulkner,* Lima, Universidad Nacional Mayor de San Marcos Fondo Editorial, 1993.

— *Autobiografía fugaz,* Lima, Universidad Nacional Mayor de San Marcos Fondo Editorial, 2000.

ZORRILLA, Zein, *Vargas Llosa y su demonio mayor: La sombra del padre,* Lima, Lluvia Editores, 2000.

La ciudad y los perros

MARIO VARGAS LLOSA

LA CIUDAD
Y LOS PERROS

NOVELA

PREMIO BIBLIOTECA BREVE 1962

Cubierta de la primera edición de *La ciudad y los perros*

Primera parte

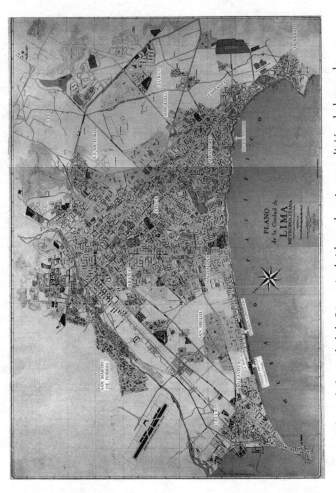

Plano de la ciudad de Lima, incluido en la primera edición de la novela

KEAN.—On joue les héros parce qu'on est
lâche et les saints parce qu'on est méchant;
on joue les assassins parce qu'on meurt
d'envie de tuer son prochain, on joue parce
qu'on est menteur de naissance.

JEAN PAUL SARTRE[1]

---

[1] «Se hacen papeles de héroe porque es uno cobarde, y papeles de
santo porque se es un malvado; se hace de asesino porque se muere uno
de ganas de matar al prójimo, se representa porque se es embustero de
nacimiento» (Sartre, 1983: 92; traducción de María Martínez Sierra).

I

—Cuatro[2] —dijo el Jaguar[3].

Los rostros se suavizaron en el resplandor vacilante que el globo de luz difundía por el recinto, a través de escasas partículas limpias de vidrio: el peligro había desaparecido para todos, salvo para Porfirio Cava. Los dados estaban quietos, marcaban tres y uno, su blancura contrastaba con el suelo sucio.

—Cuatro —repitió el Jaguar—. ¿Quién?

—Yo —murmuró Cava—. Dije cuatro.

—Apúrate[4] —replicó el Jaguar—. Ya sabes, el segundo de la izquierda.

Cava sintió frío. Los baños estaban al fondo de las cuadras[5], separados de ellas por una delgada puerta de madera, y no tenían ventanas. En años anteriores, el invierno solo llegaba al dormitorio de los cadetes[6], colándose por los vi-

---

[2] En la primera versión manuscrita, en el cuaderno Centauro Blue, el principio era distinto (véase apéndice final).

[3] *Jaguar.* (Indig.) Del tupí, *yaguará.* Felino autóctono americano. Como se observa desde el título de la obra, se advierte el fenómeno de animalización de muchos de los personajes, desde un principio. En el caso del Jaguar, ni siquiera sabremos su nombre y apellido en toda la novela.

[4] *Apurarse.* (Am.) Darse prisa.

[5] *Cuadra.* Espacio techado donde se hallan los dormitorios.

[6] *Cadete.* Estudiante de la academia militar, término utilizado aquí también para los alumnos de secundaria del Colegio Militar.

drios rotos y las rendijas; pero este año era agresivo y casi ningún rincón del colegio se libraba del viento, que, en las noches, conseguía penetrar hasta en los baños, disipar la hediondez acumulada durante el día y destruir su atmósfera tibia. Pero Cava había nacido y vivido en la sierra, estaba acostumbrado al invierno: era el miedo lo que erizaba su piel.

—¿Se acabó? ¿Puedo irme a dormir? —dijo Boa: un cuerpo y una voz desmesurados, un plumero de pelos grasientos que corona una cabeza prominente, un rostro diminuto de ojos hundidos por el sueño. Tenía la boca abierta, del labio inferior adelantado colgaba una hebra de tabaco. El Jaguar se había vuelto a mirarlo.

—Entro de imaginaria[7] a la una —dijo Boa—. Quisiera dormir algo.

—Váyanse —dijo el Jaguar—. Los despertaré a las cinco.

Boa y Rulos salieron. Uno de ellos tropezó al cruzar el umbral y maldijo.

—Apenas regreses, me despiertas —ordenó el Jaguar—. No te demores mucho. Van a ser las doce.

—Sí —dijo Cava. Su rostro, por lo común impenetrable, parecía fatigado—. Voy a vestirme.

Salieron del baño. La cuadra estaba a oscuras, pero Cava no necesitaba ver para orientarse entre las dos columnas de literas; conocía de memoria ese recinto estirado y alto. Lo colmaba ahora una serenidad silenciosa, alterada instantáneamente por ronquidos o murmullos. Llegó a su cama, la segunda de la derecha, la de abajo, a un metro de la entrada. Mientras sacaba a tientas del ropero el pantalón, la camisa caqui[8] y los botines, sentía junto a su rostro el aliento teñido de tabaco de Vallano, que dormía en la litera superior. Distinguió en la oscuridad la doble hilera de dientes

---

[7] *Imaginaria.* Guardia o vigilancia nocturna. Quien la lleva a cabo recibe también el mismo nombre.

[8] *Caqui.* Color verde militar.

grandes y blanquísimos del negro y pensó en un roedor. Sin bulla[9], lentamente, se despojó del piyama[10] de franela azul y se vistió. Echó sobre sus hombros el sacón[11] de paño. Luego, pisando despacio porque los botines crujían, caminó hasta la litera del Jaguar, que estaba al otro extremo de la cuadra, junto al baño.

—Jaguar.

—Sí. Toma.

Cava alargó la mano, tocó dos objetos fríos, uno de ellos áspero. Conservó en la mano la linterna, guardó la lima en el bolsillo del sacón.

—¿Quiénes son los imaginarias? —preguntó Cava.

—El Poeta y yo.

—¿Tú?

—Me reemplaza el Esclavo.

—¿Y en las otras secciones?

—¿Tienes miedo?

Cava no respondió. Se deslizó en puntas de pie[12] hacia la puerta. Abrió uno de los batientes, con cuidado, pero no pudo evitar que crujiera.

—¡Un ladrón! —gritó alguien, en la oscuridad—. ¡Mátalo, imaginaria!

Cava no reconoció la voz. Miró afuera: el patio estaba vacío, débilmente iluminado por los globos eléctricos de la pista de desfile, que separaba las cuadras de un campo de hierba. La neblina disolvía el contorno de los tres bloques

---

[9] *Bulla.* Ruido.

[10] Traje de dormir de dos piezas. Indica que es «de franela», es decir, de tela de abrigo. Más adelante se advertirá que la acción sucede el 13 de setiembre, a finales del invierno austral. En la edición de la RAE se sustituye la forma peninsular de «pijama», que se mantuvo incluso en la edición definitiva de 1997, por la americana de «piyama».

[11] *Sacón.* (Am.) Chaquetón, prenda de abrigo más grande que el saco o chaqueta. Especifica, además, que es «de paño», de tejido grueso de lana.

[12] *En puntas de pie.* (Per.) De puntillas.

de cemento que albergaban a los cadetes del quinto año[13] y les comunicaba una apariencia irreal. Salió. Aplastado de espaldas contra el muro de la cuadra, se mantuvo unos instantes quieto y sin pensar. Ya no contaba con nadie; el Jaguar también estaba a salvo. Envidió a los cadetes que dormían, a los suboficiales, a los soldados entumecidos en el galpón[14] levantado a la otra orilla del estadio. Advirtió que el miedo lo paralizaría si no actuaba. Calculó la distancia: debía cruzar el patio y la pista de desfile; luego, protegido por las sombras del descampado, contornear el comedor, las oficinas, los dormitorios de los oficiales y atravesar un nuevo patio, este pequeño y de cemento, que moría en el edificio de las aulas, donde habría terminado el peligro: la ronda no llegaba hasta allí. Luego, el regreso. Confusamente, deseó perder la voluntad y la imaginación y ejecutar el plan como una máquina ciega. Pasaba días enteros abandonado a una rutina que decidía por él, empujando dulcemente a acciones que apenas notaba; ahora era distinto, se había impuesto lo de esta noche, sentía una lucidez insólita.

Comenzó a avanzar pegado a la pared. En vez de cruzar el patio, dio un rodeo, siguiendo el muro curvo de las cuadras de quinto. Al llegar al extremo, miró con ansiedad: la pista parecía interminable y misteriosa, enmarcada por los simétricos globos de luz en torno a los cuales se aglomeraba la neblina. Fuera del alcance de la luz, adivinó, en el macizo de sombras, el descampado cubierto de hierba. Los imaginarias solían tenderse allí, a dormir o a conversar en voz baja, cuando no hacía frío. Confiaba en que una timba[15]

---

[13] Aquí, «año» se refiere al año escolar; por tanto, tiene también el sentido de curso. Se trata, en concreto, de los estudiantes de quinto año o curso, a punto de egresar, los más mayores y veteranos, los más resabiados.

[14] *Galpón*. (Indig.) Según la RAE, probablemente del náhuatl, *calpulli*, casa grande. Barracón.

[15] *Timba*. Reunión donde se juega a las cartas o a los dados apostando dinero.

los tuviera reunidos esa noche en algún baño. Caminó a pasos rápidos, sumergido en la sombra de los edificios de la izquierda, eludiendo los manchones de luz. El estallido de las olas y la resaca del mar extendido al pie del colegio, al fondo de los acantilados, apagaba el ruido de los botines. Al llegar al edificio de los oficiales se estremeció y apuró el paso. Después, cortó transversalmente la pista y se hundió en la oscuridad del descampado. Un movimiento próximo e inesperado devolvió a su cuerpo, como un puñetazo, el miedo que empezaba a vencer. Dudó un segundo: a un metro de distancia, brillantes como luciérnagas, dulces, tímidos, lo contemplaban los ojos de la vicuña[16]. «¡Fuera!», exclamó, encolerizado. El animal permaneció indiferente. «No duerme nunca la maldita», pensó Cava. «Tampoco come. ¿Por qué no se ha muerto?». Se alejó. Dos años y medio atrás, al venir a Lima para terminar sus estudios, lo asombró encontrar caminando impávidamente entre los muros grises y devorados por la humedad del Colegio Militar Leoncio Prado[17], a ese animal exclusivo de la sierra. ¿Quién había traído la vicuña al colegio, de qué lugar de los Andes? Los cadetes hacían apuestas de tiro al blanco: la vicuña apenas se inquietaba con el impacto de las piedras. Se

---

[16] *Vicuña*. (Indig.). Del quechua, *vikunna*. Mamífero camélido de la zona andina, del que se extrae lana de gran calidad.

[17] *Colegio Militar Leoncio Prado*. Instituto de educación secundaria, situado en Lima, en la zona de La Perla, junto al puerto del Callao (véase plano de la primera edición), regentado por miembros del ejército y estructurado con jerarquía militar, donde estudió el propio escritor. Recibe el nombre del marino Leoncio Prado (1853-1883), combatiente en Cuba y Filipinas por la independencia, contra España, y en la Guerra del Pacífico, que murió con apenas treinta años. Fue hermano del que sería presidente del Perú en dos ocasiones, Mariano Ignacio Prado (1865-1867 y 1876-1879), y tío, por tanto, de otro presidente con mandato doble, Manuel Prado Ugarteche (1939-1945 y 1956-1962). En el cuaderno manuscrito inicial, sin embargo, Vargas Llosa oculta el nombre verdadero y utiliza uno ficticio, «Remigio Fonseca» (cfr. apéndice final).

apartaba lentamente de los tiradores, con una expresión neutra. «Se parece a los indios»[18], pensó Cava. Subía la escalera de las aulas. Ahora no se preocupaba del ruido de los botines; allí no había nadie, fuera de los bancos, los pupitres, el viento y las sombras. Recorrió a grandes trancos[19] la galería[20] superior. Se detuvo. El chorro mortecino de la linterna le descubrió la ventana. «El segundo de la izquierda», había dicho el Jaguar. Efectivamente, estaba flojo. Fue retirando con la lima la masilla del contorno, que recogía en la otra mano. La sintió mojada. Extrajo el vidrio con precaución y lo depositó en el suelo. Palpó la madera hasta encontrar el cerrojo. La ventana se abrió, de par en par. Ya adentro, movió la linterna en todas direcciones; sobre una de las mesas de la habitación, junto al mimeógrafo[21], había tres pilas de papel. Leyó: «Examen bimestral de química. Quinto año. Duración de la prueba: cuarenta minutos». Las hojas habían sido impresas esa tarde y la tinta brillaba aún. Copió rápidamente las preguntas en una libreta, sin comprender lo que decían. Apagó la linterna y volvió hacia la ventana. Trepó y saltó: el vidrio se hizo trizas bajo los botines, con mil ruidos simultáneos. «¡Mierda!», gimió. Había quedado en cuclillas, aterrado. Sus oídos no percibían, sin embargo, el bullicio salvaje que esperaban, las voces como balazos de los oficiales: solo su respiración entrecortada por el miedo. Esperó todavía unos segundos. Luego, olvidando utilizar la linterna, reunió como pudo los trozos de vidrio repartidos por el enlosado y los guardó en el sacón. Regresó a la cuadra sin tomar precauciones. Quería llegar pronto, meterse en la litera, cerrar los ojos. En el descampado, al

---

[18] La comparación muestra, desde un principio, el racismo, implícito en ocasiones y explícito en otras, a lo largo de toda la novela.

[19] *Tranco*. (Am.) Zancada, paso largo.

[20] *Galería*. Pasillo, corredor.

[21] *Mimeógrafo*. Máquina de reproducción gráfica de copias múltiples.

arrojar los pedazos de vidrio, se arañó las manos. En la puerta de la cuadra se detuvo; se sentía extenuado. Una silueta le salió al paso.

—¿Listo? —dijo el Jaguar.

—Sí.

—Vamos al baño.

El Jaguar caminó delante, entró al baño empujando la puerta con las dos manos. En la claridad amarillenta del recinto, Cava comprobó que el Jaguar estaba descalzo; sus pies eran grandes y lechosos, de uñas largas y sucias; olían mal.

—Rompí un vidrio —dijo, sin levantar la voz.

Las manos del Jaguar vinieron hacia él como dos bólidos[22] blancos y se incrustaron en las solapas de su sacón, que se cubrió de arrugas. Cava se tambaleó en el sitio, pero no bajó la mirada ante los ojos del Jaguar, odiosos y fijos detrás de unas pestañas corvas.

—Serrano[23] —murmuró el Jaguar, despacio—. Tenías que ser serrano. Si nos chapan[24], te juro...

Lo tenía siempre sujeto de las solapas. Cava puso sus manos sobre las del Jaguar. Trató de separarlas, sin violencia.

—¡Suelta! —dijo el Jaguar. Cava sintió en su cara una lluvia invisible—. ¡Serrano!

Cava dejó caer las manos.

—No había nadie en el patio —susurró—. No me han visto.

El Jaguar lo había soltado; se mordía el dorso de la mano derecha.

---

[22] *Bólido.* Algo que va muy rápido. Originalmente, el término designa una masa cósmica que atraviesa a gran velocidad la atmósfera; despúes se ha aplicado a vehículos muy veloces.

[23] *Serrano.* Que proviene de la sierra. En Perú, concretamente, el término se refiere a quien procede de la cordillera de los Andes, y puede emplearse de forma despectiva.

[24] *Chapar.* (Indig.). Del quechua, *chapa,* espía. Atrapar, pillar.

—No soy un desgraciado, Jaguar —murmuró Cava—. Si nos chapan, pago solo y ya está.

El Jaguar lo miró de arriba abajo. Se rio.

—Serrano cobarde —dijo—. Te has orinado de miedo. Mírate los pantalones.

Ha olvidado la casa de la avenida Salaverry, en Magdalena Nueva, donde vivió desde la noche en que llegó a Lima por primera vez, y el viaje de dieciocho horas en automóvil, el desfile de pueblos en ruinas, arenales, valles minúsculos, a ratos el mar, campos de algodón, pueblos y arenales. Iba con el rostro pegado a la ventanilla y sentía su cuerpo roído por la excitación: «voy a ver Lima». A veces, su madre lo atraía hacia ella, murmurando: «Richi[25], Ricardito». Él pensaba: «¿por qué llora?». Los otros pasajeros dormitaban o leían y el chofer canturreaba alegremente el mismo estribillo, hora tras hora. Ricardo resistió la mañana, la tarde y el comienzo de la noche sin apartar la mirada del horizonte, esperando que las luces de la ciudad surgieran de improviso, como una procesión de antorchas. El cansancio adormecía poco a poco sus miembros, embotaba sus sentidos; entre brumas, se repetía con los dientes apretados: «no me dormiré». Y, de pronto, alguien lo movía con dulzura. «Ya llegamos, Richi, despierta». Estaba en las faldas de su madre, tenía la cabeza apoyada en su hombro, sentía frío. Unos labios familiares rozaron su boca y él tuvo la impresión de que, en el sueño, se había convertido en un gatito. El automóvil avanzaba ahora despacio: veía vagas casas, luces, árboles y una avenida más larga que la calle principal de Chiclayo[26]. Tardó unos segundos en darse cuenta de que

---

[25] *Richi*. Diminutivo de Richard, es decir, del nombre de Ricardo, como suena en inglés *(Richie)*.

[26] *Chiclayo*. Importante ciudad costeña, capital del departamento de Lambayeque, al noroeste del Perú.

los otros viajeros habían descendido. El chofer canturreaba ya sin entusiasmo. «¿Cómo será?», pensó. Y sintió, de nuevo, una ansiedad feroz, como tres días antes, cuando su madre, llamándolo aparte para que no los oyera la tía Adelina, le dijo: «tu papá no estaba muerto, era mentira. Acaba de volver de un viaje muy largo y nos espera en Lima». «Ya llegamos», dijo su madre. «¿Avenida Salaverry, si no me equivoco?», cantó el chofer. «Sí, número treinta y ocho», repuso la madre. Él cerró los ojos y se hizo el dormido. Su madre lo besó. «¿Por qué me besa en la boca?», pensaba Ricardo; su mano derecha se aferraba al asiento. Al fin, el coche se inmovilizó después de muchas vueltas. Mantuvo cerrados los ojos, se encogió junto al cuerpo que lo sostenía. De pronto, el cuerpo de su madre se endureció. «Beatriz», dijo una voz. Alguien abrió la puerta. Se sintió alzado en peso, depositado en el suelo, sin apoyo, abrió los ojos: el hombre y su madre se besaban en la boca, abrazados. El chofer había dejado de cantar. La calle estaba vacía y muda. Los miró fijamente; sus labios medían el tiempo contando números. Luego, su madre se separó del hombre, se volvió hacia él y le dijo: «es tu papá, Richi. Bésalo». Nuevamente lo alzaron dos brazos masculinos y desconocidos; un rostro adulto se juntaba al suyo, una voz murmuraba su nombre, unos labios secos aplastaban su mejilla. Él estaba rígido.

Ha olvidado también el resto de aquella noche, la frialdad de las sábanas de ese lecho hostil, la soledad que trataba de disipar esforzando los ojos para arrancar a la oscuridad algún objeto, algún fulgor, y la angustia que hurgaba su espíritu como un laborioso clavo. «Los zorros del desierto de Sechura[27] aúllan como demonios cuando llega la noche; ¿sabes por qué?: para quebrar el silencio que los aterroriza»,

---

[27] El zorro sechurano o costeño habita en la costa noroeste del Perú, desde el sur de Ecuador hasta las cercanías de Lima, pero su hábitat natural se halla en el desierto situado al sur de Piura, donde se encuentra Sechura, la «Capital de la Arena», que le da nombre.

había dicho una vez tía Adelina[28]. Él tenía ganas de gritar para que la vida brotara en ese cuarto, donde todo parecía muerto. Se levantó: descalzo, semidesnudo, temblando por la vergüenza y la confusión que sentiría si de pronto entraban y lo hallaban de pie, avanzó hasta la puerta y pegó el rostro a la madera. No oyó nada. Volvió a su cama y lloró, tapándose la boca con las dos manos. Cuando la luz ingresó a la habitación y la calle se pobló de ruidos, sus ojos seguían abiertos y sus oídos en guardia. Mucho rato después, los escuchó. Hablaban en voz baja y solo llegaba a él un incomprensible rumor. Luego oyó risas, movimientos. Más tarde sintió abrirse la puerta, pasos, una presencia, unas manos conocidas que le subían las sábanas hasta el cuello, un aliento cálido en las mejillas. Abrió los ojos: su madre sonreía. «Buenos días», dijo ella, tiernamente; «¿no besas a tu madre?». «No», dijo él.

«Podría ir y decirle dame veinte soles[29] y ya veo, se le llenarían los ojos de lágrimas y me daría cuarenta o cincuenta, pero sería lo mismo que decirle te perdono lo que hiciste a mi mamá y puedes dedicarte al puterío[30] con tal que me des buenas propinas»[31]. Bajo la bufanda de lana que le regaló su madre hace meses, los labios de Alberto se mueven sin ruido. El sacón y la cristina[32] que lleva hundida hasta las orejas[33] lo defienden contra el frío. Su cuerpo se ha acostumbrado a la presión del fusil, que ahora casi no siente. «Ir y decirle qué ganamos con no aceptar un medio[34],

---

[28] En la edición de la RAE: «la tía Adelina».

[29] *Sol*. Moneda nacional del Perú.

[30] *Puterío*. Aquí, ir de putas.

[31] *Propina*. Dinero dado a voluntad, en este caso, a un hijo, para sus gastos.

[32] *Cristina*. Gorra militar de tela, alargada y sin visera.

[33] Se ha eliminado una coma, presente en todas las ediciones, pero incorrecta, por ir entre sujeto y predicado.

[34] *No aceptar un medio*. No aceptar nada de dinero.

deja que nos mande un cheque cada mes hasta que se arrepienta de sus pecados y vuelva a casa, pero ya veo, se pondrá a llorar y dirá hay que llevar la cruz con resignación como Nuestro Señor y aunque acepte cuánto tiempo pasará hasta que se pongan de acuerdo y no tendré mañana los veinte soles». Según el reglamento, los imaginarias deben recorrer el patio del año respectivo y la pista de desfile, pero él ocupa su turno en caminar a la espalda de las cuadras, junto a la alta baranda descolorida que protege la fachada principal del colegio. Desde allí ve, entre los barrotes, como el lomo de una cebra, la carretera asfaltada que serpentea al pie de la baranda y el borde de los acantilados, escucha el rumor del mar y, si la neblina no es espesa, distingue a lo lejos, igual a una lanza iluminada, el malecón[35] del balneario de La Punta penetrando en el mar como un rompeolas y, al otro extremo, cerrando la bahía invisible, el resplandor en abanico de Miraflores, su barrio. El oficial de guardia pasa revista[36] a los imaginarias cada dos horas: a la una, lo hallará en su puesto. Mientras, Alberto planea la salida del sábado. «Podría que[37] unos diez tipos se soñaran con la película esa, y viendo tantas mujeres en calzones[38], tantas piernas, tantas barrigas, tantas, me encarguen novelitas, pero acaso pagan adelantado y cuándo las haría si mañana es el examen de química y tendré que pagarle al Jaguar por las preguntas salvo que Vallano me sople[39] a cambio de cartas pero quién se fía de un negro. Podría que me pidan cartas, pero quién paga al contado a estas alturas de la semana si ya el miércoles todo el mundo ha

---

[35] *Malecón.* (Am.) Paseo marítimo.

[36] *Pasar revista.* Aquí, inspeccionar o comprobar que estén en sus puestos.

[37] Se elide el verbo «ser»: «Podría (ser) que».

[38] *Calzones.* (Am.) Ropa interior femenina de la parte inferior.

[39] *Soplar.* Chivar, dar las respuestas.

quemado sus últimos cartuchos en La Perlita y en las timbas. Podría gastarme veinte soles si los consignados[40] me encargan cigarrillos y se los pagaría en cartas o novelitas, y la que se armaría, encontrarme veinte soles en una cartera perdida en el comedor o en las aulas o en los excusados[41], meterme ahora mismo en una cuadra de los perros[42] y abrir roperos hasta encontrar veinte soles o mejor sacar cincuenta centavos[43] a cada uno para que se note menos y solo tendría que abrir cuarenta roperos sin despertar a nadie contando que en todos encuentre cuarenta centavos, podría ir donde un suboficial o un teniente, présteme veinte soles que yo también quiero ir donde la Pies Dorados, ya soy un hombre y quién mierda grita ahí...».

Alberto demora en identificar la voz, en recordar que es un imaginaria lejos de su puesto. Vuelve a oír, más fuerte, «¿qué le pasa a ese cadete?», y esta vez reaccionan su cuerpo y su espíritu, alza la cabeza, su mirada distingue como en un remolino los muros de la Prevención[44], varios soldados sentados en una banca, la estatua del héroe que amenaza con la espada desenvainada a la neblina y a las sombras, imagina su nombre escrito en la lista de castigo, su corazón late alocado, siente pánico, su lengua y sus labios se mueven imperceptiblemente, ve entre el héroe de bronce y él, a menos de cinco metros, al teniente Remigio Huarina, que lo observa con las manos en la cintura.

—¿Qué hace usted aquí?

---

[40] *Consignados.* Castigados sin salir del recinto por cometer una infracción.

[41] *Excusados.* Retretes.

[42] *Perros.* Novatos, estudiantes del tercer curso de secundaria del Colegio Militar Leoncio Prado.

[43] Es decir, medio sol.

[44] *La Prevención.* Dependencia militar a donde se lleva a los detenidos, como prisión preventiva.

El teniente avanza hacia Alberto, este ve, tras los hombros del oficial, la mancha de musgo que oscurece el bloque de piedra que sostiene al héroe, mejor dicho la adivina, pues las luces de la Prevención son opacas y lejanas, o la inventa: es posible que ese mismo día los soldados de guardia hayan raspado y fregado el pedestal.

—¿Y? —dice el teniente, frente a él—. ¿Qué hay?

Inmóvil, la mano derecha clavada en la cristina, tenso, todos sus sentidos alertas, Alberto permanece mudo ante el hombrecillo borroso que aguarda también inmóvil, sin bajar las manos de la cintura.

—Quiero hacerle una consulta, mi teniente —dice Alberto. «Podría jurarle me estoy muriendo de dolor de estómago, quisiera una aspirina o algo, mi madre está gravísima, han matado a la vicuña, podría suplicarle...»—. Quiero decir, una consulta moral.

—¿Qué ha dicho?

—Tengo un problema —dice Alberto, rígido. «...decir mi padre es general, contralmirante, mariscal y juro que por cada punto perderá un año de ascenso, podría...»—. Es algo personal —se interrumpe, vacila un instante, luego miente—: El coronel dijo una vez que podíamos consultar a nuestros oficiales. Sobre los problemas íntimos, quiero decir.

—Nombre y sección[45] —dice el teniente. Ha bajado las manos de la cintura; parece más frágil y pequeño. Da un paso adelante y Alberto ve, muy cerca y abajo, el hocico[46], los ojos fruncidos y sin vida de batracio, el rostro redondo

---

[45] *Sección*. Grupo de unos treinta estudiantes, dentro del curso o año. Podía haber hasta diez secciones distintas por curso. Así, también en 1963, apareció otra novela, *La sétima sección*, de Felipe Buendía, cuyo título hace referencia explícita a esta división en grupos dentro del Leoncio Prado.

[46] *Hocico*. Nariz y boca de un animal, que se atribuye aquí a un superior jerárquico, cuestionando su humanidad.

contraído en un gesto que quiere ser implacable y solo es patético, el mismo que adopta cuando ordena el sorteo de consignas, invención suya: «brigadieres[47], métanles seis puntos a todos los números tres y múltiplos de tres».

—Alberto Fernández, quinto año, primera sección.

—Al grano —dice el teniente—. Al grano.

—Creo que estoy enfermo, mi teniente. Quiero decir de la cabeza, no del cuerpo. Todas las noches tengo pesadillas —Alberto ha bajado los párpados, simulando humildad, y habla muy despacio, la mente en blanco, dejando que los labios y la lengua se desenvuelvan solos y vayan armando una telaraña, un laberinto para extraviar al sapo—. Cosas horribles, mi teniente. A veces sueño que mato, que me persiguen unos animales con caras de hombres. Me despierto sudando y temblando. Algo horrible, mi teniente, le juro.

El oficial escruta el rostro del cadete. Alberto descubre que los ojos del sapo han cobrado vida; la desconfianza y la sorpresa asoman en sus pupilas como dos estrellas moribundas. «Podría reír, podría llorar, gritar, podría correr». El teniente Huarina ha terminado su examen. Bruscamente, da un paso atrás y exclama:

—¡Yo no soy un cura, qué carajo! ¡Váyase a hacer consultas morales a su padre o a su madre!

—No quería molestarlo, mi teniente —balbucea Alberto.

—Oiga, ¿y este brazalete? —dice el oficial, aproximando el hocico y los ojos dilatados—. ¿Está usted de imaginaria?

—Sí, mi teniente.

—¿No sabe que el servicio no se abandona nunca, salvo muerto?

—Sí, mi teniente.

---

[47] *Brigadier*. Estudiante responsable de una sección.

254

—¡Consultas morales! Es usted un tarado[48] —Alberto deja de respirar: la mueca ha desaparecido del rostro del teniente Remigio Huarina, su boca se ha abierto, sus ojos se han estirado, en la frente han brotado unos pliegues. Está riéndose—. Es usted un tarado, qué carajo. Vaya a hacer su servicio a la cuadra. Y agradezca que no lo consigno.

—Sí, mi teniente.

Alberto saluda, da media vuelta, en una fracción de segundo ve a los soldados de la Prevención inclinados sobre sí mismos en la banca. Escucha a su espalda: «ni que fuéramos curas, qué carajo». Frente a él, hacia la izquierda, se yerguen tres bloques de cemento: quinto año, luego cuarto; al final, tercero, las cuadras de los perros. Más allá languidece el estadio, la cancha[49] de fútbol sumergida bajo la hierba brava[50], la pista de atletismo cubierta de baches y huecos, las tribunas de madera averiadas por la humedad. Al otro lado del estadio, después de una construcción ruinosa —el galpón de los soldados— hay un muro grisáceo donde acaba el mundo del Colegio Militar Leoncio Prado y comienzan los grandes descampados de La Perla. «Y si Huarina hubiera bajado la cabeza, y si me hubiera visto los botines, y si el Jaguar no tiene el examen de química, y si lo tiene y no quiere fiarme, y si me planto ante la Pies Dorados y le digo soy del Leoncio Prado y es la primera vez que vengo, te traeré buena suerte, y si vuelvo al barrio y pido veinte soles a uno de mis amigos, y si le dejo mi reloj en prenda, y si no consigo el examen de química, y si no tengo cordones en la revista de prendas de mañana estoy jodido, sí señor». Alberto avanza despacio, arrastrando un poco los pies; a cada paso sus botines, sin cordones desde hace una semana, amenazan salirse. Ha reco-

---

[48] *Tarado*. Estúpido.

[49] *Cancha*. (Indig.) Del quechua, *kancha,* recinto cercado. Campo de juego.

[50] *Hierba brava*. Maleza, hierbajos.

rrido la mitad de la distancia que separa el quinto año de la estatua del héroe. Hace dos años, la distribución de las cuadras era distinta; los cadetes de quinto ocupaban las cuadras vecinas al estadio y los perros las más próximas a la Prevención; cuarto estuvo siempre en el centro, entre sus enemigos. Al cambiar el colegio de director, el nuevo coronel decidió la distribución actual. Y explicó en un discurso: «Eso de dormir cerca del prócer epónimo[51] habrá que ganárselo. En adelante, los cadetes de tercero ocuparán las cuadras del fondo. Y luego, con los años se irán acercando a la estatua de Leoncio Prado. Y espero que cuando salgan del colegio se parezcan un poco a él, que peleó por la libertad de un país que ni siquiera era el Perú. En el Ejército, cadetes, hay que respetar los símbolos, qué caray»[52].

«Y si le robo los cordones a Arróspide, habría que ser desgraciado para fregar[53] a un miraflorino[54] habiendo en la sección tantos serranos que se pasan el año encerrados como si tuvieran miedo a la calle, y a lo mejor tienen, busquemos otro. Y si le robo a alguno del Círculo, a Rulos o al bruto del Boa, pero y el examen, no sea que me jalen[55] en química otra vez. Y si al Esclavo, qué gracia, eso le dije a Vallano y es verdad, te creerías muy valiente si le pegaras a un muerto, salvo que estés desesperado. En los ojos se le vio que es un cobarde como todos los negros, qué ojos, qué pánico, qué saltos, lo mato al que me ha robado mi piyama, lo mato al que[56], ahí

---

[51] *Prócer epónimo.* Héroe que otorga el nombre a la institución, con lo que se le rinde homenaje. En este caso, se alude a Leoncio Prado y su estatua, ya referida, a la entrada, frente a la Prevención.

[52] *Qué caray.* Interjección que denota fastidio o que implica sorpresa, eufemismo de «carajo».

[53] *Fregar.* (Am.) Molestar, fastidiar, perjudicar, joder.

[54] *Miraflorino.* Gentilicio, perteneciente al distrito de Miraflores, uno de los favoritos de la burguesía limeña de la época. Por tanto, supuestamente, de buena familia.

[55] *Jalar.* (Per.) Aquí, suspender, reprobar.

[56] Se interrumpe la frase, como sucede con el flujo de conciencia.

viene el teniente, ahí vienen los suboficiales, devuélvanme mi piyama que esta semana tengo que salir y no digo desafiarlo, no digo mentarle la madre[57], no digo insultarlo, al menos decirle qué te pasa o algo, pero dejarse arrancar el piyama de las manos en plena revista, sin chistar, eso no. El Esclavo necesita que le saquen el miedo a golpes, le robaré los cordones a Vallano».

Ha llegado al pasadizo que desemboca en el patio de quinto. En la noche húmeda, conmovida por el murmullo del mar, Alberto adivina detrás del cemento, las atestadas tinieblas de las cuadras, los cuerpos encogidos en las literas. «Debe estar en la cuadra, debe estar en un baño, debe estar en la hierba, debe estar muerto, dónde te has metido, Jaguarcito». El patio desierto, vagamente iluminado por los faroles de la pista, parece una placita de aldea. No hay ningún imaginaria a la vista. «Debe haber una timba, si tuviera un cobre[58], un solo puto[59] cobre, podría ganar los veinte soles, quizá más. Debe estar jugando y espero que me fíe, te ofrezco cartas y novelitas, de veras que en los tres años nunca me ha encargado nada, fuera, caray, ya veo que me jalan en química». Recorre toda la galería sin encontrar a nadie. Entra a las cuadras de la primera y la segunda sección, los baños están vacíos, uno de ellos apesta. Inspecciona los baños de otras cuadras, atravesando ruidosamente los dormitorios, a propósito, pero en ninguno se altera la respiración sosegada o febril de los cadetes. En la quinta sección, poco antes de llegar a la puerta del baño, se detiene. Alguien desvaría: distingue apenas, entre un río de palabras confusas, un nombre de mujer. «Lidia. ¿Lidia? Parece que se llamaba Lidia la muchacha esa del arequipeño[60] ese

---

[57] *Mentar a alguien la madre.* (Am.) Insultar, ofender.
[58] *Un cobre.* (Per.) Dinero.
[59] *Puto.* Aquí, maldito.
[60] *Arequipeño.* Natural de Arequipa, ciudad natal de Mario Vargas Llosa, situada al sur del Perú y capital del departamento homónimo.

que me enseñaba las cartas y las fotos que recibía, y me contaba sus penas, escríbele bonito que la quiero mucho, yo no soy un cura, qué carajo, usted es un tarado. ¿Lidia?». En la séptima sección, junto a los urinarios, hay un círculo de bultos: encogidos bajo los sacones verdes, todos parecen jorobados. Ocho fusiles están tirados en el suelo y otro apoyado en la pared. La puerta del baño está abierta y Alberto los distingue a lo lejos, desde el umbral de la cuadra. Avanza, lo intercepta una sombra.

—¿Qué hay? ¿Quién es?

—El coronel. ¿Tienen permiso para timbear?[61]. El servicio no se abandona nunca, salvo muerto.

Alberto entra al baño. Lo miran una docena de rostros fatigados; el humo cubre el recinto como un toldo sobre las cabezas de los imaginarias. Ningún conocido: caras idénticas, oscuras, toscas.

—¿Han visto al Jaguar?

—No ha venido.

—¿Qué juegan?

—Póquer. ¿Entras? Primero tienes que hacer de campana[62] un cuarto de hora.

—No juego con serranos —dice Alberto, a la vez que se lleva las manos al sexo y apunta hacia los jugadores—. Solo me los tiro[63].

—Lárgate, Poeta —dice uno—. Y no friegues.

—Pasaré un parte[64] al capitán —dice Alberto, dando media vuelta—. Los serranos se juegan los piojos al póquer durante el servicio.

Actualmente, es la segunda ciudad peruana en cuanto a número de habitantes.

[61] *Timbear.* Participar en una timba, jugar.

[62] *Campana.* Metafóricamente, vigilante, porque tiene que dar aviso, como si fuera una campana, en caso de advertir algún peligro.

[63] *Tirarse a alguien.* Tener relaciones sexuales con alguien, enunciado de forma despectiva y agresiva, indicando un dominio sobre el otro.

[64] *Parte.* Informe de mala conducta.

Escucha que lo insultan. Está de nuevo en el patio. Vacila unos instantes, luego se encamina hacia el descampado. «Y si estuviera durmiendo en la hierbita, y si se estuviera robando el examen, durante mi turno, malparido, y si hubiera tirado contra[65], y si». Cruza el descampado hasta llegar al muro posterior del colegio. Las contras se tiraban por allí, pues al otro lado el terreno es plano y no hay peligro de quebrarse una pierna al saltar. En una época, todas las noches se veían sombras que franqueaban el muro por ese punto y volvían al amanecer. Pero el nuevo director hizo expulsar a cuatro cadetes de cuarto, sorprendidos al salir y desde entonces una pareja de soldados ronda por el exterior toda la noche. Las contras han disminuido y ya no se practican por allí. Alberto gira sobre sí mismo; al fondo está el patio de quinto, vacío y borroso. En el descampado intermedio distingue una llamita azul. Va hacia ella.

—¿Jaguar?

No hay respuesta. Alberto saca su linterna —los imaginarias, además del fusil, llevan una linterna y un brazalete morado— y la enciende. Atravesado en la columna de luz, surge un rostro lánguido, una piel suave y lampiña, unos ojos entrecerrados que miran con timidez.

—¿Qué haces aquí, tú?

El Esclavo levanta una mano para protegerse de la luz. Alberto apaga la linterna.

—Estoy de imaginaria.

Alberto ¿ríe? El ruido vibra en la oscuridad como un acceso de eructos, cesa unos instantes, luego brota de nuevo el chorro de desprecio puro, porfiado[66] y sin alegría.

---

[65] *Tirar contra.* Salir del internado sin permiso. En la primera edición, a partir de la repetición siguiente, aparece el término destacado siempre en cursiva, para distinguirlo como algo propio de la jerga de los jóvenes cadetes.

[66] *Porfiado.* (Am.) Obstinado.

—Estás reemplazando al Jaguar —dice Alberto—. Me das pena.

—Y tú imitas la risa del Jaguar —dice el Esclavo, suavemente—; eso debería darte más pena.

—Yo solo imito a tu madre —dice Alberto. Se libera del fusil, lo coloca sobre la hierba, sube las solapas de su sacón, se frota las manos y se sienta junto al Esclavo—. ¿Tienes un cigarrillo?

Una mano sudada roza la suya y se aparta en el acto, dejando en su poder un cigarrillo blando, sin tabaco en las puntas. Alberto prende un fósforo. «Cuidado, susurra el Esclavo. Puede verte la ronda»[67]. «Mierda, dice Alberto. Me quemé». Ante ellos se alarga la pista de desfile, luminosa como una gran avenida en el corazón de una ciudad disimulada por la niebla.

—¿Cómo haces para que te duren los cigarrillos? —dice Alberto—. A mí se me acaban los miércoles, a lo más.

—Fumo poco.

—¿Por qué eres tan rosquete?[68] —dice Alberto—. ¿No te da vergüenza hacerle su turno al Jaguar?

—Yo hago lo que quiero —responde el Esclavo—. ¿A ti te importa?

—Te trata como a un esclavo —dice Alberto—. Todos te tratan como a un esclavo, qué caray. ¿Por qué tienes tanto miedo?

—A ti no te tengo miedo.

Alberto ríe. Su risa se corta bruscamente.

—Es verdad —dice—. Me estoy riendo como el Jaguar. ¿Por qué lo imitan todos?

—Yo no lo imito —dice el Esclavo.

—Tú eres como su perro —dice Alberto—. A ti te ha fregado.

---

[67] *Ronda.* Vigilancia militar.
[68] *Rosquete.* (Per.) Homosexual. Insulto homófobo, como «marica»; aquí, con el sentido de cobarde, que se somete a la voluntad del otro.

Alberto arroja la colilla. La brasa agoniza unos instantes entre sus pies, sobre la hierba, luego desaparece. El patio de quinto sigue desierto.

—Sí —dice Alberto—. Te ha fregado —abre la boca, la cierra. Se lleva una mano a la punta de la lengua, coge con dos dedos una hebra de tabaco, la parte con las uñas, se pone en los labios los dos cuerpos minúsculos y escupe—. ¿Tú no has peleado nunca, no?[69].

—Solo una vez —dice el Esclavo.

—¿Aquí?

—No. Antes.

—Es por eso que estás fregado —dice Alberto—. Todo el mundo sabe que tienes miedo. Hay que trompearse[70] de vez en cuando para hacerse respetar. Si no, estarás reventado[71] en la vida.

—Yo no voy a ser militar.

—Yo tampoco. Pero aquí eres militar aunque no quieras. Y lo que importa en el Ejército es ser bien macho, tener unos huevos de acero, ¿comprendes? O comes o te comen[72], no hay más remedio. A mí no me gusta que me coman.

—No me gusta pelear —dice el Esclavo—. Mejor dicho, no sé.

—Eso no se aprende —dice Alberto—. Es una cuestión de estómago.

—El teniente Gamboa dijo eso una vez.

—Es la pura verdad, ¿no? Yo no quiero ser militar pero aquí uno se hace más hombre. Aprende a defenderse y a conocer la vida.

---

[69] En la primera edición, se acentúa («nó»), para enfatizar la entonación de la oralidad.

[70] *Trompearse*. (Am.) Pelearse a golpes.

[71] *Estar reventado*. Estar fastidiado, ser un fracasado.

[72] *O comes o te comen*. Simbólicamente, expresión que indica el ejercicio de la violencia para evitar ser víctima, siguiendo el paralelismo de la cadena trófica, de la ley de la selva o del más fuerte. El verbo «comer» y algunos sinónimos serán utilizados, además, a lo largo de la novela también en un sentido sexual.

—Pero tú no peleas mucho —dice el Esclavo—. Y, sin embargo, no te friegan.

—Yo me hago el loco, quiero decir el pendejo[73]. Eso también sirve, para que no te dominen. Si no te defiendes con uñas y dientes ahí mismo se te montan encima.

—¿Tú vas a ser un poeta? —dice el Esclavo.

—¿Estás cojudo?[74]. Voy a ser ingeniero. Mi padre me mandará a estudiar a Estados Unidos. Escribo cartas y novelitas para comprarme cigarrillos. Pero eso no quiere decir nada. ¿Y tú, qué vas a hacer?

—Yo quería ser marino —dice el Esclavo—. Pero ahora ya no. No me gusta la vida militar. Quizá sea ingeniero, también.

La niebla se ha condensado; los faroles de la pista parecen más pequeños y su luz es más débil. Alberto busca en sus bolsillos. Hace dos días que está sin cigarrillos, pero sus manos repiten el gesto, mecánicamente, cada vez que desea fumar.

—¿Te quedan cigarrillos?

El Esclavo no responde, pero segundos después Alberto siente un brazo junto a su estómago. Toca la mano del otro, que sostiene un paquete casi lleno. Saca un cigarrillo, lo pone entre sus labios, con la punta de la lengua toca la superficie compacta y picante. Enciende un fósforo y aproxima al rostro del Esclavo la llama que se agita suavemente en la pequeña gruta que forman sus manos.

—¿De qué mierda estás llorando? —dice Alberto, a la vez que abre las manos y deja caer el fósforo—. Me volví a quemar, maldita sea.

Prende[75] otro fósforo y enciende su cigarrillo. Aspira el humo y lo arroja por la boca y la nariz.

—¿Qué te pasa? —pregunta.

---

[73] *Pendejo.* (Am.) Tonto.

[74] *Cojudo.* (Am.) Huevón, tonto.

[75] *Prender.* Encender.

—Nada.

Alberto vuelve a aspirar; la brasa resplandece y el humo se confunde con la neblina, que está muy baja, casi a ras de tierra. El patio de quinto ha desaparecido. El edificio de las cuadras es una gran mancha inmóvil.

—¿Qué te han hecho? —dice Alberto—. No hay que llorar nunca, hombre.

—Mi sacón —dice el Esclavo—. Me han fregado la salida.

Alberto vuelve la cabeza. El Esclavo lleva sobre la camisa caqui una chompa[76] castaña, sin mangas.

—Mañana tenía que salir —dice el Esclavo—. Me han reventado.

—¿Sabes quién ha sido?

—No. Lo sacaron del ropero.

—Te van a descontar cien soles. Quizá más.

—No es por eso. Mañana hay revista. Gamboa me dejará consignado. Ya llevo dos semanas sin salir.

—¿Tienes hora?

—La una menos cuarto —dice el Esclavo—. Ya podemos ir a la cuadra.

—Espera —dice Alberto, incorporándose—. Tenemos tiempo. Vamos a tirarnos un sacón.

El Esclavo se levanta como un resorte, pero permanece en el sitio sin dar un paso, como pendiente de algo próximo e irremediable.

—Apúrate —dice Alberto.

—Los imaginarias... —susurra el Esclavo.

—Maldita sea —dice Alberto—. ¿No ves que voy a jugarme la salida para conseguirte un sacón? La gente cobarde me enferma. Los imaginarias están en el baño de la séptima. Hay una timba.

---

[76] *Chompa.* (Am.) Del inglés, *jumper.* Prenda de punto de manga larga, como jersey o suéter, palabras tomadas también de la lengua inglesa.

El Esclavo lo sigue. Avanzan entre la neblina cada vez más espesa, hacia las cuadras invisibles. Los clavos de los botines rasgan la hierba húmeda y al ruido acompasado del mar se mezcla ahora el silbido del viento que invade las habitaciones sin puertas ni ventanas del edificio que está entre las aulas y los dormitorios de los oficiales.

—Vamos a la décima o a la novena —dice el Esclavo—. Los enanos[77] tienen el sueño de plomo.

—¿Te hace falta un sacón o un chaleco? —dice Alberto—. Vamos a la tercera.

Están en la galería del año. La mano de Alberto empuja suavemente la puerta, que cede sin ruido. Mete la cabeza como un animal olfateando una cueva: en la cuadra en tinieblas reina un rumor apacible. La puerta se cierra tras ellos. «¿Y si se echa a correr, cómo tiembla, y si se echa a llorar, cómo corre, y si es verdad que el Jaguar se lo tira, cómo suda, y si ahorita[78] se prende la luz, cómo vuelo?». «Al fondo, murmura Alberto, tocando con sus labios la cara del Esclavo. Hay un ropero que está lejos de las camas». «¿Qué?», dice el Esclavo, sin moverse. «Mierda, dice Alberto. Ven». Arrastrando los pies, atraviesan la cuadra en cámara lenta con las manos extendidas para evitar los obstáculos. «Y si fuera un ciego, me saco los ojos de vidrio, le digo Pies Dorados te doy mis ojos pero fíame, papá basta ya de putas, basta ya que el servicio no se abandona nunca salvo muerto». Se detienen junto al ropero, los dedos de Alberto repasan la madera. Mete la mano en su bolsillo, saca la ganzúa, con la otra mano trata de localizar el candado, cierra los ojos, aprieta los dientes. «Y si digo juro teniente, vine a sacar un libro para estudiar química que mañana me jalan, juro que no te perdonaré nunca el llan-

[77] *Enanos.* Los cadetes más jóvenes y, por tanto, normalmente, pequeños, de tercer curso, también llamados «perros».

[78] *Ahorita.* (Am.) Justo ahora, en este momento.

to de mi madre Esclavo, ni que me hayas matado por un sacón». La ganzúa araña el metal, penetra en la ranura, se engancha, se mueve atrás y adelante, a derecha e izquierda, ingresa un poco más, se inmoviliza, golpea secamente, el candado se abre. Alberto forcejea hasta recuperar la ganzúa. La puerta del ropero comienza a girar. Desde algún punto de la cuadra, una voz airada irrumpe en incoherencias. La mano del Esclavo se incrusta en el brazo de Alberto. «Quieto, susurra este. O te mato». «¿Qué?», dice el otro. La mano de Alberto explora el interior, con cuidado, a unos milímetros de la superficie vellosa del sacón, como si fuera a acariciar el rostro o los cabellos del ser amado y estuviera saboreando el placer de la inminencia del contacto, tocando solo su atmósfera, su vaho. «Sácale los cordones a dos botines, dice Alberto. Necesito». El Esclavo lo suelta, se inclina, se aleja a rastras. Alberto libera el sacón del colgador, mete el candado en las armellas[79] y aprieta con toda la mano para apagar el ruido. Después, se desliza hacia la puerta. Cuando llega el Esclavo, lo vuelve a tocar, esta vez en el hombro. Salen.

—¿Tiene marca?

El Esclavo examina el sacón minuciosamente, con su linterna.

—No.

—Anda al baño y mira si tiene manchas. Y los botones, cuidado vayan a ser de otro color.

—Ya es casi la una —dice el Esclavo.

Alberto asiente. Al llegar a la puerta de la primera sección, se vuelve hacia su compañero:

—¿Y los cordones?

—Solo conseguí uno —dice el Esclavo. Duda un momento—: Perdón.

---

[79] *Armella*. Arandela de cierre de la taquilla o armario, típico de los cuarteles, por donde se pasa un candado.

Alberto lo mira fijamente, pero no lo insulta ni se ríe. Se limita a encogerse de hombros.

—Gracias —dice el Esclavo. Ha puesto otra vez su mano en el brazo de Alberto y lo mira a los ojos con su cara tímida y rastrera iluminada por una sonrisa.

—Lo hago para divertirme —dice Alberto. Y añade, rápido—: ¿Tienes las preguntas del examen? No sé ni jota[80] de química.

—No —dice el Esclavo—. Pero el Círculo lo debe tener. Hace un rato salió Cava y fue hacia las aulas. Deben estar resolviendo las preguntas.

—No tengo plata[81]. El Jaguar es un ladrón.

—¿Quieres que te preste? —dice el Esclavo.

—¿Tienes plata?

—Un poco.

—¿Puedes prestarme veinte soles?

—Veinte soles, sí.

Alberto le da una palmada en el hombro. Dice:

—Formidable, formidable. Estaba sin un centavo[82]. Si quieres, te puedo pagar con novelitas.

—No —dice el Esclavo. Ha bajado los ojos—. Más bien en cartas.

—¿Cartas? ¿Tienes enamorada?[83]. ¿Tú?

—Todavía no tengo —dice el Esclavo—. Pero quizás tenga.

—Bueno, hombre. Te escribiré veinte. Eso sí, tienes que enseñarme las de ella. Para ver el estilo.

Las cuadras parecen haber cobrado vida. De diversos sectores del año llega hasta ellos ruido de pasos, de roperos, incluso algunas lisuras[84].

—Ya están cambiando el turno —dice Alberto—. Vamos.

---

[80] *Ni jota.* Nada.
[81] *Plata.* (Am.) Dinero.
[82] *Sin un centavo.* (Am.) Sin plata, sin dinero.
[83] *Enamorada.* (Am.) Novia.
[84] *Lisuras.* (Am.) Malas palabras, groserías, palabrotas.

Entran a la cuadra. Alberto va a la litera de Vallano, se inclina y saca el cordón de uno de los botines. Luego sacude al negro con las dos manos.

—Tu madre, tu madre —exclama Vallano, frenéticamente.

—Es la una —dice Alberto—. Tu turno.

—Si me has despertado antes te machuco[85].

Al otro lado de la cuadra, Boa vocifera contra el Esclavo, que acaba de despertarlo.

—Ahí tienes el fusil y la linterna —dice Alberto—. Sigue durmiendo si quieres. Pero te aviso que la ronda está en la segunda sección.

—¿De veras? —dice Vallano, sentándose.

Alberto va hasta su litera y se desnuda.

—Aquí todos son muy graciosos —dice Vallano—. Muy graciosos.

—¿Qué te pasa? —pregunta Alberto.

—Me han robado un cordón.

—Silencio —grita alguien—. Imaginaria, que se callen esos maricones[86].

Alberto siente que Vallano camina de puntillas. Después, oye un ruido revelador.

—Se están robando un cordón —grita.

—Un día de estos te voy a romper la cara, Poeta —dice Vallano, bostezando.

Minutos después, hiere la noche el silbato del oficial de guardia. Alberto no lo oye: duerme.

La calle Diego Ferré tiene menos de trescientos metros de largo y cualquier caminante desprevenido la tomaría

---

[85] *Machucar.* (Am.) Machacar, golpear.
[86] *Maricón.* Insulto homófobo contra supuesto homosexual o afeminado. También se utiliza, sin embargo, de forma familiar, entre amigos.

por un callejón sin salida. En efecto, desde la esquina de la avenida Larco, donde comienza, se ve, dos cuadras más allá, cerrando el otro extremo, la fachada de una casa de dos pisos, con un pequeño jardín protegido por una baranda verde. Pero esa casa que, de lejos, parece tapiar Diego Ferré, pertenece a la estrecha, calle Porta, que cruza a aquella, la detiene y la mata. Entre Porta y la avenida Larco, fragmentan a Diego Ferré otras dos calles paralelas: Colón y Ocharán. Luego de atravesar Diego Ferré terminan súbitamente, doscientos metros al oeste, en el malecón de la Reserva, una serpentina que abraza Miraflores con un cinturón de ladrillos rojos y que es el límite extremo de la ciudad, pues ha sido erigido al borde de los acantilados, sobre el ruidoso, gris y limpio mar de la bahía de Lima.

Encerradas entre la avenida Larco, el malecón y la calle Porta, hay media docena de manzanas: un centenar de casas, dos o tres tiendas de comestibles, una farmacia, un puesto de refrescos, un taller de zapatería (semioculto entre un garaje y un muro saliente) y un solar cercado donde funciona una lavandería clandestina. Las calles transversales tienen árboles a los costados de la pista; Diego Ferré no. Todo ese sector es el dominio del barrio. El barrio no tiene nombre. Cuando se formó un equipo de fulbito[87] para intervenir en el campeonato anual del club Terrazas[88], los muchachos se presentaron con el nombre de Barrio Alegre. Pero, una vez terminado el campeonato, el nombre cayó en desuso. Además, los cro-

---

[87] *Fulbito.* Nombre coloquial con el que se conoce al fútbol sala, que se juega en una cancha más pequeña y con normas adaptadas, con cinco jugadores por equipo en lugar de los once del fútbol tradicional.

[88] *Club Terrazas.* Club de tenis de gran tradición, fundado en 1918, y situado en el distrito de Miraflores. También se pueden practicar otros deportes en sus instalaciones, en las terrazas que le dan nombre, y se configura como importante centro social de la burguesía limeña.

nistas policiales designaban con el nombre de Barrio Alegre al jirón[89] Huatica de La Victoria, la calle de las putas, lo que constituía una semejanza embarazosa. Por eso, los muchachos se limitan a hablar del barrio. Y cuando alguien pregunta cuál barrio, para diferenciarse de los otros barrios de Miraflores[90], el de 28 de Julio, el de Reducto, el de la calle Francia, el de Alcanfores, dicen: «el barrio de Diego Ferré».

La casa de Alberto es la tercera de la segunda cuadra de Diego Ferré, en la acera de la izquierda. La conoció de noche, cuando casi todos los muebles de su casa anterior, en San Isidro[91], ya habían sido trasladados a esta. Le pareció más grande que la otra y con dos ventajas evidentes: su dormitorio estaría más alejado del de sus padres y, como esta casa tenía un jardín interior, probablemente lo dejarían criar un perro. Pero el nuevo domicilio traería también inconvenientes. De San Isidro, el padre de un compañero los llevaba a ambos hasta el colegio La Salle, todas las mañanas. En el futuro tendría que tomar el Expreso[92], descender en el paradero[93] de la avenida Wilson y, desde allí, andar lo menos diez cuadras hasta la avenida Arica, pues La Salle, aunque es un colegio para niños decentes[94], está en el corazón de Breña, donde pululan los zambos[95] y los obreros. Tendría que levantarse más temprano, salir acabando el

---

[89] *Jirón.* (Per.) Avenida o calle ancha.

[90] *Miraflores.* Véase nota 64.

[91] *San Isidro.* Es otro de los cuarenta y tres distritos de la provincia de Lima. Caracterizado, como el de Miraflores, con el que limita geográficamente, por ser uno de los favoritos de la burguesía limeña de la época.

[92] *El Expreso.* Autobús o colectivo que conectaba, directamente, el centro de Lima con Miraflores.

[93] *Paradero.* (Am.) Lugar donde se detiene un transporte público en su ruta, para que descienda o suba alguien.

[94] *Decentes.* Aquí, se refiere a blancos y de buena familia.

[95] *Zambo.* (Am.) Afrodescendiente.

almuerzo. Frente a su casa de San Isidro había una librería y el dueño le permitía leer los *Penecas*[96] y *Billiken*[97] detrás del mostrador y, a veces, se los prestaba por un día, advirtiéndole que no los ajara[98] ni ensuciara. El cambio de domicilio lo privaría, además, de una distracción excitante: subir a la azotea y contemplar la casa de los Nájar, adonde en las mañanas se jugaba al tenis y, cuando había sol, se almorzaba en los jardines bajo sombrillas de colores, y en las noches se bailaba y él podía espiar a las parejas que, disimuladamente, iban a la cancha[99] de tenis a besarse.

El día de la mudanza se levantó temprano y fue al colegio de buen humor. A mediodía regresó directamente a la nueva casa. Bajó del Expreso en el paradero del parque Salazar —todavía no conocía el nombre de esa explanada de césped, colgada sobre el mar—, subió por Diego Ferré, una calle vacía, y entró a la casa: su madre amenazaba a la sirvienta con echarla si aquí también se dedicaba a hacer vida social con las cocineras y choferes del vecindario. Acabado el almuerzo, el padre dijo: «tengo que salir. Un asunto importante». La madre clamó: «vas a engañarme, cómo puedes mirarme a los ojos» y luego, escoltada por el mayordomo y la sirvienta, comenzó un minucioso registro para comprobar si algo se había extraviado o dañado en la mudanza. Alberto subió a su cuarto, se echó en la cama, distraídamente fue haciendo garabatos en los forros de sus libros. Poco después oyó voces de muchachos que llegaban hasta él por la ventana. Las voces se interrumpían, sobrevenía el impacto, el zumbido y el estruendo de la pelota al

---

[96] *El Peneca.* El conocido «Semanario ilustrado para niños» fue una publicación chilena de la Editorial Zig-Zag, que aparecía los sábados en Chile y tuvo difusión en otros países vecinos de América Latina, como Perú, entre 1908 y 1960.

[97] *Billiken.* Revista infantil argentina, fundada en 1919, activa hasta la actualidad, distribuida en toda América Latina.

[98] *Ajar.* Estropear.

[99] Véase nota 57. Pista.

rebotar contra una puerta, y al instante renacían las voces. Saltó de la cama y se asomó al balcón. Uno de los muchachos llevaba una camisa incendiaria, a rayas rojas y amarillas y el otro, una camisa de seda blanca, desabotonada. Aquel era más alto, rubio y tenía la voz, la mirada y los gestos insolentes; el otro, bajo y grueso, de cabello moreno ensortijado, era muy ágil. El rubio hacía de arquero[100] en un garaje; el moreno le disparaba con una pelota de fútbol flamante. «Tapa[101] esta, Pluto»[102], decía el moreno. Pluto, agazapado con una mueca dramática, gesticulaba, se limpiaba la frente y la nariz con las dos manos, simulaba arrojarse y si atajaba un penal[103] reía con estrépito. «Eres una madre[104], Tico, decía. Para tapar tus penales me basta la nariz». El moreno bajaba la pelota con el pie, diestramente, la emplazaba, medía la distancia, pateaba y los tiros eran goles casi siempre. «Manos de trapo[105], se burlaba Tico, mariposa[106]. Esta va con aviso; al ángulo derecho y bombeada». Al principio, Alberto los miraba con frialdad y ellos aparentaban no verlo. Poco a poco, aquel fue demostrando un interés estrictamente deportivo; cuando Tico metía un gol o Pluto atajaba[107] la pelota, asentía sin sonreír, como un entendido. Luego, comenzó a prestar aten-

---

[100] *Arquero.* Portero.

[101] *Tapar.* Parar, detener.

[102] El personaje de Pluto aparece en otras obras de Mario Vargas Llosa, como es el caso de *Los cuadernos de don Rigoberto* (1997), donde se descubre que su verdadero nombre es Modesto y «Pluto» es un apodo, inspirado en el famoso perro de Disney.

[103] *Penal.* (Am.) Apócope de «penalti», del inglés *penalty*. Lanzamiento para contrarrestar una falta cometida por el equipo contrario.

[104] *Ser una madre.* (Am.) Ser malo en algo. Expresión misógina. Aquí, empleado de forma irónica, como provocación, puesto que se indica lo contrario.

[105] *De trapo.* Torpes.

[106] *Mariposa.* Eufemismo de «marica», término popular homófobo.

[107] *Atajar.* Cortar, frenar.

ción a las bromas de los dos muchachos; adecuaba su expresión a la de ellos y los jugadores daban señales de reconocer su presencia por momentos: volvían la cabeza hacia él, como poniéndolo de árbitro. Pronto se estableció una estrecha complicidad de miradas, sonrisas y movimientos de cabeza. De pronto, Pluto rechazó un disparo de Tico con el pie y la pelota salió despedida a lo lejos. Tico corrió tras ella. Pluto alzó la vista hacia Alberto.

—Hola —dijo.

—Hola —dijo Alberto.

Pluto tenía las manos en los bolsillos. Daba saltitos en el sitio, igual a los jugadores profesionales antes del partido, para entrar en calor.

—¿Vas a vivir aquí? —dijo Pluto.

—Sí. Nos mudamos hoy.

Pluto asintió. Tico se había acercado. Llevaba la pelota sobre el hombro y la sostenía con una mano. Miró a Alberto. Se sonrieron. Pluto miró a Tico:

—Se ha mudado —dijo—. Va a vivir aquí.

—Ah —dijo Tico.

—¿Ustedes viven acá? —preguntó Alberto.

—Él en Diego Ferré —dijo Pluto—. En la primera cuadra. Yo a la vuelta, en Ocharán.

—Uno más para el barrio —dijo Tico.

—A mí me dicen Pluto. Y a este Tico. Es una madre pateando.

—¿Tu padre es buena gente? —preguntó Tico.

—Más o menos —dijo Alberto—. ¿Por qué?

—Nos han corrido[108] de toda la calle —dijo Pluto—. Nos quitan la pelota. No nos dejan jugar.

Tico comenzó a hacer botar la pelota, como en el básquet.

---

[108] *Correr.* Aquí, con el sentido de «echar».

—Baja —dijo Pluto—. Tiraremos penales. Cuando vengan los otros jugaremos un partido de fulbito.

—Okey —dijo Alberto—. Pero conste que no soy muy bueno en fulbito.

Cava nos dijo: detrás del galpón de los soldados hay gallinas. Mientes, serrano, no es verdad. Juro que las he visto. Así que fuimos después de la comida, dando un rodeo para no pasar por las cuadras y rampando[109] como en campaña. ¿Ves? ¿Ven?, decía el muy maldito, un corral blanco con gallinas de colores, qué más quieren, ¿quieren más? ¿Nos tiramos la negra o la amarilla? La amarilla está más gorda. ¿Qué esperas, huevas?[110]. Yo la cojo y me como las alas. Tápale el pico, Boa, como si fuera tan fácil. No podía; no te escapes, patita[111], venga, venga. Le tiene miedo, lo está mirando feo, le muestra el rabo, miren, decía el muy maldito. Pero era verdad que me picoteaba los dedos. Vamos al estadio y tápenle el pico de una vez a esa. ¿Y qué pasa si el Rulos se tira al muchacho? Lo mejor, dijo el Jaguar, es amarrarle las patas y el pico. ¿Y las alas, qué me dicen si capa a alguien a punta de aletazos, qué me dicen? No quiere nada contigo, Boa. ¿Estás seguro, serrano, tú también? No, pero lo vi con mis propios ojos. ¿Con qué la amarro? Qué brutos, qué brutos, una gallina al menos es chiquita, parece un juego, pero ¡una llama! ¿Y qué pasa si el Rulos se tira al muchacho? Estábamos fumando en los excusados de las aulas, bajen las candelas[112], murciélagos. El Jaguar

---

[109] *Rampando.* Reptando.
[110] *Huevas.* (Am.) Estúpido. «¿Qué esperas, huevas?», frase hecha, con rima interna, para meter prisa a alguien que se entretiene tontamente.
[111] *Pata.* (Per.) Compañero.
[112] *Candela.* Lumbre del cigarrillo. Están fumando a oscuras, como si fueran murciélagos.

puja[113] de alma[114], parece que lo estuvieran manducando[115]. ¿Ya, Jaguar, salió, salió? Silencio, que me cortan, tengo que concentrarme. ¿Ya, ya, la puntita? ¿Y qué tal si nos tiramos al gordito?, dijo el Rulos. ¿Quién? El de la novena, el gordito. ¿Tú no lo has pellizcado nunca? Uf. No está mala la idea, pero ¿se deja o no se deja? A mí me han dicho que Lañas se lo tira cuando está de guardia. Uf, al fin. ¿Salió, salió?, el muy maldito. ¿Y quién primero?, porque a mí se me fueron las ganas con tanto ruido que hace. Aquí hay un hilo para el pico. Serrano, no la sueltes que a lo mejor se vuela. ¿Hay un voluntario? Cava la tenía por los sobacos, el Rulos le rogaba no muevas el pico que de todas maneras te lo embocan[116] y yo le amarraba las patas. Entonces, mejor sorteamos, quién tiene fósforos. Córtale la cabeza a uno y enséñame los otros, estoy muy viejo para que me hagan trampas. Le va a tocar al Rulos. Oye, ¿a ti te consta que se deja? A mí no me consta. Esa risita como una picadura. Yo acepto, Rulos, pero solo por juego. ¿Y si no se deja? Quietos, que huele a suboficial, menos mal que pasó lejos, yo soy muy macho. ¿Y si nos comemos[117] al suboficial? El Boa se come a una perra, dijo el muy maldito, por qué no al gordito que es humano. Está consignado, ahora lo vi en el comedor, matoneaba[118] a los ocho perros de su mesa. A lo mejor no se deja. ¿Quién dijo miedo, alguien dijo miedo? Me como una sección de gordos, uno por uno, y fresco como una lechuga. Vamos a hacer un plan, dijo el Jaguar,

---

[113] *Pujar.* Empujar.

[114] *De alma.* Como desde el fondo del alma, muy intensamente.

[115] *Manducar.* Comer; metafóricamente, tener relaciones sexuales, indicando dominación.

[116] *Embocar.* Meter por la boca.

[117] *Comerse a alguien.* Nuevamente, tener relaciones sexuales con alguien, subrayando un dominio sobre otro que, supuestamente, «es comido», de forma metafórica.

[118] *Matonear.* Hacer el matón, amenazar.

cosa que resulte más fácil. ¿A quién le tocó el palito? La gallina estaba en el suelo, quietecita y boqueando[119]. Al serrano Cava, ¿no perciben que ya está mandándose la mano?[120]. Es por gusto, está muerta, mejor sería el Boa que hace carpas[121] marchando. Ya sorteamos, no hay nada que hacer, te la tiras o te tiramos como a las llamas[122] en tu pueblo. ¿No tienen una novelita? ¿Y si traemos al Poeta a que le cuente una de esas historias que engordan la pichula?[123]. Puro cuento, compañeros, yo hago carpas concentrándome, es cuestión de voluntad. Oye, ¿y si me infecto? Qué te pasa, vida mía, qué tienes, serranito, de cuándo acá te echas atrás, ¿sabías que el Boa está más sano que tu madre desde que se tira a la Malpapeada?[124]. Cuéntame esos delirios, piojosito[125], ¿no te han dicho que las gallinas son más limpias que las perras, más higiénicas? De acuerdo, nos lo comemos aunque muramos con las manos en la masa. ¿Y la ronda? Está Huarina de servicio que es un pelma y los sábados la ronda es cosa boba. ¿Y si acusa? Reunión del Círculo: cadete manducado y soplón, pero ¿tú dirías que te han mandu-

---

[119] *Boquear.* Abrir y cerrar la boca —aquí, el pico— ahogándose, respirar con dificultad el último aliento.

[120] *Mandarse la mano.* Tocarse, masturbarse.

[121] *Hacer carpa.* (Am.) Abultar una tela con una erección, como si fuera una carpa o tienda de campaña.

[122] *Llama.* Mamífero camélido típico de la zona andina, de mayor tamaño que la vicuña.

[123] *Pichula.* (Am.) Diminutivo de «picha». Forma infantil y popular de referirse al órgano sexual masculino, el pene. El personaje protagonista de *Los cachorros* (1967) llevará el irónico y revelador sobrenombre de Pichula Cuéllar.

[124] *Malpapeada.* Nombre de la perra, que proviene del verbo «papear» («comer») y obedece a la disemia ya señalada de ese campo semántico, alimenticia y sexual: mal comida y mal montada, porque su amo, el Boa, abusa de ella en ambos sentidos.

[125] *Piojosito.* Diminutivo de «piojoso», que tiene piojos, empleado como insulto.

cado? Salgamos que van a tocar silencio[126]. Y bajen las candelas, maldita sea. Ya, dijo el muy maldito, se ha parado sola; pásenmela. Tenla tú. ¿Yo mismo? Tú mismo. ¿Estás seguro que las gallinas tienen huecos? Salvo que esta pánfila[127] sea virgen. Se está moviendo, miren, a lo mejor es un gallo rosquete. No se rían ni hablen, por favor. Por favor. Esa risita tan fregada. ¿No ven, han visto esa mano de serrano? La está manoseando, bandolero. Estoy buscando el no me muevan que ya encontré. ¿Cómo dijo, compañero? Tiene hueco, quietos por favor, y por todos los santos no se rían que se adormece el elefante[128]. Qué bruto. Los serranos, decía mi hermano, mala gente, lo peor que hay. Traidores y cobardes, torcidos hasta el alma[129]. ¡Tápale el pico, jijunagrandísima![130]. Teniente Gamboa, aquí hay alguien que se está comiendo una gallina. Son las diez o casi, dijo el Rulos, más de las diez y cuarto. ¿Han visto si hay imaginarias? También me como un imaginaria. Tú te comes todo, así estoy viendo, tienes mucho apetito, jura que no te comes a tu santa madre. No había más consignados en la cuadra, pero sí en la segunda y salimos sin zapatos. Me estoy helando de frío y a lo mejor me constipo. Yo confieso que si oigo un silbato, corro. Trepemos la escalera agachados, que se ve desde la Prevención. ¿De veras? Entramos a la cuadra despacito y el Jaguar ¿qué cabrón dijo que solo había dos consignados? Ahí están roncando como diez enanos. ¿Entonces se corren? ¿Quién? Tú que sabes cuál es su cama, pasa adelante, cosa que no nos comamos a otro. Es

---

[126] *Tocar silencio.* Toque nocturno de corneta para silenciar a las tropas.

[127] *Pánfila.* Del latín, *pamphilus,* procedente del griego, Παμφιλος, bondadoso. Tonta.

[128] *El elefante.* El pene, por la analogía anatómica con la trompa del animal.

[129] *Hasta el alma.* Hasta el fondo.

[130] *Jijunagrandísima.* De «jijuna gran puta», que significa «hijo de la gran puta». Por tanto, «hijo de la grandísima puta».

la tercera, no ven cómo huele a gordito apetitoso. Se le están saliendo las plumas y me parece que se está muriendo. ¿Ya o no? Cuenta. ¿Siempre te vas tan rápido o solo con las gallinas? Miren esa polilla[131], creo que el serrano la mató. ¿Yo? La falta de respiración, todos los huecos tapados. Si está que se mueve, juro que se está haciendo la muerta. ¿Ustedes creen que los animales sienten? ¿Sienten qué, huevas, acaso tienen alma? Quiero decir gusto, como las mujeres. La Malpapeada, sí, igualito que las mujeres. Tú, Boa, me das asco. Las cosas que se ven. Oye, la polilla se está parando. Le ha gustado y quiere más, qué tal. Camina borrachita, camina borrachita. ¿Y ahora nos la comemos de a deveras?[132]. Alguien va a quedar encinta, no se olviden que el serrano le dejó adentró tamaña piedra. Yo ni sé cómo se mata a las gallinas. Calla, con el fuego se mueren los microbios. La agarras del pescuezo y la tuerces en el aire. Tenla quieta, Boa, voy a hacer un saque, aguántate esa. Sí señor, la elevaste, bien puesta esa pata. Ahora sí se ha muerto, está toda deshecha, caramba. Caramba, está toda deshecha y quién se la va a comer así oliendo a polvo y a pezuña[133]. Júrame que el fuego mata los microbios. Vamos a hacer una fogata, pero allá arribita, detrás de la tapia que está más escondido. Silencio, que te parto en cuatro. Trepa de una vez que ya está bien cogido, huevas. Cómo patea el enano, cómo pateaba, cómo, qué esperas para treparte, no ves que duerme más calato que una foca. Oye Boa, no le tapes así la jeta[134] que a lo mejor se ahoga. Ahorita me echa abajo y solo me estoy frotando[135], decía el Rulos, no te muevas que te mato y te hago polvo y qué más quieres que te esté bom-

---

[131] *Polilla.* (Per.) Prostituta.

[132] *De a deveras.* (Am.) De verdad.

[133] *A polvo y a pezuña.* A sexo y a pies de los cadetes, estos últimos animalizados.

[134] *Jeta.* Cara de un animal.

[135] Aquí, «frotarse» tiene el sentido de masturbarse.

bardeando[136], respingado[137]. Zafemos[138] que se están levantando los enanos, no te digo, caracho[139], se están levantando todos los enanos, y aquí va a correr sangre a torrentes. El que prendió la luz fue un vivo[140]. El que gritó se están comiendo a un compañero, a la pelea muchachos, también fue un vivo. A mí me manducaron con eso de la luz y ¿sería por eso que le solté la boca?, sálvenme, hermanos. Yo solo he oído un grito parecido cuando mi madre le largó la silla a mi hermano. ¿Y ustedes, enanos, alguien los ha invitado, qué hacen levantados, por favor, alguien dijo que enciendan la luz? ¿Y ese era el brigadier? No vamos a dejar que hagan eso con el muchacho, maricones. Me he vuelto loco, estoy soñando, desde cuándo se habla así con sus cadetes, cuádrense. Y tú de qué gritas, no ves que es una broma. Esperen que voy a aplastar unos cuantos enanos. Y el Jaguar todavía se reía, me acuerdo de su risa cuando yo estaba machucando a los enanos. Ahora nos vamos, pero eso sí, óiganlo bien y no se olviden: si uno solo abre el pico, nos tiramos a toda la cuadra de verdad. No hay que meterse con los enanos, todos son unos acomplejados y no entienden las bromas. Para bajar las escaleras ¿nos agachamos de nuevo? Puaf, decía el Rulos, chupando un hueso, la carne ha quedado toda chamuscada y con pelos.

---

[136] *Bombardear.* Metafóricamente, sodomizar.
[137] *Respingado.* Con la nariz hacia arriba, como mirando por encima del hombro porque se cree mejor que los demás; creído.
[138] *Zafar.* (Am.) Huir.
[139] *Caracho.* (Am.) Eufemismo de «carajo».
[140] *Vivo.* Listo.

II

Cuando el viento de la madrugada irrumpe sobre La Perla, empujando la neblina hacia el mar y disolviéndola, y el recinto del Colegio Militar Leoncio Prado se aclara como una habitación colmada de humo cuyas ventanas acaban de abrirse, un soldado anónimo aparece bostezando en el umbral del galpón y avanza restregándose los ojos hacia las cuadras de los cadetes. La corneta[141] que lleva en la mano se balancea con el movimiento de su cuerpo y, en la difusa claridad, brilla. Al llegar al tercer año, se detiene en el centro del patio, a igual distancia de los cuatro ángulos del edificio que lo cerca. Enfundado en su uniforme verduzco, desdibujado por los últimos residuos de la neblina, el soldado parece un fantasma. Lentamente, pierde su inmovilidad, se anima, se frota las manos, escupe. Luego sopla. Escucha el eco de su propia corneta y, segundos después, las injurias de los perros que desfogan contra él la cólera que les causa el final de la noche. Escoltado por carajos[142] lejanos, el corneta se dirige a las cuadras de cuarto año. Algunos imaginarias del último turno han salido a las puer-

---

[141] *Corneta.* Término que designa tanto al instrumento que se utiliza a diario en el ejército para comunicarse con los soldados, en femenino, como también a quien lo toca, en masculino, como era habitual.

[142] *Carajos.* Gritos, insultos.

tas, anunciados de su llegada por la diana[143] de los perros: se burlan de él, lo insultan y a veces le tiran piedras. El soldado camina hacia quinto. Ya está completamente despierto y su paso es más vivo. Allí no hay reacción; los veteranos saben que desde el toque de diana hasta el silbato llamando a filas tienen quince minutos, la mitad de los cuales pueden aprovechar todavía en el lecho. El soldado regresa al galpón, frotándose las manos y escupiendo. No lo asustan la indignación de los perros, el malhumor de los cadetes de cuarto: apenas los percibe. Salvo los sábados. Ese día, como hay ejercicios de campaña, la diana se toca una hora antes y los soldados temen estar de servicio. A las cinco todavía es noche cerrada y los cadetes, borrachos de sueño y de ira, bombardean al corneta desde las ventanas con toda clase de proyectiles. Por eso, los sábados, los cornetas violan el reglamento: tocan la diana lejos de los patios, desde la pista de desfile, y muy rápido.

El sábado, los de quinto pueden continuar en las literas solo dos o tres minutos, pues, en lugar de quince, tienen apenas ocho minutos para lavarse, vestirse, tender las camas[144] y formar. Pero este sábado es excepcional. La campaña ha sido suprimida para el quinto año debido al examen de química; cuando los veteranos escuchan la diana, a las seis, los perros y los de cuarto están desfilando ya por la puerta del colegio hacia el despoblado que une La Perla al Callao.

Unos instantes después del toque de diana, Alberto, sin abrir los ojos todavía, piensa: «hoy es la salida». Alguien dice: «son las seis menos cuarto. Hay que apedrear a ese maldito». La cuadra queda de nuevo en silencio. Abre los ojos: por las ventanas entra a la habitación una luz indecisa,

---

[143] *Diana.* Aviso general en el cuartel para despertarse, toque militar de corneta al romper el día para que la tropa se levante.
[144] *Tender las camas.* Hacer las camas.

gris. «Los sábados debía salir sol». Se abre la puerta del baño. Alberto ve la cara pálida del Esclavo: las literas lo degüellan a medida que avanza. Está peinado y afeitado. «Se levanta antes de la diana para llegar primero a la fila», piensa Alberto. Cierra los ojos. Siente que el Esclavo se detiene junto a su cama y le toca el hombro. Entreabre los ojos: la cabeza del Esclavo culmina un cuerpo esquelético, devorado por el piyama azul.

—Está de turno el teniente Gamboa.

—Ya sé —responde Alberto—. Tengo tiempo.

—Bueno —dice el Esclavo—. Creí que estabas durmiendo.

Esboza una sonrisa y se aleja. «Quiere ser mi amigo», piensa Alberto. Vuelve a cerrar los ojos y queda tenso: el pavimento de la calle Diego Ferré brilla por la humedad; las aceras de Porta y Ocharán están cubiertas de hojas desprendidas de los árboles por el viento nocturno; un joven elegante camina por allí, fumando un Chesterfield. «Juro que hoy iré donde las polillas».

—¡Siete minutos! —grita Vallano, a voz en cuello, desde la puerta de la cuadra. Hay una conmoción. Las literas están oxidadas y chirrían; las puertas de los armarios crujen; los tacones de los botines martillan la losa; al rozarse o chocar, los cuerpos despiden un rumor sordo; pero las blasfemias y los juramentos prevalecen sobre cualquier otro ruido, como lenguas de fuego entre el humo. Sucesivos, ametrallados por una garganta colectiva, los insultos no son, sin embargo, precisos: apuntan a blancos abstractos como Dios, el oficial y la madre, y los cadetes parecen recurrir a ellos más por su música que su significado.

Alberto salta de la cama, se pone las medias[145] y los botines, todavía sin cordones. Maldice. Cuando termina de

---

[145] *Medias*. (Am.) Calcetines.

pasarlos, la mayor parte de los cadetes ha tendido su cama y empieza a vestirse. «¡Esclavo!, grita Vallano. Cántame algo. Me gusta oírte mientras me lavo». «Imaginaria, brama Arróspide. Me han robado un cordón. Eres responsable». «Te quedarás consignado, cabrón». «Ha sido el Esclavo, dice alguien. Juro. Yo lo vi». «Hay que denunciarlo al capitán, propone Vallano. No queremos ladrones en la cuadra». «¡Ay!, dice una voz quebrada. La negrita tiene miedo a los ladrones». «Ay, ay» cantan varios. «Ay, ay, ay» aúlla la cuadra entera. «Todos son unos hijos de puta», afirma Vallano. Y sale, dando un portazo. Alberto está vestido. Corre al baño. En el lavatorio[146] contiguo, el Jaguar termina de peinarse.

—Necesito cincuenta puntos de química —dice Alberto, la boca llena de pasta de dientes—. ¿Cuánto?

—Te jalarán, Poeta —el Jaguar se mira en el espejo y trata en vano de apaciguar sus cabellos: las púas, rubias y obstinadas, se enderezan tras el peine—. No tenemos el examen. No fuimos.

—¿No consiguieron el examen?

—Nones[147]. Ni siquiera intentamos.

Suena el silbato. El hirviente zumbido que brota de los baños y de las cuadras aumenta y se desvanece de golpe. La voz del teniente Gamboa surge desde el patio, como un trueno:

—¡Brigadieres, tomen los tres últimos!

El zumbido estalla nuevamente, ahogado. Alberto echa a correr: va guardando en su bolsillo la escobilla de dientes y el peine y se enrolla la toalla como una faja entre el sacón y la camisa. La formación está a la mitad. Cae aplastado contra el de adelante, alguien se aferra a él por detrás. Alberto tiene cogido de la cintura a Vallano y da pequeños

---

[146] *Lavatorio.* Lavamanos.
[147] *Nones.* Para nada, en absoluto.

saltos para evitar los puntapiés con que los recién llegados tratan de desprender los racimos de cadetes a fin de ganar un puesto. «No manosees, cabrón», grita Vallano. Poco a poco, se establece el orden en las cabezas de fila y los brigadieres comienzan a contar los efectivos. En la cola, el desbarajuste y la violencia continúan, los últimos se esfuerzan por conquistar un sitio a codazos y amenazas. El teniente Gamboa observa la formación desde la orilla de la pista de desfile. Es alto, macizo. Lleva la gorra ladeada con insolencia; mueve la cabeza muy despacio, de un lado a otro, y su sonrisa es burlona.

—¡Silencio! —grita.

Los cadetes enmudecen. El teniente tiene los brazos en jarras[148]; baja las manos, que se balancean un momento junto a su cuerpo antes de quedar inmóviles. Camina hacia el batallón[149]; su rostro seco, muy moreno, se ha endurecido. A tres pasos de distancia, lo siguen los suboficiales Varúa, Morte y Pezoa. Gamboa se detiene. Mira su reloj.

—Tres minutos —dice. Pasea la vista de un extremo a otro, como un pastor que contempla su rebaño—. ¡Los perros forman en dos minutos y medio!

Una onda de risas apagadas estremece el batallón. Gamboa levanta la cabeza, curva las cejas: el silencio se restablece en el acto.

—Quiero decir, los cadetes de tercero.

Otra onda de risas, esta vez más audaz. Los rostros de los cadetes se mantienen adustos, las risas nacen en el estómago y mueren a las orillas de los labios, sin alterar la mirada ni las facciones. Gamboa se lleva la mano rápidamente a la cintura: de nuevo el silencio, instantáneo como una cuchillada. Los suboficiales miran a Gamboa, hipnotizados. «Está de buen humor», murmura Vallano.

---

[148] *Brazos en jarras.* Apoyados en el cuerpo como si fueran las asas de una jarra, en actitud desafiante.

[149] *Batallón.* Grupo de cadetes que realiza la instrucción militar.

—Brigadieres —dice Gamboa—. Parte de sección.

Acentúa la última palabra, se demora en ella mientras sus párpados se pliegan ligeramente. Un respiro de alivio anima la cola del batallón. En el acto, Gamboa da un paso al frente; sus ojos perforan las hileras de cadetes inmóviles.

—Y parte de los tres últimos —añade.

Del fondo del batallón brota un murmullo bajísimo. Los brigadieres penetran en las filas de sus secciones, las papeletas[150] y los lápices en las manos. El murmullo vibra como una maraña de insectos que pugna por escapar de la tela encerada. Alberto localiza con el rabillo del ojo a las víctimas de la primera: Urioste, Núñez, Revilla. La voz de este, un susurro, llega a sus oídos: «mono[151], tú estás consignado un mes, ¿qué te hacen seis puntos? Dame tu sitio». «Diez soles», dice el Mono. «No tengo plata; si quieres, te los debo». «No, mejor jódete».

—¿Quién habla ahí? —grita el teniente. El murmullo sigue flotando, disminuido, moribundo.

—¡Silencio! —brama Gamboa—. ¡Silencio, carajo!

Es obedecido. Los brigadieres emergen de las filas, se cuadran a dos metros de los suboficiales, chocan los tacones[152], saludan. Después de entregar las papeletas, murmuran: «permiso para regresar a la formación, mi suboficial». Este hace una venia[153] o responde: «siga». Los cadetes vuelven a sus secciones al paso ligero[154]. Luego, los suboficiales entregan las papeletas a Gamboa. Este hace sonar los tacones espectacularmente y tiene una manera de saludar propia: no lleva la mano a la sien, sino a la frente, de modo que

---

[150] *Papeleta.* Papel donde se indica el castigo.
[151] *Mono.* (Per.) De origen ecuatoriano.
[152] *Chocar los tacones.* Forma de saludo militar, golpeando un tacón con el otro.
[153] *Venia.* Gesto de autorización.
[154] *Paso ligero.* Marcha rápida de los militares en la instrucción.

la palma casi cubre su ojo derecho. Los cadetes contemplan la entrega de partes, rígidos. En las manos de Gamboa, las papeletas se mecen como un abanico. ¿Por qué no da la orden de marcha? Sus ojos espían el batallón, divertidos. De pronto, sonríe.

—¿Seis puntos o un ángulo recto?[155] —dice.

Estalla una salva de aplausos. Algunos gritan: «viva Gamboa».

—¿Estoy loco o alguien habla en la formación? —pregunta el teniente. Los cadetes se callan. Gamboa se pasea frente a los brigadieres, las manos en la cintura.

—Aquí los tres últimos —grita—. Rápido. Por secciones.

Urioste, Núñez y Revilla abandonan su sitio a la carrera. Vallano les dice, al pasar: «tienen suerte que esté Gamboa de servicio, palomitas»[156]. Los tres cadetes se cuadran ante el teniente.

—Como ustedes prefieran —dice Gamboa—. Ángulo recto o seis puntos. Son libres de elegir.

Los tres responden: «ángulo recto». El teniente asiente y se encoge de hombros. «Los conozco como si los hubiera parido», susurran sus labios, y Núñez, Urioste y Revilla sonríen con gratitud. Gamboa ordena:

—Posición de ángulo recto.

Los tres cuerpos se pliegan como bisagras, quedan con la mitad superior paralela al suelo. Gamboa los observa; con el codo baja un poco la cabeza a Revilla.

—Cúbranse los huevos —indica—. Con las dos manos.

---

[155] Elección entre puntos que se traducen en reclusión o castigo corporal. El «ángulo recto» hace referencia a la posición del joven, con la parte superior del cuerpo doblada en paralelo con el suelo, formando un ángulo recto con los miembros inferiores, para recibir una patada o puntapié del superior jerárquico.

[156] *Palomita*. (Per.) O «palomilla». Pillo, golfo.

Luego, hace una seña al suboficial Pezoa, un mestizo pequeño y musculoso, de grandes fauces carnívoras. Juega muy bien al fútbol y su patada es violentísima. Pezoa toma distancia. Se ladea ligeramente: una centella se desprende del suelo y golpea. Revilla emite un quejido. Gamboa indica al cadete que retorne a su puesto.

—¡Bah! —dice luego—. Está usted débil, Pezoa. Ni lo movió.

El suboficial palidece. Sus ojos oblicuos están clavados en Núñez. Esta vez patea tomando impulso y con la punta. El cadete chilla al salir proyectado; trastabillea[157] unos dos metros y se desploma. Pezoa busca ansiosamente el rostro de Gamboa. Este sonríe. Los cadetes sonríen. Núñez, que se ha incorporado y se frota el trasero con las dos manos, también sonríe. Pezoa vuelve a tomar impulso. Urioste es el cadete más fuerte de la primera y, tal vez, del colegio. Ha abierto un poco las piernas para guardar mejor el equilibrio. El puntapié apenas lo remece[158].

—Segunda sección —ordena Gamboa—. Los tres últimos.

Luego pasan los de las otras secciones. A los de la octava, la novena y la décima, que son pequeños, los puntapiés de los suboficiales los mandan rodando hasta la pista de desfile. Gamboa no olvida preguntar a ninguno si prefieren el ángulo recto o los seis puntos. A todos les dice: «son libres de elegir».

Alberto ha prestado atención a los primeros ángulos rectos. Luego, trata de recordar las últimas clases de química. En su memoria nadan algunas fórmulas vagas, algunos nombres desorganizados. «¿Habrá estudiado Vallano?». El Jaguar está a su lado, ha desplazado a alguien. «Jaguar, murmura Alberto. Dame al menos veinte puntos. ¿Cuánto?».

---

[157] *Trastabillear.* Caminar perdiendo el equilibrio, tambaleándose.
[158] *Remecer.* Mover suavemente; aquí, irónicamente.

286

«¿Eres imbécil?, responde el Jaguar. Te dije que no tenemos el examen. No vuelvas a hablar de eso. Por tu bien».

—Desfilen por secciones —ordena Gamboa.

La formación se disuelve a medida que va ingresando al comedor; los cadetes se quitan las cristinas y avanzan hacia sus puestos hablando a gritos. Las mesas son para diez personas; los de quinto ocupan las cabeceras. Cuando los tres años han entrado, el capitán de servicio toca el primer silbato; los cadetes permanecen ante las sillas en posición de firmes. Al segundo silbato se sientan. Durante las comidas, los amplificadores derraman por el enorme recinto marchas militares o música peruana, valses y marineras de la costa y huaynos[159] serranos. En el desayuno solo resuena la voz de los cadetes, un interminable caos. «Digo que las cosas cambian, porque si no, mi cadete, ¿se va a comer ese bistec enterito? Déjenos siquiera una ñizca[160], un nervio, mi cadete. Digo que sufrían con nosotros. Oiga Fernández, por qué me sirve tan poco arroz, tan poca carne, tan poca gelatina, oiga no escupa en la comida, oiga ha visto usted la jeta de maldito que tengo, perro no se juegue conmigo. Digo que si mis perros babearan en la sopa, Arróspide y yo les hacíamos la marcha del pato[161], calatos[162], hasta botar los bofes[163]. Perros respetuosos, digo, mi cadete quiere usted más bistec, quién tiende hoy mi cama, yo mi cadete, quién me

---

[159] *Huayno.* (Indig.) Del quechua, *waynu,* canto y género musical de la zona andina, de componente indígena. Mientras los valses criollos y las marineras son ritmos típicos de la costa, que muestran un importante mestizaje, europeo e hispano con los ritmos afroamericanos.

[160] *Ñizca.* (Per.) Pizca.

[161] *Marcha del pato.* Andar en cuclillas.

[162] *Calato.* (Indig.) Del quechua, *q'ala,* desnudo, en cueros.

[163] *Botar los bofes.* Del portugués. Literalmente, echar las tripas, vomitar o reventar.

convida hoy el cigarrillo, yo mi cadete, quién me invita una Inca cola[164] en La Perlita, yo mi cadete, quién se come mis babas, digo, quién».

El quinto año entra y se sienta. Las tres cuartas partes de las mesas están vacías y el comedor parece más grande. La primera sección ocupa tres mesas. Por las ventanas se divisa el descampado brillante. La vicuña está inmóvil sobre la hierba, las orejas paradas[165], los grandes ojos húmedos perdidos en el vacío. «Tú te crees que no, pero te he visto dar codazos como un varón para sentarte a mi lado; te crees que no pero cuando Vallano dijo quién sirve y todos gritaron el Esclavo y yo dije por qué no sus madres, a ver por qué, y ellos cantaron ay, ay, ay, vi que bajaste una mano y casi me tocas la rodilla». Ocho gargantas aflautadas siguen entonando ayes[166] femeninos; algunos excitados unen el pulgar y el índice y avanzan las roscas[167] hacia Alberto. «¿Yo, un rosquete?, dice este. ¿Y qué tal si me bajo los pantalones?». «Ay, ay, ay». El Esclavo se pone de pie y llena las tazas. El coro lo amenaza: «Te capamos si sirves poca leche». Alberto se vuelve hacia Vallano:

—¿Sabes química, negro?

—No.

—¿Me soplas? ¿Cuánto?

Los ojos movedizos y saltones de Vallano echan en torno una mirada desconfiada. Baja la voz:

—Cinco cartas.

—¿Y tu mamá? —pregunta Alberto—. ¿Cómo está?

—Bien —dice Vallano—. Si te conviene, avisa.

---

[164] *Inca cola.* Refresco popular peruano, amarillo y muy dulce, que juega con el nombre del referente estadounidense.

[165] *Paradas.* Levantadas, atentas.

[166] *Ayes.* Plural normativo de la interjección «ay», término sustantivado aquí.

[167] Hacer una rosca con la mano, para acusarlo de «rosquete».

El Esclavo acaba de sentarse. Una de sus manos se alarga para coger un pan. Arróspide le da un manotazo: el pan rebota en la mesa y cae al suelo. Riendo a carcajadas, Arróspide se inclina a recogerlo. La risa cesa. Cuando su cara asoma nuevamente, está serio. Se levanta, estira un brazo, su mano se cierra sobre el cuello de Vallano. «Digo hay que ser bruto porfiado para ver y no ver los colores con tanta luz. O tener mala estrella, una suerte de perro. Digo para robar hay que ser vivo, aunque sea un cordón, aunque sea una pezuña, qué sería si Arróspide lo cosiera[168] a cabezazos, el negro y el blanco, qué sería». «Ni me fijé que era negro», dice Vallano, sacándose el cordón del botín. Arróspide lo recibe, ya calmado. «Si no me lo dabas, te molía[169], negro», dice. El coro estalla, quebrado y melifluo, cadencioso: ay, ay, ay. «Bah, dice Vallano. Juro que te vaciaré el ropero antes que termine el año. Ahora necesito un cordón. Véndeme uno Cava, tú que eres mercachifle[170]. Oye, no ves que estoy hablando contigo, qué te pasa, piojoso». Cava levanta bruscamente los ojos de la taza vacía y mira a Vallano con terror. «¿Qué?, dice. ¿Qué?». Alberto se inclina hacia el Esclavo:

—¿Estás seguro que viste a Cava anoche?

—Sí —dice el Esclavo—. Seguro que era él.

—Mejor no digas a nadie que lo viste. Ha pasado algo. El Jaguar dice que no se tiraron el examen. Y mírale la cara al serrano.

Al oír el silbato, todos se ponen de pie y salen corriendo hacia el descampado, donde los espera Gamboa, los brazos cruzados sobre el pecho y el pito en la boca. La vicuña echa a correr despavorida ante esa invasión. «Le diré, no ves que me han jalado en química por ti, no ves que ando enfermo

***

[168] *Coser a cabezazos.* Figuradamente, darle un cabezazo tras otro, como si fueran puntadas de una costura.

[169] *Moler.* De «moler a palos», dar una paliza o golpiza.

[170] *Mercachifle.* Negociante de poca categoría.

por ti, Pies Dorados, no ves. Toma los veinte soles que me prestó el Esclavo y si quieres te escribiré cartas, pero no seas mala, no me asustes, no hagas que me jalen en química, no ves que el Jaguar no quiere venderme ni un punto, no ves que estoy más pobre que la Malpapeada». Los brigadieres vuelven a contar los efectivos[171] y a dar parte a los suboficiales y estos al teniente Gamboa. Ha comenzado a caer una garúa[172] muy fina. Alberto toca con su pie la pierna de Vallano. Este lo mira de reojo.

—Tres cartas, negro.

—Cuatro.

—Bueno, cuatro.

Vallano asiente, pasándose la lengua por los labios en busca de las últimas migas de pan.

El aula de la primera sección está en el segundo piso del edificio nuevo, aunque descolorido y manchado por la humedad, que se yergue junto al salón de actos, un gran cobertizo de banquetas rústicas donde se pasa películas a los cadetes una vez por semana. La garúa ha convertido la pista de desfile en un espejo sin fondo. Los botines se posan en la superficie resplandeciente, caen y rebotan al compás del silbato. La marcha se transforma en trote cuando la formación llega a la escalera; los botines resbalan, los suboficiales maldicen. Desde las aulas se ve, a un lado, el patio de cemento, donde cualquier otro día seguirían desfilando hacia sus pabellones los cadetes de cuarto y los perros de tercero, bajo los escupitajos y proyectiles de los de quinto. El negro Vallano arrojó una vez un pedazo de madera. Se oyó un grito y, luego, un perro cruzó el patio como una exhalación, tapándose la oreja con las manos: entre sus de-

---

[171] *Efectivos.* Aquí, los cadetes.

[172] *Garúa.* (Am.) Del portugués, *caruja,* llovizna. Muy característica del particular clima limeño.

dos corría un hilo de sangre que el sacón absorbía en una mancha oscura. La sección estuvo consignada dos semanas, pero el culpable no fue descubierto. El primer día de salida, Vallano trajo dos paquetes de cigarrillos para los treinta cadetes. «Es mucho, caramba, protestaba el negro. Basta con un paquete por cráneo»[173]. El Jaguar y los suyos le advirtieron: «dos o se reunirá el Círculo».

—Solo veinte puntos —dice Vallano—. Ni uno más. Yo no me juego la cabeza por unas cuantas cartas.

—No —responde Alberto—. Al menos treinta. Y yo te indico las preguntas con el dedo. Además, no me dictas. Me muestras tu examen.

—Te dicto.

Las carpetas son de a dos. Delante de Alberto y Vallano, que están en la última fila, se sientan Boa y Cava, ambos de grandes espaldas, buenos biombos[174] para escapar a la vigilancia.

—¿Cómo la vez pasada? Me dictaste mal a propósito.

Vallano ríe.

—Cuatro cartas —dice—. De dos páginas.

El suboficial Pezoa aparece en la puerta con un alto de exámenes. Los mira con sus ojos pequeñitos y malévolos; de cuando en cuando, moja la pluma de sus bigotes ralos[175] con la lengua.

—Al que saque el libro o mire al compañero se le anula la prueba —dice—. Y, además, seis puntos. Brigadier, reparta los exámenes.

—Rata.

El suboficial da un respingo, enrojece; sus ojos parecen dos cicatrices. Su mano de niño estruja la camisa.

—Anulado el pacto —dice Alberto—. No sabía que venía la Rata. Prefiero copiar del libro.

---

[173] *Por cráneo.* Por cabeza.
[174] Por analogía, metafóricamente, sus espaldas actúan como «biombos», elemento de decoración de origen japonés, que oculta lo que está detrás.
[175] *Ralo.* Pobre, poco poblado, con poco pelo.

Arróspide distribuye las pruebas. El suboficial mira su reloj.

—Las ocho —dice—. Tienen cuarenta minutos.

—Rata.

—¡Aquí no hay un solo hombre! —ruge Pezoa—. Quiero verle la cara a ese valiente que anda diciendo rata.

Las carpetas[176] comienzan a animarse; se elevan unos centímetros del suelo y caen, al principio en desorden, luego armoniosamente, mientras las voces corean: «rata, rata».

—¡Silencio, cobardes! —grita el suboficial.

En la puerta del aula aparecen el teniente Gamboa y el profesor de química, un hombre escuálido y cohibido. Junto a Gamboa, que es alto y atlético, parece insignificante con sus ropas de civil, demasiado anchas para su cuerpo.

—¿Qué ocurre, Pezoa?

El suboficial saluda.

—Se las dan de graciosos, mi teniente.

Todo está inmóvil. Reina absoluto silencio.

—¿Ah, sí? —dice Gamboa—. Vaya a la segunda, Pezoa. Yo cuidaré a estos jóvenes.

Pezoa vuelve a saludar y se marcha. El profesor de química lo sigue; parece asustado entre tanto uniforme.

—Vallano —susurra Alberto—. El pacto vale.

Sin mirarlo, el negro mueve la cabeza y se pasa un dedo por el cuello como una guillotina. Arróspide ha terminado de repartir las pruebas. Los cadetes inclinan las cabezas sobre las hojas. «Quince más cinco, más tres, más cinco, en blanco, más tres, en blanco, pucha[177], en blanco, más tres, no, en blanco, son ¿cuánto?, treinta y uno, hasta el guargüero[178]. Que se fuera por la mitad, que lo llamaran, que pasara algo y tuviera que irse corriendo, Pies Dorados». Alberto res-

---

[176] *Carpetas.* (Am.) Escritorios.

[177] *Pucha.* Interjección coloquial, para indicar rabia o sorpresa. Deformación eufemística de «puta».

[178] *Guargüero.* (Am.) Garganta, gaznate.

ponde las preguntas, lentamente, con letra de imprenta. Los tacos[179] de Gamboa suenan contra las baldosas. Cuando un cadete levanta la vista de su examen, encuentra siempre los ojos burlones del teniente y escucha:

—¿Quiere que le sople? Y baje la cabeza. A mí solo me miran mi mujer y mi sirvienta.

Cuando termina de responder lo que sabe, Alberto mira a Vallano: el negro escribe a toda prisa, mordiéndose la lengua. Explora la clase con infinitas precauciones; algunos simulan escribir deslizando la pluma en el aire a unos milímetros del papel. Relee la prueba, contesta otras dos preguntas cuya respuesta intuye oscuramente. Comienza un ruido distante y subterráneo; inquietos, los cadetes se mueven en sus asientos. La atmósfera se condensa; algo invisible flota sobre las cabezas inclinadas, una pasta tibia e inasible, una nebulosa, un sentimiento aéreo, un rocío. ¿Cómo escapar unos segundos a la vigilancia del teniente, a esa presencia?

Gamboa ríe. Deja de caminar, queda en el centro del aula. Tiene los brazos cruzados, los músculos se insinúan bajo la camisa crema y sus ojos abarcan de una mirada todo el conjunto, como en las campañas, cuando lanza a su compañía[180] entre el fango y la hace rampar sobre la hierba o los pedruscos con un simple movimiento de la mano o un pitazo cortante: los cadetes a sus órdenes se enorgullecen al ver la exasperación de los oficiales y cadetes de las otras compañías, que siempre terminan cercados, emboscados, pulverizados. Cuando Gamboa, con el casco reluciendo en la mañana, apunta con el dedo una alta tapia de adobes y exclama (sereno, impávido ante el enemigo invisible que ocupa las cumbres y los desfiladeros vecinos y aun la lengua de playa en que se asientan los acantilados): «¡Crúcenla pájaros!», los cadetes de la primera compañía arrancan como bólidos, las bayonetas caladas apuntando al cielo y

---

[179] *Tacos.* (Am.) Tacones.
[180] *Compañía.* Unidad militar compuesta por un capitán y un grupo de soldados a su cargo.

los corazones henchidos de un coraje ilimitado, atraviesan las chacras[181] pisoteando con ferocidad los sembríos —¡ah, si fueran cabezas de chilenos o ecuatorianos[182], ah, si bajo las suelas de los botines saltara la sangre, si murieran!—, llegan al pie de la tapia transpirando y jurando, cruzan el fusil en bandolera y alargan las manos hinchadas, hunden las uñas en las grietas, se aplastan contra el muro y reptan verticalmente, los ojos prendidos del borde que se acerca, y luego saltan y se encogen en el aire y caen y solo escuchan sus propias maldiciones y su sangre exaltada que quiere abrirse paso hacia la luz por las sienes y los pechos. Pero Gamboa está ya al frente, en lo alto de un peñón, apenas arañado, husmeando el viento marino, calculando. En cuclillas o tendidos, los cadetes lo observan: la vida y la muerte dependen de sus labios. De pronto, su mirada se despeña colérica, los pájaros se transforman en larvas. «¡Sepárense! ¡Están amontonados como arañas!». Las larvas se incorporan, se despliegan, los viejos uniformes de campaña mil veces zurcidos se inflan con el viento y los parches y remiendos parecen costras y heridas, vuelven al fango, se confunden con la hierba, pero los ojos siguen fijos en Gamboa, dóciles, implorantes, como esa noche odiosa en que el teniente asesinó al Círculo.

El Círculo había nacido con su vida de cadetes, cuarenta y ocho horas después de dejar las ropas de civil y ser igualados por las máquinas de los peluqueros del colegio que los raparon, y de vestir los uniformes caquis, entonces flamantes, y formar por primera vez en el estadio al conjuro de los silbatos y las voces de plomo. Era el último día del verano y el cielo de Lima se encapotaba, después de arder tres meses como un ascua sobre las playas, para echar un largo sueño gris. Venían de todos los rincones del Perú; no se habían visto antes y ahora constituían una masa com-

---

[181] *Chacras.* (Indig.) Del quechua, *chakra,* huerta o sementera. Campos cultivados.
[182] Vecinos y enemigos habituales, por cuestiones limítrofes.

pacta, instalada frente a los bloques de cemento cuyo interior desconocían. La voz del capitán Garrido les anunciaba que la vida civil había terminado para ellos por tres años, que aquí se harían hombres, que el espíritu militar se compone de tres elementos simples: obediencia, trabajo y valor. Pero aquello había venido después, al terminar el primer almuerzo del colegio, cuando por fin estuvieron libres de la tutela de los oficiales y suboficiales y salieron del comedor, mezclados a los cadetes de cuarto y de quinto, a quienes miraban con un recelo no exento de curiosidad y aun de simpatía.

El Esclavo estaba solo y bajaba las escaleras del comedor hacia el descampado, cuando dos tenazas cogieron sus brazos y una voz murmuró a su oído: «venga con nosotros, perro». Él sonrió y los siguió dócilmente. A su alrededor, muchos de los compañeros que había conocido esa mañana eran abordados y acarreados también por el campo de hierba hacia las cuadras de cuarto año. Ese día no hubo clases. Los perros estuvieron en manos de los de cuarto desde el almuerzo hasta la comida, unas ocho horas. El Esclavo no recuerda a qué sección fue llevado ni por quién. Pero la cuadra estaba llena de humo y de uniformes y se oían risas y gritos. Apenas cruzó la puerta, la sonrisa en los labios aún, se sintió golpeado en la espalda. Cayó al suelo, giró sobre sí mismo, quedó tendido boca arriba. Trató de levantarse, pero no pudo: un pie se había instalado sobre su estómago. Diez rostros indiferentes lo contemplaban como a un insecto; le impedían ver el techo. Una voz dijo:

—Para empezar, cante cien veces «soy un perro», con ritmo de corrido[183] mexicano.

---

[183] *Corrido.* Música popular mexicana cuya letra se basa en ritmos del romance y, por tanto, del octosílabo.

No pudo. Estaba maravillado y tenía los ojos fuera de las órbitas. Le ardía la garganta. El pie presionó ligeramente su estómago.

—No quiere —dijo la voz—. El perro no quiere cantar.

Y, entonces, los rostros abrieron las bocas y escupieron sobre él, no una, sino muchas veces, hasta que tuvo que cerrar los ojos. Al cesar la andanada, la misma voz anónima que giraba como un torno, repitió:

—Cante cien veces «soy un perro», con ritmo de corrido mexicano.

Esta vez obedeció, y su garganta entonó roncamente la frase ordenada con la música de «Allá en el rancho grande»[184]; era difícil: despojada de su letra original, la melodía se transformaba por momentos en chillidos. Pero a ellos no parecía importarles; lo escuchaban atentamente.

—Basta —dijo la voz—. Ahora con ritmo de bolero[185].

Luego fue con música de mambo[186] y de vals criollo[187]. Después de ordenaron:

—Párese.

---

[184] Ranchera muy conocida, que data de 1927, compuesta por Emilio Uranga e interpretada, entre otros, por Jorge Negrete. Algunos de sus versos más famosos rezan: «Allá en el rancho grande, / allá donde vivía, / había una rancherita / que alegre me decía, / que alegre me decía: / Te voy a hacer unos calzones / (¿Cómo?)/ Como los que usa el ranchero. / Te los empiezo de lana, / y te los termino de cuero».

[185] *Bolero.* Música popular, melódica y romántica.

[186] *Mambo.* Música de baile de origen cubano, muy popular en la época; en 1949, Pérez Prado lanza sus grandes éxitos «Qué rico el mambo» y su «Mambo número 5», y continuó siendo el punto fuerte de las fiestas con su famoso «Mambo número 8», de 1956. También se hace referencia a su música, como banda sonora de esos años de juventud, en otras obras, como, por ejemplo, *Los cachorros* (1967), donde se menciona, incluso, la visita del cubano a Lima.

[187] *Vals criollo.* Tipo de vals que es autóctono del Perú, más acelerado que el vienés, género musical típico de la costa, que muestra el mestizaje afroamericano con el añadido del instrumento del cajón.

Se puso de pie y se pasó la mano por la cara. Se limpió en el fundillo[188]. La voz preguntó:

—¿Alguien le ha dicho que se limpie la jeta? No, nadie le ha dicho.

Las bocas volvieron a abrirse y él cerró los ojos, automáticamente, hasta que aquello cesó. La voz dijo:

—Eso que tiene usted a su lado son dos cadetes, perro. Póngase en posición de firmes. Así, muy bien. Esos cadetes han hecho una apuesta y usted va a ser el juez.

El de la derecha golpeó primero y el Esclavo sintió fuego en el antebrazo. El de la izquierda lo hizo casi inmediatamente.

—Bueno —dijo la voz—. ¿Cuál ha pegado más fuerte?

—El de la izquierda.

—¿Ah, sí? —replicó la voz cambiante—. ¿De modo que yo soy un pobre diablo? A ver, vamos a ensayar de nuevo, fíjese bien.

El Esclavo se tambaleó con el impacto, pero no llegó a caer: las manos de los cadetes que lo rodeaban lo contuvieron y lo devolvieron a su sitio.

—Y ahora, ¿qué piensa? ¿Cuál pega más fuerte?

—Los dos igual.

—Quiere decir que han quedado tablas —precisó la voz—. Entonces tienen que desempatar.

Un momento después, la voz incansable preguntó:

—A propósito, perro. ¿Le duelen los brazos?

—No —dijo el Esclavo.

Era verdad; había perdido la noción de su cuerpo y del tiempo. Su espíritu contemplaba embriagado el mar sin olas del Puerto Eten y escuchaba a su madre que le decía: «cuidado con las rayas, Ricardito» y tendía hacia él sus largos brazos protectores, bajo un sol implacable.

---

[188] *Fundillo.* Trasero.

—Mentira —dijo la voz—. Si no le duelen, ¿por qué está llorando, perro?

Él pensó: «ya terminaron». Pero solo acababan de comenzar.

—¿Usted es un perro o un ser humano? —preguntó la voz.

—Un perro, mi cadete.

—Entonces, ¿qué hace de pie? Los perros andan a cuatro patas.

Él se inclinó, al asentar las manos en el suelo, surgió el ardor en los brazos, muy intenso. Sus ojos descubrieron junto a él a otro muchacho, también a gatas.

—Bueno —dijo la voz—. Cuando dos perros se encuentran en la calle, ¿qué hacen? Responda, cadete. A usted le hablo.

El Esclavo recibió un puntapié en el trasero y al instante contestó:

—No sé, mi cadete.

—Pelean —dijo la voz—. Ladran y se lanzan uno encima de otro. Y se muerden.

El Esclavo no recuerda la cara del muchacho que fue bautizado[189] con él. Debía ser de una de las últimas secciones, porque era pequeño. Estaba con el rostro desfigurado por el miedo y, apenas calló la voz, se vino contra él, ladrando y echando espuma por la boca, y, de pronto, el Esclavo sintió en el hombro un mordisco de perro rabioso y entonces todo su cuerpo reaccionó, y mientras ladraba y mordía, tenía la certeza de que su piel se había

---

[189] *Ser bautizado.* En este contexto, ser víctima de un «bautizo», o una novatada, prueba de paso, habitualmente denigrante, como rito de iniciación, por parte de un supuesto superior, para ser admitido en un grupo cerrado, como es el caso de los cadetes más veteranos del Colegio Militar respecto a los más jóvenes, o «perros». Se trata de un término que procede del imaginario religioso, pero que, obviamente, deforma su sentido original.

cubierto de una pelambre dura, que su boca era un hocico puntiagudo y que, sobre su lomo, su cola chasqueaba como un látigo.

—Basta —dijo la voz—. Ha ganado usted. En cambio, el enano nos engañó. No es un perro sino una perra. ¿Saben qué pasa cuando un perro y una perra se encuentran en la calle?

—No, mi cadete —dijo el Esclavo.

—Se lamen. Primero se huelen con cariño y después se lamen.

Y luego lo sacaron de la cuadra y lo llevaron al estadio y no podía recordar si aún era de día o había caído la noche. Allí lo desnudaron y la voz le ordenó nadar de espaldas, sobre la pista de atletismo, en torno a la cancha de fútbol. Después, lo volvieron a una cuadra de cuarto y tendió muchas camas y cantó y bailó sobre un ropero, imitó a artistas de cine, lustró varios pares de botines, barrió una loseta con la lengua, fornicó con una almohada, bebió orines, pero todo eso era un vértigo febril y de pronto él aparecía en su sección, echado en su litera, pensando: «juro que me escaparé. Mañana mismo». La cuadra estaba silenciosa. Los muchachos se miraban unos a otros y, a pesar de haber sido golpeados, escupidos, pintarrajeados y orinados, se mostraban graves y ceremoniosos. Esa misma noche, después del toque de silencio, nació el Círculo.

Estaban acostados pero nadie dormía. El corneta acababa de marcharse del patio. De pronto, una silueta se descolgó de una litera, cruzó la cuadra y entró al baño: los batientes[190] quedaron meciéndose. Poco después estallaban las arcadas y luego el vómito ruidoso, espectacular. Casi todos saltaron de las camas y corrieron al baño, descalzos: alto y escuálido, Vallano estaba en el centro de la

---

[190] *Batientes.* Las hojas de la puerta que baten una con la otra.

habitación amarillenta, frotándose el estómago. No se acercaron, estuvieron examinando el negro rostro congestionado mientras arrojaba[191]. Al fin, Vallano se aproximó al lavador[192] y se enjuagó la boca. Entonces comenzaron a hablar con una agitación extraordinaria y en desorden, a maldecir con las peores palabras a los cadetes de cuarto año.

—No podemos quedarnos así. Hay que hacer algo —dijo Arróspide. Su rostro blanco destacaba entre los muchachos cobrizos[193] de angulosas facciones. Estaba colérico y su puño vibraba en el aire.

—Llamaremos a ese que le dicen el Jaguar —propuso Cava.

Era la primera vez que lo oían nombrar. «¿Quién?», preguntaron algunos; «¿es de la sección?»

—Sí —dijo Cava—. Se ha quedado en su cama. Es la primera, junto al baño.

—¿Por qué el Jaguar? —dijo Arróspide—. ¿No somos bastantes?

—No —dijo Cava—. No es eso. Él es distinto. No lo han bautizado. Yo lo he visto. Ni les dio tiempo siquiera. Lo llevaron al estadio conmigo, ahí detrás de las cuadras. Y se les reía en la cara, y les decía: ¿así que van a bautizarme?, vamos a ver, vamos a ver. Se les reía en la cara. Y eran como diez.

—¿Y? —dijo Arróspide.

—Ellos lo miraban medio asombrados —dijo Cava—. Eran como diez, fíjense bien. Pero solo cuando nos llevaban al estadio. Allá se acercaron más, como veinte, o más, un montón de cadetes de cuarto. Y él se les reía en la cara; ¿así que van a bautizarme?, les decía, qué bien, qué bien.

---

[191] *Arrojar.* (Am.) Vomitar.
[192] *Lavador.* Lavamanos.
[193] *Cobrizo.* De color cobre. Aquí, hace referencia a su origen indígena, al color de su piel.

300

—¿Y? —dijo Alberto.

—¿Usted es un matón, perro?, le preguntaron. Y entonces, fíjense bien, se les echó encima. Y riéndose. Les digo que había ahí no sé cuántos, diez o veinte o más tal vez. Y no podían agarrarlo. Algunos se sacaron las correas y lo azotaban de lejos, pero les juro que no se le acercaban. Y por la Virgen que todos tenían miedo, y juro que vi a no sé cuántos caer al suelo, cogiéndose los huevos, o con la cara rota, fíjense bien. Y él se les reía y les gritaba: ¿así que van a bautizarme?, qué bien, qué bien.

—¿Y por qué le dices Jaguar? —preguntó Arróspide.

—Yo no —dijo Cava—. Él mismo. Lo tenían rodeado y se habían olvidado de mí. Lo amenazaban con sus correas y el comenzó a insultarlos, a ellos, a sus madres, a todo el mundo. Y entonces uno dijo: «a esta bestia hay que traerle a Gambarina». Y llamaron a un cadete grandazo[194], con cara de bruto, y dijeron que levantaba pesas.

—¿Para qué lo trajeron? —preguntó Alberto.

—¿Pero por qué le dicen el Jaguar? —insistió Arróspide.

—Para que pelearan —dijo Cava. Le dijeron: «oiga, perro, usted que es tan valiente, aquí tiene uno de su peso». Y él les contestó: «me llamo Jaguar. Cuidado con decirme perro».

—¿Se rieron? —preguntó alguien.

—No —dijo Cava—. Le abrieron cancha[195]. Y él siempre se reía. Aun cuando estaba peleando, fíjense bien.

—¿Y? —dijo Arróspide.

—No pelearon mucho rato —dijo Cava—. Y me di cuenta por qué le dicen Jaguar. Es muy ágil, una barbaridad de ágil. No crean que muy fuerte, pero parece gelatina, al Gambarina se le salían los ojos de pura desesperación, no

---

[194] *Grandazo*. Muy grande, de gran tamaño.
[195] *Abrir cancha*. Abrir paso, dejarlo pasar. En todas las ediciones aparece en plural: «les abrieron cancha», cuando se refiere solo al Jaguar y, por tanto, le corresponde la forma singular.

podía agarrarlo. Y el otro, dale con la cabeza y con los pies, dale y dale, y a él nada. Hasta que Gambarina dijo: «ya está bien de deporte; me cansé», pero todos vimos que estaba molido.

—¿Y? —dijo Alberto.

—Nada más —dijo Cava—. Lo dejaron que se viniera y comenzaron a bautizarme a mí.

—Llámalo —dijo Arróspide.

Estaban en cuclillas y formaban un círculo. Algunos habían encendido cigarrillos que iban pasando de mano en mano. La habitación comenzó a llenarse de humo. Cuando el Jaguar entró al baño, precedido por Cava, todos comprendieron que este había mentido: esos pómulos, ese mentón habían sido golpeados y también esa ancha nariz de bulldog. Se había plantado en medio del círculo y los miraba detrás de sus largas pestañas rubias, con unos ojos extrañamente azules y violentos. La mueca de su boca era forzada, como su postura insolente y la calculada lentitud con que los observaba, uno por uno. Y lo mismo su risa hiriente y súbita que tronaba en el recinto. Pero nadie lo interrumpió. Esperaron, inmóviles, que terminara de examinarlos y de reír.

—Dicen que el bautizo dura un mes —afirmó Cava—. No podemos aceptar que todos los días pase lo que hoy.

El Jaguar asintió.

—Sí —dijo—. Hay que defenderse. Nos vengaremos de los de cuarto, les haremos pagar caro sus gracias. Lo principal es recordar las caras y, si es posible, la sección y los nombres. Hay que andar siempre en grupos. Nos reuniremos en las noches, después del toque de silencio. Ah, y buscaremos un nombre para la banda.

—¿Los halcones? —insinuó alguien, tímidamente.

—No —dijo el Jaguar—. Eso parece un juego. La llamaremos el Círculo.

Las clases comenzaron a la mañana siguiente. En los recreos, los de cuarto se precipitaban sobre los perros y organizaban carreras de pato: diez o quince muchachos, formados en línea, las manos en las caderas y las piernas flexionadas, avanzaban a la voz de mando imitando los movimientos de un palmípedo y graznando. Los perdedores merecían ángulos rectos. Además de registrarlos y apoderarse del dinero y los cigarrillos de los perros, los de cuarto preparaban aperitivos de grasa de fusil, aceite y jabón y las víctimas debían beberlos de un solo trago, sosteniendo el vaso con los dientes. El Círculo comenzó a funcionar dos días más tarde, poco después del desayuno. Los tres años salían tumultuosamente del comedor y se esparcían como una mancha por el descampado. De pronto, una nube de piedras pasó sobre las cabezas descubiertas y un cadete de cuarto rodó por el suelo, chillando. Ya formados, vieron que el herido era llevado en hombros a la enfermería por sus compañeros. A la noche siguiente, un imaginaria de cuarto que dormía en la hierba fue asaltado por sombras enmascaradas: al amanecer, el corneta lo encontró desnudo, amarrado y con grandes moretones en el cuerpo enervado por el frío. Otros fueron apedreados, manteados; el golpe más audaz, una incursión a la cocina para vaciar bolsas de caca en las ollas de sopa del cuarto año, envió a muchos a la enfermería con cólicos. Exasperados por las represalias anónimas, los de cuarto proseguían el bautizo con ensañamiento. El Círculo se reunía todas las noches, examinaba los diversos proyectos, el Jaguar elegía uno, lo perfeccionaba e impartía las instrucciones. El mes de encierro forzado transcurría rápidamente en medio de una exaltación sin límites. A la tensión del bautizo y las acciones del Círculo, se sumó pronto una nueva agitación: la primera salida estaba próxima y ya habían comenzado a confeccionarles los uniformes azul añil. Los oficiales les daban una hora diaria de lecciones sobre el comportamiento de un cadete uniformado en la calle.

—El uniforme —decía Vallano, revolviendo con avidez los ojos en las órbitas— atrae a las hembritas como la miel.

«Ni fue tan grave como decían, ni como me pareció entonces, sin contar lo que pasó cuando Gamboa entró al baño después de silencio, ni se puede comparar ese mes con los otros domingos de consigna, ni se puede». Esos domingos, el tercer año era dueño del colegio. Proyectaban una película al mediodía y en las tardes venían las familias: los perros se paseaban por la pista de desfile, el descampado, el estadio y los patios, rodeados de personas solícitas. Una semana antes de la primera salida, les probaron los uniformes de paño: pantalones añil y guerreras[196] negras, con botones dorados; quepí[197] blanco. El cabello crecía lentamente sobre los cráneos y también la codicia de la calle. En la sección, después de las reuniones del Círculo, los cadetes se comunicaban sus planes para la primera salida. «¿Y cómo supo, pura casualidad, o un soplón, y si hubiera estado Huarina de servicio, o el teniente Cobos? Sí, por lo menos no tan rápido, se me ocurre que si no descubre el Círculo la sección no se hubiera vuelto un muladar[198], estaríamos vivitos y coleando, no tan rápido». El Jaguar estaba de pie y describía a un cadete de cuarto, un brigadier. Los demás lo escuchaban en cuclillas, como de costumbre; las colillas pasaban de mano en mano. El humo ascendía, chocaba contra el techo, bajaba hasta el suelo y quedaba circulando por la habitación como un monstruo translúcido y cambiante. «Pero ese qué había hecho, no es cuestión de echarnos un muerto a la espalda, Jaguar, decía Vallano, está bien la venganza pero no

---

[196] *Guerrera.* Chaqueta o saco del uniforme, que se ajusta al cuerpo.
[197] *Quepí.* (Per.) Gorra del uniforme militar, con visera, de origen francés.
[198] *Muladar.* Basurero.

tanto, decía Urioste, lo que me apesta en ese asunto es que puede quedar tuerto, decía Pallasta, el que las busca las encuentra, decía el Jaguar, y mejor si lo averiamos, qué había hecho, y qué fue primero, ¿el portazo, el grito?». El teniente Gamboa debió golpear la puerta con las dos manos, o abrirla de un puntapié; pero los cadetes quedaron sobrecogidos, no al oír el ruido del portazo, ni el grito de Arróspide, sino al ver que el humo estancado huía por el boquerón[199] oscuro de la cuadra, casi colmado por el teniente Gamboa que sostenía la puerta con las dos manos. Las colillas cayeron al suelo, humeando. Estaban descalzos y no se atrevían a apagarlas. Todos miraban al frente y exageraban la actitud marcial. Gamboa pisó los cigarrillos. Luego, contó a los cadetes.

—Treinta y dos —dijo—. La sección completa. ¿Quién es el brigadier?

Arróspide dio un paso adelante.

—Explíqueme este juego con detalles —dijo Gamboa, tranquilamente—. Desde el principio. Y no se olvide de nada.

Arróspide miraba oblicuamente a sus compañeros y el teniente Gamboa aguardaba, quieto como un árbol. «¿Qué parecía como le lloraba? Y después, todos éramos sus hijos, cuando comenzamos a llorarle, y qué vergüenza, mi teniente, usted no puede saber cómo nos bautizaban, ¿no es cosa de hombres defenderse?, y qué vergüenza, nos pegaban, mi teniente, nos hacían daño, nos mentaban las madres, mire cómo tiene el fundillo Montesinos de tanto ángulo recto que le dieron, mi teniente, y él como si lloviera, qué vergüenza, sin decirnos nada, salvo qué más, hechos concretos, omitir los comentarios, hablar uno por uno, no hagan bulla que molestan a las otras secciones, y qué ver-

---

[199] *Boquerón.* Metafóricamente, gran boca o agujero.

güenza el reglamento, comenzó a recitarlo, debería expulsarlos a todos, pero el Ejército es tolerante y comprende a los cachorros[200] que todavía ignoran la vida militar, el respeto al superior y la camaradería, y este juego se acabó, sí mi teniente, y por ser primera y última vez no pasaré parte, sí mi teniente, me limitaré a dejarlos sin la primera salida, sí mi teniente, a ver si se hacen hombrecitos, sí mi teniente, conste que una reincidencia y no paro hasta el Consejo de Oficiales, sí mi teniente, y apréndanse de memoria el reglamento si quieren salir el sábado siguiente, y ahora a dormir, y los imaginarias a sus puestos, me darán parte dentro de cinco minutos, sí mi teniente».

El Círculo no volvió a reunirse, aunque más tarde el Jaguar pusiera el mismo nombre a su grupo. Ese sábado primero de junio, los cadetes de la sección, desplegados a lo largo de la baranda herrumbrosa, vieron a los perros de las otras secciones, soberbios y arrogantes como un torrente, volcarse en la avenida Costanera, teñirla con sus uniformes relucientes, el blanco inmaculado de los quepís y los lustrosos maletines de cuero; los vieron aglomerarse en el mordido terraplén, con el mar crujiente a la espalda, en espera del ómnibus Miraflores-Callao, o avanzar por el centro de la carretera hacia la avenida de las Palmeras, para ganar la avenida Progreso (que hiende las chacras y penetra en Lima por Breña o, en dirección contraria, continúa bajando en una curva suave y amplísima hasta Bellavista y el Callao); los vieron desaparecer y, cuando el asfalto quedó nuevamente solitario y humedecido por la neblina, seguían con las narices en los barrotes; luego, escucharon la corneta que llamaba al almuerzo y fueron caminando despacio y en si-

---

[200] *Cachorro.* Siguiendo con la imagen de los perros, aquí se habla de los jóvenes como si se tratara de sus crías, como aparecerá, más tarde, en la novela corta homónima ya citada de 1967. Cabe indicar que Vargas Llosa manejó también este mismo título para esta, su primera novela, y también la variante de *Los cachorros del héroe.*

lencio hacia el año, alejándose del héroe que había contemplado con sus pupilas ciegas la explosión de júbilo de los ausentes y la angustia de los consignados, que desaparecían entre los edificios plomizos.

Esa misma tarde, al salir del comedor ante la mirada lánguida de la vicuña, surgió la primera pelea en la sección. «¿Yo me hubiera dejado, Vallano se hubiera dejado, Cava se hubiera, Arróspide, quién? Nadie, solo él, porque el Jaguar no es Dios y entonces todo hubiera sido distinto, si contesta, distinto si se mecha[201] o coge una piedra o un palo, distinto aun si se echa a correr, pero no a temblar, hombre, eso no se hace». Estaban todavía en las escaleras, amontonados, y de pronto hubo una confusión y dos cayeron dando traspiés sobre la hierba. Los caídos se incorporaban; treinta pares de ojos los contemplaban desde las gradas como desde un tendido. No alcanzaron a intervenir, ni siquiera a comprender de inmediato lo ocurrido, porque el Jaguar se revolvió como un felino atacado y golpeó al otro, directamente al rostro y sin ningún aviso y luego se dejó caer sobre él y lo siguió golpeando en la cabeza, en el rostro, en la espalda; los cadetes observaban esos dos puños constantes y ni siquiera escuchaban los gritos del otro, «perdón, Jaguar, fue de casualidad que te empujé, juro que fue casual». «Lo que no debió hacer fue arrodillarse, eso no. Y, además, juntar las manos, parecía mi madre en las novenas[202], un chico en la iglesia recibiendo la primera comunión, parecía que el Jaguar era el obispo y él se estuviera confesando, me acuerdo de eso, decía Rospigliosi, y la carne se me escarapela[203], hombre». El Jaguar estaba de pie, miraba con desprecio al muchacho arrodillado y todavía tenía el puño en alto como si fuera a dejarlo caer de nuevo

---

[201] *Mecharse.* (Per.) Pelearse.
[202] *Novena.* Práctica de devoción religiosa, oración que se ofrece durante nueve días seguidos.
[203] *La carne se me escarapela.* Se le eriza la piel, de impresión.

sobre ese rostro lívido. Los demás no se movían. «Me das asco —dijo el Jaguar—. No tienes dignidad ni nada. Eres un esclavo».

—Ocho y treinta —dice el teniente Gamboa—. Faltan diez minutos.

En el aula hay una especie de ronquidos instantáneos, un estremecimiento de carpetas. «Me iré a fumar un cigarrillo al baño», piensa Alberto, mientras firma la hoja de examen. En ese momento la bolita de papel cae sobre el tablero de la carpeta, rueda unos centímetros bajo sus ojos y se detiene contra su brazo. Antes de cogerla, echa una mirada circular. Luego alza la vista: el teniente Gamboa le sonríe. «¿Se habrá dado cuenta?», piensa Alberto, bajando los ojos en el momento en que el teniente dice:

—Cadete, ¿quiere pasarme eso que acaba de aterrizar en su carpeta? ¡Silencio los demás!

Alberto se levanta. Gamboa recibe la bolita de papel sin mirarla. La desenrolla y la pone en alto, a contraluz. Mientras la lee, sus ojos son dos saltamontes que brincan del papel a las carpetas.

—¿Sabe lo que hay aquí, cadete? —pregunta Gamboa.

—No, mi teniente.

—Las fórmulas del examen, nada menos. ¿Qué le parece? ¿Sabe quién le ha hecho este regalo?

—No, mi teniente.

—Su ángel de la guarda —dice Gamboa—. ¿Sabe quién es?

—No, mi teniente.

—Vaya a sentarse y entrégueme el examen. —Gamboa hace trizas la hoja y pone los pedazos blancos en un pupitre—. El ángel de la guarda —añade— tiene treinta segundos para ponerse de pie.

Los cadetes se miran unos a otros.

—Van quince segundos —dice Gamboa—. He dicho treinta.

—Yo, mi teniente —dice una voz frágil.

Alberto se vuelve: el Esclavo está de pie, muy pálido y no parece sentir las risas de los demás.

—Nombre —dice Gamboa.

—Ricardo Arana.

—¿Sabe usted que los exámenes son individuales?

—Sí, mi teniente.

—Bueno —dice Gamboa—. Entonces sabrá también que yo tengo que consignarlo sábado y domingo. La vida militar es así, no se casa con nadie, ni con los ángeles —mira su reloj y agrega—: La hora. Entreguen los exámenes.

III

Yo estaba en el Sáenz Peña y a la salida volvía a Bellavista caminando. A veces me encontraba con Higueras, un amigo de mi hermano, antes que a Perico lo metieran al Ejército. Siempre me preguntaba: «¿qué sabes de él?». «Nada, desde que lo mandaron a la selva nunca escribió». «¿A dónde vas tan apurado?, ven a conversar un rato». Yo quería regresar a Bellavista lo más pronto, pero Higueras era mayor que yo, me hacía un favor tratándome como a uno de su edad. Me llevaba a una chingana[204] y me decía: «¿qué tomas?». «No sé, cualquier cosa, lo que tú». «Bueno, decía el flaco[205] Higueras; ¡chino[206], dos cortos!»[207]. Y después me daba una palmada: «cuidado te emborraches». El pisco[208] me hacía arder la garganta y lagrimear. Él decía: «chupa un poco de limón. Así es más suave. Y fúmate un ciga-

---

[204] *Chingana*. (Indig.) Del quechua, *chinkana*. Local donde se sirven bebidas alcohólicas, antro de mala muerte.
[205] *Flaco*. Forma familiar, afectuosa, de referirse a alguien. En principio, indica delgadez, pero no siempre se corresponde.
[206] *Chino*. (Per.) Término coloquial para designar a alguien con ojos rasgados; se suele utilizar como sinónimo de «cholo», en ocasiones. Puede mostrar familiaridad o emplearse de forma despectiva.
[207] Vasos cortos, de pequeño tamaño, para licor. Aquí, se sobreentiende que de pisco.
[208] *Pisco*. Bebida alcohólica —aguardiente de uva—, originaria de la ciudad peruana que le da nombre, Pisco.

310

rrillo». Hablábamos de fútbol, del colegio, de mi hermano. Me contó muchas cosas de Perico, al que yo creía un pacífico y resulta que era un gallo de pelea, una noche se agarró a chavetazos[209] por una mujer. Además, quién hubiera dicho, era un enamorado. Cuando Higueras me contó que había preñado a una muchacha y que por poco lo casan a la fuerza, quedé mudo. «Sí, me dijo, tienes un sobrino que debe andar por los cuatro años. ¿No te sientes viejo?». Pero solo me entretenía un rato, después buscaba cualquier pretexto para irme. Al entrar a la casa me sentía muy nervioso, qué vergüenza que mi madre pudiera sospechar. Sacaba los libros y decía «voy a estudiar al lado» y ella ni siquiera me contestaba, apenas movía la cabeza, a veces ni eso. La casa de al lado era más grande que la nuestra, pero también muy vieja. Antes de tocar me frotaba las manos hasta ponerlas rojas, ni así dejaban de sudar. Algunos días me habría la puerta Tere. Al verla, me entraban ánimos. Pero casi siempre salía su tía. Era amiga de mi madre; a mí no me quería, dicen que de chico la fregaba todo el tiempo. Me hacía pasar gruñendo «estudien en la cocina, ahí hay más luz». Nos poníamos a estudiar mientras la tía preparaba la comida y el cuarto se llenaba de olor a cebollas y ajos. Tere hacía todo con mucho orden, daba admiración ver sus cuadernos y sus libros tan bien forrados, y su letra chiquita y pareja; jamás hacía una mancha, subrayaba todos los títulos con dos colores. Yo le decía «serás una pintora» para hacerla reír. Porque se reía cada vez que yo abría la boca y de una manera que no se puede olvidar. Se reía de verdad, con mucha fuerza y aplaudiendo. A veces la encontraba regresando del colegio y cualquiera se daba cuenta que era distinta de las otras chicas, nunca estaba despeinada ni tenía tinta en las manos. A mí lo que más me gustaba de ella era su cara. Tenía piernas delgadas y todavía no se le notaban los senos, o

---

[209] *Agarrarse a chavetazos.* (Per.) Pelear a navajazos.

quizás sí, pero creo que nunca pensé en sus piernas ni en sus senos, solo en su cara. En las noches, si me estaba frotando en la cama y de repente me acordaba de ella, me daba vergüenza y me iba a hacer pis. Pero, en cambio, sí pensaba todo el tiempo en besarla. En cualquier momento cerraba los ojos y la veía, y nos veía a los dos, ya grandes y casados. Estudiábamos todas las tardes, unas dos horas, a veces más, y yo mentía siempre «tengo montones de deberes», para que nos quedáramos en la cocina un rato más. Aunque le decía «si estás cansada me voy a mi casa», pero ella nunca estaba cansada. Ese año saqué notas altísimas en el colegio y los profesores me trataban bien, me ponían de ejemplo, me hacían salir a la pizarra, a veces me nombraban monitor y los muchachos del Sáenz Peña me decían chancón[210]. No me llevaba[211] con mis compañeros, conversaba con ellos en las clases, pero a la salida me despedía ahí mismo. Solo me juntaba con Higueras. Lo encontraba en una esquina de la plaza Bellavista y, apenas me veía venir, se me acercaba. En ese tiempo solo pensaba en que llegaran las cinco y lo único que odiaba eran los domingos. Porque estudiábamos hasta los sábados, pero los domingos Tere se iba con su tía a Lima, a casa de unos parientes, y yo pasaba el día encerrado o iba al Potao[212] a ver jugar a los equipos de segunda división. Mi madre nunca me daba plata y siempre se quejaba de la pensión que le dejó mi padre al morirse. «Lo peor, decía, es haber servido al gobierno treinta años. No hay nada más ingrato que el gobierno». La pensión solo alcanzaba para pagar la casa y comer. Yo ya había ido al cine unas cuantas veces, con chicos del colegio, pero creo que ese año no pisé una cazuela[213], ni fui al fútbol

---

[210] *Chancón.* (Per.) Empollón, que estudia mucho.

[211] *No llevarse con alguien.* No congeniar, no llevarse bien.

[212] *El Potao.* También conocido como Asociación Centro de Esparcimiento de Lima, club recreativo a orillas del río Rímac.

[213] *Cazuela.* Planta superior de un cine, también conocida como paraíso, donde las localidades son más económicas. El término proviene del

ni a nada. En cambio, al año siguiente, aunque tenía plata, siempre estaba amargado cuando me ponía a pensar cómo estudiaba con Tere todas las tardes.

Pero mejor que la gallina y el enano, la del cine. Quieta Malpapeada, estoy sintiendo tus dientes. Mucho mejor. Y eso que estábamos en cuarto, pero aunque había pasado un año desde que Gamboa mató el Círculo grande, el Jaguar seguía diciendo: «un día todos volverán al redil y nosotros cuatro seremos los jefes». Y fue mejor todavía que antes, porque cuando éramos perros el Círculo solo era la sección y esa vez fue como si todo el año estuviera en el Círculo y nosotros éramos los que en realidad mandábamos y el Jaguar más que nosotros. Y también cuando lo del perro que se quebró el dedo se vio que la sección estaba con nosotros y nos apoyaba. «Súbase a la escalera, perro, decía el Rulos, y rápido que me enojo». Cómo miraba el muchacho, cómo nos miraba. «Mis cadetes, la altura me da vértigos». El Jaguar se retorcía de risa y Cava estaba enojado: «¿sabes de quién te vas a burlar, perro?». En mala hora subió, pero debía tener tanto miedo. «Trepa, trepa, muchacho», decía el Rulos. «Y ahora canta, le dijo el Jaguar, pero igual que un artista, moviendo las manos». Estaba prendido como un mono y la escalera tac-tac sobre la losa[214]. «¿Y si me caigo, mis cadetes?». «Te caes», le dije. Se paró temblando y comenzó a cantar. «Ahorita se rompe la crisma», decía Cava y el Jaguar doblado en dos de risa. Pero la caída no era nada, yo he saltado de más alto en campaña. ¿Para qué se agarró del lavador? «Creo que se ha sacado el dedo», decía el Jaguar al ver cómo le chorreaba la mano. «Consignados

---

teatro áureo, y designaba la zona separada, más lejos del escenario, donde se acomodaban las mujeres.

[214] *Tac-tac sobre la losa.* Ruido que hace al cojear y golpear contra el suelo.

un mes o más, decía el capitán todas las noches, hasta que aparezcan los culpables». La sección se portó bien y el Jaguar les decía: «¿por qué no quieren entrar al Círculo de nuevo si son tan machos?». Los perros eran muy mansos, tenían eso de malo. Mejor que el bautizo las peleas con el quinto, ni muerto me olvidaré de ese año y, sobre todo, de lo que pasó en el cine. Todo se armó por el Jaguar, estaba a mi lado y por poco me abollan[215] el lomo. Los perros tuvieron suerte, casi ni los tocamos esa vez, tan ocupados que estábamos con los de quinto. La venganza es dulce, nunca he gozado tanto como ese día en el estadio, cuando encontré delante la cara de uno de esos que me bautizó cuando era perro. Casi nos botan[216], pero valía la pena, juro que sí. Lo de cuarto y tercero es un juego, la verdadera rivalidad es entre cuarto y quinto. ¿Quién se va a olvidar del bautizo que nos dieron? Y eso de ponernos en el cine entre los de quinto y los perros, era a propósito para que se armara. Lo de las cristinas también fue invento del Jaguar. Si veo que viene uno de quinto lo dejo acercarse, y cuando está a un metro me llevo la mano a la cabeza como si fuera a saludarlo, él saluda y yo me quito la cristina. «¿Está usted tomándome el pelo?». «No, mi cadete, estoy rascándome la nuca que tengo mucha caspa». Había una guerra, se vio bien claro con lo de la soga y antes, en el cine. Hasta hacía calor y era invierno, pero se comprende con ese techo de calamina[217] y más de mil tipos apretados, nos ahogábamos. Yo no le vi la cara cuando entramos, solo le oí la voz y apuesto que era un serrano. «Qué apretura, yo tengo mucho poto[218]

---

[215] *Abollar el lomo.* (Am.) Dejar marca de golpe en una superficie lisa, como la chapa de un automóvil. Aquí, hiperbólicamente, se refiere a su espalda.

[216] *Botar.* (Am.) Echar, expulsar.

[217] *Calamina.* Material metálico laminado, muy resistente, que concentra el calor, a menudo ondulado para poder canalizar el agua y que no se acumule en la techumbre.

[218] *Poto.* (Indig.) Del antiguo mochica, *poto*, y del quechua, *putu*. Trasero, nalgas, culo.

para tan poca banca», decía el Jaguar, que estaba cerrando la fila de cuarto y el Poeta le cobraba a alguien, «oye, ¿te crees que trabajo gratis o por tu linda cara?», ya estaba oscuro y le decían «cállate o va a llover». Seguro que el Jaguar no puso los ladrillos para taparlo, solo para ver mejor. Yo estaba agachadito, prendiendo un fósforo, y, al oír al de quinto, el cigarrillo se cayó y me arrodillé para buscarlo y todos comenzaron a moverse. «Oiga, cadete, saque esos ladrillos de su asiento que quiero ver la película». «¿A mí me habla, cadete?», le pregunté. «No, al que está a su lado». «¿A mí?», le dijo el Jaguar. «¿A quién si no a usted?». «Hágame un favor, dijo el Jaguar; cállese y déjeme ver a esos *cowboys*». «¿No va a sacar esos ladrillos?». «Creo que no», dijo el Jaguar. Y entonces yo me senté, sin buscar más el cigarrillo, quién se lo encontraría. Aquí se arma, mejor me aprieto un poco el cinturón. «¿No quiere usted obedecer?», dijo el de quinto. «No, dijo el Jaguar, ¿por qué?», le estaba tomando el pelo a su gusto. Y entonces los de atrás comenzaron a silbar. El Poeta se puso a cantar «ay, ay, ay» y toda la sección lo siguió. «¿Se están burlando de mí?», preguntó el de quinto. «Parece que sí, mi cadete», le dijo el Jaguar. Se va a armar a oscuras, va a ser de contarlo por calles y plazas, a oscuras y en el salón de actos, cosa nunca vista. El Jaguar dice que él fue el primero, pero mi memoria no me engaña. Fue el otro. O algún amigo que sacó la cara por él. Y debía estar furioso, se tiró sobre el Jaguar a la bruta[219], me duelen los tímpanos con el griterío. Todo el mundo se levantó y yo veía las sombras encima mío[220] y comencé a recibir más patadas. Eso sí, de la película no me acuerdo, solo acababa de comenzar. ¿Y el Poeta, de veras lo estaban machucando, o gritaba por hacerse el loco? Y también se

---

[219] *A la bruta.* También «a lo bruto», de golpe, sin miramiento.

[220] *Encima mío:* Forma popular, incorrecta, para decir «encima de mí», como se corrige en la edición de la RAE. No obstante, es más propio del personaje del Boa y, por eso, se mantiene aquí.

oían los gritos del teniente Huarina, «luces, suboficial, luces, ¿está usted sordo?». Y los perros se pusieron a gritar «luces, luces», no sabían qué pasaba y dirían ahorita se nos echan encima los dos años aprovechando la oscuridad. Los cigarrillos volaban, todos querían librarse de ellos, no era cosa de dejar que nos chaparan fumando, milagro que no hubo un incendio. Qué mechadera[221], muchachos no dejan uno sano, ha llegado el momento de la revancha. Pirinolas[222], no sé cómo salió vivo el Jaguar. Las sombras pasaban y pasaban a mi lado y me dolían las manos y los pies de tanto darles, seguro que también sacudí a algunos de cuarto, en esas tinieblas quién iba a distinguir. «¿Y qué pasa con las malditas luces, suboficial Varúa?, gritaba Huarina, ¿no ve que estos animales se están matando?». Llovía de todas partes, es la pura verdad, suerte que no hubo un malogrado. Y, cuando se prendieron las luces, solo se oían los silbatos. A Huarina ni se le veía, pero sí a los tenientes de quinto y de tercero y a los suboficiales. «Abran paso, carajos[223], abran paso», maldita sea si alguien abría paso. Y qué brutos, al final se calentaron[224] y empezaron a repartir combos[225] a ciegas, cómo me voy a olvidar si la Rata me lanzó un directo al pecho que me cortó la respiración. Yo lo buscaba con los ojos, decía si lo han averiado me las pagan, pero ahí estaba más fresco que nadie, repartiendo manotazos y muerto de risa, tiene más vidas que los gatos. Y, después, qué manera de disimular, todos son formidables cuando se trata de fregar a los tenientes y a los suboficiales, aquí no pasó nada, todos somos amigos, yo no sé una palabra del asunto, y lo mismo los de quinto, hay que ser justos. Des-

---

[221] *Mechadera.* (Am.) De «mecharse», pelea.

[222] *Pirinolas.* Interjección de sorpresa, como «caramba».

[223] *Carajo.* (Am.) Aquí, con el sentido de «muchacho».

[224] *Calentarse.* (Am.) Enfadarse.

[225] *Repartir combos.* (Indig.) Del quechua, *k'umpa,* comba, mazo o martillo. Pegar puñetazos como si fueran golpes de martillo.

pués los hicieron salir a los perros, que andaban aturdidos, y luego a los de quinto. Nos quedamos solos en el salón de actos y comenzamos a cantar «ay, ay, ay». «Creo que le hice tragar los dos ladrillos que tanto lo fregaban», decía el Jaguar. Y todos comenzaron a decir: «los de quinto están furiosos, los hemos dejado en ridículo ante los perros, esta noche asaltarán las cuadras de cuarto». Los oficiales andaban de un lado a otro como ratones, preguntando «¿cómo empezó esta sopa?»[226], «hablen o al calabozo». Ni siquiera los oíamos. Van a venir, van a venir, no podemos dejar que nos sorprendan en las cuadras, saldremos a esperarlos al descampado. El Jaguar estaba en el ropero y todos lo escuchaban como cuando éramos perros y el Círculo se reunía en el baño para planear las venganzas. Hay que defenderse, hombre precavido vale por dos, que los imaginarias vayan a la pista de desfile y vigilen. Apenas se acerquen, griten para que salgamos. Preparen proyectiles, enrollen papel higiénico y téngalo apretado en la mano, así los puñetazos parecen patada de burro, pónganse hojas de afeitar en la puntera del zapato como si fueran gallos del Coliseo[227], llénense de piedras los bolsillos, no se olviden de los suspensores[228], el hombre debe cuidar los huevos más que el alma. Todos obedecían y el Rulos saltaba sobre las camas, es como cuando el Círculo, solo que ahora todo el año está metido en esta salsa, oigan, en las otras cuadras también se preparan para la gran mechadera. «No hay bastantes piedras, qué caray, decía el Poeta, vamos a sacar unas cuantas losetas». Y todo el mundo se convidaba cigarrillos y se abrazaba. Nos metimos a la cama con los uniformes y algunos con zapatos. ¿Ya vienen, ya vienen? Quieta Malpapeada, no metas los dientes, maldita. Hasta la perra andaba alborotada, ladrando y saltando, ella que es tan tranquila,

---

[226] *Esta sopa.* Este lío.
[227] *Coliseo.* (Per.) Lugar donde se realizan peleas de gallos, una gallera.
[228] *Suspensores.* Protectores genitales.

tendrás que ir a dormir con la vicuña, Malpapeada, yo tengo que cuidar a estos, para que no los machuquen los de quinto.

La casa que forma esquina al final de la segunda cuadra de Diego Ferré y Ocharán tiene un muro blanco, de un metro de altura y diez de largo, en cada calle. Exactamente en el punto donde los muros se funden hay un poste de luz, al borde de la acera. El poste y el muro paralelo servían de arco a uno de los equipos, el que ganaba el sorteo; el perdedor debía construir su arco, cincuenta metros más allá, sobre Ocharán, colocando una piedra o un montón de chompas y chaquetas al borde de la vereda[229]. Pero, aunque los arcos tenían solo la extensión de la vereda, la cancha comprendía toda la calle. Jugaban fulbito. Se ponían zapatillas de básquet, como en la cancha del club Terrazas, y procuraban que la pelota no estuviera muy inflada para evitar los botes. Generalmente jugaban por bajo, haciendo pases muy cortos, disparando al arco de muy cerca y sin violencia. El límite se señalaba con una tiza, pero a los pocos minutos de juego, con el repaso de las zapatillas y la pelota, la línea se había borrado y había discusiones apasionadas para determinar si el gol era legítimo. El partido transcurría en un clima de vigilancia y temor. Algunas veces, a pesar de las precauciones, no se podía evitar que Pluto o algún otro eufórico pateara con fuerza o cabeceara y, entonces, la pelota salvaba uno de los muros de las casa, situadas en los umbrales de la cancha, entraba al jardín, aplastaba los geranios y, si venía con impulso, se estrellaba ruidosamente contra la puerta o contra una ventana, caso crítico, y la estremecía o pulve-

---

[229] *Vereda.* (Am.) Acera, parte de la calle por la que circulan los transeúntes.

rizaba un vidrio, y entonces, olvidando la pelota para siempre, los jugadores lanzaban un gran alarido y huían. Se echaban a correr y en la carrera Pluto iba gritando «nos siguen, nos están siguiendo». Y nadie volvía la cabeza para comprobar si era cierto, pero todos aceleraban y repetían «rápido, nos siguen, han llamado a la policía», y ese era el momento en que Alberto, a la cabeza de los corredores, medio ahogado por el esfuerzo, gritaba: «¡al barranco, vamos al barranco!». Y todos lo seguían, diciendo «sí, sí, al barranco» y él sentía a su alrededor la respiración anhelante de sus compañeros, la de Pluto, desmesurada y animal; la de Tico, breve y constante; la del Bebe, cada vez más lejana porque era el menos veloz; la de Emilio, una respiración serena, de atleta que mide científicamente su esfuerzo y cumple con tomar aire por la nariz y arrojarlo por la boca, y, a su lado, la de Paco, la de Sorbino, la de todos los otros, un ruido sordo, vital, que lo abrazaba y le daba ánimos para seguir acelerando por la segunda cuadra de Diego Ferré y alcanzar la esquina de Colón y doblar a la derecha, pegado al muro para sacar ventaja en la curva. Y luego, la carrera era más fácil, pues Colón es una pendiente y además porque se veía, a menos de una cuadra, los ladrillos rojos del malecón y, sobre ellos, confundido con el horizonte, el mar gris cuya orilla alcanzarían pronto. Los muchachos del barrio se burlaban de Alberto porque, siempre que se tendían en el pequeño rectángulo de hierba de la casa de Pluto para hacer proyectos, se apresuraba a sugerir: «vamos al barranco». Las excursiones al barranco eran largas y arduas. Saltaban el muro de ladrillos a la altura de Colón, planeaban el descenso en una pequeña explanada de tierra, contemplando con ojos graves y experimentados la dentadura vertical del acantilado y discutían el camino a seguir, registrando desde lo alto los obstáculos que los separaban de la playa pedregosa. Alberto era el estratega más apasionado. Sin dejar de observar el precipicio, señalaba el itinerario con frases cortas, imitando los gestos y ademanes de los héroes de las películas: «por allá, primero esa roca donde están las plumas, es maciza; de ahí solo hay que saltar un metro, fíjense, luego por las piedras negras que son chatas, entonces será más fácil, al otro lado hay musgo y podríamos resbalar, fíjense que ese camino llega hasta la playita donde no hemos estado». Si alguno oponía reparos (Emilio, por ejemplo, que tenía vocación de jefe), Alberto defendía su tesis con fervor; el barrio se dividía en dos bandos. Eran discusiones vibrantes, que caldeaban las mañanas húmedas de Miraflores. A su espalda, por el malecón, pasaba una línea ininterrumpida de vehículos; a veces, un pasajero sacaba la cabeza por la ventanilla para observarlos; si se trataba de un muchacho, sus ojos se llenaban de codicia. El punto de vista de Alberto solía prevalecer, porque en esas discusiones ponía un empeño, una convicción que fatigaban a los demás. Descendían muy despacio, desvanecido ya todo signo de polémica, sumidos en una fraternidad total, que se traslucía en las miradas, en las sonrisas, en las palabras de aliento que cambiaban. Cada vez que uno vencía un obstáculo o acertaba un salto arriesgado, los demás aplaudían. El tiempo transcurría lentísimo y cargado de tensión. A medida que se aproximaban al objetivo, se volvían más audaces; percibían ya muy próximo ese ruido peculiar, que en las noches llegaba hasta sus lechos miraflorinos y que era ahora un estruendo de agua y piedras, sentían en las narices ese olor a sal y conchas limpísimas y pronto estaban en la playa, un abanico minúsculo entre el cerro y la orilla, donde permanecían apiñados, bromeando, burlándose de las dificultades del descenso, simulando empujarse, en medio de una gran algazara. Alberto, cuando la mañana no era muy fría o se trataba de una de esas tardes en que sorpresivamente aparece en el cielo ceniza un sol tibio, se quitaba los zapatos y las medias y, animado por los gritos de los otros, los pantalones remangados sobre las rodillas, saltaba a la playa, sentía en sus piernas el agua fría y la superficie pulida de las piedras y, desde allí, sosteniendo sus pantalones con una mano, con la otra salpicaba a los muchachos, que se escudaban uno tras otro, hasta que se descalzaban a su vez, y salían a su encuentro y lo mojaban y comenzaba el combate. Más tarde, calados hasta los huesos, volvían a reunirse en la playa y, tirados sobre las piedras, discutían el ascenso. La subida era penosa y extenuante. Al llegar al barrio, permanecían echados en el jardín de la casa de Pluto, fumando Viceroys[230] comprados en la pulpería[231] de la esquina, junto con pastillas de menta para quitarse el olor a tabaco.

Cuando no jugaban fulbito, ni descendían al barranco, ni disputaban la vuelta ciclista a la manzana, iban al cine. Los sábados solían ir en grupo a las matinés[232] del Excelsior o del Ricardo Palma[233], generalmente a galería[234]. Se sentaban en la primera fila, hacían bulla, arrojaban fósforos prendidos a la platea[235] y discutían a gritos los incidentes del film. Los domingos era distinto. En la mañana debían ir a misa del colegio Champagnat[236] de

---

[230] *Viceroys*. Marca popular, estadounidense, de tabaco rubio. El nombre, en inglés, significa «virreyes».

[231] *Pulpería*. (Am.) Tienda de abarrotes.

[232] *Matiné*. Primera sesión de cine de la tarde, pensada para un público juvenil.

[233] Dos salas de cine muy populares. El cine Excélsior todavía sigue funcionando en el jirón de la Unión —con el nombre de Star Cinema Excelsior—, mientras que el Ricardo Palma, inaugurado en 1935 y situado frente al parque Central de Miraflores, fue demolido para unirlo con el Kennedy.

[234] Parte superior del cine, también conocida como cazuela o paraíso, habitualmente con localidades más baratas.

[235] *Platea*. Patio de butacas, piso inferior de un cine, habitualmente con localidades más caras.

[236] *Colegio Champagnat*. Centro de enseñanza religiosa, privado, de gran tradición entre la burguesía limeña, fundado en 1927 y situado en el distrito de Miraflores. Debe su nombre al religioso francés, fundador

Miraflores; solo Emilio y Alberto estudiaban en Lima. Por lo general, se reunían a las diez de la mañana en el parque Central, vestidos todavía con sus uniformes, y desde una banca pasaban revista a la gente que entraba a la iglesia o entablaban pugilatos[237] verbales con los muchachos de otros barrios. En las tardes iban al cine, esta vez a platea, bien vestidos y peinados, medio sofocados por las camisas de cuello duro y las corbatas que sus familias les obligaban a llevar. Algunos debían acompañar a sus hermanas; los otros los seguían por la avenida Larco, llamándolos niñeras y maricas[238]. Las muchachas del barrio, tan numerosas como los hombres, formaban también un grupo compacto, furiosamente enemistado con el de los varones. Entre ambos había una lucha perpetua. Cuando ellos estaban reunidos y veían a una de las muchachas, se le acercaban corriendo y le jalaban[239] los cabellos hasta hacerla llorar y se burlaban del hermano que protestaba: «ahora le cuenta a mi papá y me va a castigar por no haberla defendido». Y, a la inversa, cuando uno de ellos aparecía solo, las muchachas le sacaban la lengua y le ponían toda clase de apodos y él tenía que soportar esos ultrajes, la cara roja de vergüenza, pero sin apurar el paso para demostrar que no era un cobarde que teme a las mujeres.

Pero no vinieron, por culpa de los oficiales, tenía que ser. Creíamos que eran ellos y saltamos de las camas, pero los imaginarias nos aguantaron: «quietos que son los solda-

---

de la institución docente de los Hermanos Maristas, Marcellin Champagnat (1789-1840).

[237] *Pugilato*. Pelea, enfrentamiento.

[238] *Marica*. Insulto homófobo, contra supuestos homosexuales y/o afeminados.

[239] *Jalar*. (Am.) Estirar.

dos». Los habían levantado a medianoche a los serranos y los tenían en la pista de desfile, armados hasta los dientes, como si fueran a la guerra, y también los tenientes y los suboficiales, es un hecho que se la olían. Pero quisieron venir, después supimos que se pasaron la noche preparándose, dicen que hasta tenían hondas y cocteles de amoniaco[240]. Qué manera de mentarle la madre a los soldados, estaban furiosos y nos mostraban las bayonetas. No se olvidará de este servicio, dicen que el coronel casi le pega, o tal vez le pegó, «Huarina, es usted un cataplasma»[241], lo fundimos[242] delante del ministro, delante de los embajadores, dicen que casi lloraba. Todo hubiera terminado ahí, si al día siguiente no hay la fiesta esa, bien hecho coronel, qué es eso de exhibirnos como monos, evoluciones[243] con armas ante el arzobispo y almuerzo de camaradería, gimnasia y saltos ante los generales ministros y almuerzo de camaradería, desfile con uniformes de parada[244] y discursos, y almuerzo de camaradería ante los embajadores, bien hecho, bien hecho. Todos sabían que iba a pasar algo, estaba en el aire, el Jaguar decía: «ahora en el estadio tenemos que ganarles todas las pruebas, no podemos perder ni una sola, hay que dejarlos a cero, en los costales[245] y en las carreras, en todo». Pero no hubo casi nada, se armó con la prueba de la soga, todavía me duelen los brazos de tanto jalar, cómo gritaban «dale Boa», «dale duro, Boa», «fuerte, fuerte», «zuza[246], zuza». Y en la mañana, antes del desayuno, venían donde Urioste, el Jaguar y yo y nos decían «jalen hasta mo-

---

[240] *Cocteles de amoniaco.* Arma arrojadiza incendiaria y rudimentaria, casera.

[241] *Un cataplasma.* Un pesado, como una cataplasma.

[242] *Fundir.* (Per.) Molestar, importunar.

[243] *Evoluciones.* Ejercicios de la tropa, propios de la instrucción.

[244] *De parada.* Del inglés, *parade,* desfile; uniformes de gala.

[245] *Costal.* (Am.) En español peninsular, «saco», de papas o patatas, para las carreras de encostalados.

[246] *Zuza.* Voz desusada, empleada para incitar.

rirse pero no retrocedan, háganlo por la sección». El único que no se la olía era Huarina, gran baboso[247]. En cambio la Rata tiene olfato, cuidado con hacer cojudeces[248] delante del coronel y no se me ría nadie en las barbas, soy chiquitito pero me he cansado de ganar campeonatos de yudo[249]. Quieta, perra, saca tus malditos dientes, Malpapeadita. Y estaba lleno de gente, los soldados habían traído sillas del comedor o eso fue otra vez, pero digamos que estaba lleno de gente, imposible distinguir al general Mendoza entre tanto uniforme. El que tiene más medallas y me voy a quedar seco de risa[250] si me acuerdo del micro, el colmo de la mala suerte, cómo nos divertimos, me voy a hacer pis de risa, me corto la cabeza que si está Gamboa, voy a reventar de tanta risa si me acuerdo del micro. Quién hubiera pensado que sería tan serio, pero mira cómo están los de quinto, nos mandan candela con los ojos y abren las bocas como para mentarnos la madre. Y nosotros comenzamos también a mentarles la madre, bajito, despacito, Malpapeada. ¿Listos, cadetes? Atención al pito. «Evoluciones sin voz de mando», decía el micro, «cambios de dirección y de paso», «de frente, marchen». Y ahora los barristas[251], espero que se hayan lavado bien el cuerpo, carcosos[252]. Una, dos, tres, vayan al paso ligero y saluden. Ese enano es buenazo en la barra, casi no tiene músculos y sin embargo qué ágil. Al coronel tampoco lo veíamos pero ni hacía falta, lo conozco de memoria, para qué echarse tanta gomina con semejantes cerdas[253], no vengan a hablarme de porte militar cuando

---

[247] *Baboso*. Estúpido.

[248] *Cojudez*. (Am.) Tontería.

[249] *Yudo*. Del japonés, *judo*. Arte marcial.

[250] *Quedar seco de risa*. Morir de risa.

[251] *Barrista*. Aquí, gimnasta que hace ejercicios en la barra.

[252] *Carcoso*. (Per.) Sucio. «Carca» implica una suciedad muy incrustada, que se adhiere a la piel, mugre.

[253] *Cerdas*. Cabellos muy duros y tiesos, como los de un animal.

pienso en el coronel, se suelta el cinturón y el vientre se le derrama por el suelo y qué risa la cara que puso. Creo que lo único que le gusta son las actuaciones y los desfiles, miren a mis muchachos qué igualitos están, tachín[254], tachín, comienza el circo, y ahora mis perros amaestrados, mis pulgas, las elefantas equilibristas, tachín, tachín. Con esa vocecita, yo fumaría todo el tiempo para volverme ronco, no es una voz militar. Nunca lo he visto en una campaña, ni lo imagino en una trinchera, pero eso sí, más y más actuaciones, esa tercera fila está torcida, cadetes, más atención oficiales, falta armonía en los movimientos, marcialidad y compostura, gran baboso, la cara que habrás puesto con lo de la soga. Dicen que el ministro transpiraba y que le dijo al coronel «¿esos carajos se han vuelto locos o qué?». Justo estábamos frente a frente, el quinto y el cuarto, y en medio la cancha de fútbol. Cómo estaban, se movían en sus asientos como serpientes y al otro lado los perros, mirando sin comprender nada, espérense un momento y van a ver lo que es bueno. Huarina daba vueltas junto a nosotros y decía «¿creen que podrán?». «Puede usted consignarme un año si no ganamos», le dijo el Jaguar. Pero yo no estaba tan seguro, tenían buenos animalotes, Gambarina, Risueño, Carnero, tremendos animalotes. Me dolían los brazos desde antes y solo de nervios. «Que el Jaguar se ponga delante», gritaban en las tribunas y también «Boa, eres nuestra esperanza». Los de la sección comenzaron a cantar «ay, ay, ay» y Huarina se reía hasta que se dio cuenta que era por fregar a los de quinto y comenzó a jalarse los pelos, qué hacen brutos, ahí está el general Mendoza, el embajador, el coronel, qué hacen, la baba se le salía por los ojos. Me río si me acuerdo que el coronel dijo «no crean que la soga es cuestión de músculos, también de inteligencia y de astucia,

---

[254] *Tachín, tachín.* Remeda la música de circo, platillos o trompetas, para anunciar cada número.

de estrategia común, no es fácil armonizar el esfuerzo», me muero de risa. Los muchachos nos aplaudieron como nunca he oído, cualquiera que tenga un corazón se emociona. Los de quinto ya estaban en la cancha con sus buzos[255] negros y a ellos también los aplaudían. Un teniente trazaba la raya y parecía que estábamos en plena prueba, cómo chillaba la barra[256]: «cuarto, cuarto», «le cuadre[257] o no le cuadre, cuarto será su padre», «le guste o no le guste, cuarto vencerá». «¿Y tú qué gritas?, me dijo el Jaguar, ¿no ves que eso puede agotarte?», pero era tan emocionante: «un latigazo por aquí, chajuí[258]; un latigazo por allá, chajuá; chajuí, chajuá, cuarto, cuarto, ra-ra-ra»[259]. «Ya, dijo Huarina, les toca. Pórtense como deben y dejen bien el nombre del año, muchachos», ni sospechaba la que se venía. Corran muchachos, el Jaguar adelante, zuza, zuza, Urioste, zuza, zuza, Boa, dale, dale, Rojas, ufa, ufa, Torres, chanca[260], chanca, Riofrío, Pallasta, Pestana, Cuevas, Zapata, zuza, zuza, morir antes que ceder un milímetro. Corran sin abrir la boca, las tribunas están cerquita y a ver si le vemos la cara al general Mendoza, no se olviden de levantar los brazos cuando Torres diga tres. Hay más gente de la que parecía y cuántos militares, deben ser los ayudantes del ministro, me gustaría verles la cara a los embajadores, cómo nos aplauden y todavía no hemos empezado. Eso es, ahora media vuelta, el teniente debe tener la soga lista, padrecito del cielo que le haya hecho buenos nudos, qué tales caras de malos que ponen los

---

[255] *Buzo.* (Am.) Ropa de deporte, chándal.

[256] *Barra.* (Am.) Aquí, se refiere a la afición, a los hinchas, a la barra brava.

[257] *Cuadrarle algo a alguien.* Parecerle bien algo a alguien.

[258] *Chajuí, chajuá.* Onomatopeya que alude al latigazo de la canción para animar al equipo.

[259] En la primera edición, aparece acentuado, para darle mayor énfasis («rá-rá-rá»), marcando el ritmo del grito de animación.

[260] *Chancar.* (Indig.) Del quechua, *ch'anqay,* machacar, moler. Golpear.

de quinto, no me asusten que tiemblo de miedo, alto. «Chajuí, chajuá, ra-ra-ra». Y entonces Gambarina se acercó un poco y sin importarle un comino el teniente que estiraba la soga y contaba los nudos, dijo: «así que se la quieren dar de vivos. Cuidado que se pueden quedar sin bolas»[261]. «¿Y tu madre?, le preguntó el Jaguar. «Después hablamos tú y yo», dijo Gambarina. «Basta de bromas», dijo el teniente, «vengan aquí los capitanes, alinéense, comiencen a jalar al silbato, apenas uno atraviese la línea enemiga toco el pito y paran. La victoria será por dos puntos de diferencia. Y no me vengan con protestas que yo soy hombre justo». Calistenia[262], calistenia, saltitos con la boca cerrada, caracho la barra está gritando Boa, Boa más que Jaguar o estoy loco, qué espera para tocar el pito. «Listos, muchachos», dijo el Jaguar, «dejen el alma[263] en el suelo». Y Gambarina soltó la soga y nos mostró el puño, estaban muñequeados[264], cómo no iban a perder. Y lo que daba más ánimo eran los muchachos, se me metían al cerebro esos gritos, a los brazos y me daban cuánta fuerza, hermanos, uno, dos, tres, no, padrecito, Dios, santitos, cuatro, cinco, la soga parece una culebra, ya sabía que los nudos no eran bastante gruesos, las manos se, cinco, seis, resbalan, siete, me muero si no estamos avanzando, ni me había visto el pecho, así transpiran los machos, nueve[265], zuza, zuza, un segundito más muchachos, ufa, ufa, silbato, mátame. Los de quinto se pusieron a chillar, «trampa, mi teniente», «no habíamos cruzado la línea, mi teniente», chajuí, los de cuarto se han levantado, se han sacado las cristinas, hay un mar de cristinas, ¿están gritando Boa?, cantan, lloran, gritan, viva el Perú mucha-

---

[261] *Bolas.* Testículos.
[262] *Calistenia.* Conjunto de ejercicios, gimnasia.
[263] *Dejar el alma.* Darlo todo, esforzarse al máximo.
[264] *Muñequeado.* (Per.) Asustado, nervioso.
[265] Se ha saltado el número ocho.

chos, muera el quinto, no pongan esas caras de malosos[266] que reviento de risa, chajuí, chajuá. «No murmuren», dijo el teniente, «uno cero a favor de cuarto. Y prepárense para la segunda». Zuza, compañeros, qué barra la del cuarto, eso es rugir de verdad, te estoy viendo serrano Cava, Rulos, griten que eso calienta los músculos, estoy transpirando como una regadera, no te escapes culebra, quédate quietecita y no me metas los dientes, Malpapeada. Los pies, eso es lo peor, se resbalan como patines en la hierbita, creo que se me va a romper algo, se me salen las venas del cogote, quién es el que anda aflojando, no te agaches, pero quién es el traidor que anda soltando, aprieten la culebra, piensen en el año, cuatro, tres, ufa, qué le pasa a la barra, maldita sea Jaguar, nos empataron. Pero les costó más trabajo, se pusieron de rodillas y se tiraban al suelo con los brazos abiertos, respiraban como animales y sudaban. «Van tablas a uno», dijo el teniente, «y no hagan tantos aspavientos que parecen mujeres». Y entonces comenzaron a insultarnos para bajarnos la moral. «Apenas se termine el juego, mueren», «como que hay Dios en el cielo, los machucamos», «cierren las jetas o nos mechamos ahora mismo». «Malditos desconsiderados», decía el teniente, «no ven que las lisuras se oyen en las tribunas, me la van a pagar caro». Como si lloviera, tu madre por aquí, chajuí, la tuya, ra-ra-ra. Esta vez fue más rápido y más chistoso, todos comenzaron a rugir con la barriga, con los pescuezos hinchados y las venas moradas. «Cuarto, cuarto, silben, fuiiiiiiii[267], boom, ¡cuarto!», «le cuadre o no le cuadre, cuarto será su padre», un solo tirón y a morder el polvo de la derrota. Y el Jaguar dijo: «se nos van a echar encima sin importarles un carajo que las tribunas estén llenas de generales. Esta va a ser la mechadera del siglo. ¿Han visto cómo me mira el Gambarina?». Las lisuras

---

[266] *Maloso.* (Am.) Malvado.
[267] Trata de reproducir el sonido del silbido.

de las barras volaban sobre la cancha, a lo lejos se veía a Huarina saltando de un lado a otro, el coronel y el ministro están oyendo todo, brigadieres, tomen cuatro, cinco, diez por sección y consígnenlos un mes, dos. Jalen muchachos, es el último esfuerzo, vamos a ver quiénes son los auténticos leonciopradinos[268] de pelo en pecho y bolas de toro. Estábamos jalando, cuando vi la mancha, una gran mancha parda con puntos rojos que bajaba desde las tribunas de quinto, una manchita que crecía, una manchaza, «vienen los de quinto», se puso a gritar el Jaguar, «a defenderse, muchachos», cuando Gambarina soltó la culebra y los otros de quinto que jalaban se fueron de bruces y pasaron la raya, ganamos grité, ya el Jaguar y Gambarina comenzaban a mecharse en el suelo y Urioste y Zapata pasaban a mi lado con la lengua afuera y empezaban a lanzar combos entre los de quinto, la mancha crecía y crecía, y entonces Pallasta se sacó la chompa del buzo y hacía gestos a las tribunas de cuarto, vengan que nos quieren linchar muchachos, el teniente quería separar al Jaguar y a Gambarina sin ver que había un cargamontón[269] a su espalda, malditos ¿no ven que ahí está el coronel?, y otra mancha que comenzaba a bajar, ahí vienen los nuestros, todo el cuarto era el Círculo, dónde estás cholo[270] Cava, hermano Rulos, peleemos espalda con espalda[271], todos han vuelto al redil y nosotros somos los jefes. Y, de repente, la vocecita del coronel por todas partes, oficiales, oficiales, pongan fin a este escándalo, qué humillación para el colegio, y, en eso, la cara del tipo que me bautizó, mirándo-

---

[268] *Leonciopradino.* Estudiante del Leoncio Prado.

[269] *Cargamontón.* (Per.) Ataque en tropel.

[270] *Cholo.* (Per.) Persona con rasgos indígenas. Término que designa a alguien de origen mestizo, habitualmente en sentido despectivo, aunque puede utilizarse, no obstante, también, de forma familiar y cariñosa.

[271] Como en *Los tres mosqueteros* (1844), de A. Dumas.

me con su gran jeta morada, espérame padrecito que tenemos una cuenta pendiente, si mi hermano me hubiera visto, tanto que odiaba a los serranos, esa jeta abierta y ese miedo de serrano y de repente comenzaron a llover latigazos, los oficiales y los suboficiales se quitaron las correas y dicen que también vinieron algunos oficiales que estaban en las tribunas como invitados y también se sacaron las correas y hay que tener una concha[272] formidable, sin ser siquiera del colegio, a mí creo que no me dieron con el cuero sino con la hebilla, tengo la espalda rajada de tremendo latigazo. «Se trata de un complot, mi general, pero seré implacable», «qué complot ni qué ocho cuartos, haga algo para que esos carajos dejen de pelear», «mi coronel, baje la palanca que el micro está abierto», pito y azote, tantos tenientes y ni los veo, los latigazos en los lomos ardían y el Jaguar y Gambarina enredados como pulpos sobre la hierbita. Pero tuvimos suerte, Malpapeada, quita tus dientes, sarnosa[273]. En la fila comenzó a arderme el cuerpo y ¡un cansancio!, qué ganas de echarme ahí mismo sobre la cancha de fútbol a descansar. Y nadie hablaba, parecía mentira que hubiera ese silencio, los pechos subiendo y bajando, quién iba a pensar en la salida, juro que lo único que querían era meterse a la cama y dormir una siesta. Ahora sí nos fregamos, el ministro nos hará consignar hasta fin de año, lo más gracioso era la cara de los perros, si no habían hecho nada ¿por qué tenían ese susto?, váyanse a sus casas y no se olviden de lo que han visto, y más miedo tenían los tenientes, Huarina estás amarillo, mírate en un espejo y te dará pena tu cara y el Rulos dijo a mi lado: «¿será el general Mendoza ese gordo que está junto a la mujer de azul? Yo creía que era de infantería, pero el cabrón tiene insig-

272 *Concha*. (Per.) Suerte.
273 *Sarnosa*. Con sarna, enfermedad cutánea.

nias[274] rojas, había sido artillero». Y el coronel que se comía el micro y no sabía por dónde empezar, y chillaba «cadetes» y se paraba y volvía a decir «cadetes» y se le quebraba la voz, ya me vino la risa, perrita, y todos tiesos y mudos, temblando. ¿Qué fue lo que dijo, Malpapeada?, digo además de repetir «cadetes, cadetes, cadetes», ya arreglaremos en familia lo ocurrido, solo unas palabras para pedir disculpas en nombre de todos, de ustedes, de los oficiales, en nombre mío, nuestras más humildes excusas y la mujer que se ganó un aplauso de cinco minutos, dicen que se puso a llorar de la emoción al ver que nos rompíamos las manos aplaudiéndola y comenzó a lanzar besos a todo el mundo, lástima que estaba tan lejos, no se podía saber si era fea o bonita, joven o vieja. ¿No se te escarapeló el cuero, Malpapeada, cuando dijo «los de tercero a ponerse los uniformes, los de cuarto y quinto se quedan adentro»? ¿Sabes por qué no se movió nadie, perra, ni los oficiales, ni los brigadieres, ni los invitados, ni los perros?, porque el diablo existe. Y entonces ella saltó, «coronel», «excelentísima señora», todos se movían, pero qué es lo que está pasando, «le ruego, coronel», «ilustrísima señora embajadora, no tengo palabras», «cierren el micro», «le suplico, coronel», ¿cuánto tiempo, Malpapeada? Ningún tiempo, todos miraban al gordo y al micro y a la mujer, hablaban a la vez y nos dimos cuenta que era una gringa[275], «¿lo hará usted por mí, coronel?», el muerto flotando sobre la cancha y todos firmes. «Cadetes, cadetes, olvidemos este bochorno, que nunca se repita, la infinita bondad de la señora embajadora», dicen que Gamboa dijo después «qué vergüenza, ni que esto fuera un colegio de monjas, las mujeres dando órdenes en los cuarteles», y agradezcan a la dignísima, quién inventaría el

---

[274] *Insignia.* Marca o señal en el uniforme que determina la pertenencia a un determinado rango militar.
[275] *Gringa.* (Am.) Extranjera, a menudo de habla inglesa y, posiblemente, estadounidense.

aplauso del colegio, una locomotora que parte despacito, pam[276], uno dos tres cuatro cinco, pam, uno dos tres cuatro, pam, uno dos tres, pam, uno dos, pam, uno, pam, pam, pammmm, y de nuevo y después, pam-pam-pam, y de nuevo, los del Guadalupe se jalaban las mechas[277] de cólera con nuestra barra en el campeonato de atletismo y nosotros pam-pam-pam, a la embajadora debimos hacerle también el chajuí, chajuá, hasta los perros se pusieron a aplaudir y los suboficiales y los tenientes, no paren, sigan, pam-pam-pam, y no le quiten los ojos al coronel, la embajadora y el ministro se largan y a él se le torcerá de nuevo la cara[278] y dirá se creían muy vivos pero voy a barrer el suelo con ustedes, pero se comenzó a reír, y el general Mendoza, y los embajadores y los oficiales y los invitados, pam-pam-pam, uy qué buenos somos todos, uy papacito, uy mamacita, pam-pam-pam, todos somos leonciopradinos ciento por ciento, viva el Perú cadetes, algún día la patria nos llamará y ahí estaremos, alto el pensamiento, firme el corazón[279], «¿dónde está Gambarina para darle un beso en la boca?», decía el Jaguar, «quiero decir si quedó vivo después de tanto contrasuelazo[280] que le di», la mujer está llorando con los aplausos, Malpapeada, la vida del colegio es dura y sacrificada pero tiene sus compensaciones, lástima que el Círculo no volviera a ser lo que era, el corazón me aumentaba en el pecho cuando nos reuníamos los treinta en el baño, el diablo se mete siempre en todo con sus cachos[281] peludos, qué sería que todos nos fregáramos por el serra-

---

[276] *Pam.* Onomatopeya del aplauso.
[277] *Jalarse de las mechas.* (Am.) Agarrarse o tirarse de los cabellos, de rabia e incredulidad.
[278] *Torcer la cara.* Hacer gesto de disgusto.
[279] Parte de la letra del himno del Leoncio Prado.
[280] *Contrasuelazo.* (Per.) Golpe contra el suelo, caída aparatosa, revolcón.
[281] *Cacho.* (Am.) Cuerno.

no Cava, que le dieran de baja, que nos dieran de baja por un cochino vidrio, por tu santa madre no me metas los dientes[282], Malpapeada, perra.

Los días siguientes, monótonos y humillantes, también los ha olvidado. Se levantaba temprano, el cuerpo adolorido[283] por el desvelo, y vagaba por las habitaciones a medio amueblar de esa casa extranjera. En una especie de buhardilla, levantada en la azotea, encontró altos[284] de periódicos y revistas, que hojeaba distraídamente mañanas y tardes íntegras. Eludía a sus padres y les hablaba solo con monosílabos. «¿Qué te parece tu papá?», le preguntó un día su madre. «Nada», dijo él, «no me parece nada». Y otro día: «¿estás contento, Richi?». «No». Al día siguiente de llegar a Lima, su padre vino hasta su cama y, sonriendo, le presentó el rostro. «Buenos días», dijo Ricardo, sin moverse. Una sombra cruzó los ojos de su padre. Ese mismo día comenzó la guerra invisible. Ricardo no abandonaba el lecho hasta sentir que su padre cerraba tras él la puerta de calle. Al encontrarlo a la hora de almuerzo, decía rápidamente, «buenos días» y corría a la buhardilla. Algunas tardes, lo sacaban a pasear. Solo en el asiento trasero del automóvil, Ricardo simulaba un interés desmedido por los parques, avenidas y plazas. No abría la boca pero tenía los oídos pendientes de todo lo que sus padres decían. A veces, se le escapaba el significado de ciertas alusiones: esa noche su desvelo era febril. No se dejaba sorprender. Si se dirigían a él de improviso, respondía: «¿cómo?, ¿qué?». Una noche los oyó hablar de él en la pieza[285] vecina. «Tiene apenas ocho años, decía su madre; ya se acostumbrará». «Ha tenido tiempo de so-

---

[282] *Meter los dientes.* Morder.
[283] *Adolorido.* Dolorido.
[284] *Alto.* (Am.) Pila, montón.
[285] *Pieza.* (Am.) Habitación.

bra», respondía su padre y la voz era distinta: seca y cortante. «No te había visto antes, insistía la madre; es cuestión de tiempo». «Lo has educado mal, decía él; tú tienes la culpa de que sea así. Parece una mujer». Luego, las voces se perdieron en un murmullo. Unos días después su corazón dio un vuelco: sus padres adoptaban una actitud misteriosa, sus conversaciones eran enigmáticas. Acentuó su labor de espionaje; no dejaba pasar el menor gesto, acto o mirada. Sin embargo, no halló la clave por sí mismo. Una mañana, su madre le dijo a la vez que lo abrazaba: «¿y si tuvieras una hermanita?». Él pensó: «si me mato, será culpa de ellos y se irán al infierno». Eran los últimos días del verano. Su corazón se llenaba de impaciencia; en abril lo mandarían al colegio y estaría fuera de su casa buena parte del día. Una tarde, después de mucho meditar en la buhardilla, fue donde su madre y le dijo: «¿no pueden ponerme interno?». Había hablado con una voz que creía natural, pero su madre lo miraba con los ojos llenos de lágrimas. Él se metió las manos en los bolsillos y agregó: «a mí no me gusta estudiar mucho, acuérdate lo que decía la tía Adelina en Chiclayo. Y eso no le parecerá bien a mi papá. En los internados hacen estudiar a la fuerza». Su madre lo devoraba con los ojos y él se sentía confuso. «¿Y quién acompañará a tu mamá?». «Ella, respondió Ricardo, sin vacilar; mi hermanita». La angustia se desvaneció en el rostro de su madre, sus ojos revelaban ahora abatimiento. «No habrá ninguna hermanita, dijo; me había olvidado de decírtelo». Estuvo pensando todo el día que había procedido mal; lo atormentaba haberse delatado. Esa noche, en el lecho, los ojos muy abiertos, estudiaba la manera de rectificar el error: reduciría al mínimo las palabras que cambiaba con ellos, pasaría más tiempo en la buhardilla, cuando en eso lo distrajo el rumor que crecía, y, de pronto, la habitación estaba llena de una voz tronante y de un vocabulario que nunca había oído. Tuvo miedo y dejó de pensar. Las injurias llegaban hasta él con pavorosa nitidez y, por instantes, perdida entre los gritos y los insultos masculinos, distinguía la voz de su madre, débil, suplicando. Después el ruido cesó unos segundos, hubo un chasquido silbante, y cuando su madre gritó «¡Richi!», él ya se había incorporado, corría hacia la puerta, la abría e irrumpía en la otra habitación gritando: «no le pegues a mi mamá». Alcanzó a ver a su madre, en camisa de noche, el rostro deformado por la luz indirecta de la lámpara, y la escuchó balbucear algo, pero en eso surgió ante sus ojos una gran silueta blanca. Pensó: «está desnudo» y sintió terror. Su padre lo golpeó con la mano abierta y él se desplomó sin gritar. Pero se levantó de inmediato: todo se había puesto a girar suavemente. Iba a decir que a él no le habían pegado nunca, que no era posible, pero antes que lo hiciera, su padre lo volvió a golpear y él cayó al suelo de nuevo. Desde allí vio, en un lento remolino, a su madre que saltaba de la cama y vio a su padre detenerla a medio camino y empujarla fácilmente hasta el lecho, y luego lo vio dar media vuelta y venir hacia él, vociferando, y se sintió en el aire, y, de pronto, estaba en su cuarto, a oscuras, y el hombre cuyo cuerpo resaltaba en la negrura le volvió a pegar en la cara, y todavía alcanzó a ver que el hombre se interponía entre él y su madre que cruzaba la puerta, la cogía de un brazo y la arrastraba como si fuera de trapo y luego la puerta se cerró y él se hundió en una vertiginosa pesadilla.

IV

Bajó del autobús en el paradero de Alcanfores y recorrió a trancos largos las tres cuadras que había hasta su casa. Al cruzar una calle vio a un grupo de chiquillos. Una voz irónica dijo, a su espalda: «¿vendes chocolates?». Los otros se rieron. Años atrás, él y los muchachos del barrio gritaban también «chocolateros»[286] a los cadetes del Colegio Militar. El cielo estaba plomizo, pero no hacía frío. La quinta de Alcanfores parecía deshabitada. Su madre le abrió la puerta. Lo besó.

—Llegas tarde —le dijo—. ¿Por qué, Alberto?

—Los tranvías del Callao siempre están repletos, mamá. Y pasan cada media hora.

Su madre se había apoderado del maletín y del quepí y lo seguía a su cuarto. La casa era pequeña, de un piso, y brillaba. Alberto se quitó la guerrera y la corbata; las arrojó sobre una silla. Su madre las levantó y dobló cuidadosamente.

—¿Quieres almorzar de una vez?

—Me bañaré antes.

—¿Me has extrañado?

—Mucho, mamá.

---

[286] *Chocolatero.* Los llamaban así porque sus uniformes se parecían a los de los vendedores de chocolate.

Alberto se sacó la camisa. Antes de quitarse el pantalón se puso la bata: su madre no lo había visto desnudo desde que era cadete.

—Te plancharé el uniforme. Está lleno de tierra.

—Sí —dijo Alberto. Se puso las zapatillas. Abrió el cajón de la cómoda, sacó una camisa de cuello, ropa interior, medias. Luego, del velador[287], unos zapatos negros que relucían.

—Los lustré esta mañana —dijo su madre.

—Te vas a malograr[288] las manos. No debiste hacerlo, mamá.

—¿A quién le importan mis manos? —dijo ella, suspirando—. Soy una pobre mujer abandonada.

—Esta mañana di un examen muy difícil —la interrumpió Alberto—. Me fue mal.

—Ah —repuso la madre—. ¿Quieres que te llene la tina?[289].

—No. Me ducharé, mejor.

—Bueno. Voy a preparar el almuerzo.

Dio media vuelta y avanzó hasta la puerta.

—Mamá.

Se detuvo, en medio del vano[290]. Era menuda, de piel muy blanca, de ojos hundidos y lánguidos. Estaba sin maquillar y con los cabellos en desorden. Tenía sobre la falda un delantal ajado. Alberto recordó una época relativamente próxima: su madre pasaba horas ante el espejo, borrando sus arrugas con afeites[291], agrandándose los ojos, empolvándose; iba todas las tardes a la peluquería y, cuando se disponía a salir, la elección del vestido precipitaba crisis de nervios. Desde que su padre se marchó, se había transformado.

---

[287] *Velador*. Mesa pequeña, con una sola pata central, habitualmente.
[288] *Malograr*. Estropear.
[289] *Tina*. (Am.) Bañera, bañadera.
[290] *Vano*. Hueco de la puerta.
[291] *Afeites*. Productos cosméticos, de belleza.

—¿No has visto a mi papá?

Ella volvió a suspirar y sus mejillas se sonrojaron.

—Figúrate que vino el martes —dijo—. Le abrí la puerta sin saber quién era. Ha perdido todo escrúpulo, Alberto, no tienes idea cómo está. Quería que fueras a verlo. Me ofreció plata otra vez. Se ha propuesto matarme de dolor —entornó los párpados y bajó la voz—: Tienes que resignarte, hijo.

—Voy a darme un duchazo —dijo él—. Estoy inmundo.

Pasó ante su madre y le acarició los cabellos, pensando: «no volveremos a tener un centavo». Estuvo un buen rato bajo la ducha; después de jabonarse minuciosamente se frotó el cuerpo con ambas manos y alternó varias veces el agua caliente y fría. «Como para quitarme la borrachera», pensó. Se vistió. Al igual que otros sábados, las ropas de civil le parecieron extrañas, demasiado suaves; tenía la impresión de estar desnudo: la piel añoraba el áspero contacto del dril. Su madre lo esperaba en el comedor. Almorzó en silencio. Cada vez que terminaba un pedazo de pan, su madre le alcanzaba la panera con ansiedad.

—¿Vas a salir?

—Sí, mamá. Para hacer un encargo a un compañero que está consignado. Regresaré pronto.

La madre abrió y cerró los ojos varias veces y Alberto temió que rompiera a llorar.

—No te veo nunca —dijo ella—. Cuando sales, pasas el día en la calle. ¿No compadeces a tu madre?

—Solo estaré fuera[292] una hora, mamá —dijo Alberto, incómodo—. Quizá menos.

Se había sentado a la mesa con hambre y ahora la comida le parecía interminable e insípida. Soñaba toda la semana con la salida, pero apenas entraba a su casa se sentía irritado: la abrumadora obsequiosidad de su madre era tan mortificante como el encierro. Además, se trataba de algo nuevo, le costaba trabajo acostumbrarse. Antes, ella lo enviaba a la calle con

---

[292] En la edición de la RAE, se elimina «fuera».

cualquier pretexto, para disfrutar a sus anchas con las amigas innumerables que venían a jugar canasta[293] todas las tardes. Ahora, en cambio, se aferraba a él, exigía que Alberto le dedicara todo su tiempo libre y la escuchara lamentarse horas enteras de su destino trágico. Constantemente caía en trance: invocaba a Dios y rezaba en voz alta. Porque también en eso había cambiado. Antes, olvidaba la misa con frecuencia y Alberto la había sorprendido muchas veces cuchicheando con sus amigas contra los curas y las beatas. Ahora iba a la iglesia casi a diario, tenía un guía espiritual, un jesuita a quien llamaba «hombre santo», asistía a toda clase de novenas y, un sábado, Alberto descubrió en su velador una biografía de santa Rosa de Lima[294]. La madre levantaba los platos y recogía con su mano unas migas de pan dispersas sobre la mesa.

—Estaré de vuelta antes de las cinco —dijo él.

—No te demores, hijito —repuso ella—. Compraré bizcochos para el té.

La mujer era gorda, sebosa y sucia: los pelos lacios caían a cada momento sobre su frente; ella los echaba atrás con la mano izquierda y aprovechaba para rascarse la cabeza. En la otra mano, tenía un cartón cuadrado con el que hacía aire a la llama vacilante; el carbón se humedecía en las noches y, al ser encendido, despedía humo: las paredes de la cocina estaban negras y la cara de la mujer manchada de ceniza. «Me voy a volver ciega», murmuró. El humo y las chispas le llenaban los ojos de lágrimas; siempre estaba con los párpados hinchados.

—¿Qué cosa? —dijo Teresa, desde la otra habitación.

—Nada —refunfuñó la mujer, inclinándose sobre la olla: la sopa todavía no hervía.

---

[293] *Canasta*. Juego de naipes.
[294] *Santa Rosa de Lima*. Patrona del Perú, suscita una gran devoción en todo el país, pero, especialmente, en la capital. Su onomástica se celebra el 30 de agosto.

—¿Qué? —preguntó la muchacha.

—¿Estás sorda? Digo que me voy a volver ciega.

—¿Quieres que te ayude?

—No sabes —dijo la mujer, secamente; ahora removía la olla con una mano y con la otra se hurgaba la nariz—. No sabes hacer nada. Ni cocinar, ni coser, ni nada. Pobre de ti.

Teresa no respondió. Acababa de volver del trabajo y estaba arreglando la casa. Su tía se encargaba de hacerlo durante la semana, pero los sábados y los domingos le tocaba a ella. No era una tarea excesiva; la casa tenía solo dos habitaciones, además de la cocina: un dormitorio y un cuarto que servía de comedor, sala y taller de costura. Era una casa vieja y raquítica, casi sin muebles.

—Esta tarde irás donde tus tíos —dijo la mujer—. Ojalá no sean tan miserables como el mes pasado.

Unas burbujas comenzaron a agitar la superficie de la olla: en las pupilas de la mujer se encendieron dos lucecitas.

—Iré mañana —dijo Teresa—. Hoy no puedo.

—¿No puedes?

La mujer agitaba frenéticamente el cartón que le servía de abanico.

—No. Tengo un compromiso.

El cartón quedó inmovilizado a medio camino y la mujer alzó la vista. Su distracción duró unos segundos; reaccionó y volvió a atender el fuego.

—¿Un compromiso?

—Sí —la muchacha había dejado de barrer y tenía la escoba suspendida a unos centímetros del suelo—. Me han invitado al cine.

—¿Al cine? ¿Quién?

La sopa estaba hirviendo. La mujer parecía haberla olvidado. Vuelta hacia la habitación contigua, esperaba la respuesta de Teresa, los pelos cubriéndole la frente, inmóvil y ansiosa.

—¿Quién te ha invitado? —repitió. Y comenzó a abanicarse el rostro a toda prisa.

—Ese muchacho que vive en la esquina —dijo Teresa, posando la escoba en el suelo.

—¿Qué esquina?

—La casa de ladrillos, de dos pisos. Se llama Arana.

—¿Así se llaman esos? ¿Arana?

—Sí.

—¿Ese que anda con uniforme? —insistió la mujer.

—Sí. Está en el Colegio Militar. Hoy tiene salida. Vendrá a buscarme a las seis.

La mujer se acercó a Teresa. Sus ojos abultados estaban muy abiertos.

—Esa es buena gente[295] —le dijo—. Bien vestida. Tienen auto.

—Sí —dijo Teresa—. Uno azul.

—¿Has subido a su auto? —preguntó la mujer con vehemencia.

—No. Solo he conversado una vez con ese muchacho, hace dos semanas. Iba a venir el domingo pasado, pero no pudo. Me mandó una carta.

Súbitamente, la mujer dio media vuelta y corrió a la cocina. El fuego se había apagado, pero la sopa continuaba hirviendo.

—Vas a cumplir diecisiete[296] años —dijo la mujer, reanudando el combate contra los rebeldes cabellos—. Pero no te das cuenta. Me quedaré ciega y nos moriremos de hambre, si no haces algo. No dejes escapar a ese muchacho. Tienes suerte que se haya fijado en ti. A tu edad, yo ya estaba encinta. ¡Para qué me dio hijos el Señor si me los iba a quitar después! ¡Bah!

—Sí, tía —dijo Teresa.

Mientras barría, contemplaba sus zapatos grises de tacón alto: estaban sucios y gastados. ¿Y si Arana la llevaba a un cine de estreno?

---

[295] *Buena gente.* (Am.) Buena persona.

[296] En la primera edición, dice «dieciocho». Desde la de 1997, se rectifica la edad.

—¿Es militar? —preguntó la mujer.

—No. Está en el Leoncio Prado. Un colegio como los otros, solo que dirigido por militares.

—¿En el colegio? —repuso la mujer, indignada—. Yo creí que era un hombre. Bah, a ti qué te puede importar que esté vieja. Lo que tú quieres es que yo reviente de una vez por todas.

Alberto se arreglaba la corbata. ¿Era él ese rostro pulcramente afeitado, esos cabellos limpios y asentados, esa camisa blanca, esa corbata clara, esa chaqueta gris, ese pañuelo que asomaba por el bolsillo superior, ese ser aséptico y acicalado que aparecía en el espejo del cuarto de baño?

—Estás muy buen mozo —dijo su madre, desde la sala. Y añadió, tristemente—: Te pareces a tu padre.

Alberto salió del baño. Se inclinó para besarla. Su madre le presentó la frente; le llegaba al hombro y Alberto la sintió muy frágil. Sus cabellos eran casi blancos. «Ya no se pinta[297] el pelo, pensó. Parece mucho más vieja».

—Es él —dijo la madre.

Efectivamente, un segundo después sonó el timbre. «No vayas a abrir», dijo la madre cuando Alberto avanzó hacia la puerta de calle, pero no hizo nada por impedirlo.

—Hola, papá —dijo Alberto.

Era un hombre bajo y macizo, un poco calvo. Vestía impecablemente, de azul, y Alberto, al besarlo en la mejilla, sintió un perfume penetrante. Sonriente, el padre le dio dos palmadas y echó una ojeada a la habitación. La madre, de pie en el pasillo que comunicaba con el baño, había asumido una actitud de resignación: la cabeza inclinada, los párpados semicerrados, las manos unidas sobre la falda,

---

[297] *Pintarse el pelo*. Teñirse para ocultar las canas.

el cuello un poco avanzado como para facilitar la tarea del verdugo.

—Buenos días, Carmela.

—¿A qué has venido? —susurró la madre, sin cambiar de postura.

Sin el menor embarazo, el hombre cerró la puerta, arrojó a un sillón una cartera de cuero y, siempre sonriente y desenvuelto, tomó asiento a la vez que hacía una señal a Alberto para que se sentara a su lado. Alberto miró a su madre: seguía inmóvil.

—Carmela —dijo el padre, alegremente—. Ven, hija, vamos a conversar un momento. Podemos hacerlo delante de Alberto, ya es todo un hombrecito.

Alberto sintió satisfacción. Su padre, a diferencia de su madre, parecía más joven, más sano, más fuerte. En sus ademanes y en su voz, en su expresión, había algo incontenible que pugnaba por exteriorizarse. ¿Sería feliz?

—No tenemos nada que hablar —dijo la madre—. Ni una palabra.

—Calma —repuso el padre—. Somos gente civilizada. Todo se puede resolver con serenidad.

—¡Eres un miserable, un perdido! —gritó la madre, súbitamente cambiada: mostraba los puños y su rostro, que había perdido toda docilidad, estaba encarnado; sus ojos relampagueaban—. ¡Fuera de aquí! Esta es mi casa, la pago con mi dinero.

El padre se tapó los oídos, divertido. Alberto miró su reloj. La madre había comenzado a llorar; su cuerpo se estremecía con los suspiros. No se limpiaba las lágrimas, que, al bajar por sus mejillas, revelaban una vellosidad rubia.

—Carmela —dijo el padre—, tranquilízate. No quiero pelear contigo. Un poco de paz. No puedes seguir así, es absurdo. Tienes que salir de esta casucha, tener sirvientas, vivir. No puedes abandonarte. Hazlo por tu hijo.

—¡Fuera de aquí! —rugió la madre—. Esta es una casa limpia, no tienes derecho a venir a ensuciarla. Vete donde esas perdidas[298], no queremos saber nada de ti; guárdate tu dinero. Lo que yo tengo me sobra para educar a mi hijo.

—Estás viviendo como una pordiosera —dijo el padre—. ¿Has perdido la dignidad? ¿Por qué demonios no quieres que te pase una pensión?

—Alberto —gritó la madre, exasperada—. No dejes que me insulte. No le basta haberme humillado ante todo Lima, quiere matarme. ¡Haz algo, hijo!

—Papá, por favor —dijo Alberto, sin entusiasmo—. No peleen.

—Cállate —dijo el padre. Adoptó una expresión solemne y superior—. Eres muy joven. Algún día comprenderás. La vida no es tan simple.

Alberto tuvo ganas de reír. Una vez había visto a su padre en el centro de Lima, con una mujer rubia, muy hermosa. El padre lo vio también y desvió la mirada. Esa noche había venido al cuarto de Alberto, con una cara idéntica a la que acababa de poner y le había dicho las mismas palabras.

—Vengo a hacerte una propuesta —dijo el padre—. Escúchame un segundo.

La mujer parecía otra vez una estatua trágica. Sin embargo, Alberto vio que espiaba a su padre a través de las pestañas con ojos cautelosos.

—Lo que a ti te preocupa —dijo el padre—, son las formas. Yo te comprendo, hay que respetar las convenciones sociales.

—¡Cínico! —gritó la madre y volvió a agazaparse.

—No me interrumpas, hija. Si quieres, podemos volver a vivir juntos. Tomaremos una buena casa, aquí, en Miraflores, tal vez consigamos de nuevo la de Diego Ferré, o una en San Antonio; en fin, donde tú quieras. Eso sí, exijo absoluta libertad. Quiero disponer de mi vida —hablaba sin

---

[298] *Perdida*. Mujer que, metafóricamente, ha abandonado el buen camino —el que la moral tradicional y la religión establecen— y, por tanto, se ha perdido.

énfasis, tranquilamente, con esa llama bulliciosa en los ojos que había sorprendido a Alberto—. Y evitaremos las escenas. Para algo somos gente bien nacida.

La madre lloraba ahora a gritos y, entre sollozos, insultaba al padre y lo llamaba «adúltero, corrompido, bolsa de inmundicias». Alberto dijo:

—Perdóname, papá. Tengo que salir a hacer un encargo. ¿Puedo irme?

El padre pareció desconcertarse, pero luego sonrió con amabilidad y asintió.

—Sí, muchacho —dijo—. Trataré de convencer a tu madre. Es la mejor solución. Y no te preocupes. Estudia mucho; tienes un gran porvenir por delante. Ya sabes, si das buenos exámenes te mandaré a Estados Unidos el próximo año.

—Del porvenir de mi hijo me encargo yo —clamó la madre.

Alberto besó a sus padres y salió, cerrando la puerta tras él, rápidamente.

Teresa lavó los platos; su tía reposaba en el cuarto de al lado. La muchacha sacó una toalla y jabón y en puntas de pie salió a la calle. Contigua a la suya, había una casa angosta, de muros amarillos. Tocó la puerta. Le abrió una chiquilla muy delgada y risueña.

—Hola, Tere.

—Hola, Rosa. ¿Puedo bañarme?

—Pasa.

Atravesaron un corredor oscuro; en las paredes había recortes de revistas y periódicos: artistas de cine y futbolistas.

—¿Ves este? —dijo Rosa—. Me lo regalaron esta mañana. Es Glenn Ford[299]. ¿Has visto una película de él?

---

[299] *Glenn Ford* (Quebec, 1916-Beverly Hills, 2006). Actor canadiense que triunfó en Hollywood con películas como *Gilda* (1946), que lo convirtieron en un galán muy popular en la década de los cincuenta.

—No, pero me gustaría.

Al final del pasillo estaba el comedor. Los padres de Rosa comían en silencio. Una de las sillas no tenía espaldar: la ocupaba la mujer. El hombre levantó los ojos del periódico abierto junto al plato y miró a Teresa.

—Teresita —dijo, levantándose.

—Buenos días.

El hombre —en el umbral de la vejez, ventrudo, de piernas zambas[300] y ojos dormidos— sonreía, estiraba una mano hacia la cara de la muchacha en un gesto amistoso. Teresa dio un paso atrás y la mano quedó vacilando en el aire.

—Quisiera bañarme, señora —dijo Teresa—. ¿Podría?

—Sí —dijo la mujer, secamente—. Es un sol. ¿Tienes?

Teresa alargó la mano; la moneda no brillaba; era un sol descolorido y sin vida, largamente manoseado.

—No te demores —dijo la mujer—. Hay poca agua.

El baño era un reducto sombrío de un metro cuadrado. En el suelo había una tabla agujereada y musgosa. Un caño incrustado en la pared, no muy arriba, hacía las veces de ducha. Teresa cerró la puerta y colocó la toalla en la manija[301], asegurándose que tapara el ojo de la cerradura. Se desnudó. Era esbelta y de líneas armoniosas, de piel muy morena. Abrió la llave: el agua estaba fría. Mientras se jabonaba escuchó gritar a la mujer: «sal de ahí, viejo asqueroso». Los pasos del hombre se alejaron y oyó que discutían. Se vistió y salió. El hombre estaba sentado a la mesa y, al ver a la muchacha, le guiñó el ojo. La mujer frunció el ceño y murmuró:

—Estás mojando el piso.

—Ya me voy —dijo Teresa—. Muchas gracias, señora.

—Hasta luego, Teresita —dijo el hombre—. Vuelve cuando quieras.

---

[300] *Zamba*. Aquí, tiene el sentido de «torcida» o «arqueada».
[301] *Manija*. Picaporte.

Rosa la acompañó hasta la puerta. En el pasillo, Teresa le dijo en voz baja:

—Hazme un favor, Rosita. Préstame tu cinta azul, esa que tenías puesta el sábado. Te la devolveré esta noche.

La chiquilla asintió y se llevó un dedo a la boca misteriosamente. Luego, se perdió al fondo del pasillo y regresó poco después, caminando con sigilo.

—Tómala —dijo. La miraba con ojos cómplices—. ¿Para qué la quieres? ¿Adónde vas?

—Tengo un compromiso —dijo Teresa—. Un muchacho me ha invitado al cine.

Le brillaban los ojos. Parecía contenta.

Una lentísima garúa mecía las hojas de los árboles de la calle Alcanfores. Alberto entró al almacén de la esquina, compró un paquete de cigarrillos, caminó hacia la avenida Larco: pasaban muchos automóviles, algunos último modelo, capotas de colores vivos que contrastaban con el aire ceniza. Había gran número de transeúntes. Estuvo contemplando a una muchacha de pantalones negros, alta y elástica, hasta que se perdió de vista. El Expreso demoraba. Alberto divisó a dos muchachos sonrientes. Tardó unos segundos en reconocerlos. Se ruborizó, murmuró «hola», los muchachos se lanzaron sobre él con los brazos abiertos.

—¿Dónde te has metido todo este tiempo? —dijo uno; llevaba un traje *sport*, la onda que remataba sus cabellos sugería la cresta de un gallo—. ¡Parece mentira!

—Creíamos que ya no vivías en Miraflores —dijo el otro; era bajito y grueso; usaba mocasines y medias de colores—. Hace siglos que no vas al barrio.

—Ahora vivo en Alcanfores —dijo Alberto—. Estoy interno en el Leoncio Prado. Solo salgo los sábados.

—¿En el Colegio Militar? —dijo el de la onda—. ¿Qué hiciste para que te metieran ahí? Debe ser horrible.

—No tanto. Uno se acostumbra. Y no se pasa tan mal.

Llegó el Expreso. Estaba lleno. Quedaron de pie, cogidos del pasamano[302]. Alberto pensó en la gente que encontraba los sábados en los autobuses de La Perla o los tranvías Lima-Callao: corbatas chillonas, olor a transpiración y a suciedad; en el Expreso se veían ropas limpias, rostros discretos, sonrisas.

—¿Y tu carro?[303] —preguntó Alberto.

—¿Mi carro? —dijo el de los mocasines—. De mi padre. Ya no me lo presta. Lo choqué.

—¿Cómo? ¿No sabías? —dijo el otro, muy excitado—. ¿No supiste la carrera del malecón?

—No, no sé nada.

—¿Dónde vives, hombre? Tico es una fiera —el otro comenzó a sonreír, complacido—. Apostó con el loco Julio, el de la calle Francia, ¿te acuerdas?, una carrera hasta la Quebrada, por los malecones. Y había llovido, qué tal par de brutos. Yo iba de copiloto de este. Al loco lo cogieron los patrulleros[304], pero nosotros escapamos. Veníamos de una fiesta, ya te imaginas.

—¿Y el choque? —preguntó Alberto.

—Fue después. A Tico se le ocurrió dar curvas en marcha atrás por Atocongo[305]. Se tiró contra un poste. ¿Ves esta cicatriz? Y él no se hizo nada, no es justo. ¡Tiene una leche![306].

Tico sonreía a sus anchas, feliz.

—Eres una fiera —dijo Alberto—. ¿Cómo están en el barrio?

---

[302] *Pasamano.* (Am.) Sujeción en el transporte público.

[303] *Carro.* (Am.) Automóvil.

[304] *Patrullero.* Policía que vigila el barrio en su vehículo oficial, de patrulla.

[305] *Atocongo.* Nombre del circuito automovilístico de competición de Lima. En *Los cachorros,* el protagonista participa en competiciones en el circuito de Atocongo.

[306] *¡Tiene una leche!.* (Am.) ¡Tiene una suerte!

—Bien —dijo Tico—. Ahora no nos reunimos durante la semana, las chicas están en exámenes, solo salen los sábados y domingos. Las cosas han cambiado, ya las dejan salir con nosotros, al cine, a las fiestas. Las viejas se civilizan, les permiten tener enamorado. Pluto está con Helena, ¿sabías?

—¿Tú estás con Helena? —preguntó Alberto.

—Mañana cumplimos un mes —dijo el de la onda, ruborizado.

—¿Y la dejan salir contigo?

—Claro, hombre. A veces su madre me invita a almorzar. Oye, de veras, a ti te gustaba.

—¿A mí? —dijo Alberto—. Nunca.

—¡Claro! —dijo Pluto—. Claro que sí. Estabas loco por ella. ¿No te acuerdas esa vez que te estuvimos enseñando a bailar en la casa de Emilio? Te dijimos cómo tenías que declararte.

—¡Qué tiempos! —dijo Tico.

—Cuentos —dijo Alberto—. Completamente falso.

—Oye —dijo Pluto, atraído por algo que se hallaba al fondo del Expreso—. ¿Ven lo que estoy viendo, lagartijas?[307].

Se abrió camino hacia los asientos de atrás. Tico y Alberto lo siguieron. La muchacha, advirtiendo el peligro, se había puesto a mirar por la ventanilla los árboles de la avenida. Era bonita y redonda; su nariz latía como el hocico de un conejito, casi pegada al vidrio, y lo empañaba.

—Hola, corazón —cantó Pluto.

—No molestes a mi novia —dijo Tico—. O te parto el alma.

—No importa —dijo Pluto—. Puedo morir por ella —abrió los brazos como un recitador—. La amo.

---

[307] *Lagartija.* (Per.) Persona astuta, taimada, con mala reputación *(Diccionario de americanismos).*

Tico y Pluto rieron a carcajadas. La muchacha seguía mirando los árboles.

—No le hagas caso, amorcito —dijo Tico—. Es un salvaje. Pluto, pide disculpas a la señorita.

—Tienes razón —dijo Pluto—. Soy un salvaje y estoy arrepentido. Por favor, perdóname. Dime que me perdonas o hago un escándalo.

—¿No tienes corazón? —preguntó Tico.

Alberto miraba también por la ventanilla: los árboles estaban húmedos y el pavimento relucía. Por la pista contraria desfilaba una columna de automóviles. El Expreso había dejado atrás Orrantia y las grandes residencias multicolores. Las casas eran ahora pequeñas, pardas.

—Esto es una vergüenza —dijo una señora—. ¡Dejen tranquila a esa niña!

Tico y Pluto seguían riendo. La muchacha despegó un instante la vista de la avenida y lanzó a su alrededor una vivísima mirada de ardilla. Una sonrisa cruzó su rostro y desapareció.

—Con mucho gusto, señora —dijo Tico. Y, volviéndose, a la muchacha—: Le pedimos disculpas, señorita.

—Aquí me bajo —dijo Alberto, tendiéndoles la mano—. Hasta luego.

—Ven con nosotros —dijo Tico—. Vamos al cine. Tenemos una chica para ti. No está mal.

—No puedo —dijo Alberto—. Tengo una cita.

—¿En Lince? —dijo Pluto, malicioso—. ¡Ah, tienes un plancito[308], cholifacio![309]. Buen provecho. Y no te pierdas, anda por el barrio, todos se acuerdan de ti.

---

[308] *Un plancito*. (Per.) Una cita, con posible connotación sexual.

[309] *Cholifacio*. (Per.) Forma despectiva derivada de «cholo». Hare (1999: s.p.) propone la lectura de «un plancito cholifacio», sin la coma.

«Ya sabía que era fea», pensó, apenas la vio, en el primero de los peldaños de su casa. Y dijo, rápidamente:

—Buenas tardes. ¿Está Teresa?

—Soy yo.

—Tengo un encargo de Arana. Ricardo Arana.

—Pase —dijo la muchacha, cohibida—. Tome asiento.

Alberto se sentó a la orilla y se mantuvo rígido. ¿Lo resistiría la silla? Por el vacío que dejaba la cortina entre las dos habitaciones, vio el final de una cama y los grandes pies oscuros de una mujer. La muchacha estaba a su lado.

—Arana no ha podido salir —dijo Alberto—. Mala suerte, lo consignaron esta mañana. Me dijo que tenía un compromiso con usted, que viniera a disculparlo.

—¿Lo consignaron? —dijo Teresa. Su rostro mostraba desencanto. Llevaba los cabellos recogidos en la nuca con la cinta azul. «¿Se habrán besado en la boca?», pensó Alberto.

—Eso le pasa a todo el mundo —dijo—. Es cuestión de suerte. Vendrá a verla el próximo sábado.

—¿Quién está ahí? —preguntó una voz malhumorada. Alberto miró: los pies habían desaparecido. Segundos después, un rostro grasiento asomó sobre la cortina. Alberto se puso de pie.

—Es un amigo de Arana —dijo Teresa—. Se llama...

Alberto dijo su nombre. Sintió en la suya una mano gorda y fláccida, sudada: un molusco. La mujer sonreía teatralmente y se había lanzado a hablar sin pausas. En el chisporroteo de palabras, las fórmulas de cortesía que Alberto había escuchado en su infancia aparecían como en caricatura, condimentadas con adjetivos lujosos y gratuitos, y, a ratos, comprendía que lo trataban de señor y de don, y lo interrogaban sin esperar su respuesta. Se halló envuelto en una costra verbal, en un laberinto sonoro.

—Siéntese, siéntese —decía la mujer, señalando la silla, el cuerpo doblado en una reverencia de gran mamífero—. No se incomode por mí, esta es su casa, una casa pobre pero honrada, ¿sabe usted?, toda mi vida me he ganado el pan como Dios manda, con el sudor de mi frente, soy costurera y he podido dar una buena educación a Teresita, mi sobrinita, la pobre quedó huérfana, figúrese, y me lo debe todo, siéntese, señor Alberto.

—Arana se quedó consignado —dijo Teresa; evitaba mirar a Alberto y a su tía—. El señor trajo el recado.

«¿El señor?», pensó Alberto. Y buscó los ojos de la muchacha, pero esta miraba ahora el suelo. La mujer se había erguido y tenía los brazos abiertos. Su sonrisa se había congelado, pero seguía intacta en sus pómulos, en su ancha nariz, en sus ojillos disimulados bajo bolsas carnosas.

—Pobrecito —decía—, pobre muchacho, cómo sufrirá su madre, yo también tuve hijos y sé lo que es el dolor de una madre, porque se me murieron, así es el Señor y mejor no tratar de comprender, pero ya saldrá la otra semana, la vida es dura para todos, me doy cuenta muy bien, ustedes que son jóvenes mejor ni piensen en eso, dígame, ¿adónde la va a llevar a Teresita?

—Tía —dijo la muchacha, dando un respingo—. Ha venido a traer un encargo. No...

—Por mí no se preocupen —añadió la mujer, bondadosa, comprensiva, sacrificada—. Los jóvenes se sienten mejor cuando están solos, yo también he sido joven y ahora estoy vieja, así es la vida, pero ya vendrán para ustedes las preocupaciones, uno llega a la vejez a pasar angustias, ¿sabía usted que me estoy volviendo ciega?

—Tía —repitió la muchacha—. Por favor...

—Si usted permite —dijo Alberto—, podríamos ir al cine. Si a usted no le parece mal.

La muchacha había vuelto a bajar la vista; estaba muda y no sabía qué hacer con sus manos.

—Tráigala temprano —dijo la tía—. Los jóvenes no deben estar fuera de casa hasta muy tarde, don Alberto —se volvió a Teresa—. Ven un minuto. Con su permiso, señor.

Tomó a Teresa del brazo y la llevó a la otra habitación. Las palabras de la mujer llegaban hasta él como arrebatadas por el viento y, aunque las comprendía aisladas, no podía descubrir su organización. Entendió, sin embargo, oscuramente, que la muchacha se negaba a salir con él y que la mujer, sin tomarse el trabajo de replicarle, trazaba como un gran cuadro sinóptico de Alberto, o, mejor dicho, de un ser ideal que él encarnaba ante sus ojos, y se vio rico, hermoso, elegante, envidiable: un gran hombre de mundo.

La cortina se abrió. Alberto sonreía. La muchacha se frotaba las manos, disgustada y más cohibida que antes.

—Pueden salir —dijo la mujer—. La tengo muy bien cuidada, ¿sabe usted? No la dejo salir con cualquiera. Es muy trabajadora, aunque no parece, tan delgadita como es. Me alegro que se vayan a divertir un rato.

La muchacha avanzó hasta la puerta y se retiró, para que Alberto saliese primero. La garúa había cesado, pero el aire olía a mojado y las aceras y la pista estaban lustrosas y resbaladizas. Alberto cedió a Teresa el interior de la calzada. Sacó los cigarrillos, encendió uno. La miró de reojo: turbada, caminaba a pasos muy cortos, mirando adelante. Llegaron hasta la esquina sin hablarse. Teresa se detuvo.

—Me quedaré aquí —dijo—. Tengo una amiga en la otra cuadra. Gracias por todo.

—Pero no —dijo Alberto—. ¿Por qué?.

—Tiene que disculpar a mi tía —dijo Teresa; lo miraba a los ojos y parecía más serena—. Es muy buena, hace cualquier cosa para que yo salga.

—Sí —dijo Alberto—. Es muy simpática, muy amable.

—Pero habla mucho —afirmó Teresa, y lanzó una carcajada.

«Es fea pero tiene bonitos dientes, pensó Alberto; ¿cómo se le habrá declarado el Esclavo?»

—¿Arana se enojaría si sales conmigo?

—No es nada mío —dijo ella—. Es la primera vez que íbamos a salir. ¿No le ha contado?

—¿Por qué no me tuteas? —preguntó Alberto.

Estaban en la esquina. En las calles que los rodeaban se veía gente a lo lejos. Nuevamente comenzaba a llover. Una niebla levísima descendía sobre ellos.

—Bueno —dijo Teresa—. Podemos tutearnos.

—Sí —dijo Alberto—. Resulta raro tratarse de usted; es cosa de viejos.

Quedaron en silencio unos segundos. Alberto arrojó el cigarrillo y lo apagó con el pie.

—Bueno —dijo Teresa, estirándole la mano—. Hasta luego.

—No —dijo Alberto—. Puedes ver a tu amiga otro día. Vayamos al cine.

Ella puso un rostro grave:

—No lo hagas por compromiso —dijo—. De veras. ¿No tienes nada que hacer ahora?

—Y aunque tuviera —dijo Alberto—. Pero no tengo nada, palabra[310].

—Bueno —dijo ella. Y extendió una mano, la palma hacia arriba. Miraba el cielo y Alberto comprobó que sus ojos eran luminosos.

—Está lloviendo.

—Casi nada.

—Vamos a tomar el Expreso.

Caminaron hacia la avenida Arequipa. Alberto encendió otro cigarrillo.

—Acabas de apagar uno —dijo Teresa—. ¿Fumas mucho?

—No. Solo los días de salida.

—¿En el colegio no los dejan fumar?

—Está prohibido. Pero fumamos a escondidas.

---

[310] *Palabra.* De «palabra de honor», para asegurar lo que se acaba de decir.

A medida que se acercaban a la avenida, las casas eran más grandes y ya no se veían callejones. Cruzaban grupos de transeúntes. Unos muchachos en mangas de camisa gritaron algo a Teresa. Alberto hizo un movimiento para regresar, pero ella lo contuvo.

—No les hagas caso —dijo—. Siempre dicen tonterías.

—No se puede molestar a una chica que está acompañada —dijo Alberto—. Es una insolencia.

—Ustedes, los del Leoncio Prado, son muy peleadores[311].

Él enrojeció de placer. Vallano tenía razón: los cadetes impresionaban a las hembritas, no a las de Miraflores, pero sí a las de Lince. Comenzó a hablar del colegio, de las rivalidades entre los años, de los ejercicios en campaña, de la vicuña y la perra Malpapeada. Teresa lo escuchaba con atención y festejaba sus anécdotas. Ella le contó luego que trabajaba en una oficina del centro y que antes había estudiado taquigrafía y mecanografía en una academia. Subieron al Expreso en el paradero del colegio Raimondi y bajaron en la plaza de San Martín. Pluto y Tico estaban bajo los portales. Los miraron de arriba abajo. Tico sonrió a Alberto y le guiñó el ojo.

—¿No iban al cine?

—Nos dejaron plantados —dijo Pluto.

Se despidieron. Alberto los oyó cuchichear a su espalda. Le pareció que sobre él caían de pronto, como una lluvia, las miradas malignas de todo el barrio.

—¿Qué quieres ver? —preguntó.

—No sé —dijo ella—. Cualquier cosa.

Alberto compró un diario y leyó con voz afectada los anuncios cinematográficos. Teresa se reía y la gente que pasaba por los portales se volvía a mirarlos. Decidieron ir al cine Metro. Alberto compró dos plateas. «Si Arana supiera

---

[311] *Peleador.* (Am.) Agresivo.

para lo que ha servido la plata que me prestó, pensaba. Ya no podré ir donde la Pies Dorados». Sonrió a Teresa y ella también le sonrió. Todavía era temprano y el cine estaba casi vacío. Alberto se mostraba locuaz, ponía en práctica con esa muchacha que no lo intimidaba, las frases ingeniosas, los desplantes y las bromas que había escuchado tantas veces en el barrio.

—El cine Metro es bonito —dijo ella—. Muy elegante.

—¿No habías venido nunca?

—No. Conozco pocos cines del centro. Salgo tarde del trabajo, a las seis y media.

—¿No te gusta el cine?

—Sí, mucho. Voy todos los domingos. Pero a algún cine cerca de mi casa.

La película, en colores, tenía muchos números de baile. El bailarín era también un cómico; confundía los nombres de las personas, se tropezaba, hacía muecas, torcía los ojos. «Marica a la legua», pensaba Alberto y volvía la cabeza: el rostro de Teresa estaba absorbido por la pantalla; su boca entreabierta y sus ojos obstinados revelaban ansiedad. Más tarde, cuando salieron, ella habló de la película como si Alberto no la hubiera visto. Animada, describía los vestidos de las artistas, las joyas, y, al recordar las situaciones cómicas, reía limpiamente.

—Tienes buena memoria —dijo él—. ¿Cómo puedes acordarte de todos esos detalles?

—Ya te dije que me gustaba mucho el cine. Cuando veo una película, me olvido de todo, me parece estar en otro mundo.

—Sí —dijo él—. Te vi y parecías hipnotizada.

Subieron al Expreso, se sentaron juntos. La plaza San Martín estaba llena de gente que salía de los cines de estreno y caminaba bajo los faroles. Una maraña de automóviles envolvía el cuadrilátero central. Poco antes de llegar al paradero del colegio Raimondi, Alberto tocó el timbre.

—No es necesario que me acompañes —dijo ella—. Puedo ir sola. Ya te he quitado bastante tiempo.

Él protestó e insistió en acompañarla. La calle que avanzaba hacia el corazón de Lince estaba en la penumbra. Pasaban algunas parejas; otras, detenidas en la oscuridad, dejaban de susurrar o de besarse al verlos.

—¿De veras no tenías nada que hacer? —dijo Teresa.

—Nada, te juro.

—No te creo.

—Es cierto, ¿por qué no me crees?

Ella vacilaba. Al fin, se decidió:

—¿No tienes enamorada?

—No —dijo él—. No tengo.

—Seguro me estás mintiendo. Pero habrás tenido muchas.

—Muchas no —dijo Alberto—. Solo algunas. ¿Y tú has tenido muchos enamorados?

—¿Yo? Ninguno.

«¿Y si me le declaro ahorita mismo?», pensó Alberto.

—No es verdad —dijo—. Debes haber tenido muchísimos.

—¿No me crees? Te voy a decir una cosa; es la primera vez que un muchacho me invita al cine.

La avenida Arequipa y su columna doble de perpetuos vehículos estaba ya lejos; la calle se estrechaba y la penumbra era más densa. De los árboles resbalaban a la vereda imperceptibles gotitas de agua que las hojas y las ramas habían conservado de la garúa de la tarde.

—Será porque tú no has querido.

—¿Qué cosa?

—Que no has tenido enamorados —dudó un segundo—: Todas las chicas bonitas tienen los enamorados que quieren.

—Oh —dijo Teresa—. Yo no soy bonita. ¿Crees que no me doy cuenta?

Alberto protestó con calor y afirmó: «eres una de las chicas más bonitas que he visto». Teresa se volvió a mirarlo.

—¿Te estás burlando? —balbuceó.

«Soy muy torpe», pensó Alberto. Sentía los pasos menudos de Teresa en el empedrado, dos por cada uno de los suyos, y la veía, la cabeza un poco inclinada, los brazos cruzados sobre el pecho, la boca cerrada. La cinta azul parecía negra y se confundía con sus cabellos, destacaba al pasar bajo un farol, luego la oscuridad la devoraba. Llegaron hasta la puerta de la casa, silenciosos.

—Gracias por todo —dijo Teresa—. Muchas gracias.

Se dieron la mano.

—Hasta pronto.

Alberto dio media vuelta y, después de dar unos pasos, regresó.

—Teresa.

Ella levantaba la mano para tocar. Se volvió, sorprendida.

—¿Tienes algo que hacer mañana? —preguntó Alberto.

—¿Mañana? —dijo ella.

—Sí. Te invito al cine. ¿Quieres?

—No tengo nada que hacer. Muchas gracias.

—Vendré a buscarte a las cinco —dijo él.

Antes de entrar a su casa, Teresa esperó que Alberto se perdiera de vista.

Cuando su madre le abrió la puerta, Alberto, antes de saludarla, comenzó a disculparse. Ella tenía los ojos cargados de reproches y suspiraba. Se sentaron en la sala. Su madre no decía nada y lo miraba con rencor. Alberto sintió un aburrimiento infinito.

—Perdóname —repitió una vez más—. No te enojes, mamá. Te juro que hice todo lo posible por salir, pero no me dejaron. Estoy un poco cansado. ¿Podría irme a dormir?

Su madre no respondió; lo seguía mirando resentida y él se preguntaba «¿a qué hora comienza?». No tardó mucho: de pronto se llevó las manos al rostro y poco después lloraba dulcemente. Alberto le acarició los cabellos. La madre le preguntó por qué la hacía sufrir. Él juró que la quería sobre todas las cosas y ella lo llamó cínico, hijo de su padre. Entre suspiros e invocaciones a Dios, habló de los pasteles y bizcochos que había comprado en la tienda de la vuelta, eligiéndolos primorosamente, y del té que se había enfriado en la mesa, y de su soledad y de la tragedia que el Señor le había impuesto para probar su fortaleza moral y su espíritu de sacrificio. Alberto le pasaba la mano por la cabeza y se inclinaba a besarla en la frente. Pensaba: «otra semana que me quedo sin ir donde la Pies Dorados». Luego su madre se calmó y exigió que probara la comida que ella misma le había preparado, con sus propias manos. Alberto aceptó y, mientras tomaba la sopa de legumbres, su madre lo abrazaba y le decía: «eres el único apoyo que tengo en el mundo». Le contó que su padre se había quedado en la casa cerca de una hora, haciéndole toda clase de propuestas —un viaje al extranjero, una reconciliación aparente, el divorcio, la separación amistosa— y que ella las había rechazado todas, sin vacilar.

Luego, volvieron a la sala y Alberto le pidió permiso para fumar. Ella asintió, pero, al verlo encender un cigarrillo, lloró y habló del tiempo, de los niños que se hacen hombres, de la vida efímera. Recordó su niñez, sus viajes por Europa, sus amigas de colegio, su juventud brillante, sus pretendientes, los grandes partidos que rechazó por ese hombre que ahora se empeñaba en destruirla. Entonces, bajando la voz y adoptando una expresión melancólica, se puso a hablar de él. Repetía constantemente «de joven era distinto» y evocaba su espíritu deportivo, sus victorias en los campeonatos de tenis, su elegancia, su viaje de bodas al Brasil y los paseos que, tomados de la mano, hacían a medianoche por la playa de Ipanema[312]. «Lo perdieron los

---

[312] Conocida playa, de uno de los más lujosos barrios de Río de Janeiro, popularizada por la famosa canción de *bossa nova* («Garota de Ipanema»), aparecida en 1962, con letra de Vinícius de Moraes y música de Antônio Carlos Jobim.

amigos, exclamaba. Lima es la ciudad más corrompida del mundo. ¡Pero mis oraciones lo salvarán!». Alberto la escuchaba en silencio, pensando en la Pies Dorados que tampoco vería este sábado, en la reacción del Esclavo cuando supiera que había ido al cine con Teresa, en Pluto que estaba con Helena, en el Colegio Militar, en el barrio que hacía tres años no frecuentaba. Luego, su madre bostezó. Él se puso de pie y le dio las buenas noches. Fue a su cuarto. Comenzaba a desnudarse cuando vio en el velador un sobre con su nombre escrito en letras de imprenta. Lo abrió y extrajo un billete de cincuenta soles.

—Te dejó eso —le dijo su madre, desde la puerta. Suspiró—: Es lo único que acepté. ¡Pobre hijito mío, no es justo que tú también te sacrifiques!

Él abrazó a su madre, la levantó en peso, giró con ella en brazos, le dijo: «todo se arreglará algún día, mamacita, haré todo lo que tú quieras». Ella sonreía gozosa y afirmaba: «no necesitamos a nadie». Entre un torbellino de caricias, él le pidió permiso para salir.

—Solo unos minutos —le dijo—. A tomar un poco de aire.

Ella ensombreció el rostro pero accedió. Alberto volvió a ponerse la corbata y la chaqueta, se pasó el peine por los cabellos y salió. Desde la ventana su madre le recordó:

—No dejes de rezar antes de dormir.

Fue Vallano quien comunicó a la cuadra su nombre de guerra. Un domingo a medianoche, cuando los cadetes se despojaban de los uniformes de salida y rescataban del fondo de los quepís los paquetes de cigarrillos burlados al oficial de guardia, Vallano comenzó a hablar solo y a voz en cuello, de una mujer de la cuarta cuadra de Huatica. Sus ojos saltones giraban en las órbitas como una bola de acero en un círculo imantado. Sus palabras y el tono que empleaba eran fogosos.

—Silencio, payaso —dijo el Jaguar—. Déjanos en paz.

Pero él siguió hablando mientras tendía la cama. Cava, desde su litera, le preguntó:

—¿Cómo dices que se llama?

—Pies Dorados.

—Debe ser nueva —dijo Arróspide—. Conozco a toda la cuarta cuadra y ese nombre no me suena.

Al domingo siguiente, Cava, el Jaguar y Arróspide también hablaban de ella. Se daban codazos y reían. «¿No les dije?, decía Vallano, orgulloso. Guíense siempre de mis consejos». Una semana después, media sección la conocía y el nombre de Pies Dorados comenzó a resonar en los oídos de Alberto como una música familiar. Las referencias feroces, aunque vagas, que escuchaba en boca de los cadetes, estimulaban su imaginación. En sueños, el nombre se presentaba dotado de atributos carnales, extraños y contradictorios, la mujer era siempre la misma y distinta, una presencia que se desvanecía cuando iba a tocarla o a desvelar su rostro, que lo incitaba a los impulsos más extravagantes o lo sumía en una ternura infinita y entonces creía morir de impaciencia.

Alberto era uno de los que más hablaba de la Pies Dorados en la sección. Nadie sospechaba que solo conocía de oídas el jirón Huatica y sus contornos, porque él multiplicaba las anécdotas e inventaba toda clase de historias. Pero ello no lograba desalojar cierto desagrado íntimo de su espíritu; mientras más aventuras sexuales describía ante sus compañeros, que reían o se metían la mano al bolsillo sin escrúpulos, más intensa era la certidumbre de que nunca estaría en un lecho con una mujer, salvo en sueños, y entonces se deprimía y se juraba que la próxima salida iría a Huatica, aunque tuviese que robar veinte soles, aunque le contagiaran una sífilis[313].

---

[313] *Sífilis*. Enfermedad venérea.

Bajó en el paradero de la avenida 28 de Julio y Wilson. Pensaba: «he cumplido quince años pero aparento más. No tengo por qué estar nervioso». Encendió un cigarrillo y lo arrojó después de dar dos pitadas[314]. A medida que avanzaba por 28 de Julio, la avenida se poblaba. Después de cruzar los rieles del tranvía Lima-Chorrillos[315], se halló en medio de una muchedumbre de obreros y sirvientas, mestizos de pelos lacios, zambos que se cimbreaban[316] al andar como bailando, indios cobrizos, cholos risueños. Pero él sabía que estaba en el distrito de La Victoria por el olor a comida y bebida criollas que impregnaba el aire, un olor casi visible a chicharrones[317] y a pisco, a butifarras[318] y a transpiración, a cerveza y pies.

Al atravesar la plaza de La Victoria, enorme y populosa, el inca[319] de piedra que señala el horizonte le recordó al héroe, y a Vallano que decía: «Manco Cápac es un puto[320], con su dedo muestra el camino de Huatica». La aglomeración lo obligaba a andar despacio; se asfixiaba. Las luces de la avenida parecían deliberadamente tenues y dispersas para acentuar los perfiles siniestros de los hombres que caminaban metiendo las narices en las ventanas de las casitas idénticas, alineadas a lo largo de las aceras. En la esquina de 28 de Julio y Huatica, en la fon-

---

[314] *Pitada.* (Am.) Calada al «pito» o cigarrillo.

[315] *Chorrillos.* Distrito limeño que es famoso por un popular balneario, ya que se halla situado junto al mar, en el extremo sudeste de la ciudad.

[316] *Cimbrear.* Mover ondulantemente.

[317] *Chicharrón.* Fritanga; el chicharrón de chancho es el más popular, quizás, de la gastronomía peruana, pero también hay de pollo o de pescado.

[318] *Butifarra.* (Per.) Bocadillo popular, típico peruano, de jamón del país.

[319] *Inca.* (Indig.) Del quechua, máximo poder en el Tawantinsuyo o imperio incaico. Aquí se hace referencia específica a la estatua de Manco Cápac (del quechua, *Manqu Qhapaq),* el fundador mítico del imperio.

[320] *Puto.* Aquí, con el sentido de «proxeneta».

da de un japonés enano, Alberto escuchó una sinfonía de injurias. Miró: un grupo de hombres y mujeres discutía con odio en torno a una mesa cubierta de botellas. Se demoró unos segundos en la esquina. Estaba con las manos en los bolsillos y espiaba las caras que lo rodeaban; algunos hombres tenían los ojos vidriosos y otros parecían muy alegres.

Se arregló la chaqueta e ingresó en la cuarta cuadra del jirón, la más cotizada; su rostro lucía una media sonrisa despectiva, pero su mirada era angustiosa. Solo debió caminar unos metros, sabía de memoria que la casa de la Pies Dorados era la segunda. En la puerta había tres hombres, uno detrás de otro. Alberto observó por la ventana: una minúscula antesala de madera, iluminada con una luz roja, una silla, una foto descolorida e irreconocible en la pared; al pie de la ventana, un banquillo. «Es bajita», pensó, decepcionado. Una mano tocó su hombro.

—Joven —dijo una voz envenenada de olor a cebolla—. ¿Está usted ciego o es muy vivo?

Los faroles aclaraban solo el centro de la calle y la luz roja apenas llegaba a la ventana; Alberto no podía ver el rostro del desconocido. En ese instante comprobó que la multitud de hombres que ocupaba el jirón circulaba pegada a las paredes, donde permanecía casi a oscuras. La pista estaba vacía.

—¿Y? —dijo el hombre—. ¿En qué quedamos?

—¿Qué le pasa? —preguntó Alberto.

—A mí me importa un carajo —dijo el desconocido—, pero no soy un imbécil. Nadie me mete el dedo a la boca[321], sépalo. Ni a ninguna otra parte.

—Sí —dijo Alberto—. ¿Qué quiere?

—Póngase a la cola. No sea conchudo[322].

---

[321] *Meter a alguien el dedo en la boca*. Tomar el pelo a alguien.
[322] *Conchudo*. (Am.) Descarado, sinvergüenza.

—Bueno —dijo Alberto—. No se sulfure[323].

Se separó de la ventana y la mano del hombre no intentó retenerlo. Se puso al final de la cola, se apoyó en la pared y fumó, uno tras otro, cuatro cigarrillos. El hombre que estaba delante de él entró y salió pronto. Se alejó murmurando algo sobre el costo de la vida. Una voz de mujer dijo, al otro lado de la puerta:

—Entra.

Atravesó la antesala vacía. Una puerta de vidrios empavonados[324] lo separaba del otro cuarto. «Ya no tengo miedo, pensó. Soy un hombre». Empujó la puerta. El cuarto era tan pequeño como la antesala. La luz, también roja, parecía más intensa, más cruda; la pieza estaba llena de objetos y Alberto se sintió extraviado unos segundos, su mirada revoloteó sin fijar ningún detalle, solo manchas de todas dimensiones, e incluso pasó rápidamente sobre la mujer que estaba tendida en el lecho, sin percibir su rostro, reteniendo de ella apenas las formas oscuras que decoraban su bata, unas sombras que podían ser flores o animales. Luego, se sintió otra vez sereno. La mujer se había incorporado. En efecto, era bajita: sus pies solo rozaban el suelo. El pelo teñido dejaba ver un fondo negro bajo la maraña desordenada de rizos rubios. La cara estaba muy pintada y le sonreía. Él bajó la cabeza y vio dos peces de nácar, vivos, terrestres, carnosos, «para tragárselos de un solo bocado y sin mantequilla», como decía Vallano, y absolutamente extraños a ese cuerpo regordete que los prolongaba y a esa boca insípida y sin forma y a esos ojos muertos que lo contemplaban.

—Eres del Leoncio Prado —dijo ella.

—Sí.

—¿Primera sección del quinto año?

---

[323] *Sulfurarse*. Enfadarse.
[324] *Empavonado*. (Am.) Glaseado, translúcido.

—Sí —dijo Alberto.

Ella lanzó una carcajada.

—Ocho, hoy —dijo—. Y la semana pasada vinieron no sé cuántos. Soy su mascota.

—Es la primera vez que vengo —dijo Alberto, enrojeciendo—. Yo...

Lo interrumpió otra carcajada, más ruidosa que la anterior.

—No soy supersticiosa —dijo ella, sin dejar de reír—. No trabajo gratis y ya estoy vieja para que me cuenten historias. Todos los días aparece alguien que viene por primera vez, qué tal frescura.

—No es eso —dijo Alberto—. Tengo plata.

—Así me gusta —dijo ella—. Ponla en el velador. Y apúrate, cadetito.

Alberto se desnudó, despacio, doblando su ropa pieza por pieza. Ella lo miraba sin emoción. Cuando Alberto estuvo desnudo, con un gesto desganado se arrastró de espaldas sobre el lecho y abrió la bata. Estaba desnuda, pero tenía un sostén rosado, algo caído, que dejaba ver el comienzo de los senos. «Era rubia de veras», pensó Alberto. Se dejó caer junto a ella, que rápidamente le pasó los brazos por la espalda y lo estrechó. Sintió que, bajo el suyo, el vientre de la mujer se movía, buscando una mejor adecuación, un enlace más justo. Luego, las piernas de la mujer se elevaron, se doblaron en el aire, y él sintió que los peces se posaban suavemente sobre sus caderas, se detenían un momento, avanzaban hacia los riñones y luego comenzaban a bajar por sus nalgas y sus muslos, y a subir y a bajar, lentamente. Poco después, las manos que se apoyaban en su espalda se sumaban a ese movimiento y recorrían su cuerpo de la cintura a los hombros, al mismo ritmo que los pies. La boca de la mujer estaba junto a su oído y escuchó algo, un murmullo bajito, un susurro y luego una blasfemia. Las manos y los peces se inmovilizaron.

—¿Vamos a dormir una siesta o qué? —dijo ella.

—No te enojes —balbuceó Alberto—. No sé qué me pasa.

—Yo sí —dijo ella—. Eres un pajero[325].

Él rio sin entusiasmo y dijo una lisura. La mujer lanzó nuevamente su gran carcajada vulgar y se incorporó haciéndolo a un lado. Se sentó en la cama y lo estuvo mirando un momento con unos ojos maliciosos, que Alberto no le había visto hasta entonces.

—A lo mejor eres un santito de a deveras —dijo la mujer—. Échate.

Alberto se estiró sobre la cama. Veía a la Pies Dorados, de rodillas a su lado, la piel clara y un poco enrojecida y los cabellos que la luz que venía de atrás oscurecían, y pensaba, en una figurilla de museo, en una muñeca de cera, en una mona que había visto en un circo, y ni se daba cuenta de las manos de ella, de su activo trajín, ni escuchaba su voz empalagosa que le decía zamarro[326] y vicioso. Luego desaparecieron los símbolos y los objetos y solo quedó la luz roja que lo envolvía y una gran ansiedad.

Bajo el reloj de la Colmena, instalado frente a la plaza San Martín, en el paradero final del tranvía que va al Callao, oscila un mar de quepís blancos. Desde las aceras del hotel Bolívar y el bar Romano, vendedores de diarios, choferes, vagabundos, guardias civiles[327], contemplan la incesante afluencia de cadetes: vienen de todas direcciones, en grupos, y se aglomeran en torno al reloj, en espera del tranvía. Algunos salen de los bares vecinos. Obstaculizan el tránsito, responden con grosería a los automovilistas que

---

[325] *Pajero.* Que se hace pajas, que se masturba.

[326] *Zamarro.* (Per.) Pillo.

[327] *Guardia civil.* Cuerpo de policía militarizado, que se fundó en 1874 y desapareció en 1988, para ser sustituido por la Policía Nacional del Perú.

piden paso, asaltan a las mujeres que se atreven a cruzar esa esquina y se mueven de un lado a otro, insultándose y bromeando. Los tranvías son rápidamente cubiertos por los cadetes; prudentes, los civiles aceptan ser desplazados en la cola. Los cadetes de tercero maldicen entre dientes cada vez que, el pie levantado para subir al tranvía, sienten una mano en el pescuezo y una voz: «primero los cadetes, después los perros».

—Son las diez y media —dijo Vallano—. Espero que el último camión no haya partido.

—Solo son diez y veinte —dijo Arróspide—. Llegaremos a tiempo.

El tranvía iba atestado; ambos se hallaban de pie. Los domingos, los camiones del colegio iban a Bellavista a buscar a los cadetes.

—Mira —dijo Vallano—. Dos perros. Se han pasado los brazos sobre el hombro para que no se vean las insignias. Qué sabidos[328].

—Permiso —dijo Arróspide, abriéndose paso hasta el asiento que ocupaban los de tercero. Estos, al verlos venir, se pusieron a conversar. El tranvía había dejado atrás la plaza Dos de Mayo, rodaba entre chacras invisibles.

—Buenas noches, cadetes —dijo Vallano.

Los muchachos no se dieron por aludidos. Arróspide le tocó la cabeza a uno de ellos.

—Estamos muy cansados —dijo Vallano—. Párense[329].

Los cadetes obedecieron.

—¿Qué hiciste ayer? —preguntó Arróspide.

—Casi nada. El sábado tenía una fiesta, que, al final, se convirtió en un velorio[330]. Era un cumpleaños, creo. Cuando llegué había un lío de los diablos. La vieja que me abrió

---

[328] *Sabido.* (Am.) Listo.

[329] *Pararse.* (Am.) Ponerse de pie.

[330] *Velorio.* Velatorio, reunión para acompañar y despedirse de un muerto en su primera noche.

la puerta me gritó «traiga un médico y un cura», y tuve que salir disparado. Un gran planchazo[331]. Ah, también fui a Huatica. A propósito, tengo algo que contar a la sección sobre el Poeta.

—¿Qué? —dijo Arróspide.

—La contaré a todos juntos. Es una historia de mamey[332].

Pero no esperó hasta llegar a la cuadra. El último camión[333] del colegio avanzaba por la avenida de las Palmeras hacia los acantilados de La Perla. Vallano, que iba sentado sobre su maletín, dijo:

—Oigan, este parece el camión particular de la sección. Estamos casi todos.

—Sí, negrita —dijo el Jaguar—. Cuídate. Te podemos violar.

—¿Saben una cosa? —dijo Vallano.

—¿Qué? —preguntó el Jaguar—. ¿Ya te han violado?

—Todavía —dijo Vallano—. Se trata del Poeta.

—¿Qué te pasa? —preguntó Alberto, arrinconado contra la caseta[334].

—¿Estás ahí? Peor para ti. El sábado fui donde la Pies Dorados y me dijo que le pagaste para que te hiciera la paja.

—¡Bah! —dijo el Jaguar—. Yo te hubiera hecho el favor gratis.

Hubo algunas risas desganadas, corteses.

—La Pies Dorados y Vallano en la cama debe ser una especie de café con leche —dijo Arróspide.

—Y el Poeta encima de los dos, un *sandwich* de negro, un *hot dog* —agregó el Jaguar.

---

[331] *Planchazo.* Frustración.

[332] *Mamey.* (Indig.) Voz taína que denomina una fruta dulce y sabrosa, conocida en otras latitudes como «zapote». Por tanto, una historia muy sabrosa.

[333] *Camión.* (Am.) Transporte público, autobús o colectivo.

[334] *Caseta.* (Per.) Cabina del conductor.

—¡Abajo todo el mundo! —clamó el suboficial Pezoa. El camión estaba detenido en la puerta del colegio y los cadetes saltaban a tierra. Al entrar, Alberto recordó que no había escondido los cigarrillos. Dio un paso atrás, pero en ese momento descubrió con sorpresa que en la puerta de la Prevención solo había dos soldados. No se veía ningún oficial. Era insólito.

—¿Se habrán muerto los tenientes? —dijo Vallano.

—Dios te oiga —repuso Arróspide.

Alberto entró a la cuadra. Estaba a oscuras pero la puerta abierta del baño dejaba pasar una claridad rala: los cadetes que se desnudaban junto a los roperos parecían aceitados.

—Fernández —dijo alguien.

—Hola —dijo Alberto—. ¿Qué te pasa?

El Esclavo estaba a su lado, en piyama, la cara desencajada.

—¿No sabes?

—No. ¿Qué hay?

—Han descubierto el robo del examen de química. Habían roto un vidrio. Ayer vino el coronel. Gritó a los oficiales en el comedor. Todos están como fieras. Y los que estábamos de imaginaria el viernes...

—Sí —dijo Alberto—. ¿Qué?

—Consignados hasta que se descubra quién fue.

—Mierda —dijo Alberto—. Maldita sea su alma.

V

Una vez pensé: «nunca he estado a solas con ella. ¿Y si fuera a esperarla a la salida de su colegio?». Pero no me animaba. ¿Qué le iba a decir? ¿Y de dónde sacaría dinero para el pasaje? Tere iba a almorzar donde unos parientes, cerca de su colegio, en Lima. Yo había pensado ir al mediodía, acompañarla hasta la casa de sus parientes, así caminaríamos juntos un rato. El año anterior, un muchacho me había dado quince reales[335] por un trabajo manual, pero en segundo de media no se hacían. Pasaba horas viendo cómo conseguir el dinero. Hasta que un día se me ocurrió pedirle prestado un sol al flaco Higueras. Él siempre me invitaba un café con leche o un corto y cigarrillos, un sol no era gran cosa. Esa misma tarde, al encontrarlo en la Plaza de Bellavista, se lo pedí. «Sí hombre, me respondió, claro, para eso son los amigos». Le prometí devolvérselo en mi cumpleaños y él se rio y dijo: «por supuesto. Me pagarás cuando puedas. Toma». Cuando tuve el sol en el bolsillo, me puse feliz y esa noche no dormí, al día siguiente bostezaba en clase todo el tiempo. Tres días después dije a mi madre: «voy a almorzar en Chucuito, donde un amigo». En el colegio, pedí permiso al profesor para salir media hora antes,

---

[335] El real era la antigua moneda peruana, pero, coloquialmente, era como llamaban a la de diez centavos. Por tanto, le habían pagado un sol y medio.

y, como yo era uno de los más aplicados, me dijo que bueno.

El tranvía iba casi vacío, no pude gorrear[336], felizmente el conductor solo me cobró medio pasaje. Bajé en la plaza Dos de Mayo. Una vez, al pasar por la avenida Alfonso Ugarte para ir donde mi padrino, mi madre me había dicho: «en esa casota tan grande[337] estudia Teresita». Y siempre me acordaba y sabía que apenas volviera a verla la reconocería, pero no encontraba la avenida Alfonso Ugarte y me acuerdo que estuve por la Colmena y cuando me di cuenta regresé corriendo y solo entonces descubrí la casota negra, cerca de la plaza Bolognesi. Era justo la salida, había muchas alumnas, grandes y chicas, y yo sentía una vergüenza terrible. Di media vuelta y fui hasta la esquina, me puse en la puerta de una pulpería, medio escondido tras la vitrina y estuve mirando. Era en invierno y yo sudaba. Lo primero que hice cuando la vi a lo lejos, fue meterme en la tienda, la moral hecha pedazos. Pero después salí de nuevo y la vi de espaldas, yendo hacia la plaza Bolognesi. Estaba sola y, a pesar de eso, no me acerqué. Cuando dejé de verla, regresé a Dos de Mayo y tomé el tranvía de vuelta, furioso. El colegio estaba cerrado, todavía era temprano. Me sobraban cincuenta centavos pero no compré nada de comer. Todo el día estuve de mal humor y en la tarde, mientras estudiábamos, casi no hablé. Ella me preguntó qué me pasaba y me puse colorado.

Al día siguiente, de repente se me ocurrió en plena clase que debía regresar a esperarla y fui donde el profesor y le pedí permiso de nuevo. «Bueno, me respondió, pero dile a tu madre que si te hace salir antes todos los días, te va a perjudicar». Como ya conocía el camino, llegué a su colegio antes de la hora de salida. Al aparecer las alumnas, me

[336] *Gorrear.* Ir de gorra, sin pagar.
[337] Se trata del Colegio de Nuestra Señora de Guadalupe.

sentí como el día anterior, pero me decía a mí mismo: «me voy a acercar, me voy a acercar». Salió entre las últimas, sola. Esperé que se alejara un poco y comencé a caminar tras ella. En la plaza Bolognesi apuré el paso y me le acerqué. Le dije: «hola, Tere». Ella se sorprendió un poco, lo vi en sus ojos, pero me respondió: «hola, ¿qué haces por aquí?» de una manera natural y no supe qué inventar, así que solo atiné a decirle: «salí antes del colegio y se me ocurrió venir a esperarte. ¿Por qué, ah?». «Por nada, dijo ella. Te preguntaba, nomás»[338]. Le pregunté si iba a casa de sus parientes y me dijo que sí. «¿Y tú?», añadió. «No sé, le dije. Si no te importa te acompaño». «Bueno, dijo ella. Es aquí cerca». Sus tíos vivían en la avenida Arica. Apenas hablamos en el camino. Ella contestaba a todo lo que yo decía, pero sin mirarme. Cuando llegamos a una esquina, me dijo: «mis tíos viven en la otra cuadra, así que mejor me acompañas solo hasta aquí». Yo le sonreí y ella me dio la mano. «Chau[339], le dije, ¿a la tarde estudiarnos?». «Sí, sí, dijo ella, tengo montones de lecciones que aprender». Y después de un momento, añadió: «muchas gracias por haber venido».

La Perlita está al final del descampado, entre el comedor y las aulas, cerca del muro posterior del colegio. Es una construcción pequeña, de cemento, con un gran ventanal que sirve de mostrador y en el que, mañana y tarde, se divisa la asombrosa cara de Paulino, el injerto[340]: ojos rasgados de japonés, ancha jeta de negro, pómulos y mentón cobrizos de indio, pelos lacios. Paulino vende en el mostrador colas y galletas, café y chocolate, caramelos y bizcochos y, en la trastienda, es decir en el reducto amurallado y sin

---

[338] *Nomás.* (Am.) Nada más, solo.
[339] *Chau.* Forma popular de despedida, derivada del italiano *ciao.*
[340] *Injerto.* (Per.) Manera despectiva de referirse al descendiente del mestizaje de padres peruanos y asiáticos.

techo que se apoya en el muro posterior y que, antes de las rondas, era el lugar ideal para las contras, vende cigarrillos y pisco, dos veces más caro que en la calle. Paulino duerme en un colchón de paja, junto al muro, y en las noches las hormigas pasean sobre su cuerpo como por una playa. Bajo el colchón hay una madera que disimula un hueco, cavado por Paulino con sus manos para que sirva de escondite a los paquetes de Nacional[341] y a las botellas de pisco que introduce clandestinamente en el colegio.

Los consignados acuden al reducto los sábados y los domingos, después del almuerzo, en grupos pequeños para no despertar sospechas. Se tienden en el suelo y, mientras Paulino abre su escondite, aplastan las hormigas con piedrecitas chatas. El injerto es generoso y maligno; da crédito pero exige que primero le rueguen y lo diviertan. El reducto de Paulino es pequeño, en él caben a lo más una veintena de cadetes. Cuando no hay sitio, los recién llegados van a tenderse al descampado y esperan jugando tiro al blanco contra la vicuña que salgan los de adentro para reemplazarlos. Los de tercero casi no tienen ocasión de asistir a esas veladas, porque los de cuarto y quinto los echan o los ponen de vigías. Las veladas duran horas. Comienzan después del almuerzo[342] y terminan a la hora de la comida[343]. Los consignados resisten mejor el castigo los domingos, se hacen más a la idea de no salir; pero los sábados conservan todavía una esperanza y se extenúan haciendo planes para salir, gracias a una invención genial que conmueva al oficial de servicio o a la audacia ciega, una contra a plena luz y por la puerta principal. Pero solo uno o dos de las decenas de consignados llegan a salir. El resto ambula[344] por los patios desiertos del colegio, se sepulta en las literas de las cuadras,

---

[341] *Nacional.* Marca popular peruana de cigarrillos, de tabaco negro.
[342] Al mediodía.
[343] A la noche.
[344] *Ambula.* (Am.) Deambula, transita.

permanece con los ojos abiertos tratando de combatir el aburrimiento mortal con la imaginación; si tiene algún dinero va al reducto de Paulino a fumar, beber pisco, y a que lo devoren las hormigas.

Los domingos en la mañana, después del desayuno, hay misa. El capellán del colegio es un cura rubio y jovial que pronuncia sermones patrióticos donde cuenta la vida intachable de los próceres, su amor a Dios y al Perú, y exalta la disciplina y el orden, y compara a los militares con los misioneros, a los héroes con los mártires, a la Iglesia con el Ejército. Los cadetes estiman al capellán porque piensan que es un hombre de verdad: lo han visto, muchas veces, vestido de civil, merodeando por los bajos fondos del Callao, con aliento a alcohol y ojos viciosos.

Ha olvidado también que al día siguiente estuvo mucho tiempo con los ojos cerrados después de despertar. Al abrirse la puerta sintió nuevamente que el terror se instalaba en su cuerpo. Contuvo la respiración. Estaba seguro: era él y venía a golpearlo. Pero era su madre. Parecía muy seria y lo miraba fijamente. «¿Y él?». «Ya se fue, son más de las diez». Respiró hondamente y se incorporó. La habitación estaba llena de luz. Solo ahora notaba la vida de la calle, el ruidoso tranvía, las bocinas de los automóviles. Se sentía débil, como si convaleciera de una enfermedad larga y penosa. Esperó que su madre aludiera a lo ocurrido. Pero no lo hacía; revoloteando de un lado a otro, simulaba ordenar el cuarto, movía una silla, corregía la posición de las cortinas. «Vámonos a Chiclayo», dijo él. Su madre se aproximó y comenzó a acariciarlo. Sus dedos largos recorrían su cabeza, se insinuaban fácilmente por sus cabellos, bajaban por su espalda: era una sensación grata y cálida que recordaba otros tiempos. La voz que llegaba ahora hasta sus oídos como una fina cascada era también la voz de su niñez. No prestaba atención a lo que decía su madre, las palabras eran superfluas, lo tierno era la música. Hasta que la madre dijo: «no podemos volver a Chiclayo nunca más. Tienes que vivir siempre con tu papá». Él se volvió a mirarla, convencido que ella se derrumbaría de remordimiento, pero su madre estaba muy serena e, incluso, sonreía. «Prefiero vivir con la tía Adela que con él», gritó. La madre, sin alterarse, trataba de calmarlo. «Lo que ocurre, le decía con acento grave, es que no lo has visto antes; él tampoco te conocía. Pero todo va a cambiar, ya verás. Cuando se conozcan los dos, se querrán mucho, como en todas las familias». «Anoche me pegó, dijo él, roncamente. Un puñete[345], como si yo fuera grande. No quiero vivir con él». Su madre seguía pasándole la mano por la cabeza, pero ese roce ya no era una caricia, sino una presión intolerable. «Tiene mal genio, pero en el fondo es bueno, decía la madre. Hay que saber llevarlo. Tú también tienes algo de culpa, no haces nada por conquistarlo. Está muy resentido contigo por lo de ayer. Eres muy chico, no puedes comprender. Ya verás que tengo razón, te darás cuenta más tarde. Ahora que vuelva, pídele perdón por haber entrado al cuarto. Hay que darle gusto. Es la única manera de tenerlo contento». Él sentía su corazón palpitando con escándalo, como uno de esos sapos enormes que pululaban en la huerta de la casa de Chiclayo y parecían una glándula con ojos, una cámara que se infla y desinfla. Entonces comprendió: «ella está de su lado, es su cómplice». Decidió ser cauteloso, ya no podía fiarse de su madre. Estaba solo. Al mediodía, cuando sintió que abrían la puerta de calle, bajó la escalera y salió al encuentro de su padre. Sin mirarlo a los ojos, le dijo: «perdón por lo de anoche».

—¿Y qué más te dijo? —preguntó el Esclavo.
—Nada más —dijo Alberto—. Me has preguntado lo mismo toda la semana. ¿No puedes hablar de otra cosa?

---

[345] *Puñete.* (Per.) Puñetazo, golpe con el puño cerrado.

—Perdona —respondió el Esclavo—. Pero justamente hoy es sábado. Debe creer que soy un mentiroso.

—¿Por qué va a creer eso? Ya le escribiste. Y, además, qué te importa lo que piense.

—Estoy enamorado de esa chica —dijo el Esclavo—. No me gusta que tenga malas ideas sobre mí.

—Te aconsejo que pienses en otra cosa —dijo Alberto—. Quién sabe hasta cuándo seguiremos consignados. Tal vez varias semanas. No conviene pensar en mujeres.

—Yo no soy como tú —dijo el Esclavo, con humildad—. No tengo carácter. Quisiera no acordarme de esa chica y, sin embargo, no hago otra cosa que pensar en ella. Si el próximo sábado no salgo, creo que me volveré loco. Dime, ¿te hizo preguntas sobre mí?

—Maldita sea —repuso Alberto—. Solo la vi cinco minutos, en la puerta de su casa. ¿Cuántas veces te voy a repetir que no hablé de nada con ella? Ni siquiera tuve tiempo de verle bien la cara.

—¿Y, entonces, por qué no quieres escribirle?

—Porque no —dijo Alberto—. No me da la gana.

—Me parece raro —dijo el Esclavo—. Les escribes cartas a todos. ¿Por qué a mí no?

—A las otras no las conozco —dijo Alberto—. Además, no tengo ganas de escribir cartas. Ahora no necesito plata. Para qué, si me voy a quedar encerrado no sé cuántas malditas semanas.

—El otro sábado saldré como sea —dijo el Esclavo—. Aunque tenga que escaparme.

—Bueno —dijo Alberto—. Pero ahora vamos donde Paulino. Estoy harto de todo y quiero emborracharme.

—Anda tú —dijo el Esclavo—. Yo me quedo en la cuadra.

—¿Tienes miedo?

—No. Pero no me gusta que me frieguen.

—No te van a fregar —dijo Alberto—. Vamos a emborracharnos. Al primero que venga con bromas, le partes la cara y se acabó. Levántate. Y anda[346].

La cuadra se había vaciado paulatinamente. Después del almuerzo, los diez consignados de la sección se tendieron en las literas a fumar; luego el Boa animó a algunos a ir a La Perlita. Después, Vallano y otros se fueron a una timba organizada por los consignados de la segunda. Alberto y el Esclavo se pusieron de pie, cerraron sus roperos y salieron. El patio del año, la pista de desfile y el descampado estaban desiertos. Caminaron hacia La Perlita, las manos en los bolsillos, sin hablar. Era una tarde sin viento y sin sol, serena. De pronto, oyeron una risa. A unos metros, entre la hierba, descubrieron a un cadete, con la cristina hundida hasta los ojos.

—Ni me vieron, mis cadetes —dijo sonriendo—. Hubiera podido matarlos.

—¿No sabe saludar a sus superiores? —dijo Alberto—. Cuádrese, carajo.

El muchacho se incorporó de un salto y saludó. Se había puesto muy serio.

—¿Hay mucha gente donde Paulino? —preguntó Alberto.

—No muchos, mi cadete. Unos diez.

—Échese, nomás[347] —dijo el Esclavo.

—¿Usted fuma, perro? —dijo Alberto.

—Sí, mi cadete. Pero no tengo cigarrillos. Regístreme, si quiere. Hace dos semanas que no salgo.

—Pobrecito —dijo Alberto—. Me muero de pena. Tome —sacó un paquete de cigarrillos del bolsillo y se lo mostró. El muchacho lo miraba con desconfianza y no se atrevía a estirar la mano.

---

[346] *Levántate. Y anda.* Como, según Gustavo Adolfo Bécquer, en «El arpa» *(Rimas,* VII, v. 12), le dice Cristo a Lázaro, para resucitarlo, a partir del episodio bíblico narrado en Juan 11.

[347] *Nomás.* (Am.) Aquí, con sentido enfático.

—Saque dos —dijo Alberto—. Para que vea que soy buena gente.

El Esclavo los miraba distraído. El cadete estiró la mano con timidez, sin quitar los ojos a Alberto. Tomó dos cigarrillos y sonrió.

—Muchas gracias, mi cadete —dijo—. Es usted buena gente.

—De nada —dijo Alberto—. Favor por favor. Esta noche vendrá a tenderme la cama. Soy de la primera sección.

—Sí, mi cadete.

—Vamos de una vez —dijo el Esclavo.

La entrada del reducto de Paulino era una puerta de hojalata, apoyada en el muro. No estaba sujeta, bastaba un viento fuerte para derribarla. Alberto y el Esclavo se aproximaron, después de comprobar que no había ningún oficial cerca. Desde afuera, oyeron risas y la sobresaliente voz del Boa. Alberto se acercó en puntas de pie, indicando silencio al Esclavo. Puso las dos manos sobre la puerta y empujó: en la abertura que surgió frente a ellos, después del ruido metálico, vieron una docena de rostros aterrorizados.

—Todos presos —dijo Alberto—. Borrachos, maricones, degenerados, pajeros, todo el mundo a la cárcel.

Estaban en el umbral. El Esclavo se había colocado detrás de Alberto; su rostro expresaba ahora docilidad y sometimiento. Una figura ágil, simiesca, se incorporó entre los cadetes amontonados en el suelo y se plantó ante Alberto.

—Entren, caracho —dijo—. Rápido, rápido, que pueden verlos. Y no hagas esas bromas, Poeta, un día nos van a fregar por tu culpa.

—No me gusta que me tutees, cholo de porquería —dijo Alberto, franqueando el umbral. Los cadetes se volvieron a mirar a Paulino, que había arrugado la frente; sus grandes labios tumefactos se abrían como las caras de una almeja.

—¿Qué te pasa, blanquiñoso?[348] —dijo—. ¿Estás queriendo que te suene[349] o qué?

—O qué —dijo Alberto, dejándose caer al suelo. El Esclavo se tendió junto a él. Paulino se rio con todo el cuerpo; sus labios se estremecían y, por momentos, dejaban ver una dentadura desigual, incompleta.

—Te has traído tu putita —dijo—. ¿Qué vas a hacer si la violamos?

—Buena idea —gritó el Boa—. Comámonos al Esclavo.

—¿Por qué no a ese mono de Paulino? —dijo Alberto—. Es más gordito.

—Se las ha agarrado[350] conmigo —dijo Paulino, encogiéndose de hombros. Se echó junto al Boa. Alguien había vuelto a poner la puerta en su sitio. Alberto descubrió, en medio de los cuerpos acumulados, una botella de pisco. Alargó la mano pero Paulino lo sujetó.

—Cinco reales por trago.

—Ladrón —dijo Alberto.

Sacó su cartera y le dio un billete de cinco soles.

—Diez tragos —dijo.

—¿Es para ti solo o también para tu hembrita? —preguntó Paulino.

—Por los dos.

El Boa se rio estruendosamente. La botella circulaba entre los cadetes. Paulino calculaba los tragos; si alguien bebía más de lo debido, le arrebataba la botella de un tirón. El Esclavo, después de beber, tosió y sus ojos se llenaron de lágrimas.

—Esos dos no se separan un instante desde hace una semana —dijo el Boa, señalando a Alberto y al Esclavo—. Me gustaría saber qué ha pasado.

---

[348] *Blanquiñoso*. (Per.) Término despectivo para «blanco».

[349] *Sonar*. (Am.) Aquí, pegar.

[350] *Agarrárselas con alguien*. Tomarla con alguien, obsesionarse o tenerle manía.

—Bueno —dijo un cadete, que apoyaba su cabeza en la espalda del Boa—. ¿Y la apuesta?

Paulino entró en un estado de viva agitación. Se reía, daba palmadas a todo el mundo diciendo «ya pues, ya pues», los cadetes aprovechando sus saltos robaban largos tragos de pisco. La botella quedó vacía en pocos minutos. Alberto, la cabeza sobre sus brazos cruzados, miró al Esclavo: una pequeña hormiga roja recorría su mejilla y él no parecía sentirla. Sus ojos tenían un resplandor líquido; su piel estaba lívida. «Y ahora sacará un billete, o una botella, o una cajetilla de cigarros, y luego habrá una pestilencia, una charca de mierda, y yo me abriré la bragueta, y tú te abrirás la bragueta, y él se abrirá, y el injerto comenzará a temblar y todos comenzarán a temblar, me gustaría que Gamboa asomara la cabeza y oliera ese olor que habrá». Paulino, en cuclillas, escarbaba la tierra. Poco después, se irguió con una talega[351] en las manos. Al moverla, se oía ruido de monedas. Todo su rostro había cobrado una animación extraordinaria, las aletas de su nariz se inflaban, sus labios amoratados, muy abiertos, avanzaban en busca de una presa, sus sienes latían. El sudor bañaba su rostro exacerbado. «Y ahora se sentará, se pondrá a respirar como un caballo o como un perro, la baba le chorreará por el pescuezo, sus manos se volverán locas, se le cortará la voz, quita la mano asqueroso, dará patadas en el aire, silbará con la lengua entre los dientes, cantará, gritará, se revolcará sobre las hormigas, las cerdas le caerán en la frente, saca la mano o te capamos, se tenderá en la tierra, hundirá la cabeza en la hierbita y en la arena, llorará, sus manos y su cuerpo se quedarán quietos, morirán».

—Hay como diez soles en monedas de cincuenta —dijo Paulino—. Y ahí abajo hay otra botella de pisco para el segundo. Pero tendrá que convidar a todos.

---

[351] *Talega.* Bolsa de dinero.

Alberto había sumido la cabeza entre los brazos; sus ojos exploraban un minúsculo universo en tinieblas. Sus oídos percibían una bulliciosa excitación: cuerpos que se estiran o se encogen, risas ahogadas, el resuello frenético de Paulino. Giró sobre sí mismo y quedó con la cabeza sobre la tierra: arriba, veía un pedazo de calamina y el cielo gris, ambos del mismo tamaño. El Esclavo se inclinó hacia él. La palidez abarcaba no solo su rostro, también su cuello y sus manos: bajo la piel se distinguían unos manantiales azules.

—Vámonos, Fernández —le susurró el Esclavo—. Salgamos.

—No —dijo Alberto—. Quiero ganar esa talega.

La risa del Boa era, ahora, furiosa. Ladeando un poco la cabeza, Alberto podía ver sus grandes botines, sus gruesas piernas, su vientre apareciendo entre las puntas de la camisa caqui y el pantalón desabotonado, su cuello macizo, sus ojos sin luz. Algunos se bajaban los pantalones, otros los abrían solamente. Paulino daba vueltas en torno al abanico de cuerpos, con los labios húmedos; de una de sus manos colgaba la talega sonora y la otra sostenía la botella de pisco. «El Boa quiere que le traigan a la Malpapeada», dijo alguien y nadie se rio. Alberto se desabotonaba lentamente, los ojos semicerrados, y trataba de evocar el rostro, el cuerpo, los cabellos de la Pies Dorados, pero la imagen era huidiza y se esfumaba para dar paso a otra, una muchacha morena, que también se fugaba y volvía, le mostraba una mano, una boca fina, y la garúa caía sobre ella, humedecía su ropa y la luz rojiza de Huatica estaba brillando en el fondo de esos ojos oscuros y él decía mierda y surgía el muslo blanco y carnoso de la Pies Dorados y desaparecía y la avenida Arequipa estaba repleta de vehículos que pasaban junto al paradero del Raimondi, donde esperaban él y la muchacha.

—¿Y tú, qué esperas? —dijo Paulino, indignado. El Esclavo se había tendido y permanecía inmóvil, la cabeza entre las manos. El injerto estaba de pie, ante él y parecía enorme. «Cómetelo, Paulino», gritó el Boa. «Cómete a la novia del Poeta. Te juro que si el Poeta se mueve, lo quiebro»[352]. Alberto miró al suelo: unos puntos negros surcaban la tierra castaña, pero no había ninguna piedra. Endureció el cuerpo y cerró los puños. Paulino se había inclinado, con las rodillas separadas: las piernas del Esclavo pasaban bajo su cuerpo.

—Si lo tocas, te rompo la cara —dijo Alberto.

—Está enamorado del Esclavo —dijo el Boa, pero su voz revelaba que ya se había desinteresado de Paulino y Alberto; era una voz débil y congestionada, lejana. El injerto sonrió y abrió la boca: la lengua arrastraba una masa de saliva que mojó sus labios.

—No le voy a hacer nada —dijo—. Solo que es muy flojo[353]. Lo voy a ayudar.

El Esclavo estaba inmóvil y, mientras Paulino abría su correa y desabotonaba su pantalón, siguió mirando al techo. Alberto volvió la cabeza; la calamina era blanca, el cielo era gris, en sus oídos había una música, el diálogo de las hormigas coloradas en sus laberintos subterráneos, laberintos con luces coloradas, un resplandor rojizo en el que los objetos parecían oscuros y la piel de esa mujer devorada por el fuego desde la punta de los pequeños pies adorables hasta la raíz de los cabellos pintados, había una gran mancha en la pared, el cadencioso balanceo de ese muchacho marcaba el tiempo como un péndulo, fijaba el reducto a la tierra, impedía que se elevara por los aires y cayera en la espiral rojiza de Huatica, sobre ese muslo de miel y de leche, la muchacha caminaba bajo la garúa, liviana, graciosa, esbelta, pero esta vez el chorro volcánico estaba

---

[352] *Quebrar.* (Am.) Aquí, «matar».
[353] *Flojo.* Vago, perezoso.

ahí, definitivamente instalado en algún punto de su alma, y comenzaba a crecer, a lanzar sus tentáculos por los pasadizos secretos de su cuerpo, expulsando a la muchacha de su memoria y de su sangre, y segregando un perfume, un licor, una forma, bajo su vientre que sus manos acariciaban ahora y de pronto ascendía algo quemante y avasallador, y él podía ver, oír, sentir, el placer que avanzaba, humeante, desplegándose entre una maraña de huesos y músculos y nervios, hacia el infinito, hacia el paraíso donde nunca entrarían las hormigas rojas, pero entonces se distrajo, porque Paulino acezaba[354] y había caído a poca distancia, y el Boa decía palabras entrecortadas. Sintió nuevamente la tierra en sus espaldas y al volverse a mirar, sus ojos ardieron como punzados por una aguja. Paulino estaba junto al Boa y este lo dejaba manosear su cuerpo, indiferente. El injerto resollaba, emitía grititos destemplados. El Boa había cerrado los ojos y se retorcía. «Y ahora comenzará el olor, y la botella se vaciará en unos segundos y cantaremos, y alguien contará chistes, y el injerto se pondrá triste, y sentiré la boca seca y los cigarrillos me darán ganas de vomitar y querré dormir, y la cabeza y algún día me volveré tísico[355], el doctor Guerra dijo que es como si uno se acostara siete veces seguidas con una mujer».

Cuando escuchó el grito del Boa, no se movió: era un pequeño ser adormecido en el fondo de una concha rosada, y ni el viento ni el agua ni el fuego podían invadir su refugio. Luego volvió a la realidad: el Boa tenía a Paulino contra el suelo y lo abofeteaba, gritando, «me mordiste[356], cholo maldito, serrano, voy a matarte». Algu-

---

[354] *Acezar.* Jadear por el deseo.
[355] Creencia popular disuasoria sobre los efectos de la masturbación.
[356] Se alude a una felación.

nos se habían incorporado y contemplaban la escena con rostros lánguidos. Paulino no se defendía, y después de un momento, el Boa lo soltó. El injerto se levantó pesadamente, se limpió la boca, recogió del suelo la talega de monedas y la botella de pisco. Dio el dinero al Boa.

—Yo terminé segundo —dijo Cárdenas.

Paulino avanzó hacia él con la botella. Pero lo detuvo el cojo Villa, que estaba junto a Alberto.

—Mentira —dijo—. No fue él.

—¿Quién entonces? —dijo Paulino.

—El Esclavo.

El Boa dejó de contar las monedas y sus ojos pequeñitos miraron al Esclavo. Este permanecía de espaldas, las manos a lo largo de su cuerpo.

—Quién lo hubiera dicho —dijo el Boa—. Tiene una pinga[357] de hombre.

—Y tú una de burra —dijo Alberto—. Ciérrate el pantalón, fenómeno.

El Boa se rio a carcajadas y corrió por el reducto, sobre los cuerpos, con el sexo entre las manos, gritando «los orino a todos, me los como a todos, por algo me dicen Boa, puedo matar a una mujer de un polvo». Los otros se limpiaban y acomodaban la ropa. El Esclavo había abierto la botella de pisco, y después de tomar un trago largo y escupir, la pasó a Alberto. Todos bebían y fumaban. Paulino estaba sentado en un rincón, con una expresión marchita y melancólica. «Y ahora saldremos y nos lavaremos las manos, y después tocarán el silbato y formaremos y marcharemos al comedor, un, dos, un, dos, y comeremos y saldremos del comedor y entraremos a las cuadras y alguien gritará un concurso y alguien dirá ya estuvimos donde el injerto y ganó el Boa, y el Boa dirá

---

[357] *Pinga*. (Am.) Pene.

también fue el Esclavo, lo llevó el Poeta y no dejó que nos lo comiésemos e incluso salió segundo en el concurso, y tocarán silencio y dormiremos y mañana y el lunes y cuántas semanas».

Emilio le dio un golpe en el hombro y le dijo: «ahí está». Alberto levantó la cabeza. Helena, con medio cuerpo inclinado sobre la baranda de la galería, lo miraba. Sonreía. Emilio le dio un codazo y repitió: «ahí está. Anda, anda». Alberto susurró: «cállate, hombre. ¿No ves que está con Ana?». Junto a la cabeza rubia, suspendida sobre la baranda, había aparecido otra, morena: Ana, la hermana de Emilio. «No te preocupes, dijo este. Yo me encargo de ella. Vamos». Alberto asintió. Subieron la escalera del club Terrazas. La galería estaba llena de gente joven; del otro lado del club, de los salones, provenía una música muy alegre. «Pero no te acerques por nada del mundo, murmuraba Alberto mientras subían la escalera. No dejes que tu hermana nos interrumpa. Si quieres, síguenos, pero de lejos». Cuando se acercaron a ellas, las dos muchachas reían. Helena parecía mayor. Delgada, dulce, transparente, nada revelaba a primera vista su audacia. Pero los del barrio la conocían. Mientras las otras muchachas, al ser abordadas en media calle, se ponían a llorar, bajaban los ojos y se cohibían o asustaban, Helena hacía frente a los asaltantes, los desafiaba como una fierecilla de ojos encendidos y su voz enérgica respondía uno por uno a los sarcasmos, o tomaba la iniciativa y llamaba a los muchachos por sus sobrenombres más ofensivos y los amenazaba y se la veía, el cuerpo firme y erguido, el rostro altanero, azotar el aire con sus puños, resistir el cerco, romperlo y alejarse con expresión triunfal. Pero eso era antes. Hacía un tiempo, ninguno sabía exactamente en qué estación del año, en qué mes (tal vez esas vacaciones de julio, cuando los padres de Tico celebraron su cumpleaños con una fiesta mixta), el clima de pugna entre hombres y mujeres comenzó a eclipsarse. Los muchachos ya no aguardaban el paso de las chicas para asustarlas y divertirse a su costa; al contrario, la aparición de una de ellas los complacía y despertaba una cordialidad tímida y balbuceante. Y a la inversa, cuando las chicas, desde el balcón de la casa de Laura o de Ana, veían pasar a alguno de ellos, dejaban de hablar en voz alta, cambiaban misteriosas palabras al oído, lo saludaban por su nombre, y él podía sentir, junto al halago íntimo que lo invadía, la excitación que su presencia suscitaba en el balcón. Tendidos en el jardín de la casa de Emilio, sus conversaciones tomaban otros rumbos. ¿Quién recordaba los partidos de fulbito, las carreras, las bajadas a la playa por el despeñadero? Fumando sin descanso (ya nadie se atoraba[358] con el humo), estudiaban la manera de filtrarse en las películas para mayores de quince años, calculaban las posibilidades de una fiesta próxima: ¿permitirían los padres que pusieran el tocadiscos y bailaran?, ¿duraría como la última que terminó a medianoche? Y cada uno narraba sus encuentros, sus conversaciones con las chicas del barrio. Los padres habían cobrado una importancia excepcional; unos, como el padre de Ana y la madre de Laura, gozaban del aprecio unánime, porque saludaban a los muchachos, permitían que conversaran con sus hijas, los interrogaban sobre sus estudios; otros, como el papá de Tico y la madre de Helena (estrictos, celosísimos), los atemorizaban y ahuyentaban.

—¿Vas a ir a la matiné? —preguntó Alberto.

Caminaban por el malecón, solos. Él sentía a su espalda, los pasos de Emilio y de Ana. Helena afirmó con la cabeza y dijo: «al cine Leuro». Alberto decidió esperar: en la oscuridad sería más fácil. Tico había explorado el terreno unos días atrás y Helena le había dicho: «no se puede saber nun-

---

[358] *Atorarse.* (Am.) Atragantarse.

ca, pero si se me declara bien, tal vez lo aceptaría». Era una clara mañana de verano, el sol brillaba en un cielo azul, sobre el océano vecino y él se sentía animoso: los signos eran favorables. Con las chicas del barrio se mostraba siempre seguro, les hacía bromas ingeniosas o conversaba seriamente. Pero Helena no facilitaba el diálogo, discutía todo, aun las afirmaciones más inocentes, nunca hablaba por gusto y sus opiniones eran cortantes. Una vez, Alberto le contó que había llegado a misa después del Evangelio. «No te vale, repuso Helena, fríamente. Si te mueres esta noche te irás al infierno». Otra vez, Ana y Helena contemplaban desde el balcón un partido de fulbito. Después, Alberto le preguntó: «¿qué tal juego?». Y ella le respondió: «juegas muy mal». Sin embargo, una semana antes, en el parque de Miraflores se había reunido un grupo de muchachos y muchachas del barrio y habían paseado un buen rato, en torno al Ricardo Palma. Alberto caminaba junto a Helena y esta se mostraba cordial; los otros se volvían a verlos y decían: «qué buena pareja».

Acababan de dejar el malecón, avanzaban por Juan Fanning hacia la casa de Helena. Alberto ya no sentía los pasos de Emilio y de Ana. «¿Nos veremos en el cine?», le dijo. «¿Tú también vas a ir al Leuro?», preguntó Helena con infinita inocencia. «Sí, dijo él, también». «Bueno, entonces tal vez nos veamos». En la esquina de su casa, Helena le tendió la mano. La calle Colón, el cruce de Diego Ferré, el corazón mismo del barrio, estaba solitario; los muchachos seguían en la playa o en la piscina del Terrazas. «¿Vas a ir de todos modos al Leuro, no?», dijo Alberto. «Sí, dijo ella. Salvo que pase algo». «¿Qué puede pasar?». «No sé, dijo ella muy seria; un temblor o algo así». «Tengo algo que decirte en el cine», dijo Alberto. La miró a los ojos; ella parpadeó y pareció muy sorprendida. «¿Tienes algo que decirme?, ¿qué cosa?». «Te lo diré en el cine». «¿Por qué no ahora?, dijo ella; es mejor hacer las cosas lo antes posible». Él hizo esfuerzos para no ruborizarse. «Ya sabes lo que te voy a decir», dijo.

«No, repuso ella, más sorprendida todavía. Ni se me ocurre qué puede ser». «Si quieres te lo digo de una vez», dijo Alberto. «Eso es, dijo ella. Atrévete».

«Y ahora saldremos y después tocarán silbato y formaremos y marcharemos al comedor, un, dos, un, dos, y comeremos rodeados de mesas vacías, y saldremos al patio vacío y entraremos a las cuadras vacías, y alguien gritará un concurso y yo diré ya estuvimos donde el injerto y ganó el Boa, siempre gana el Boa, el próximo sábado también ganará el Boa, y tocarán silencio y dormiremos y vendrá el domingo y el lunes y volverán los que salieron y les compraremos cigarrillos y les pagaré con cartas o novelitas». Alberto y el Esclavo estaban echados en dos camas vecinas de la cuadra desierta. El Boa y los otros consignados acababan de salir hacia La Perlita. Alberto fumaba una colilla.

—Puede seguir hasta fin de año —dijo el Esclavo.

—¿Qué cosa?

—La consigna.

—¿Para qué maldita sea hablas de la consigna? Quédate callado o duerme. No eres el único consignado.

—Ya sé, pero tal vez nos quedemos encerrados hasta fin de año.

—Sí —dijo Alberto—. Salvo que descubran a Cava. Pero cómo van a descubrirlo.

—No es justo —dijo el Esclavo—. El serrano sale todos los sábados, muy tranquilo. Y nosotros, aquí adentro por su culpa.

—Qué fregada es la vida —dijo Alberto—. No hay justicia.

—Hoy se cumple un mes que no salgo —dijo el Esclavo—. Nunca he estado consignado tanto tiempo.

—Ya podías acostumbrarte.

—Teresa no me contesta —dijo el Esclavo—. Van dos cartas que le escribo.

—¿Y qué mierda te importa? —dijo Alberto—. El mundo está lleno de mujeres.

—Pero a mí me gusta esa. Las otras no me interesan. ¿No te das cuenta?

—Sí me doy. Quiere decir que estás fregado.

—¿Sabes cómo la conocí?

—No. ¿Cómo lo puedo saber eso?

—La veía pasar todos los días por mi casa. Y me la quedaba mirando desde la ventana y a veces la saludaba.

—¿Te hacías la paja pensando en ella?

—No. Me gustaba verla.

—Qué romántico.

—Y un día bajé poco antes de que saliera. Y la esperé en la esquina.

—¿La pellizcaste?

—Me acerqué y le di la mano.

—¿Y qué le dijiste?

—Mi nombre. Y le pregunté cómo se llamaba. Y le dije: «mucho gusto de conocerte».

—Eres un imbécil. ¿Y ella qué te dijo?

—Me dijo su nombre, también.

—¿La has besado?

—No. Ni siquiera he salido con ella.

—Eres un mentiroso de porquería. A ver, jura que no la has besado.

—¿Qué te pasa?

—Nada. No me gusta que me mientan.

—¿Por qué te voy a mentir? ¿Crees que no tenía ganas de besarla? Pero apenas he estado con ella, unas tres o cuatro veces, en la calle. Por este maldito colegio no he podido verla. Y, a lo mejor, ya se le declaró alguien.

—¿Quién?

—Qué sé yo; alguien. Es muy bonita.

—No tanto. Yo diría que es fea.

—Para mí es bonita.

—Eres una criatura. A mí me gustan las mujeres para acostarme con ellas.

—Es que a esta chica creo que la quiero.

—Me voy a poner a llorar de la emoción.

—Si me esperara hasta que termine la carrera, me casaría con ella.

—Se me ocurre que te metería cuernos. Pero no importa, si quieres, seré tu testigo[359].

—¿Por qué dices eso?

—Tienes cara de cornudo.

—A lo mejor no ha recibido mis dos cartas.

—A lo mejor.

—¿Por qué no quisiste escribirme una carta? Esta semana has hecho varias.

—Porque no me dio la gana.

—¿Qué tienes conmigo? ¿De qué estás furioso?

—La consigna me pone de mal humor. ¿O tú crees que eres el único que está harto de no salir?

—¿Por qué entraste al Leoncio Prado?

Alberto se rio. Dijo:

—Para salvar el honor de mi familia.

—¿Nunca puedes hablar en serio?

—Estoy hablando en serio, Esclavo. Mi padre decía que yo estaba pisoteando la tradición familiar. Y para corregirme me metió aquí.

—¿Por qué no te hiciste jalar en el examen de ingreso?

—Por culpa de una chica. Por una decepción, ¿me entiendes? Entré a esta pocilga por un desengaño y por mi familia.

—¿Estabas enamorado de esa chica?

—Me gustaba.

—¿Era bonita?

—Sí.

---

[359] En la supuesta boda.

—¿Cómo se llamaba? ¿Qué pasó?

—Helena. Y no pasó nada. Además, no me gusta contar mis cosas.

—Pero yo te cuento todas las mías.

—Porque te da la gana. Si no quieres, no me cuentes nada.

—¿Tienes cigarrillos?

—No. Ahora conseguiremos.

—Estoy sin un centavo.

—Yo tengo dos soles. Levántate y vamos donde Paulino.

—Estoy harto de La Perlita. El Boa y el injerto me dan náuseas.

—Entonces quédate durmiendo. Yo prefiero ir allá.

Alberto se puso de pie. El Esclavo lo vio colocarse la cristina y enderezar su corbata.

—¿Quieres que te diga una cosa? —dijo el Esclavo—. Ya sé que te vas a burlar de mí. Pero no importa.

—¿Qué cosa?

—Eres el único amigo que tengo. Antes no tenía amigos, sino conocidos. Quiero decir en la calle, aquí ni siquiera eso. Eres la única persona con la que me gusta estar.

—Eso parece una declaración de amor de maricón —dijo Alberto.

El Esclavo sonrió.

—Eres un bruto —dijo—. Pero buena gente.

Alberto salió. Desde la puerta, le dijo:

—Si consigo cigarrillos, te traeré uno.

El patio estaba húmedo. Alberto no se había dado cuenta que llovía mientras conversaban en la cuadra. Distinguió, a lo lejos, a un cadete sentado en la hierba. ¿Sería el mismo que hacía de vigía el sábado pasado? «Y ahora entraré donde el injerto, y haremos un concurso y el Boa ganará y habrá ese olor y luego saldremos al patio vacío y entraremos a las cuadras y alguien dirá un concurso y yo diré estuvimos donde Paulino y ganó el Boa, el próximo sábado también ganará el Boa, y tocarán silencio y dormiremos y vendrá el domingo y el lunes y cuántas semanas».

VI

Podía soportar la soledad y las humillaciones que conocía desde niño y solo herían su espíritu: lo horrible era el encierro, esa gran soledad exterior que no elegía, que alguien le arrojaba encima como una camisa de fuerza. Estaba frente al cuarto del teniente, todavía no levantaba la mano para tocar. Sin embargo, sabía que iba a hacerlo, había demorado tres semanas en decidirse, ya no tenía miedo ni angustia. Era su mano la que lo traicionaba: permanecía quieta, blanda, pegada al pantalón, muerta. No era la primera vez. En el colegio salesiano[360] le decían «muñeca»; era tímido y todo lo asustaba. «Llora, llora, muñeca», gritaban sus compañeros en el recreo, rodeándolo. Él retrocedía hasta que su espalda encontraba la pared. Las caras se acercaban, las voces eran más altas, las bocas de los niños parecían hocicos dispuestos a morderlo. Se ponía a llorar. Una vez se dijo: «tengo que hacer algo». En plena clase desafió al más valiente del año: ha olvidado su nombre y su cara, sus puños certeros y su resuello. Cuando estuvo frente a él, en el canchón[361] de los desperdicios, encerrado dentro de un círculo de espectadores ansiosos, tampoco sintió miedo, ni siquiera excitación:

---

[360] *Salesiano.* Relativo a la famosa escuela privada de formación cristiana, que debe su nombre a su fundador, el sacerdote y pedagogo francés Jean-Baptiste de La Salle (1651-1719).

[361] *Canchón.* (Per.) Aumentativo de «cancha». Descampado.

solo un abatimiento total. Su cuerpo no respondía ni esquivaba los golpes; debió esperar que el otro se cansara de pegarle. Era para castigar a ese cuerpo cobarde y transformarlo que se había esforzado en aprobar el ingreso al Leoncio Prado; por ello había soportado esos veinticuatro meses largos. Ahora ya no tenía esperanza; nunca sería como el Jaguar, que se imponía por la violencia, ni siquiera como Alberto, que podía desdoblarse y disimular para que los otros no hicieran de él una víctima. A él lo conocían de inmediato, tal como era, sin defensas, débil, un esclavo. Solo la libertad le interesaba ahora para manejar su soledad a su capricho, llevarla a un cine, encerrarse con ella en cualquier parte. Levantó la mano y dio tres golpes en la puerta.

¿Había estado durmiendo el teniente Huarina? Sus ojos hinchados parecían dos enormes llagas en su cara redonda; tenía el pelo alborotado y lo miraba a través de una niebla.

—Quiero hablar con usted, mi teniente.

El teniente Remigio Huarina era en el mundo de los oficiales lo que él en el de los cadetes: un intruso. Pequeño, enclenque, sus voces de mando inspiraban risa, sus cóleras no asustaban a nadie, los suboficiales le entregaban los partes sin cuadrarse[362] y lo miraban con desprecio; su compañía era la peor organizada, el capitán Garrido lo reprendía en público, los cadetes lo dibujaban en los muros con pantalón corto, masturbándose. Se decía que tenía un almacén en los Barrios Altos donde su mujer vendía galletas y dulces. ¿Por qué había entrado en la Escuela Militar?

—¿Qué hay?

—¿Puedo entrar? Es un asunto grave, mi teniente.

—¿Quiere una audiencia? Debe usted seguir la vía jerárquica.

No solo los cadetes imitaban al teniente Gamboa: como él, Huarina había adoptado la posición de firmes para citar

---

[362] *Sin cuadrarse.* Sin ponerse firme, sin respeto.

el reglamento. Pero con esas manos delicadas y ese bigote ridículo, una manchita negra colgada de la nariz, ¿podía engañar a alguien?

—No quiero que nadie se entere, mi teniente. Es algo grave.

El teniente se hizo a un lado y él entró. La cama estaba revuelta y el Esclavo pensó de inmediato en la celda de un convento: debía ser algo así, desnuda, lóbrega, un poco siniestra. En el suelo había un cenicero lleno de colillas; una humeaba todavía.

—¿Qué hay? —insistió Huarina.

—Es sobre lo del vidrio.

—Nombre y sección —dijo el teniente, precipitadamente.

—Cadete Ricardo Arana, quinto año, primera sección.

—¿Qué pasa con el vidrio?

Era la lengua ahora la cobarde: se negaba a moverse, estaba seca, la sentía como una piedra áspera. ¿Era miedo? El Círculo se había ensañado con él; después del Jaguar, Cava era el peor; le quitaba los cigarrillos, el dinero, una vez había orinado sobre él mientras dormía. En cierto modo, tenía derecho; todos en el colegio respetaban la venganza. Y, sin embargo, en el fondo de su corazón, algo lo acusaba. «No voy a traicionar al Círculo, pensó, sino a todo el año, a todos los cadetes».

—¿Qué hay? —dijo el teniente Huarina, irritado—. ¿Ha venido a mirarme la cara? ¿No me conoce?

—Fue Cava —dijo el Esclavo. Bajó los ojos—: ¿Podré salir este sábado?

—¿Cómo? —dijo el teniente. No había comprendido, todavía podía inventar algo y salir.

—Fue Cava el que rompió el vidrio —dijo—. Él robó el examen de química. Yo lo vi pasar a las aulas. ¿Se suspenderá la consigna?

—No —dijo el teniente—. Ya veremos. Primero repita lo que ha dicho.

La cara de Huarina se había redondeado y habían surgido unos pliegues en sus mejillas, cerca de la comisura de los labios, que estaban separados y temblaban ligeramente. Sus ojos mostraban satisfacción. El Esclavo se sintió tranquilo. Había dejado de importarle el colegio, la salida, el futuro. Se dijo que el teniente Huarina no parecía agradecido. Después de todo era natural, no era de su mundo, tal vez lo despreciaba.

—Escriba —dijo Huarina—. Ahora mismo. Ahí tiene papel y lápiz.

—¿Qué cosa, mi teniente?

—Yo le dicto. «Vi al cadete, ¿cómo se llama?, Cava, de tal sección, tal día, a tal hora, pasar hacia las aulas, para apropiarse indebidamente del examen de química». Escriba claro. «Hago esta declaración a pedido del teniente Remigio Huarina, que descubrió al autor del robo y también mi participación...

—Mi teniente, yo no...

—...mi involuntaria participación en el asunto, como testigo». Fírmelo. Y escriba su nombre en letras de imprenta. Grandes.

—Yo no vi el robo —dijo el Esclavo—. Solo que pasaba hacia las aulas. Hace cuatro semanas que no salgo, mi teniente.

—No se preocupe. Yo me encargo de todo. No tenga miedo

—No tengo miedo —gritó el Esclavo y el teniente levantó la vista, sorprendido—. Hace cuatro semanas que no salgo, mi teniente. Este sábado harán cinco.

Huarina asintió.

—Firme ese papel —dijo—. Le doy permiso para que salga hoy después de clase. Vuelva a las once.

El Esclavo firmó. El teniente leyó el papel; sus ojos bailaban en las órbitas; movía los labios al leer.

—¿Qué le harán? —dijo el Esclavo. La pregunta era estúpida y él lo sabía; pero había que decir algo. El teniente tenía cogida la hoja de papel con la punta de los dedos, cuidadosamente, no quería arrugarla.

—¿Ha hablado con el teniente Gamboa de esto? —un instante, la imagen de ese rostro sin ángulos y lampiño[363] quedó suspendida; aguardaba la respuesta del Esclavo con alarma. Hubiera sido fácil apagar la alegría de Huarina, quitarle, sus aires de vencedor; bastaba decir sí.

—No, mi teniente. Con nadie.

—Bien. Ni una palabra —dijo el teniente—. Espere mis instrucciones. Venga a verme después de clase, con uniforme de salida. Lo llevaré hasta la Prevención.

—Sí, mi teniente —el Esclavo vaciló antes de añadir—: No quisiera que los cadetes supieran...

—Un hombre —dijo Huarina, de nuevo en posición de firmes— debe asumir sus responsabilidades. Es lo primero que se aprende en el Ejército.

—Sí, mi teniente. Pero si saben que yo lo denuncié...

—Ya sé —dijo Huarina, llevándose a los ojos el papel por cuarta vez—. Lo harían papilla. Pero no tema. Los Consejos de Oficiales son siempre secretos.

«Quizá me expulsen a mí también», pensó el Esclavo. Salió del cuarto de Huarina. Nadie podía haberlo visto, después del almuerzo los cadetes se tendían en sus literas o en la hierba del estadio. En el descampado, observó a la vicuña: esbelta, inmóvil, olfateaba el aire. «Es un animal triste», pensó. Estaba sorprendido: debería sentirse excitado o aterrado, algún trastorno físico debía recordarle la delación. Creía que los criminales, después de cometer un asesinato, se hundían en un vértigo y quedaban como hipnotizados. Él solo sentía indiferencia. Pensó: «estaré seis horas en la calle. Iré a verla pero no podré decirle nada de lo que ha pasado». ¡Si hubiera alguien con quien hablar, que pudiera comprender o al menos escucharlo! ¿Cómo fiarse de Alberto? No solo se había negado a escribir en su nombre a Teresa, sino que los últimos días lo provocaba

---

[363] *Lampiño*. Sin vello facial.

constantemente —a solas, es verdad, pues ante los otros lo defendía—, como si tuviera algo que reprocharle. «No puedo fiarme de nadie, pensó. ¿Por qué todos son mis enemigos?».

Un leve temblor en las manos: fue la única reacción de su cuerpo al empujar los batientes de la cuadra y ver a Cava, de pie junto al ropero. «Si me mira se dará cuenta que acabo de fregarlo», pensó.

—¿Qué te pasa? —dijo Alberto.

—Nada. ¿Por qué?

—Estás pálido. Anda a la enfermería, seguro que te internan.

—No tengo nada.

—No importa —dijo Alberto—. ¿Qué más quieres que te internen, si estás consignado? Ojalá pudiera ponerme así de pálido. En la enfermería se come bien y se descansa.

—Pero se pierde la salida —dijo el Esclavo.

—¿Cuál salida? Todavía tenemos para rato aquí adentro. Aunque dicen que tal vez haya salida general el próximo domingo. Es cumpleaños del coronel. Eso dicen, al menos. ¿De qué te ríes?

—De nada.

¿Cómo podía hablar Alberto con esa indiferencia de la consigna, cómo podía acostumbrarse a la idea de no salir?

—Salvo que quieras tirar contra —dijo Alberto—. Pero de la enfermería es más fácil. En la noche no hay control. Eso sí, tienes que descolgarte por el lado de la Costanera y te puedes ensartar en la reja como un anticucho[364].

—Ahora tiran contra muy pocos —dijo el Esclavo—. Desde que pusieron la ronda.

---

[364] *Como un anticucho*. (Per.) Como una brocheta de vísceras de res, plato típico y popular de la cocina peruana.

—Antes era más fácil —dijo Alberto—. Pero todavía salen muchos. El cholo Urioste salió el lunes y volvió a las cuatro de la mañana.

Después de todo, ¿por qué no ir a la enfermería? ¿Para qué salir a la calle? Doctor, se me nubla la vista, me duele la cabeza, tengo palpitaciones, sudo frío, soy un cobarde. Cuando estaban consignados, los cadetes trataban de ingresar a la enfermería. Allí se pasaba el día sin hacer nada, en piyama, y la comida era abundante. Pero los enfermeros y el médico del colegio eran cada vez más estrictos. La fiebre no bastaba; sabían que poniéndose cáscaras de plátano en la frente un par de horas, la temperatura sube a treinta y nueve grados. Tampoco las gonorreas[365], desde que se descubrió la estratagema del Jaguar y el Rulos que se presentaron a la enfermería con el falo bañado en leche condensada. El Jaguar había inventado también los ahogos. Conteniendo la respiración hasta llorar, varias veces seguidas, antes del examen médico, el corazón se acelera y empieza a tronar como un bombo. Los enfermeros decretaban: «internamiento por síntomas de taquicardia».

—Nunca he tirado contra —dijo el Esclavo.

—No me extraña —dijo Alberto—. Yo sí, varias veces, el año pasado. Una vez fuimos a una fiesta en La Punta con Arróspide y volvimos poco antes del toque de diana. En cuarto año, la vida era mejor.

—Poeta —gritó Vallano—. ¿Tú has estado en el colegio La Salle?

—Sí —dijo Alberto—. ¿Por qué?

—El Rulos dice que todos los de La Salle son maricas. ¿Es cierto?

—No —dijo Alberto—. En La Salle no había negros.

El Rulos se rio.

---

[365] *Gonorrea.* Enfermedad venérea.

—Estás fregado[366] —le dijo a Vallano—. El Poeta te come.

—Negro, pero más hombre que cualquiera —afirmó Vallano—. Y el que quiera hacer la prueba, que venga.

—Uy, qué miedo —dijo alguien—. Uy, mamita.

«Ay, ay, ay», cantó el Rulos.

—Esclavo —gritó el Jaguar—. Anda y haz la prueba. Después nos cuentas si el negro es tan hombre como dice.

—Al Esclavo lo parto en dos —dijo Vallano.

—Uy, mamita.

—A ti también —gritó Vallano—. Anímate y ven. Estoy a punto.

—¿Qué pasa? —dijo la voz ronca del Boa, que acababa de despertar.

—El negro dice que eres un marica, Boa —afirmó Alberto.

—Dijo que le consta que eres un marica.

—Eso dijo.

—Se pasó más de una hora rajando de ti[367].

—Mentira, hermanito —dijo Vallano—. ¿Crees que hablo de la gente por la espalda?

Hubo nuevas risas.

—Se están burlando de ti —agregó Vallano—. ¿No te das cuenta? —levantó la voz—. Me vuelves a hacer una broma así, Poeta, y te machuco. Te advierto. Por poco me haces tener un lío con el muchacho.

—Uy —dijo Alberto—. ¿Has oído, Boa? Te ha dicho muchacho[368].

—¿Quieres algo conmigo, negro? —dijo la voz ronca.

—Nada, hermanito —repuso Vallano—. Tú eres mi amigo.

—Entonces no digas muchacho.

---

[366] *Estar fregado.* (Am.) Estar jodido, fastidiado.

[367] *Rajar de alguien.* Hablar mal de alguien.

[368] *Muchacho.* El término parece cobrar también el sentido de «sirviente», o de subalterno.

—Poeta, te juro que te voy a quebrar.

—Negro que ladra no muerde[369] —dijo el Jaguar.

El Esclavo pensó: «en el fondo, todos ellos son amigos. Se insultan y se pelean de la boca para afuera[370], pero en el fondo se divierten juntos. Solo a mí me miran como a un extraño».

«Tenía las piernas gordas, blancas y sin pelos. Eran ricas y daba ganas de morderlas». Alberto se quedó mirando la frase, tratando de calcular sus posibilidades eróticas, y la encontró bien. El sol atravesaba los vidrios manchados de la glorieta[371] y caía sobre él, que estaba echado en el suelo, la cara apoyada en una de sus manos y en la otra un lapicero[372] suspendido a unos centímetros de la hoja de papel a medio llenar. En el suelo cubierto de polvo, colillas, fósforos carbonizados, había otras hojas, algunas escritas. La glorieta había sido construida junto con el colegio, en el pequeño jardín que contenía a la piscina, eternamente desaguada y cubierta de musgo, sobre la que planeaban nubes de zancudos[373]. Nadie, seguramente ni el mismo coronel, conocía la finalidad de la glorieta, sostenida a dos metros de tierra por cuatro columnas de cemento y a la que se llegaba por una angosta escalera sinuosa. Probablemente ningún oficial ni cadete había entrado a la glorieta antes de que el Jaguar consiguiera abrir su puerta clausurada con una ganzúa especial, en cuya fabricación intervino casi toda la sección. Esta había encontrado una función para la

---

[369] *Negro que ladra no muerde.* Deformación racista del refrán «perro ladrador, poco mordedor» o «perro que ladra no muerde».

[370] *De la boca para afuera.* Aparentemente.

[371] *Glorieta.* Construcción exterior, habitualmente circular, en parques y jardines, para proteger diversas actividades del sol y de la lluvia.

[372] *Lapicero.* (Am.) Esferógrafo, bolígrafo.

[373] *Zancudos.* (Am.) Mosquitos de patas largas.

solitaria glorieta: servir de escondrijo a aquellos que en vez de ir a clase querían dormir una siesta. «El aposento temblaba como si hubiera un terremoto; la mujer gemía, se jalaba los pelos, decía "basta, basta", pero el hombre no la soltaba; con su mano nerviosa seguía explorándole el cuerpo, rasguñándola, penetrándola. Cuando la mujer quedó muda, como muerta, el hombre se echó a reír y su risa parecía el canto de un animal». Colocó el lapicero en su boca y releyó toda la hoja. Todavía agregó una última frase: «La mujer pensó que los mordiscos del final habían sido lo mejor de todo y se alegró al recordar que el hombre volvería al día siguiente». Alberto echó una ojeada a las hojas cubiertas de palabras azules; en menos de dos horas, había escrito cuatro novelitas. Estaba bien. Todavía quedaban unos minutos antes de que sonara el silbato anunciando el final de las clases. Giró sobre sí mismo, apoyó la cabeza en el suelo, permaneció estirado, con el cuerpo blando, laxo; el sol tocaba ahora su cara pero no lo obligaba a cerrar los ojos: era débil.

Había salido a la hora de almuerzo. De pronto el comedor se iluminó y el murmullo vertiginoso murió de golpe; mil quinientas cabezas se volvieron hacia el descampado: en efecto, la hierba parecía dorada y los edificios contiguos proyectaban sombra. Era la primera vez que salía el sol en octubre desde que Alberto estaba en el colegio. De inmediato pensó: «me iré a la glorieta a escribir». En la formación, susurró al Esclavo: «si pasan lista, contestas por mí» y, al llegar a las aulas, en un descuido del oficial, se metió en un baño. Cuando los cadetes entraron a las aulas, se deslizó rápidamente hasta la glorieta. Había escrito sin interrupción, novelitas de cuatro páginas; solo en la última comenzó a sentir que la modorra invadía su cuerpo, y surgió la tentación de soltar el lapicero y pensar en cosas vagas. Se le habían acabado los cigarrillos hacía días y trató de fumar las colillas retorcidas que encontró en la glorieta, pero apenas daba dos chupadas, el tabaco endurecido por el tiempo y el polvo que tragaba lo hacían toser.

«Repite Vallano, repite eso último, repite negrito y mi pobre madre abandonada pensando en su hijo rodeado de tanto cholo, pero en esa época todavía no se hubiera asustado siquiera, si hubiera estado ahí en medio, escuchando *Los placeres de Eleodora,* repite Vallano, ya terminó el bautizo, ya salimos a la calle, ya volvimos, tú fuiste el más cunda[374], te trajiste a Eleodora en la maleta, yo solo traje paquetes de comida, si hubiera sabido». Los muchachos están sentados en las camas o en los roperos, absortos, pendientes de los labios de Vallano que lee con voz cálida. A ratos se detiene y, sin levantar los ojos del libro, espera: de inmediato surgen la algarabía, el fragor de las protestas. «Repite, Vallano, ya se me está ocurriendo una buena cosa para pasar el tiempo y ganarme unos centavos y mi madre rogando a Dios y a los santos, sábado y domingo, nos arrastrará a todos por la senda del mal, mi padre está embrujado por las Eleodoras». Después de leer tres o cuatro veces el libro enano de páginas amarillentas, Vallano lo guarda en el bolsillo de su sacón y echa una mirada vanidosa a sus compañeros que lo observan con envidia. Uno se atreve a decir: «préstamelo». Cinco, diez, quince lo asedian gritando: «préstamelo, negrito, hermano». Vallano sonríe, abre la bocaza descomunal, sus ojos bulliciosos danzan, exultan, su nariz palpita, ha adoptado una actitud triunfal, toda la cuadra lo rodea, lo solicita, lo adula. Él los insulta: «pajeros, asquerosos, a ver por qué no leen la Biblia o el Quijote». Lo festejan, lo palmean, le dicen: «ah, negrito, cómo eres de vivo, uy, cómo eres». De pronto, Vallano descubre las posibilidades que encierra ese cuento. Dice: «lo alquilo». Entonces lo empujan y lo amenazan, uno lo escupe, otro le grita: «interesado, sarnoso». Él se ríe a carcajadas, se echa en la cama, saca del bolsillo *Los placeres de Eleodora,* se lo planta ante los ojos que hierven de malicia, simula leer movien-

---

[374] *Cunda.* (Per.) Tunante, pícaro.

do los labios como dos ventosas lascivas. «Cinco cigarros, diez cigarros, negrito Vallanito, préstame a Ele-o-do-ri-ta-pa-ra-hacer-me-la-pa-ji-ta, yo sabía mamacita que el primero sería el Boa por la manera como rascaba a la Malpapeada mientras el negro leía, aúlla y aguanta quieta, ya se me ocurrió, pero qué buena idea para pasar el tiempo y ganarme unos cobres y tenía montones de ideas, solo que me faltaba la ocasión». Alberto ve venir al suboficial, directamente hacia la fila y con el rabillo del ojo comprueba que el Rulos sigue embebido en la lectura: tiene el libro pegado al sacón del cadete que está delante; sin duda, debe hacer grandes esfuerzos para leer pues las letras son minúsculas. Alberto no puede advertirle que se aproxima el suboficial: este no le quita los ojos de encima y avanza cautelosamente, como un felino hacia su presa; imposible mover el pie o el codo. El suboficial se agazapa y salta: cae sobre el Rulos que emite un chillido, y le arrebata *Los placeres de Eleodora*. «Pero no debió quemarlo y pisotearlo, no debió dejar la casa para correr tras de las putas, no debió abandonar a mi madre, no debimos dejar la gran casa con jardines de Diego Ferré, no debí conocer el barrio ni a Helena, no debió consignar al Rulos dos semanas, no debí comenzar nunca a escribir novelitas, no debí salir de Miraflores, no debí conocer a Teresa ni amarla. Vallano ríe, pero no puede disimular su desaliento, su nostalgia, su amargura. A ratos se pone serio y dice: "caracho, estaba enamorado de Eleodora. Rulos, por tu culpa he perdido a mi hembra querida". Los cadetes cantan "ay, ay, ay" y se menean como rumberas, pellizcan a Vallano en los cachetes[375] y en las nalgas, el Jaguar se lanza como un endemoniado sobre el Esclavo, lo alza en peso, todos se callan y miran, y lo lanza contra Vallano. Le dice: "te regalo a esta puta". El Esclavo se incorpora, se arregla la ropa y se aleja. Boa lo atrapa por la espalda,

---

[375] *Cachetes*. Mejillas, carrillos.

lo levanta y el esfuerzo le congestiona el rostro y el cuello que se hincha; solo lo tiene en el aire unos segundos y lo deja caer como un fardo. El Esclavo se retira, despacio, cojeando. "Maldita sea —dice Vallano—. Les juro que estoy muerto de pena". "Y entonces yo dije por media cajetilla de cigarrillos te escribo una historia mejor que *Los Placeres de Eleodora*" y esa mañana yo supe lo que había pasado, la transmisión del pensamiento o la mano de Dios, supe y le dije, qué pasa con mi papá mamita y Vallano dijo ¿de veras?, toma papel y lápiz y que te inspiren los ángeles, y entonces ella dijo, hijito, valor, una gran desgracia ha caído sobre nosotros, se ha perdido, nos ha abandonado y entonces comencé a escribir, sentado en un ropero, rodeado por toda la sección, como cuando el negro leía». Alberto escribe una frase con letra nerviosa: media docena de cabezas tratan de leer sobre sus hombros. Se detiene, alza el lápiz y la cabeza y lee: lo celebran, algunos hacen sugerencias que él desdeña. A medida que avanza es más audaz: las palabras vulgares ceden el paso a grandes alegorías eróticas, pero los hechos son escasos y cíclicos: las caricias preliminares, el amor habitual, el anal, el bucal, el manual, éxtasis, convulsiones, batallas sin cuartel entre erizados órganos y, nuevamente, las caricias preliminares, etc. Cuando termina la redacción —diez páginas de cuaderno, por ambas caras— Alberto, súbitamente inspirado, anuncia el título: *Los vicios de la carne* y lee su obra, con voz entusiasta. La cuadra lo escucha respetuosamente; por instantes hay brotes de humor. Luego lo aplauden y lo abrazan. Alguien dice: «Fernández, eres un poeta». «Sí, dicen otros. Un poeta». «Y ese mismo día se me acercó el Boa, con cara misteriosa, mientras nos lavábamos y me dijo hazme otra novelita como esa y te la compro, buen muchacho, gran pajero, fuiste mi primer cliente y siempre me acordaré de ti, protestaste cuando dije cincuenta centavos por hoja, sin puntos aparte, pero aceptaste tu destino y nos cambiamos de casa y entonces fue de verdad que me aparté del barrio y los amigos y del verdadero Miraflores y comencé mi carrera de novelista, buena plata he ganado a pesar de los estafadores».

Es un domingo de mediados de junio; Alberto, sentado en la hierba, mira a los cadetes que pasean por la pista de desfile rodeados de familiares. Unos metros más allá hay un muchacho, también de tercero, pero de otra sección. Tiene en sus manos una carta, que lee y relee, con rostro preocupado. «¿Cuartelero?»[376], pregunta Alberto. El muchacho asiente y muestra su brazalete color púrpura, con una letra C bordada. «Es peor que estar consignado», afirma Alberto. «Sí», dice el otro. «Y más tarde fuimos caminando a la sexta sección y nos echamos y fumamos cigarrillos Inca[377] y me dijo soy iqueño[378] y mi padre me mandó al Colegio Militar porque estaba enamorado de una muchacha de mala familia y me mostró su foto y me dijo apenas salga del colegio me caso con ella y ese mismo día dejó de pintarse y ponerse joyas y de ver a sus amigas y de jugar canasta y cada sábado que salía yo pensaba ha envejecido más».

—¿Ya no te gusta? —dice Alberto—. ¿Por qué pones esa cara cuando hablas de ella?

El muchacho baja la voz y responde, como a sí mismo:

—No sé escribirle.

—¿Por qué? —pregunta Alberto.

—¿Cómo por qué? Porque no. Ella es muy inteligente. Me escribe cartas muy lindas.

—Escribir una carta es muy fácil —dice Alberto—. Lo más fácil del mundo.

—No. Es fácil saber lo que quieres decir, pero no decirlo.

—Bah —dice Alberto—. Puedo escribir diez cartas de amor en una hora.

---

[376] *Cuartelero*. Responsable del cuartel.
[377] *Inca*. Marca nacional de cigarrillos, de tabaco negro, muy popular.
[378] *Iqueño*. Natural de la ciudad de Ica, situada en el centro sur del país, capital del departamento del mismo nombre.

—¿De veras? —pregunta el muchacho, mirándolo fijamente.

«Y le escribí una y otra y la chica me contestaba y el cuartelero me convidaba cigarros y colas en La Perlita y un día me trajo a un zambito de la octava y me dijo ¿puedes escribirle una carta a la hembrita que este tiene en Iquitos?[379] y yo le dije ¿quieres que vaya a verlo y le hable? y ella me dijo no hay nada que hacer sino rezar a Dios y comenzó a ir a misa y a novenas y a darme consejos Alberto tienes que ser piadoso y querer mucho a Dios para que cuando seas grande las tentaciones no te pierdan como a tu padre y yo le dije okey pero me pagas».

Alberto pensó: «ya hace más de dos años. Cómo pasa el tiempo». Cerró los ojos: evocó el rostro de Teresa y su cuerpo se llenó de ansiedad. Era la primera vez que resistía la consigna sin angustia. Ni siquiera las dos cartas que había recibido de la muchacha lo incitaban a desear la salida. Pensó: «me escribe en papel barato y tiene mala letra. He leído cartas más bonitas que las de ella». Las había leído varias veces, siempre a ocultas. (Las guardaba en el forro del quepí, como los cigarrillos que traía al colegio los domingos). La primera semana, al recibir una carta de Teresa, se dispuso a responderle de inmediato, pero, después de escribir la fecha, sintió disgusto, turbación y no supo qué decir. Todo el lenguaje parecía falso e inútil. Destruyó varios borradores y al fin se decidió a contestarle apenas unas líneas objetivas: «estamos consignados por un lío. No sé cuándo saldré. Tuve una gran alegría al recibir tu carta. Siempre pienso en ti y lo primero que haré, al salir, será ir a verte». El Esclavo lo perseguía, le ofrecía cigarrillos, fruta, sándwiches, le hacía confidencias; en el comedor, en la fila y en el cine se las arreglaba para estar a su lado. Recordó su cara pálida, su expresión obsecuente[380], su sonrisa beatífica[381] y

---

[379] *Iquitos.* Población situada en la selva peruana.
[380] *Obsecuente.* Sumisa.
[381] *Beatífica.* Serena.

lo odió. Cada vez que veía aproximarse al Esclavo, sentía malestar. La conversación de un modo u otro recaía en Teresa y Alberto debía disimular, adoptando un papel cínico; otras veces se mostraba amistoso y daba al Esclavo consejos sibilinos[382]: «no vale la pena que te declares por carta. Esas cosas se hacen de frente, para ver las reacciones. En la primera salida, vas a su casa y le caes»[383]. La cara lánguida escuchaba seriamente, asentía sin rebelarse. Alberto pensó: «se lo diré el primer día que salgamos, apenas crucemos la puerta del colegio. Ya tiene una cara bastante estúpida para amargarle más la vida. Le diré: lo siento mucho, pero esa chica me gusta y si la vas a ver te parto la cara. Hay más mujeres en el mundo. Y después iré a verla y la llevaré al parque Necochea» (que está al final del malecón de la Reserva, sobre los acantilados verticales y ocres que el mar de Miraflores combate ruidosamente; desde el borde se contempla, en invierno, a través de la neblina, un escenario de fantasmas: la playa de piedras, solitaria y profunda). Pensó: «me sentaré en el último banco, junto a la baranda de troncos blancos». El sol había entibiado su cara y su cuerpo; no quería abrir los ojos para evitar que la imagen se fuera.

Cuando despertó, el sol había desaparecido; estaba en medio de una luz parda. Se movió en el sitio y le dolieron los huesos de la espalda; sentía la cabeza pesada: era incómodo dormir sobre madera. Tenía el cerebro adormecido, no atinaba a ponerse de pie, pestañeó varias veces, sintió ganas de fumar. Luego, se incorporó con torpeza y espió. El jardín estaba vacío y los bloques de cemento de las aulas parecían desiertos. ¿Qué hora sería? El silbato para ir al comedor era a las siete y media. Inspeccionó cuidadosamente los alrededores. El colegio estaba muerto. Descendió de la glorieta y cruzó rápidamente el jardín y los edificios sin ver a

---

[382] *Sibilino.* Misterioso, oscuro, pero supuestamente revelador.
[383] *Caerle a alguien.* (Per.) Declararse.

nadie. Solo al llegar a la pista de desfile distinguió a un grupo de cadetes que correteaba detrás de la vicuña. Al fondo de la pista, un kilómetro más allá, presentía a los cadetes envueltos en sus sacones verdes, caminando en parejas por el patio, y el gran rumor de las cuadras. Tenía unos deseos enormes de fumar.

En el patio de quinto, se detuvo. En vez de cruzarlo, regresó hacia la Prevención. Era miércoles, podía haber cartas. Varios cadetes obstruían la puerta.

—Paso. El oficial de guardia me ha mandado llamar.

Nadie se movió.

—Haz cola —dijo uno.

—No vengo por cartas —afirmó Alberto—. El oficial me necesita.

—Friégate. Aquí todos hacen cola.

Esperó. Cuando salía un cadete, la cola se agitaba; todos pugnaban por pasar primero. Distraídamente, Alberto leía el Orden del día, colgado en la puerta: «Quinto año. Oficial de guardia: teniente Pedro Pitaluga. Suboficial: Joaquín Morte. Efectivo de año. Disponibles: 360. Internados en la enfermería: 8. Disposición especial: se suspende la consigna a los imaginarias del 13 de septiembre. Firmado, el capitán de año». Volvió a leer la última parte, dos, tres veces. Dijo una lisura en voz alta y, desde el fondo de la Prevención, la voz del suboficial Pezoa protestó:

—¿Quién anda diciendo mierda por ahí?

Alberto corría hacia la cuadra. Su corazón desbordaba de impaciencia. Encontró a Arróspide en la puerta.

—Han suspendido la consigna —gritó Alberto—. El capitán se ha vuelto loco.

—No —dijo Arróspide—. ¿Acaso no sabes? Alguien ha pegado un chivatazo. Cava está en el calabozo.

—¿Qué? —dijo Alberto—. ¿Lo han denunciado? ¿Quién?

—Oh —dijo Arróspide—. Eso se sabe siempre.

408

Alberto entró en la cuadra. Como en las grandes ocasiones, el recinto había cambiado de atmósfera. El ruido de los botines parecía insólito en la cuadra silenciosa. Muchos ojos lo seguían desde las literas. Fue hasta su cama. Buscó con la mirada: ni el Jaguar ni el Rulos ni el Boa estaban presentes. En la litera de al lado, Vallano hojeaba unas copias.

—¿Ya se sabe quién ha sido? —le preguntó Alberto.

—Se sabrá —dijo Vallano—. Tiene que saberse antes que expulsen a Cava.

—¿Dónde están los otros?

Vallano señaló el baño con un movimiento de cabeza.

—¿Qué hacen?

—Están reunidos. No sé qué hacen.

Alberto se levantó y fue hasta la litera del Esclavo. Estaba vacía. Empujó uno de los batientes del baño; sentía a su espalda los ojos de toda la sección. Estaban en un rincón, acurrucados, el Jaguar al centro. Lo miraban.

—¿Qué quieres? —dijo el Jaguar.

—Orinar —respondió Alberto—. Supongo que puedo.

—No —dijo el Jaguar—. Fuera.

Alberto volvió a la cuadra y se dirigió hacia la cama del Esclavo.

—¿Dónde está?

—¿Quién? —dijo Vallano, sin apartar los ojos de las copias.

—El Esclavo.

—Ha salido.

—¿Qué cosa?

—Salió después de clases.

—¿A la calle? ¿Estás seguro?

—¿A dónde va a ser? Su madre está enferma, creo.

«Soplón y mentiroso, ya sabía que con esa cara, para qué iba a ir, puede ser que su madre se esté muriendo, si ahorita entro al baño y digo Jaguar el soplón es el Esclavo, inútil que se levanten, ha salido a la calle, hizo creer a todo el mundo que su madre está enferma, no se desesperen que las horas pasan rápido, déjenme entrar al Círculo que yo también quiero vengar al serrano Cava». Pero el rostro de Cava se ha desvanecido en una nebulosa que arrastra también al Círculo y a los otros cadetes de la cuadra, y diluye su indignación y el desprecio que hace un momento lo colmaba, pero a su vez la nebulosa devora la propia nebulosa y en su espíritu surge ese rostro mustio que simula una sonrisa. Alberto va hasta su litera, se tiende. Busca en los bolsillos, solo encuentra unas hebras de tabaco. Maldice. Vallano aparta los ojos de las copias y lo mira, un segundo. Alberto deja caer el brazo sobre su rostro. Siente su corazón lleno de urgencia, sus nervios crispados bajo la piel. Oscuramente piensa que alguien puede descubrir, de algún modo, que el infierno se ha instalado en su cuerpo y, para disimular, bosteza ruidosamente. Piensa: «soy un estúpido». «Esta noche vendrá a despertarme y yo ya sabía que pondría esa cara, lo estoy viendo como si hubiera venido, como si ya me hubiera dicho desgraciado, así que la invitaste al cine y le escribes y ella te escribe y no me habías dicho nada y dejabas que yo te hablara de ella todo el tiempo, así que por eso dejabas que, no querías que, me decías que, pero ni tendrá tiempo de abrir la boca, ni de despertarme porque antes que me toque, o llegue a mi cama, saltaré sobre él y lo tiraré al suelo y le daré sin piedad y gritaré levántense que aquí tengo cogido del pescuezo al soplón de mierda que denunció a Cava». Pero esas sensaciones se enroscan a otras y es desagradable que la cuadra continúe en silencio. Si abre los ojos, puede ver por una estrecha rendija entre la manga de su camisa y su cuerpo, un fragmento de las ventanas de la cuadra, el techo, el cielo casi negro, el resplandor de las luces de la pista. «Y ya puede estar allá, puede estar bajando del ómnibus, caminando por esas calles de Lince, puede estar con ella, puede estarse declarando con su cara asquerosa, ojalá que no vuelva nunca, mamita, y te quedes abandonada en tu casa de Alcanfores y yo también te abandonaré y me iré de viaje, a Estados Unidos, y nadie volverá a tener noticias de mí, pero antes juro que le aplastaré la cara de gusano y lo pisotearé y diré a todo el mundo miren cómo ha quedado este soplón, huelan, toquen, palpen e iré a Lince y le diré eres una pobre tipita de cuatro reales[384] y estás bien para ese soplón que acabo de machucar». Está rígido sobre la angosta litera crujiente, los ojos fijos en el colchón de la cama de arriba, que parece próximo a desbordar los alambres tejidos en rombo que lo sostienen y precipitarse sobre él y aplastarlo.

—¿Qué hora es? —le pregunta a Vallano.

—Las siete.

Se levanta y sale. Arróspide sigue en la puerta, con las manos en los bolsillos; mira con curiosidad a dos cadetes que discuten a gritos en el centro del patio.

—Arróspide.

—¿Qué hay?

—Voy a salir.

—¿Y a mí?

—Voy a tirar contra.

—Allá tú —dice Arróspide—. Habla con los imaginarias.

—No en la noche —responde Alberto—. Quiero salir ahora. Mientras desfilan al comedor.

Esta vez, Arróspide lo mira con interés.

—Tengo que salir —dice Alberto—. Es muy importante.

—¿Tienes un plancito, o una fiesta?

—¿Pasarás el parte sin mí?

—No sé —dice Arróspide—. Si te descubren, me friego yo también.

---

[384] *De cuatro reales.* Que no vale nada.

—Solo hay una formación —insiste Alberto—. Solo tienes que poner en el parte «efectivo completo».

—Eso y nada más —dice Arróspide—. Pero si hay otra formación no te paso como presente.

—Gracias.

—Mejor sales por el estadio —dice Arróspide—. Anda a esconderte por ahí de una vez, ya no demora el pito.

—Sí —dice Alberto—. Ya sé.

Regresó a la cuadra. Abrió su ropero. Tenía dos soles, bastaba para el autobús.

—¿Quiénes son los imaginarias de los dos primeros turnos? —preguntó a Vallano.

—Baena y Rulos.

Habló con Baena y este aceptó pasarlo como presente. Luego fue hasta el baño. Los tres seguían acurrucados; al verlo, el Jaguar se incorporó.

—¿No me has entendido?

—Tengo que hablar dos palabras con el Rulos.

—Anda a hablar con tu madre. Fuera de aquí.

—Voy a tirar contra en este momento. Quiero que el Rulos me pase presente[385].

—¿En este momento? —dijo el Jaguar.

—Sí.

—Está bien —dijo el Jaguar—. ¿Sabes lo de Cava? ¿Quién ha sido?

—Si supiera ya lo habría machucado. ¿Qué me crees? Supongo que no piensas que soy un soplón.

—Espero que no —dijo el Jaguar—. Por tu bien.

—A ese no lo toca nadie —dijo el Boa—. A ese me lo dejan a mí.

—Cállate —dijo el Jaguar.

—Tráeme una cajetilla de Inca y te paso presente —dijo el Rulos.

---

[385] *Pasar presente*. Cubrir su ausencia al pasar lista.

Alberto asintió. Al entrar a la cuadra, escuchó el silbato y las voces del suboficial, llamando a filas. Echó a correr y pasó como una centella por el patio, entre los embriones de hileras. Avanzó por la pista de desfile, tapándose las hombreras rojas con las manos, por si algún oficial de otro año lo interceptaba. En las cuadras de tercero, el batallón estaba ya formado y Alberto dejó de correr; caminó a paso vivo, con naturalidad. Cruzó ante el oficial de año y saludó: el teniente contestó maquinalmente. En el estadio, lejos de las cuadras, sintió una gran calma. Contorneó el galpón de los soldados; oyó voces y groserías. Corrió pegado a la baranda del colegio, hasta el extremo, donde los muros se encontraban en un ángulo recto. Todavía seguían allí, amontonados, los ladrillos y los adobes que habían servido para otras contras. Se tiró al suelo y miró detenidamente los edificios de las cuadras, separados de él por la mancha verde y rectangular de la cancha de fútbol. No veía casi nada pero oía los silbatos; los batallones desfilaban hacia el comedor. Tampoco se veía a nadie cerca del galpón. Sin levantarse, arrastró unos ladrillos y los apiló, al pie del muro. ¿Y si le faltaban las fuerzas para izarse? Siempre había tirado contra por el otro lado, junto a La Perlita. Echó una última mirada alrededor, se incorporó de un salto, trepó a los ladrillos, alzó las manos.

La superficie del muro es áspera. Alberto hace flexión y consigue elevarse hasta tocar la cumbre con los ojos; ve el campo desierto, casi a oscuras, y, a lo lejos, la armoniosa línea de palmeras que escolta la avenida Progreso. Unos segundos después solo ve el muro, pero sus manos siguen prendidas del borde. «Eso sí, juro por Dios que esta sí me las pagas, Esclavo, delante de ella me la vas a pagar, si me resbalo y me rompo una pierna llamarán a mi casa y si viene mi padre le diré por fin qué pasa, a mí me han expulsado por tirar contra pero tú te escapaste de la casa para irte con las putas y eso es peor». Los pies y las rodillas se adhieren a la erizada superficie del muro, se apoyan en grietas y salientes, trepan. Arriba, Alberto se encoge como un mono, solo el tiempo necesario para elegir un pedazo de tierra plana. Luego salta: choca y rueda hacia atrás, cierra los ojos, se frota la cabeza y las rodillas, furiosamente, luego se sienta; se mueve en el sitio, se incorpora. Corre, atraviesa una chacra pisoteando los sembríos. Sus pies se hunden en una tierra muelle; siente en los tobillos las punzadas de las hierbas. Algunos tallos se quiebran bajo sus zapatos. «Y qué bruto, cualquiera pudo verme y decirme y la cristina, y las hombreras, es un cadete que se está escapando, como mi padre, y si fuera donde la Pies Dorados y le dijera, mamá, ya basta por favor, acepta, total ya estás vieja y la religión es suficiente, pero esta me las pagarán los dos, y la vieja bruja de la tía, la alcahueta, la costurera, la maldita». En el paradero del autobús no hay nadie. El ómnibus llega junto con él y debe subir a la volada[386]. Nuevamente siente una tranquilidad profunda; va apretujado entre una masa de gente y afuera, al otro lado de las ventanillas, no se ve nada, la noche ha caído en pocos segundos, pero él sabe que el vehículo atraviesa descampados y chacras, alguna fábrica, una barriada[387] con casas de latas y cartones, la plaza de toros. «Él entró, le dijo hola, con su sonrisa de cobarde, ella le dijo hola y siéntate, la bruja salió y comenzó a hablar y le dijo señor y se fue a la calle y los dejó solos y él le dijo he venido por, para, figúrate que, te das cuenta, te mandé decir con, ah, Alberto, sí, me llevó al cine, pero nada más y le escribí, ah, yo estoy

---

[386] *A la volada.* Al vuelo, de inmediato.
[387] *Barriada.* En Perú, asentamiento informal, población pobre, precaria y sin servicios públicos, es decir, sin alcantarillado, sin electricidad y sin agua. En esos años, la ciudad de Lima recibió un gran flujo migratorio interno, procedente, sobre todo, de habitantes de la Sierra, zona deprimida y abandonada económicamente, en busca de mejores condiciones de vida y oportunidades en la capital.

loco por ti, y se besaron, están besándose, estarán besándose, Dios mío, haz que estén besándose cuando llegue, en la boca, que estén calatos, Dios mío». Baja en la avenida Alfonso Ugarte y camina hacia la plaza Bolognesi, entre empleados y funcionarios que salen de las cafeterías o permanecen en las esquinas, formando grupos zumbones[388]; cruza las cuatro pistas paralelas surcadas por ríos de automóviles y llega a la plaza donde, en el centro, en lo alto de la columna, otro héroe de bronce se desploma acribillado por balas chilenas, en las sombras, lejos de las luces. «Juráis por la bandera sagrada de la patria, por la sangre de nuestros héroes, por la playita del despeñadero estábamos bajando cuando Pluto me dijo mira arriba y ahí estaba Helena, juramos y desfilamos y el ministro se limpiaba su nariz, se la rascaba y mi pobre madre, ya no más canastas, no más fiestas, cenas, viajes, papá llévame al fútbol, ese es un deporte de negros muchacho, el próximo año te haré socio del Regatas[389] para que seas boga[390] y después se fue con las polillas como Teresa». Avanza por el Paseo Colón, despoblado como una calle de otro mundo, anacrónico como sus casas cúbicas del siglo diecinueve que solo albergan ya simulacros de buenas familias, fachadas que arden de inscripciones, paseo sin autos, con bancos averiados y estatuas. Luego sube al Expreso de Miraflores, iluminado y reluciente como una nevera; lo rodea gente que no ríe ni habla; baja en el colegio Raimondi y camina por las calles lóbregas de Lince: ralas pulperías, faroles moribundos, casas a oscuras. «Así que no habías salido nunca con un muchacho, qué me cuentas, pero después de todo, con esa cara que Dios te puso sobre el cogote, así que el cine Metro es muy boni-

---

[388] *Zumbones.* Festivos.
[389] *El Regatas.* Club de vela, muy exclusivo, fundado en 1875, en el distrito de Chorrillos.
[390] *Boga.* Remero.

to, no me digas, veremos si el Esclavo te lleva a las matinés del centro, si te lleva a un parque, a la playa, a Estados Unidos, a Chosica los domingos, así que esas teníamos, mamá tengo que contarte una cosa, me enamoré de una huachafa[391] y me puso cuernos como a ti mi padre pero antes de que nos casáramos, antes de que me declarara, antes de todo, qué me cuentas». Ha llegado a la esquina de la casa de Teresa y está pegado a la pared, oculto en las sombras. Mira a todos lados, las calles están vacías. A su espalda, en el interior de la casa oye un ruido de objetos, alguien ordena un armario o lo desordena, sin precipitación, con método. Se pasa la mano por los cabellos, los alisa, sigue con un dedo la raya y comprueba que se conserva recta. Saca su pañuelo, se limpia la frente y la boca. Se arregla la camisa, levanta un pie y frota la puntera del zapato en la basta[392] del pantalón; hace lo mismo con el otro pie. «Entraré, les daré la mano, sonriendo, he venido solo por un segundo, perdónenme, Teresa mis dos cartas por favor, toma las tuyas, tú quieto Esclavo, hablaremos después, este es asunto de hombres, ¿para qué hacer un lío delante de ella?, dime, ¿tú eres un hombre?». Alberto está frente a la puerta, al pie de los tres escalones de cemento. Trata de escuchar, en vano. Sin embargo, están allí: una hebra de luz ilumina el contorno de la puerta y, segundos antes, ha sentido un roce casi aéreo, tal vez una mano que buscó apoyo en algo. «Pasaré en mi carro convertible[393], con mis zapatos americanos, mis camisas de hilo, mis cigarrillos rubios, mi chaqueta de cuero, mi sombrero con una pluma roja, tocaré la bo-

[391] *Huachafa*. (Per.) Forma despectiva para indicar a alguien que pretende ascender, de algún modo, socialmente, imitando maneras de un estrato superior que, supuestamente, no le corresponden. Aquí, por tanto, una pobre arribista, cursi, pretenciosa, descastada.

[392] *Basta*. Orilla de la ropa, dobladillo.

[393] *Convertible*. (Am.) Del inglés, descapotable.

cina, les diré suban, llegué ayer de Estados Unidos, demos una vuelta, vengan a mi casa de Orrantia, quiero que conozcan a mi mujer, una americana que fue artista de cine, nos casamos en Hollywood el mismo año que terminé mi carrera, vengan, sube Esclavo, sube Teresa, ¿quieren oír radio mientras?».

Alberto toca la puerta dos veces, la segunda con más fuerza. Momentos después ve en el umbral un contorno de mujer, una silueta sin facciones, sin voz. La luz que viene del interior ilumina apenas los hombros de la muchacha y el nacimiento de su cuello. «¿Quién es?», dice ella. Alberto no responde. Teresa se aparta un poco hacia la izquierda y Alberto recibe en el rostro un baño de luz tenue.

—Hola —dice Alberto—. Quisiera hablar un momento con él. Es muy urgente. Llámalo por favor.

—Hola, Alberto —dice ella—. No te había reconocido. Pasa. Entra. Me has asustado.

Él entra y agrava la expresión de su rostro a la vez que mira en todas direcciones el cuarto vacío; la cortina que separa las habitaciones oscila y él puede ver una cama ancha, en desorden, y al lado otra más pequeña. Suaviza la expresión y se vuelve: Teresa está cerrando la puerta, de espaldas a él. Alberto ve que ella, antes de girar, se pasa rápidamente la mano por los cabellos y luego corrige los pliegues de su falda. Ahora ella está frente a él. De golpe, Alberto descubre que el rostro tantas veces evocado en el colegio estas últimas semanas, tenía una firmeza que no asoma en el rostro que ve a su lado, el mismo que vio en el cine Metro, o tras esa puerta, cuando se despidieron, un rostro cohibido, unos ojos tímidos que se apartan de los suyos y se abren y cierran como tocados por el sol del verano. Teresa sonríe y parece turbada: sus manos se unen y desunen, caen junto a sus caderas, se apoyan en la pared.

—Me he escapado del colegio —dice él. Enrojece y baja la vista.

—¿Te has escapado? —Teresa ha abierto los labios pero no dice nada más, solo lo mira con cierta ansiedad; sus manos han vuelto a juntarse y están suspendidas a pocos centímetros de Alberto—. ¿Qué ha pasado? Cuéntame. Pero, siéntate, no hay nadie, mi tía ha salido.

Él levanta la cabeza y le dice:

—¿Has estado con el Esclavo?

Ella lo mira con los ojos muy abiertos:

—¿Quién?

—Quiero decir, Ricardo Arana.

—Ah —dice ella, como tranquilizada; otra vez está sonriendo—. El muchacho que vive en la esquina.

—¿Ha venido a verte? —insiste él.

—¿A mí? —dice ella—. No. ¿Por qué?

—Dime la verdad —dice él, en alta voz —. ¿Para qué me mientes? Es decir... —se interrumpe, balbucea algo, se calla. Teresa lo mira muy seria, moviendo apenas la cabeza, las manos quietas a lo largo de su cuerpo, pero en sus ojos asoma un elemento nuevo, todavía impreciso, una luz maliciosa.

—¿Por qué me preguntas eso? —su voz es muy suave y lenta, vagamente irónica.

—El Esclavo salió esta tarde —dice Alberto—. Creí que había venido a verte. Hizo creer que estaba enferma su madre.

—¿Por qué iba a venir? —dice ella.

—Porque está enamorado de ti.

Esta vez todo el rostro de Teresa se ha impregnado de esa luz, sus mejillas, sus labios, su frente, muy tersa, sobre la cual ondean unos cabellos.

—Yo no sabía —dice ella—. Solo he conversado con él un momento. Pero...

—Por eso me escapé —dice Alberto; queda un instante en silencio, con la boca abierta. Al fin, añade—: Tenía celos. Yo también estoy enamorado de ti.

VII

Siempre parecía tan limpia, tan elegante, que yo pensaba: ¿cómo a las otras nunca se las ve así? Y no es que cambiara mucho de vestido, al contrario, tenía poca ropa. Cuando estábamos estudiando y se manchaba las manos con tinta, botaba los libros al suelo y se iba a lavar. Si caía al cuaderno aunque fuera un puntito de tinta, rompía la hoja y la hacía de nuevo. «Pero así pierdes mucho tiempo, le decía yo. Mejor la borras. Presta una Gillette[394] y verás, no se notará nada». Ella no aceptaba. Era lo único que la ponía furiosa. Sus sienes comenzaban a latir —se movían despacito, como un corazón, bajo sus cabellos negros—, su boca se fruncía. Pero, al volver del caño, ya estaba sonriendo de nuevo. Su uniforme de colegio era una falda azul y una blusa blanca. A veces yo la veía llegar del colegio y pensaba: «ni una arruga, ni una mancha». También tenía un vestido a cuadros que le cubría los hombros y se cerraba en el cuello con una cinta. Era sin mangas y ella se ponía encima una chompa color canela. Se abrochaba solo el último botón y, al caminar, las dos puntas de la chompa volaban en el aire y qué bien se la veía. Ese era el vestido de los domingos, con el que iba a ver a sus parientes. Los domingos eran los peores días. Me levantaba temprano y salía

---

[394] *Gillette.* Marca popular de hojas o cuchillas de afeitar.

a la plaza Bellavista; me sentaba en una banca o veía las fotos del cine, pero sin dejar de espiar la casa, no fueran a salir sin que las viera. Los otros días, Tere iba a comprar pan a la panadería del chino Tilau[395], la que está junto al cine. Yo le decía: «qué casualidad, siempre nos encontramos». Si había mucha gente, Tere se quedaba afuera y yo me abría paso y el chino Tilau, un buen amigo, me atendía primero. Una vez, Tilau dijo al vernos entrar: «ah, ya llegaron los novios. ¿Siempre lo mismo? ¿Dos chancay[396] calientes para cada uno?». Los que estaban comprando se rieron, ella se puso colorada y yo dije: «ya, Tilau, déjate de bromas y atiende». Pero los domingos la panadería estaba cerrada. Desde el vestíbulo del cine Bellavista o desde una banca, yo me quedaba mirándolas. Esperaban el ómnibus que va por la Costanera. Algunas veces disimulaba; me metía las manos en los bolsillos y silbando y pateando una piedra o una tapa de botella, pasaba junto a ellas y, sin parar, las saludaba: «buenos días, señora; hola, Tere» y me seguía de frente, para entrar a mi casa o ir hasta Sáenz Peña, porque sí.

También se ponía el vestido a cuadros y la chompa los lunes en la noche, porque su tía la llevaba al femenino del cine Bellavista. Yo le decía a mi madre que tenía que prestarme un cuaderno y salía a la plaza a esperar que terminara la función y la veía pasar con su tía, comentando la película.

Los otros días se ponía una falda color marrón. Era una falda vieja, medio desteñida. A veces yo encontraba a la tía

---

[395] Con este personaje representa a la población de origen chino, que comenzó a llegar al Perú desde mediados del siglo XIX, con la llamada Ley China. En un primer momento, firmaron contratos leoninos que los condenaban, prácticamente, a la esclavitud. Se dedicaron a tareas del campo, a la recolección del guano en la costa y a la construcción del ferrocarril; con el tiempo, muchos de ellos pudieron mejorar su situación y fueron haciéndose un lugar en las ciudades, al frente de restaurantes (chifas) y de pequeños negocios de barrio.

[396] *Chancay.* (Indig.) Del quechua, *ch'anqay.* Tipo de pan dulce, esponjoso.

zurciendo la falda, y lo hacía bien, los parches casi no se notaban, para algo era costurera. Si era ella la que zurcía la falda, se quedaba después del colegio con el uniforme y, para no mancharse, ponía un periódico en la silla. Con la falda marrón se ponía una blusa blanca, con tres botones, y solo se abrochaba los dos primeros, así que su cuello quedaba al aire, un cuello moreno y largo. En invierno se ponía sobre la blusa blanca la chompa color canela y no se abrochaba ningún botón. Yo pensaba: «cuánta maña para arreglarse».

Solo tenía dos pares de zapatos y ahí no le servían de mucho las mañas, aunque sí un poquito. Llevaba al colegio unos zapatos negros con cordones, que parecían de hombre, pero, como tenía pies pequeños, disimulaba. Los tenía siempre brillando, sin polvo y, sin manchas. Al volver a su casa seguramente se los quitaba para lustrarlos, porque yo la veía entrar con zapatos negros y, poco después, cuando yo llegaba para estudiar, tenía puestos los zapatos blancos y los negros estaban en la puerta de la cocina, como espejos. No creo que les echara pomada[397] todos los días, pero sí les pasaría un trapo.

Sus zapatos blancos estaban viejos. Cuando ella se distraía, cruzaba las piernas y tenía un pie en el aire, yo veía que las suelas estaban gastadas, comidas en varias partes, y, una vez que se golpeó contra la mesa y ella dio un grito y vino su tía y le quitó el zapato y empezó a sobarle el pie, yo me fijé y dentro del zapato había un cartón doblado, así que pensé: «la suela tiene hueco». Una vez la vi limpiar sus zapatos blancos. Los iba pintando con una tiza por todas partes, con mucho cuidado, como cuando hacía las tareas del colegio. Así los tenía nuevecitos, pero solo un momento, porque al rozar con algo la tiza se corría y se borraba y el zapato se llenaba de manchas. Una vez pensé: «si tuviera

---

[397] *Pomada.* (Am.) Crema para lustrar zapatos, betún.

muchas tizas, tendría los zapatos limpios todo el tiempo. Puede llevar una tiza en el bolsillo y apenas se despinte una parte, saca la tiza y la pinta». Frente a mi colegio había una librería y una tarde fui y pregunté cuánto costaba la caja de tizas. La grande valía seis soles y la chica cuatro cincuenta. No sabía que era tan caro. Me daba vergüenza pedirle dinero al flaco Higueras, ni siquiera le había devuelto su sol. Ya éramos más amigos, aunque solo nos viéramos a ratos, en la chingana de siempre. Me contaba chistes, me preguntaba por el colegio, me invitaba cigarrillos, me enseñaba a hacer argollas[398], a retener el humo y echarlo por la nariz. Un día me animé y le dije que me prestara cuatro cincuenta. «Claro hombre, me dijo, lo que quieras» y me los dio sin preguntarme para qué eran. Corrí a la librería y compré la caja de tizas. Había pensado decirle: «te he traído este regalo, Tere» y cuando entré a su casa todavía pensaba hacerlo, pero apenas la vi me arrepentí y solo le dije: «me han regalado esto en el colegio y las tizas no me sirven para nada. ¿Tú las quieres?». Y ella me dijo: «sí, claro, dámelas».

No creo que exista el diablo pero el Jaguar me hace dudar a veces. Él dice que no cree, pero es mentira, pura pose. Se vio cuando le pegó a Arróspide por hablar mal de santa Rosa. «Mi madre era devota de santa Rosa y hablar mal de ella es como hablar mal de mi madre», pura pose. El diablo debe tener la cara del Jaguar, su misma risa y, además, los cachos puntiagudos. Vienen a llevarse a Cava, dijo, ya descubrieron todo. Y se puso a reír, mientras el Rulos y yo perdíamos el habla y nos venían los muñecos[399]. ¿Cómo adivinó? Siempre sueño que me le acerco por detrás y lo

---

[398] *Argollas*. (Am.) Formas redondas hechas con la boca al expulsar el humo.
[399] *Muñecos*. (Per.) Nervios.

noqueo[400] y le doy en el suelo, juach, paf, kraj[401]. A ver qué hace cuando despierta. El Rulos también debe pensar en eso. El Jaguar es una bestia, Boa, un bruto como no hay dos, me dijo esta tarde, ¿viste cómo adivinó lo del serrano, cómo se rio? Si el fregado hubiera sido yo, seguro que también se meaba de risa. Pero, después, se puso como loco, solo que no por el serrano, sino por él. «Esa me la han hecho a mí, no saben con quien se meten», pero el que está adentro es Cava, se me paran los pelos, ¿y si los dados me elegían a mí? Me gustaría que lo fregaran al Jaguar, a ver qué cara pone, nadie lo friega nunca, eso es lo que da más pica[402], todo se lo adivina. Dicen que los animales se dan cuenta de las cosas por el olor; huelen y ya está, por la nariz les entra todo lo que va a ocurrir. Mi madre dice: el día del terremoto del 40[403] supe que iba a pasar algo, de repente los perros del barrio se volvieron locos, corrían y aullaban como si vieran al diablo con sus cachos y sus pelos de alambre. Poquito después comenzaba la tembladera[404]. Igualito que el Jaguar. Puso una cara de esas y dijo «alguien ha pegado un soplo», «juro por la virgen que sí», y Huarina y Morte ni habían asomado, ni se oían sus pasos, ni nada. Qué vergüenza, no lo vio ningún oficial, ningún suboficial, hace rato que lo hubieran encerrado, hace tres semanas que

---

[400] *Noquear.* Del inglés, *to knock out,* o dejar K. O., inconsciente.

[401] *Juach, paf, kraj.* Onomatopeyas de los golpes.

[402] *Dar pica.* (Am.) Dar rabia, dar envidia.

[403] Hace referencia al terremoto de mayor magnitud sufrido por Lima en todo el siglo xx. Se produjo el 24 de mayo de 1940, a las 11:35 de la mañana, y afectó, sobre todo, al centro de Lima, a Chorrillos, a Barranco, a La Molina y al Callao, cerca de donde tenía el epicentro. Tuvo una intensidad de 8,2 grados en la escala de Richter y se cobró la vida de 179 personas, destruyó más de cinco mil hogares y dejó unos tres mil quinientos heridos. En la cultura popular ha quedado el yaraví «El 24 de mayo», el vals criollo «El terremoto del Perú» y el cuento de Julio Ramón Ribeyro «Mayo 1940», entre otras producciones que recuerdan el hecho.

[404] *La tembladera.* (Am.) El temblor, el terremoto.

estaría en la calle, qué asco, tiene que ser un cadete. Quizá un perro o alguno de cuarto. Los de cuarto también son unos perros, más grandes, más sabidos, pero en el fondo perros. Nosotros nunca fuimos perros del todo, se lo debemos al Círculo, nos hacíamos respetar, nuestro trabajo nos costó. ¿Cuando estábamos en cuarto se le hubiera ocurrido a uno de quinto llevarnos a tender camas? Lo tiro al suelo, lo escupo, Jaguar, Rulos, serrano Cava, ¿quieren ayudarme?, me arden las manos de tanto zumbar[405] a este rosquete. Ni siquiera se metían con los enanos de la décima, todo se lo deben al Jaguar, fue el único que no se dejó bautizar, dio el ejemplo, un hombre de pelo en pecho, para qué. Pasamos unos días buenos, mejores que todo lo que vino después, pero no quisiera que el tiempo retrocediera, más bien al contrario, haber salido ya, si es que todo no se friega con lo del serrano, lo mataría si se asusta y nos embarra[406] a todos. Pongo mis manos al fuego por él, dijo Rulos, no abrirá la boca así le metan un hierro caliente. Sería mucha mala suerte, quemarse al final, justo antes de los exámenes, por un mugriento vidrio, bah. No me gustaría ser perro de nuevo, está fregado pasar otros tres años aquí, sabiendo lo que es, teniendo experiencia. Hay perros que dicen voy a ser militar, voy a ser aviador, voy a ser marino, todos los blanquiñosos quieren ser marinos. Espérate unos meses y después hablamos.

El salón daba a un jardín lleno de flores, amplio, multicolor. La ventana estaba abierta de par en par y hasta ellos llegaba un olor a hierba húmeda. El Bebe puso el mismo disco por cuarta vez y ordenó: «levántate y no seas aguado[407], es por tu bien». Alberto se había desplomado en un

---

405 *Zumbar.* Pegar.
406 *Embarrar.* (Am.) Implicar, desacreditar.
407 *Aguado.* (Am.) Soso.

sillón, rendido de fatiga. Pluto y Emilio asistían como espectadores a las lecciones y todo el tiempo hacían bromas, lanzaban insinuaciones, nombraban a Helena. Pronto se vería otra vez en el gran espejo de la sala, meciéndose muy seriamente en los brazos del Bebe, la rigidez se apoderaría de su cuerpo y Pluto afirmaría: «ya está, de nuevo bailas como un robot».

Se puso de pie. Emilio había encendido un cigarrillo y lo fumaba con Pluto, alternativamente. Alberto los vio, sentados en el sofá, discutiendo sobre la superioridad del tabaco americano o el inglés. No le prestaban atención. «Listo, dijo el Bebe. Ahora me llevas tú». Comenzó a bailar, al principio muy despacio, tratando de cumplir escrupulosamente los movimientos del vals criollo, un paso a la derecha, un paso a la izquierda, vuelta por aquí, vuelta por allá. «Ahora estás mejor, decía el Bebe, pero tienes que ir algo más rápido, con la música. Oye, tan-tan, tan-tan, juácate, tan-tan, tan-tan, juácate». En efecto, Alberto se sentía más suelto, más libre, dejaba de pensar en el baile y sus pies no se enredaban con los pies del Bebe.

«Vas bien, decía este, pero no bailes tan tieso, no es cuestión de mover solo los pies. Al dar vueltas tienes que doblarte, así, fíjate bien —el Bebe se inclinaba, una sonrisa convencional aparecía en su rostro de leche, su cuerpo giraba sobre un talón y luego, al recobrar la posición anterior, la sonrisa se esfumaba—. Son trucos, como cambiar de paso y hacer figuras, pero ya aprenderás eso después. Ahora tienes que acostumbrarte a llevar a tu pareja como se debe. No tengas miedo, la chica se da cuenta ahí mismo. Plántale la mano encima, fuerte, con raza. Déjame llevarte[408] un rato, para que veas. ¿Te das cuenta? Le aprietas la mano con la izquierda y a medio baile, si notas que te da entrada[409],

---

[408] *Llevar.* Guiar en el baile, como hace, habitualmente, el hombre.

[409] *Dar entrada.* Insinuarse, alentar los avances de alguien en el juego de la seducción.

le vas cruzando los dedos y la acercas poquito a poquito, empujándola por la espalda, pero despacio, suavecito. Para eso tienes que tener bien plantada la mano desde el principio, no solo la punta de los dedos, la mano íntegra, toda la manaza apoyada cerca de los hombros. Después la vas bajando, como si fuera pura casualidad, como si en cada vuelta la mano se cayera solita. Si la muchacha se respinga o se echa atrás, te pones a hablar de cualquier cosa, habla y habla, risa y risa, pero nada de aflojar la mano. Dale a apretar y a acercarla. Para eso mucha vuelta, siempre por el mismo lado. El que gira a la derecha no se marea, aguanta cincuenta vueltas al hilo[410], pero como ella da vueltas a la izquierda se marea prontito. Ya verás que apenas le dé vueltas la cabeza se te pega solita, para sentirse más segura. Entonces puedes bajar la mano hasta su cintura y cruzarle los dedos sin miedo y hasta juntarle un poco la cara. ¿Has entendido?».

El vals ha terminado y el tocadiscos emite un crujido monótono. El Bebe lo apaga.

—Este sabe las de Quico y Caco[411] —dice Emilio, señalando al Bebe—. ¡Qué sapo![412]

—Ya está bien —dice Pluto—. Alberto ya sabe bailar. ¿Por qué no jugamos un casinito[413] Barrio Alegre?

El primitivo nombre del barrio, desechado porque aludía también al jirón Huatica, ha resucitado con la adaptación del juego de casino que hizo Tico, meses atrás, en un salón del club Terrazas. Se reparten todas las cartas entre cuatro jugadores; la caja inventa los comodines. Se juega en parejas. Desde su aparición, es el único juego de naipes practicado en el barrio.

—Pero solo ha aprendido el vals y el bolero —dice el Bebe—. Le falta el mambo.

---

[410] *Al hilo.* (Am.) Sin parar.
[411] *Saber las de Quico y Caco.* Sabérselas todas, ser muy listo.
[412] *Sapo.* Sabido.
[413] *Jugar un casinito.* Jugar una partida de cartas, como en un casino.

—Ya no —dice Alberto—. Seguiremos otro día.

Cuando entraron a la casa de Emilio, a las dos de la tarde, Alberto estaba animado y respondía a las bromas de los otros. Cuatro horas de lección lo habían agobiado. Solo el Bebe parecía conservar el entusiasmo; los otros se aburrían.

—Como quieras —dijo el Bebe—. Pero la fiesta es mañana.

Alberto se estremeció. «Es verdad, se dijo. Y para remate es en casa de Ana. Tocarán mambos toda la noche». Como el Bebe, Ana era una estrella del baile: hacía figuras, inventaba pasos, sus ojos se anegaban de dicha si le hacían una rueda. «¿Me pasaré toda la fiesta sentado en un rincón, mientras los otros bailan con Helena? ¡Si solo fueran los del barrio!».

En efecto, desde hace algún tiempo, el barrio ha dejado de ser una isla, un recinto amurallado. Advenedizos de toda índole —miraflorinos de 28 de Julio, de Reducto, de la calle Francia, de la Quebrada, muchachos de San Isidro e incluso de Barranco[414]— aparecieron de repente en esas calles que constituían el dominio del barrio. Acosaban a las muchachas, conversaban con ellas en la puerta de sus casas, desdeñando la hostilidad de los varones o desafiándola. Eran más grandes que los chicos del barrio y, a veces, los provocaban. Las mujeres tenían la culpa; los atraían, parecían satisfechas con esas incursiones. Sara, la prima de Pluto, había aceptado a un muchacho de San Isidro, que, a veces, venía acompañado de uno o dos amigos, y Ana y Laura iban a conversar con ellos. Los intrusos aparecían, sobre todo, los días de fiesta. Surgían como por encantamiento. Desde la tarde, rondaban la casa de la fiesta, bromeaban con la dueña, la halagaban. Si no conseguían hacerse invitar, se los veía en la noche, las caras pegadas a los

---

[414] *Barranco*. Otro de los distritos de la provincia de Lima, junto al mar.

vidrios, contemplando con ansiedad a las parejas que bailaban. Hacían gestos, muecas, bromas, se valían de toda clase de tretas para llamar la atención de las muchachas y despertar su compasión. A veces una de ellas (la que bailaba menos) intercedía ante la dueña por el intruso. Era suficiente: pronto el salón estaba cubierto de forasteros que terminaban por desplazar a los del barrio, adueñarse del tocadiscos y de las chicas. Y Ana, justamente, no se distinguía por su celo, su espíritu de clan era muy débil, casi nulo. Los advenedizos le interesaban más que los muchachos del barrio. Haría entrar a los extraños si es que no los había invitado.

—Sí —dijo Alberto—. Tienes razón. Enséñame el mambo.

—Bueno —dijo el Bebe—. Pero déjame fumar un cigarrillo. Mientras, baila con Pluto.

Emilio bostezó y le dio un codazo a Pluto. «Anda a lucirte, mambero»[415], le dijo. Pluto se rio. Tenía una risa espléndida, total; su cuerpo se estremecía con las carcajadas.

—¿Sí o no? —dijo Alberto, malhumorado.

—No te enojes —dijo Pluto—. Voy.

Se puso de pie y fue a elegir un disco. El Bebe había encendido un cigarrillo y con su pie seguía el ritmo de alguna música que recordaba.

—Oye —dijo Emilio—. Hay algo que no entiendo. Tú eras el primero que se ponía a bailar, quiero decir en las primeras fiestas del barrio, cuando empezamos a juntarnos con las chicas. ¿Te has olvidado?

—Eso no era bailar —dijo Alberto—. Solo dar saltos.

—Todos empezamos dando saltos —afirmó Emilio—. Pero luego aprendimos.

—Es que este dejó de ir a fiestas no sé cuánto tiempo. ¿No se acuerdan?

—Sí —dijo Alberto—. Eso es lo que me reventó.

---

[415] *Mambero.* Bailarín de mambo.

—Parecía que te ibas a meter de cura —dijo Pluto; acababa de elegir un disco y le daba vueltas en la mano—. Casi ni salías.

—Bah —dijo Alberto—. No era mi culpa. Mi mamá no me dejaba.

—¿Y ahora?

—Ahora sí. Las cosas están mejor con mi papá.

—No entiendo —dijo el Bebe—. ¿Qué tiene que ver?

—Su padre es un donjuán[416] —dijo Pluto—. ¿No sabías? ¿No has visto cuando llega en las noches, cómo se limpia la boca con el pañuelo antes de entrar a su casa?

—Sí —dijo Emilio—. Una vez lo vimos en La Herradura[417]. Llevaba en el coche a una mujer descomunal. Es una fiera.

—Tiene una gran pinta —dijo Pluto—. Y es muy elegante.

Alberto asentía, complacido.

—¿Pero qué tiene que ver eso con que no le dieran permiso para ir a las fiestas? —dijo el Bebe.

—Cuando mi papá se desboca —dijo Alberto—, mi mamá comienza a cuidarme para que yo no sea como él de grande. Tiene miedo que sea un mujeriego, un perdido.

—Formidable —dijo el Bebe—. Muy buena.

—Mi padre también es un fresco —dijo Emilio—. A veces no viene a dormir y sus pañuelos siempre están pintados. Pero a mi mamá no le importa. Se ríe y le dice: «viejo verde». Solo Ana lo riñe.

—Oye —dijo Pluto—. ¿Y a qué hora bailamos?

—Espera, hombre —replicó Emilio—. Conversemos un rato. Ya bailaremos harto[418] en la fiesta.

---

[416] *Un donjuán*. Del personaje teatral que le da el nombre: un seductor.

[417] *La Herradura*. Una de las playas favoritas de la burguesía limeña en la época, en Chorrillos.

[418] *Harto*. (Am.) Bastante, mucho.

—Cada vez que hablamos de la fiesta, Alberto se pone pálido —dijo el Bebe—. No seas tonto, hombre. Esta vez Helena te va a aceptar. Apuesto lo que quieras.

—¿Tú crees? —dijo Alberto.

—Está templado[419] hasta los huesos —dijo Emilio—. Nunca he visto a nadie más templado. Yo no podría hacer lo que hace este.

—¿Qué hago? —dijo Alberto.

—Declararte veinte veces.

—Solo tres —dijo Alberto—. ¿Por qué exageras?

—Yo creo que hace bien —afirmó el Bebe—. Si le gusta, que la persiga hasta que lo acepte. Y que después la haga sufrir.

—Pero eso es no tener orgullo —dijo Emilio—. A mí una chica me larga[420] y yo le caigo a otra ahí mismo.

—Esta vez te va a hacer caso —dijo el Bebe a Alberto—. El otro día, cuando estábamos conversando en la casa de Laura, Helena preguntó por ti y se puso muy colorada cuando Tico le dijo «¿lo extrañas?».

—¿De veras? —preguntó Alberto.

—Templado como un perro —dijo Emilio—. Miren cómo le brillan los ojos.

—Lo que pasa —dijo el Bebe—, es que a lo mejor no te declaras bien. Trata de impresionarla. ¿Ya sabes lo que vas a decirle?

—Más o menos —dijo Alberto—. Tengo una idea.

—Eso es lo principal —afirmó el Bebe—. Hay que tener preparadas todas las palabras.

—Depende —dijo Pluto—. Yo prefiero improvisar. Vez que le caigo[421] a una chica, me pongo muy nervioso, pero apenas comienzo a hablarle se me ocurren montones de cosas. Me inspiro.

---

[419] *Templado.* (Am.) Enamorado.

[420] *Largar.* Rechazar.

[421] Hasta la edición de la RAE, «la caigo», que muestra el laísmo del personaje.

—No —dijo Emilio—. El Bebe tiene razón. Yo también llevo todo preparado. Así, en el momento solo tienes que preocuparte de la manera como se lo dices, de las miradas que le echas, de cuándo le coges la mano.

—Tienes que llevar todo en la cabeza —dijo el Bebe—. Y si puedes, ensáyate una vez ante el espejo.

—Sí —afirmó Alberto. Dudó un momento—: ¿Tú qué le dices?

—Eso varía —repuso el Bebe—. Depende de la chica —Emilio asintió con suficiencia—. A Helena no puedes preguntarle de frente si quiere estar contigo. Primero tienes que hacerle un buen trabajo.

—Quizá me largó por eso —confesó Alberto—. La vez pasada le pregunté de golpe si quería ser mi enamorada.

—Fuiste un tonto —dijo Emilio—. Y, además, te le declaraste en la mañana. Y en la calle. ¡Hay que estar loco!

—Yo me declaré una vez en misa —dijo Pluto—. Y me fue bien.

—No, no —lo interrumpió Emilio. Y se volvió a Alberto—. Mira. Mañana la sacas a bailar. Esperas que toquen un bolero. No vayas a declararte en un mambo. Tiene que ser una música romántica.

—Por eso no te preocupes —dijo el Bebe—. Cuando estés decidido, me haces una seña y yo me encargo de poner «Me gustas» de Leo Marini[422].

—¡Es mi bolero! —exclamó Pluto—. Siempre que me declaro bailando «Me gustas» me han dicho sí. No falla.

—Bueno —dijo Alberto—. Te haré una seña.

—La sacas a bailar y la pegas —dijo Emilio—. A la disimulada[423] te vas hacia un rinconcito para que no te oigan las otras parejas. Y le dices, al oído, «Helenita, me muero por ti».

---

[422] Bolero popular de Leo Marini, seudónimo del argentino Alberto Batet Vitali (Mendoza, Argentina, 1920-2000).
[423] *A la disimulada*. Con disimulo.

—¡Animal! —gritó Pluto—. ¿Quieres que lo largue otra vez?

—¿Por qué? —preguntó Emilio—. Yo siempre me declaro así.

—No —dijo el Bebe—. Eso es declararse sin arte, a la bruta. Primero pones una cara muy seria y le dices: «Helena, tengo que decirte algo muy importante. Me gustas. Estoy enamorado de ti. ¿Quieres estar conmigo?».

—Y si se queda callada —añadió Pluto—, le dices: «Helenita, ¿tú no sientes nada por mí?».

—Y entonces le aprietas la mano —dijo el Bebe—. Despacito, con mucho cariño.

—No te pongas pálido, hombre —dijo Emilio, dando una palmada a Alberto—. No te preocupes. Esta vez te acepta.

—Sí —dijo el Bebe—. Ya verás que sí.

—Después que te declares les haremos una rueda —dijo Pluto—. Y les cantaremos «Aquí hay dos enamorados». Yo me encargo de eso. Palabra.

Alberto sonreía.

—Pero ahora tienes que aprender el mambo —dijo el Bebe—. Anda, ahí te espera tu pareja.

Pluto había abierto los brazos teatralmente.

Cava decía que iba a ser militar, no infante, sino de artillería. Ya no hablaba de eso, últimamente, pero seguro lo pensaba. Los serranos son tercos, cuando se les mete algo en la cabeza ahí se les queda. Casi todos los militares son serranos. No creo que a un costeño se le ocurra ser militar. Cava tiene cara de serrano y de militar, y ya le jodieron todo, el colegio, la vocación, eso es lo que más le debe arder. Los serranos tienen mala suerte, siempre les pasan cosas. Por la lengua podrida de un soplón, que a lo mejor ni descubrimos, le van a arrancar las insignias delante de todos, lo estoy viendo y se me pone la carne de gallina, si esa noche me toca ahora estaría adentro. Pero yo no hubiera roto el vidrio, hay que ser bruto para romper un vidrio. Los serranos son un poco brutos. Seguro que fue de miedo, aunque el serrano Cava no es un cobarde. Pero esa vez se asustó, solo así se explica. También por mala suerte. Los serranos tienen mala suerte, les ocurre lo peor. Es una suerte no haber nacido serrano. Y lo peor es que no se la esperaba, nadie se la esperaba, estaba muy contento, jode y jode al marica de Fontana[424], en las clases de francés uno se divierte mucho, vaya tipo raro, Fontana. El serrano decía: Fontana es todo a medias; medio bajito, medio rubio, medio hombre. Tiene los ojos más azules que el Jaguar, pero miran de otra manera, medio en serio, medio en burla. Dicen que no es francés sino peruano y que se hace pasar por francés, eso se llama ser hijo de perra. Renegar de su patria, no conozco nada más cobarde. Pero a lo mejor es mentira, ¿de dónde sale tanta cosa que cuentan de Fontana? Todos los días sacan algo nuevo. De repente ni siquiera es marica, pero, de dónde esa vocecita, esos gestos que provoca pellizcarle los cachetes. Si es verdad que se hace pasar por francés, me alegro de haberlo batido[425]. Me alegro que lo batan. Lo seguiré batiendo hasta el último día de clase. Profesor Fontana, ¿cómo se dice en francés cucurucho[426] de caca? A veces da compasión, no es mala gente, solo un poco raro. Una vez se puso a llorar, creo que fue por las

---

[424] El personaje de Fontana, el profesor de francés, se inspira en el poeta y artista César Moro —seudónimo de Alfredo Quíspez Asín (Lima, 1903-1956)—, que ocupó ese puesto de enseñanza en el Leoncio Prado cuando Vargas Llosa era cadete en la institución. Como es sabido, Moro, surrealista y homosexual, puede considerarse como uno de los grandes poetas peruanos y, en general, en lengua española, del pasado siglo. Entre sus obras puede destacarse, por ejemplo, *La tortuga ecuestre* (1957), publicada póstumamente. Vargas Llosa le rindió homenaje, tras su muerte, en el número 1 (febrero de 1958) de la revista *Literatura,* fundada en Lima junto a sus colegas Abelardo Oquendo y Luis Loayza.

[425] *Batir.* (Am.) Fastidiar, acosar, machacar.

[426] *Cucurucho.* Papel enrollado con forma cónica.

Gillettes, zumm[427], zumm, zumm. Traigan todos una Gillette y párenlas en una rendija de la carpeta, para hacerlas vibrar les meten el dedito, dijo el Jaguar. Fontana movía la boca y solo se oía zumm, zumm, zumm. No se rían para no perder el compás, el marica seguía moviendo la boquita, zumm, zumm, zumm, cada vez más fuerte y parejo[428], a ver quién se cansa primero. Nos quedamos así tres cuartos de hora, quizá más. ¿Quién va a ganar, quién se rinde primero? Fontana como si nada, un mudo que mueve la boca y la sinfonía cada vez más bonita, más igualita. Y entonces cerró los ojos y cuando los abrió lloraba. Es un marica. Pero seguía moviendo la boca, qué resistencia de tipo. Zumm, zumm, zumm. Se fue y todos dijeron «ha ido a llamar al teniente, ya nos fregamos», pero eso es lo mejor, solo se mandó mudar[429]. Todos los días lo baten y nunca llama a los oficiales. Debe tener miedo que le peguen, lo bueno es que no parece un cobarde. A veces parece que le gusta que lo batan. Los maricas son muy raros. Es un buen tipo, nunca jala en los exámenes. Él tiene la culpa que lo batan. ¿Qué hace en un colegio de machos con esa voz y esos andares? El serrano lo friega todo el tiempo, lo odia de veras. Basta que lo vea entrar para que empiece, ¿cómo se dice maricón en francés?, profesor ¿a usted le gusta el catchascán?[430], usted debe ser muy artista, ¿por qué no se canta algo en francés con esa dulce voz que tiene?, profesor Fontana, sus ojos se parecen a los de Rita Hayworth[431]. Y el marica no se

---

[427] Onomatopeya del ruido realizado, como un zumbido.

[428] *Parejo*. Igualado.

[429] *Mandarse mudar*. Irse.

[430] *Catchascán*. Del inglés, *catch-as-catch-can,* lucha libre. Doble sentido, por el combate cuerpo a cuerpo entre hombres que se supone en los encuentros homosexuales.

[431] *Rita Hayworth* (Nueva York, 1918-1987), nacida como Margarita Cansino, debutó como bailarina y fue una popular actriz de origen hispano que triunfó en Hollywood con películas como la emblemática *Gilda* (1956), que la convirtió en un símbolo sexual o *sex-symbol*.

queda callado, siempre responde, solo que en francés. Oiga, profesor, no sea usted tan vivo, no mente la madre, lo desafío a boxear con guantes, Jaguar no seas mal educado. Lo que pasa es que se lo han comido, lo tenemos dominado. Una vez lo escupimos mientras escribía en la pizarra, quedó todito vomitado, qué asquerosidad decía Cava, debía bañarse antes de entrar a clases. Ah, esa vez llamó al teniente, la única vez, qué papelón[432], por eso no volvió a llamar a los oficiales, Gamboa es formidable, ahí nos dimos cuenta todos de lo formidable que es Gamboa. Lo miró de arriba abajo, qué suspenso[433], nadie respiraba. ¿Qué quiere que haga, profesor? Usted es el que manda en el aula. Es muy fácil hacerse respetar. Mire. Nos observó un rato y dijo ¡Atención!, caracho en menos de un segundo estábamos cuadrados. ¡Arrodillarse!, caracho en menos de un segundo estábamos en el suelo. ¡Marcha del pato en el sitio!, y ahí mismito comenzamos a saltar con las piernas abiertas. Más de diez minutos, creo. Parecía que me habían machucado las rodillas con una comba[434], un-dos, un-dos, muy serios, como patos, hasta que Gamboa dijo ¡alto! y preguntó ¿alguien quiere algo conmigo, de hombre a hombre?, no se movía ni una mosca. Fontana lo miraba y no podía creer. Debe hacerse respetar usted mismo, profesor, a estos no les gustan las buenas maneras sino los carajos. ¿Quiere usted que los consigne a todos? No se moleste, dijo Fontana, qué buena respuesta, no se moleste, teniente. Y comenzamos a decir ma-ri-qui-ta[435], con el estómago, eso es lo que hacía Cava esta tarde, porque es medio ventrílocuo. No se mueven ni su jeta ni sus ojos de serrano y de adentro le sale una voz clarita, es de verlo y no creerlo. Y en eso el Jaguar dijo «vienen a llevarse a Cava, ya descubrieron todo». Y se puso

---

[432] *Qué papelón.* Qué ridículo.
[433] *Suspenso.* Del francés y, luego, del inglés, *suspense,* tensión.
[434] *Comba.* (Indig.) Del quechua, *k'umpa,* martillo.
[435] *Mariquita.* Diminutivo de «marica», insulto homófobo.

a reír y Cava miraba a todos lados, y el Rulos y yo, qué pasa hermano, y Huarina apareció en la puerta y dijo, Cava, venga con nosotros, perdón, profesor Fontana, es un asunto importante. Bien hombre el serrano, se levantó y salió sin mirarnos y el Jaguar, «no saben con quién se meten», y se puso a hablar incendios[436] contra Cava, serrano de mierda, se fregó por bruto, y todo el serrano, como si él tuviera la culpa de que lo fueran a expulsar.

Ha olvidado los hechos minúsculos, idénticos, que constituían su vida, esos días que siguieron al descubrimiento de que tampoco podía confiar en su madre, pero no ha olvidado el desánimo, la amargura, el rencor, el miedo que reinaban en su corazón y ocupaban sus noches. Lo peor era simular. Antes, aguardaba para levantarse que él hubiera salido. Pero una mañana alguien retiró las sábanas de su cama cuando aún dormía; sintió frío, la luz clara del amanecer le obligó a abrir los ojos. Su corazón se detuvo: su padre estaba a su lado y tenía las pupilas incendiadas, igual que aquella noche. Oyó:

—¿Qué edad tienes?

—Diez años —dijo.

—¿Eres un hombre? Responde.

—Sí —balbuceó.

—Fuera de la cama, entonces —dijo la voz—. Solo las mujeres se pasan el día echadas, porque son ociosas y tienen derecho a serlo, para eso son mujeres. Te han criado como a una mujerzuela[437]. Pero yo te haré un hombre.

Ya estaba fuera de la cama, vistiéndose, pero la precipitación era fatal: equivocaba el zapato, se ponía la camisa al revés, la abotonaba mal, no encontraba el cinturón, sus manos temblaban y no podían anudar los cordones.

---

[436] *Hablar incendios.* Descalificar.

[437] *Mujerzuela.* Término despectivo y misógino para designar a la mujer, empleado para señalarla como prostituta.

—Todos los días, cuando baje a tomar desayuno, quiero verte en la mesa, esperándome. Lavado y peinado. ¿Has oído?

Tomaba el desayuno con él y adoptaba actitudes diferentes, según el carácter de su padre. Si lo notaba sonriente, la frente lisa, los ojos sosegados, le hacía preguntas que pudieran halagarlo, lo escuchaba con profunda atención, asentía, abría mucho los ojos y le preguntaba si quería que le limpiara el auto. En cambio, si lo veía con el rostro grave y no contestaba a su saludo, permanecía en silencio y escuchaba sus amenazas con la cabeza baja, como arrepentido. A la hora del almuerzo, la tensión era menor, su madre servía de elemento de diversión. Sus padres conversaban entre ellos, podía pasar desapercibido. En las noches, el suplicio terminaba. Su padre volvía tarde. Él cenaba antes. Desde las siete comenzaba a rondar a su madre, le confesaba que lo consumía la fatiga, el sueño, el dolor de cabeza. Cenaba velozmente y corría a su cuarto. A veces, cuando estaba desnudándose sentía el frenazo del automóvil. Apagaba la luz y se metía en la cama. Una hora después, se levantaba en puntas de pie, terminaba de desnudarse, se ponía el piyama.

Algunas mañanas, salía a dar una vuelta. A las diez, la avenida Salaverry estaba solitaria, de cuando en cuando pasaba un ruidoso tranvía a medio llenar. Bajaba hasta la avenida Brasil y se detenía en la esquina. No cruzaba la ancha pista lustrosa, su madre se lo había prohibido. Contemplaba los automóviles que se perdían a lo lejos, en dirección al centro, y evocaba la plaza Bolognesi, al final de la avenida, tal como la veía cuando sus padres lo llevaban a pasear: bulliciosa, un hervidero de coches y tranvías, una muchedumbre en las veredas, las capotas de los automóviles semejantes a espejos que absorbían los letreros luminosos, rayas y letras de colores vivísimos e incomprensibles. Lima le daba miedo, era muy grande, uno podía perderse y no encontrar nunca su casa, la gente que iba por la calle era desconocida. En Chiclayo salía a caminar solo; los transeúntes le acariciaban la cabeza, lo llamaban por su nombre y él les sonreía: los había visto muchas veces, en su casa, en la plaza de Armas los días de retreta[438], en la misa del domingo, en la playa de Eten.

Descendía luego hasta el final de la avenida Brasil y se sentaba en una de las bancas de ese pequeño parque semicircular donde aquella remata, al borde del acantilado, sobre el mar cenizo de Magdalena. Los parques de Chiclayo —muy pocos, los conocía todos de memoria— también eran antiguos, como este, pero las bancas no tenían esa herrumbre, ese musgo, esa tristeza que le imponían la soledad, la atmósfera gris, el melancólico murmullo del océano. A veces, sentado de espaldas al mar, mientras observaba la avenida Brasil, abierta frente a él como la carretera del norte cuando venía a Lima, sentía ganas de llorar a gritos. Recordaba a su tía Adela, volviendo de compras, acercándose a él con una mirada risueña para preguntarle: «¿a que no adivinas qué me encontré?», y extrayendo de su bolsa un paquete de caramelos, un chocolate, que él le arrebataba de las manos. Evocaba el sol, la luz blanca que bañaba todo el año las calles de la ciudad y las conservaba tibias, acogedoras, la excitación de los domingos, los paseos a Eten, la arena amarilla que abrasaba, el purísimo cielo azul. Levantaba la vista: nubes grises por todas partes, ni un punto claro. Regresaba a su casa, caminando despacio, arrastrando los pies como un viejo. Pensaba: «cuando sea grande volveré a Chiclayo. Y jamás vendré a Lima».

---

[438] *Retreta*. Fiesta con música de banda militar.

VIII

El teniente Gamboa abrió los ojos: a la ventana de su cuarto solo asomaba la claridad incierta de los faroles lejanos de la pista de desfile; el cielo estaba negro. Unos segundos después sonó el despertador. Se levantó, se restregó los ojos y, a tientas, buscó la toalla, el jabón, la máquina de afeitar y la escobilla[439] de dientes. El pasillo y el baño estaban a oscuras. De los cuartos vecinos no provenía ruido alguno; como siempre, era el primero en levantarse. Quince minutos después, al regresar a su cuarto peinado y afeitado, escuchó la campanilla de otros despertadores. Comenzaba a aclarar; a lo lejos, tras el resplandor amarillento de los faroles, crecía una luz azul, todavía débil. Se puso el uniforme de campaña, sin prisa. Luego salió. En vez de atravesar las cuadras de los cadetes, fue hacia la Prevención por el descampado. Hacía un poco de frío y él no se había puesto el sacón. Al verlo, los soldados de guardia lo saludaron, él les contestó. El teniente de servicio, Pedro Pitaluga, descansaba encogido sobre una silla, la cabeza entre las manos.

—¡Atención! —gritó Gamboa.

El oficial se incorporó de un salto, los ojos todavía cerrados. Gamboa se rio.

---

[439] *Escobilla.* (Am.) Cepillo.

—No friegues, hombre —dijo Pitaluga, volviendo a sentarse. Se rascaba la cabeza—. Creí que era el Piraña. Estoy molido. ¿Qué hora es?

—Van a ser las cinco. Te quedan todavía cuarenta minutos. No es mucho. ¿Para qué tratas de dormir? Es lo peor.

—Ya sé —dijo Pitaluga, bostezando—. He violado el reglamento.

—Sí —dijo Gamboa, sonriendo—. Pero no lo decía por eso. Si duermes sentado se te descompone el cuerpo. Lo mejor es hacer algo, así el tiempo pasa sin que te des cuenta.

—¿Hacer qué cosa? ¿Conversar con los soldados? Sí mi teniente, no mi teniente. Son muy entretenidos. Basta que les dirijas la palabra para que te pidan licencia.

—Yo estudio cuando estoy de servicio —dijo Gamboa—. La noche es la mejor hora para estudiar. De día no puedo.

—Claro —dijo Pitaluga—. Tú eres el oficial modelo. A propósito, ¿qué haces levantado?

—Hoy es sábado. ¿Te has olvidado?

—La campaña —recordó Pitaluga. Ofreció un cigarrillo a Gamboa, que lo rechazó—. Por lo menos este servicio me ha librado de la campaña.

Gamboa recordó la Escuela Militar. Pitaluga era su compañero de sección; no estudiaba mucho pero tenía excelente puntería. Una vez, durante las maniobras anuales, se lanzó al río con su caballo. El agua le llegaba a los hombros; el animal relinchaba con espanto y los cadetes lo exhortaban a volver, pero Pitaluga consiguió vencer la corriente y ganar la otra orilla, empapado y dichoso. El capitán de año lo felicitó delante de los cadetes y le dijo: «es usted muy macho». Ahora Pitaluga se quejaba del servicio, de las campañas. Como los soldados y los cadetes, solo pensaba en la salida. Estos tenían al menos una excusa: estaban en el Ejército de paso; a unos los habían arrancado a la fuerza de sus pueblos para meterlos a filas; a los otros, sus familiares los enviaban al colegio para librarse de ellos. Pero Pitaluga había elegido su carrera. Y no era el único: Huarina inventaba enfermedades de su mujer cada dos semanas para salir a la calle, Martínez bebía a escondidas durante el servicio y todos sabían que su termo de café estaba lleno de pisco. ¿Por qué no pedían su baja? Pitaluga había engordado, jamás estudiaba y volvía ebrio de la calle. «Se quedará muchos años de teniente pensó Gamboa. Pero rectificó: Salvo que tenga influencias». Él amaba la vida militar precisamente por lo que otros la odiaban: la disciplina, la jerarquía, las campañas.

—Voy a llamar por teléfono.

—¿A estas horas?

—Sí —dijo Gamboa—. Mi mujer debe estar levantada. Viaja a las seis.

Pitaluga hizo un gesto vago. Como una tortuga que se hunde en su caparazón, sumió nuevamente la cabeza entre las manos. La voz de Gamboa en el teléfono era baja y suave, hacía preguntas, aludía a pastillas contra el mareo y el frío, insistía en que le enviaran un telegrama de alguna parte, varias veces repetía ¿estás bien? y, luego, se despedía con una frase breve, rápida. Pitaluga abrió automáticamente los brazos y su cabeza quedó colgando como una campana. Pestañeó antes de abrir los ojos. Sonrió sin entusiasmo. Dijo:

—Pareces en luna de miel. Hablas a tu mujer como si te acabaras de casar.

—Me casé hace tres meses —dijo Gamboa.

—Yo hace un año. Y malditas las ganas que tengo de hablar con ella. Es un energúmeno, igual que su madre. Si la llamara a esta hora se pondría a gritar y me diría cachaco[440] de porquería.

Gamboa sonrió.

—Mi mujer es muy joven —dijo—. Solo tiene dieciocho años. Vamos a tener un hijo.

---

[440] *Cachaco*. (Per.) Militar.

—Lo siento —dijo Pitaluga—. No sabía. Hay que tomar precauciones.

—Yo quiero tener un hijo.

—Ah, claro —repuso Pitaluga—. Ya me doy cuenta. Para hacerlo militar.

Gamboa parecía sorprendido.

—No sé si me gustaría que fuera militar —murmuró. Miró a Pitaluga de pies a cabeza—: En todo caso, no quisiera que fuera un militar como tú.

Pitaluga se incorporó.

—¿Qué broma es esa? —dijo, con voz agria.

—Bah —dijo Gamboa—. Olvídala.

Dio media vuelta y salió de la Prevención. Los centinelas lo volvieron a saludar. Uno tenía la cristina caída sobre la oreja y Gamboa estuvo a punto de llamarle la atención, pero se contuvo; no valía la pena tener un disgusto con Pitaluga. Este sepultó de nuevo la cabeza despeinada entre las manos, pero esta vez no vino al letargo. Maldijo y llamó a gritos a un soldado para que le sirviera una taza de café.

Cuando Gamboa llegó al patio de quinto, el corneta había tocado ya la diana en tercero y cuarto y se disponía a hacerlo ante las cuadras del último año. Vio a Gamboa, bajó la corneta que llevaba a los labios, se cuadró y lo saludó. Los soldados y los cadetes del colegio advertían que Gamboa era el único oficial del Leoncio Prado que contestaba militarmente el saludo de sus subordinados; los otros se limitaban a hacer una venia y a veces ni eso. Gamboa cruzó los brazos sobre el pecho y esperó que el corneta terminara de tocar la diana. Miró su reloj. En las puertas de las cuadras había algunos imaginarias. Los fue observando uno por uno: a medida que se encontraban frente a él, los cadetes se ponían en atención, se echaban encima la cristina y se arreglaban el pantalón y la corbata antes de llevarse la mano a la sien. Luego daban media vuelta y desaparecían en el interior de las cuadras. El murmullo habitual ya había comenzado. Un momento después, apareció el suboficial Pezoa. Llegó corriendo.

—Buenos días, mi teniente.

—Buenos días. ¿Qué ha ocurrido?

—Nada, mi teniente. ¿Por qué, mi teniente?

—Usted debe estar en el patio junto con el corneta. Su obligación es recorrer las cuadras y apurar a la gente. ¿No sabía?

—Sí, mi teniente.

—¿Qué hace aquí, entonces? Vuele a las cuadras. Si dentro de siete minutos no está formado el año, lo hago responsable.

—Sí, mi teniente.

Pezoa echó a correr hacia las primeras secciones. Gamboa continuaba de pie en el centro del patio, miraba a ratos su reloj, sentía ese rumor macizo y vital que brotaba de todo el contorno del patio y convergía hacia él como los filamentos de la carpa de un circo hacia el mástil central. No necesitaba ir a las cuadras para palpar la furia de los cadetes por el sueño interrumpido, su exasperación por el plazo mínimo que tenían para hacer las camas y vestirse, la impaciencia y la excitación de aquellos que amaban disparar y jugar a la guerra y el disgusto de los perezosos que irían a revolcarse en el campo sin entusiasmo, por obligación, la subterránea alegría de todos los que, terminada la campaña, cruzarían el estadio para ducharse en los baños colectivos, volverían apresurados a ponerse el uniforme de paño azul y negro y saldrían a la calle.

A las cinco y siete minutos, Gamboa tocó un pitazo largo. En el acto sintió protestas y maldiciones, pero, casi al mismo tiempo, las puertas de las cuadras se abrían y los boquetes[441] oscuros comenzaban a escupir una masa verdosa de cadetes que se empujaban unos a otros, se acomodaban los uniformes sin dejar de correr y, con una sola mano, pues la otra iba en alto, sosteniendo el fusil, y, en

---

[441] *Boquete.* Agujero.

medio de groserías y empellones, las hileras de la formación surgían a su alrededor, ruidosamente, en el amanecer todavía impreciso de ese segundo sábado de octubre, igual hasta entonces a otros amaneceres, a otros sábados, a otros días de campaña. De pronto escuchó un golpe metálico fuerte y un carajo.

—Venga el que ha hecho caer ese fusil —gritó.

El murmullo se apagó instantáneamente. Todos miraban adelante y mantenían los fusiles pegados al cuerpo. El suboficial Pezoa, caminando en puntas de pie, avanzó hasta donde se hallaba el teniente y se puso a su lado.

—He dicho que venga aquí el cadete que hizo caer su fusil —repitió Gamboa.

El silencio fue alterado por el ruido de unos botines. Los ojos de todo el batallón se volvieron hacia Gamboa. El teniente miró al cadete a los ojos.

—Su nombre.

El muchacho balbuceó su apellido, su compañía, su sección.

—Revise el fusil, Pezoa —dijo el teniente.

El suboficial se precipitó hacia el cadete y revisó el arma aparatosamente: la pasaba bajo sus ojos con lentitud, le daba vueltas, la exponía al cielo como si fuera a mirar al través, abría la recámara, comprobaba la posición del alza[442], hacía vibrar el gatillo.

—Raspaduras en la culata, mi teniente —dijo—. Y está mal engrasado.

—¿Cuánto tiempo lleva en el Colegio Militar, cadete?

—Tres años, mi teniente.

—¿Y todavía no ha aprendido a agarrar el fusil? El arma no debe caer nunca al suelo. Es preferible romperse la crisma antes que soltar el fusil. Para el soldado el arma es tan importante como sus huevos. ¿Usted cuida muchos sus huevos, cadete?

---

[442] *Alza.* Pieza de un arma situada en la parte media, en el caso del fusil, que, junto con el punto de mira de la parte delantera, sirve para apuntar con precisión.

444

—Sí, mi teniente.

—Bueno —dijo Gamboa—. Así tiene que cuidar su fusil. Vuelva a su sección. Pezoa, hágale una papeleta de seis puntos.

El suboficial sacó una libreta y escribió, mojando la punta del lápiz en la lengua.

Gamboa ordenó desfilar.

Cuando la última sección del quinto año hubo entrado al comedor, Gamboa se dirigió a la cantina de oficiales. No había nadie. Poco después comenzaron a llegar los tenientes y capitanes. Los jefes de compañía de quinto —Huarina, Pitaluga y Calzada— se sentaron junto a Gamboa.

—Rápido, indio —dijo Pitaluga—. El desayuno debe estar servido apenas entra el oficial al comedor.

El soldado que servía murmuró una disculpa, que Gamboa no oyó: el motor de un avión vulneraba el amanecer y los ojos del teniente exploraban el cielo uniforme, la atmósfera mojada. Sus ojos bajaron hacia el descampado. Perfectamente alineados en grupos de a cuatro, sosteniéndose mutuamente por el cañón, los mil quinientos fusiles de los cadetes aguardaban en la neblina; la vicuña circulaba entre las pirámides paralelas y las olía.

—¿Ya falló el Consejo de Oficiales? —preguntó Calzada. Era el más gordo de los cuatro. Mordisqueaba un pedazo de pan y hablaba con la boca llena.

—Ayer —dijo Huarina—. Terminamos tarde, después de las diez. El coronel estaba furioso.

—Siempre está furioso —dijo Pitaluga—. Por lo que se descubre, por lo que no se descubre —le dio un codazo a Huarina—. Pero no puedes quejarte. Esta vez has tenido suerte. Es algo que vale la pena tener señalado en la foja de servicios[443].

---

[443] *Foja de servicios.* (Am.) Hoja de servicios, expediente de un funcionario.

—Sí —dijo Huarina—. No fue fácil.

—¿Cuándo le arrancan las insignias?[444] —dijo Calzada—. Es una cosa divertida.

—El lunes a las once.

—Son unos delincuentes natos —dijo Pitaluga—. No escarmientan con nada. ¿Se dan cuenta? Un robo con fractura, ni más ni menos. Desde que estoy aquí, ya han expulsado a una media docena.

—No vienen al colegio por su voluntad —dijo Gamboa—. Eso es lo malo.

—Sí —dijo Calzada—. Se sienten civiles.

—Nos confunden con los curas, a veces —afirmó Huarina—. Un cadete quería confesarse conmigo, quería que le diera consejos. ¡Parece mentira!

—A la mitad los mandan sus padres para que no sean unos bandoleros —dijo Gamboa—. Y a la otra mitad, para que no sean maricas.

—Se creen que el colegio es una correccional —dijo Pitaluga, dando un golpe en la mesa—. En el Perú todo se hace a medias y por eso todo se malea. Los soldados que llegan al cuartel son sucios, piojosos, ladrones. Pero a punta de palos se civilizan. Un año de cuartel y del indio solo les quedan las cerdas. Pero aquí ocurre lo contrario, se malogran a medida que crecen. Los de quinto son peores que los perros.

—La letra con sangre entra —dijo Calzada—. Es una lástima que a estos niños no se los pueda tocar. Si les levantas la mano se quejan y se arma un escándalo.

—Ahí está el Piraña —murmuró Huarina.

Los cuatro tenientes se pusieron de pie. El capitán Garrido los saludó con una inclinación de cabeza. Era un hombre alto, de piel pálida, algo verdosa en los pómulos. Le

---

[444] *Arrancar las insignias.* Acto público de deshonor y humillación para quien es expulsado del cuerpo militar.

decían Piraña porque, como esas bestias carnívoras de los ríos amazónicos, su doble hilera de dientes enormes y blanquísimos desbordaba los labios, y sus mandíbulas siempre estaban latiendo. Les alcanzó un papel a cada uno.

—Las instrucciones para la campaña —les dijo—. El quinto irá detrás de los sembríos, a ese terreno descubierto, en torno al cerro. Hay que apurarse. Tenemos más de tres cuartos de hora de marcha.

—¿Los hacemos formar o lo esperamos a usted, mi capitán? —preguntó Gamboa.

—Vayan, nomás —repuso el capitán—. Les daré alcance.

Los cuatro tenientes salieron del comedor, juntos, y al llegar al descampado se distanciaron, en una misma línea. Tocaron sus silbatos. El bullicio que procedía del comedor ascendió y, un momento después, los cadetes comenzaron a salir a toda carrera. Llegaban a su emplazamiento, recogían sus fusiles, marchaban hacia la pista y se ordenaban por secciones. Poco después, el batallón cruzaba la puerta principal del colegio, ante los centinelas en posición de firmes, e invadía la Costanera. El asfalto estaba limpio y resplandecía. Los cadetes, de tres en fondo[445], anchaban[446] la formación de tal manera que las filas laterales iban por los dos extremos de la avenida y la del centro por el medio.

El batallón avanzó hasta la avenida de las Palmeras y Gamboa dio orden de doblar, hacia Bellavista. A medida que descendían por esa pendiente, bajo los árboles de grandes hojas encorvadas, los cadetes podían ver, al otro extremo, una imprecisa aglomeración: los edificios del Arsenal Naval y del puerto del Callao. A sus costados, las viejas casas de La Perla, altas, con las paredes cubiertas de enredaderas, y verjas herrumbrosas que protegían jardines de todas dimensiones.

---

[445] *De tres en fondo.* En fila de a tres.
[446] *Anchaban.* Ensanchaban, engrosaban.

Cuando el batallón estuvo cerca de la avenida Progreso, la mañana comenzó a animarse: surgían mujeres descalzas con canastas y bolsas de verduras, que se detenían a contemplar a los cadetes harapientos; una nube de perros asediaba el batallón, saltando y ladrando; chiquillos enclenques y sucios lo escoltaban como los peces a los barcos en alta mar.

En la avenida Progreso el batallón se detuvo: los automóviles y autobuses constituían un flujo sin pausas. A una señal de Gamboa, los suboficiales Morte y Pezoa se pusieron en medio de la pista y contuvieron la hemorragia de vehículos, mientras el batallón cruzaba. Algunos conductores, indignados, tocaban bocina; los cadetes los insultaban. A la cabeza del batallón, Gamboa indicó, levantando la mano, que, en vez de tomar la dirección del puerto, se cortara por el campo raso[447], flanqueando un sembrío de algodón todavía tierno. Cuando todo el batallón estuvo sobre la tierra eriaza[448], Gamboa llamó a los suboficiales.

—¿Ven el cerro? —les señalaba con el dedo una elevación oscura, al final del sembrío.

—Sí, mi teniente —corearon Morte y Pezoa.

—Es el objetivo. Pezoa, adelántese con media docena de cadetes. Recórtalo por todos lados y, si hay gente por ahí, hágala desaparecer. No debe quedar nadie en el cerro ni en las proximidades. ¿Entendido?

Pezoa asintió y dio media vuelta. Encaró a la primera sección:

—Seis voluntarios.

Nadie se movió y los cadetes miraron a todos lados, salvo al frente. Gamboa se acercó.

—Fuera los seis primeros de la formación —dijo—. Vayan con el suboficial.

Subiendo y bajando el brazo derecho con el puño cerrado, para indicar a los cadetes que tomaran el paso ligero,

---

447 *Campo raso.* Campo abierto.
448 *Eriaza.* Yerma.

Pezoa echó a correr por el sembrío. Gamboa retrocedió algunos pasos para reunirse con los otros tenientes.

—He mandado a Pezoa a despejar el terreno.

—Bueno —repuso Calzada—. Creo que no hay problema. Yo me quedo con mi gente de este lado.

—Yo ataco por el norte —dijo Huarina—. Siempre soy el más fregado, tengo que caminar todavía cuatro kilómetros.

—Una hora para llegar a la cumbre no es mucho —dijo Gamboa—. Hay que hacerlos trepar rápido.

—Espero que los blancos estén bien marcados —dijo Calzada—. El mes pasado el viento los arrancó y estuvimos haciendo puntería contra las nubes.

—No te preocupes —dijo Gamboa—. Ya no son blancos de cartón, sino telas de un metro de diámetro. Los soldados los colocaron ayer. Que no comiencen a disparar antes de doscientos metros.

—Muy bien, general[449] —dijo Calzada—. ¿También vas a enseñarnos eso?

—Para qué gastar pólvora en gallinazos[450] —dijo Gamboa—. De todas maneras, tu compañía no colocará un solo tiro.

—¿Hacemos una apuesta, general? —dijo Calzada.

—Cinco libras.

—Soy caja[451] —propuso Huarina.

—De acuerdo —dijo Calzada—. Cállense, que ahí está el Piraña.

El capitán se aproximó.

—¿Qué esperan?

—Estamos listos —dijo Calzada—. Lo esperábamos a usted, mi capitán.

---

[449] Aunque Gamboa es teniente, se refiere a él como general, erróneamente.

[450] *Gallinazo.* (Am.) Ave carroñera autóctona americana. Aquí, «gastar pólvora en gallinazos» significa hacer un esfuerzo inútil.

[451] *Ser caja.* Hacer de tesorero, guardar el dinero de la apuesta.

—¿Localizaron sus posiciones?

—Sí, mi capitán.

—¿Han enviado a ver si está libre el terreno?

—Sí, mi capitán. Al suboficial Pezoa.

—Bien. Igualemos[452] los relojes —dijo el capitán—. Comenzaremos a las nueve. Abran fuego a las nueve y media. Los tiros deben cesar apenas empiece el asalto. ¿Entendido?

—Sí, mi capitán.

—A las diez, todo el mundo en la cumbre; hay sitio para todos. Lleven a sus compañías a los emplazamientos al paso ligero, para que los muchachos entren en calor.

Los oficiales se alejaron. El capitán permaneció en el sitio. Escuchó las voces de mando de los tenientes; la de Gamboa era la más alta, la más enérgica. Poco después, estaba solo. El batallón se había escindido en tres cuerpos, que se alejaban en direcciones opuestas para rodear el cerro. Los cadetes corrían sin dejar de hablar: el capitán podía distinguir algunas frases sueltas entre el barullo. Los tenientes iban a la cabeza de las secciones y los suboficiales a los flancos. El capitán Garrido se llevó los prismáticos a los ojos. A la mitad del cerro, separados por cuatro o cinco metros, se divisaban los blancos: unas redondelas[453] perfectas. Él también hubiera querido dispararles. Pero eso correspondía ahora a los cadetes; para él, la campaña era aburrida, consistía solamente en observar. Abrió un paquete de cigarrillos negros y extrajo uno. Quemó varios fósforos antes de encenderlo, pues había mucho viento. Luego, fue a paso vivo tras la primera compañía. Era entretenido ver actuar a Gamboa, que se tomaba la campaña en serio.

Al llegar a las faldas del cerro, Gamboa comprobó que los cadetes estaban realmente fatigados; algunos corrían con la boca abierta y el rostro lívido, y todos tenían los ojos clavados en él;

---

[452] *Igualemos los relojes.* Sincronicemos.

[453] *Redondelas.* (Am.) Marcas de forma redonda para hacer puntería, dianas.

450

en sus miradas Gamboa veía la angustia con que esperaban la voz de alto. Pero no dio esa orden; miró las circunferencias blancas, las laderas desnudas, ocres, que descendían hasta hundirse en el campo de algodones, y, al otro lado de los blancos, varios metros más arriba, la cresta del cerro, una gran comba[454] maciza, esperándolos. Y siguió corriendo, primero junto al cerro, luego a campo abierto, a toda la velocidad que podía, luchando por no abrir la boca, aunque sentía él también que su corazón y sus pulmones reclamaban una gran bocanada de viento puro; las venas de su garganta se anchaban y su piel, desde los cabellos hasta los pies, se humedecía con un sudor frío. Se volvió todavía una vez, para calcular si se habían alejado ya unos mil metros del objetivo, y luego, cerrando los ojos, consiguió apresurar la carrera dando saltos más largos y azotando el aire con los brazos; así llegó hasta los matorrales que alborotaban la tierra salvaje, fuera del sembrío, junto a la acequia indicada en las instrucciones de la campaña como límite del emplazamiento de la primera compañía. Allí se detuvo y solo entonces abrió la boca y respiró, los brazos extendidos. Antes de dar media vuelta, se limpió el sudor de la cara, a fin de que los cadetes no supieran que él también estaba agotado. Los primeros en llegar a los matorrales fueron los suboficiales y el brigadier Arróspide. Luego, llegaron los demás, en completo desorden: las columnas habían desaparecido, quedaban solo racimos, grupos dispersos. Poco después, las tres secciones se reagrupaban formando una herradura en torno a Gamboa. Este escuchaba la respiración animal de los ciento veinte cadetes, que habían apoyado los fusiles en la tierra.

—Vengan los brigadieres —dijo Gamboa. Arróspide y otros dos cadetes abandonaron la fila—. Compañía, ¡descanso!

El teniente se alejó unos pasos, seguido de los suboficiales y de los tres brigadieres. Luego, trazando cruces y rayas en la tierra, les explicó detalladamente los diferentes movimientos del asalto.

---

[454] *Comba*. Aquí, curva.

—¿Comprendida la disposición de los cuerpos? —dijo Gamboa y sus cinco oyentes asintieron—. Bien. Los grupos de combate comenzarán a desplegarse en abanico desde que se dé la orden de marcha; desplegarse quiere decir no ir como carneros, sino separados, aunque en una misma línea. ¿Comprendido? Bien. A nuestra compañía le corresponde atacar el frente sur, ese que tenemos delante. ¿Visto?

Los suboficiales y brigadieres miraron el cerro y dijeron: «visto».

—¿Y qué instrucciones hay para la progresión[455], mi teniente? —murmuró Morte. Los brigadieres se volvieron a mirarlo y el suboficial se ruborizó.

—A eso voy —dijo Gamboa—. Saltos de diez en diez metros. Una progresión intermitente. Los cadetes recorren esa distancia a toda carrera y se arrojan, al que entierre el fusil le parto el culo a patadas. Cuando todos los hombres de la vanguardia están tendidos, toco silbato y la segunda línea dispara. Un solo tiro. ¿Entendido? Los tiradores saltan y progresan diez metros, se arrojan. La tercera línea dispara y progresa. Luego, comenzamos desde el principio. Todos los movimientos se hacen a mis órdenes. Así llegaremos a cien metros del objetivo. Allí los grupos pueden cerrarse un poco para no invadir el terreno donde operan las otras compañías. El asalto final lo dan las tres secciones a la vez, porque el cerro ya está casi limpio y quedan apenas unos cuantos focos enemigos.

—¿Qué tiempo hay para ocupar el objetivo? —preguntó Morte.

—Una hora —dijo Gamboa—. Pero eso es asunto mío. Los suboficiales y brigadieres deben preocuparse de que los hombres no se abran ni se peguen demasiado, de que nadie se quede atrás y deben estar siempre en contacto conmigo, por si los necesito.

---

[455] *Progresión*. Avance o acción militar.

—¿Vamos adelante o en la retaguardia, mi teniente?
—preguntó Arróspide.

—Ustedes con la primera línea, los suboficiales atrás. ¿Alguna pregunta? Bueno, vayan a explicar la operación a los jefes de grupo. Comenzamos dentro de quince minutos.

Los suboficiales y brigadieres se alejaron al paso ligero. Gamboa vio venir al capitán Garrido y se iba a incorporar, pero el Piraña le indicó con la mano que permaneciera como estaba, en cuclillas. Ambos quedaron mirando a las secciones que se desmenuzaban en grupos de doce hombres. Los cadetes se apretujaban los cinturones, anudaban los cordones de sus botines, se encasquetaban las cristinas, limpiaban el polvo de los fusiles, comprobaban la soltura de la corredera.

—Esto sí les gusta —dijo el capitán—. Ah, pendejos. Mírelos, parece que fueran a un baile.

—Sí —dijo Gamboa—. Se creen en la guerra.

—Si algún día tuvieran que pelear de veras —dijo el capitán—, estos serían desertores o cobardes. Pero, por suerte para ellos, acá los militares solo disparamos en las maniobras. No creo que el Perú tenga nunca una verdadera guerra.

—Pero, mi capitán —repuso Gamboa—. Estamos rodeados de enemigos. Usted sabe que el Ecuador y Colombia esperan el momento oportuno para quitarnos un pedazo de selva[456]. A Chile todavía no le hemos cobrado lo de Arica y Tarapacá[457].

---

[456] La Amazonía sigue en conflicto en cuanto a su división entre los distintos estados nacionales que la comparten, para explotar sus recursos naturales. No obstante, la zona de la selva en el Perú es todavía la más olvidada por la administración nacional, como el propio Vargas Llosa ha manifestado en obras como *La casa verde* (1966), *Pantaleón y las visitadoras* (1973) o *El hablador* (1987).

[457] Tras la Guerra del Pacífico (1879-1883), por el Tratado de Ancón (1883), Perú tuvo que ceder a Chile el territorio de Tarapacá, incondicionalmente, y la posesión de Tacna y Arica por un período de diez años. Posteriormente, tras numerosas tensiones y negociaciones, por el Tratado

—Puro cuento —dijo el capitán, con un gesto escéptico. Ahora todo lo arreglan los grandes. El 41 yo estuve en la campaña contra el Ecuador. Hubiéramos llegado hasta Quito[458]. Pero se metieron los grandes y encontraron una solución diplomática, qué tales riñones[459]. Los civiles terminan resolviendo todo. En el Perú, uno es militar por las puras huevas del diablo[460].

—Antes era distinto —dijo Gamboa.

El suboficial Pezoa y los seis cadetes que lo acompañaron regresaron corriendo. El capitán lo llamó.

—¿Dio la vuelta a todo el cerro?

—Sí, mi capitán. Completamente despejado.

—Van a ser las nueve, mi capitán —dijo Gamboa—. Voy a comenzar.

—Vaya —dijo el capitán. Y agregó, con repentino mal humor—: Sáqueles la mugre[461] a esos ociosos.

Gamboa se acercó a la compañía. La observó largamente, de un extremo a otro, como midiendo[462] sus posibilidades ocultas, el límite de su resistencia, su coeficiente de valor. Tenía la cabeza algo echada hacia atrás; el viento agita-

---

de Lima (1929), Perú pudo recuperar la ciudad de Tacna, pero no así Arica, que quedó formando parte del territorio chileno.

[458] Se refiere al episodio del conflicto limítrofe entre Perú y Ecuador que estalló el 5 de julio de 1941. El 31 de julio de ese mismo año, tres paracaidistas fueron lanzados desde aviones Caproni al mando del capitán Antonio Rojas Cadillo, quienes tomaron la ciudad ecuatoriana de Puerto Bolívar, en una de las primeras operaciones aerotransportadas del mundo. Esta guerra no declarada se resolvió, efectivamente, por la vía diplomática, el 29 de enero de 1942, con el Protocolo de Paz, Amistad y Límites de Río de Janeiro. No obstante, las tensiones han continuado con posterioridad, reavivándose en 1981 y en 1995, hasta el día de hoy.

[459] *Qué tales riñones.* Qué poca vergüenza.

[460] *Por las puras huevas del diablo.* Frase enfática y redundante que significa «en vano», «por nada».

[461] *Sacar la mugre.* (Am.) Golpear.

[462] *Medir.* Calcular, valorar.

ba su camisa comando[463] y unos cabellos negros que asomaban por la cristina.

—¡Más abiertos, carajo! —gritó—. ¿Quieren que los apachurren?[464]. Entre hombre y hombre debe haber cuando menos cinco metros de distancia. ¿Creen que van a misa?

Las tres columnas se estremecieron. Los jefes de grupo, abandonando la formación, ordenaban a gritos a los cadetes que se separaran. Las tres hileras se alargaron elásticamente, se hicieron más ralas.

—La progresión se hace en zigzag[465] —dijo Gamboa; hablaba en voz muy alta, para que pudieran oírlo los extremos—. Eso ya lo saben desde hace tres años, cuidado con avanzar uno tras otro como en la procesión. Si alguien se queda de pie, se adelanta o se atrasa cuando yo dé la orden, es hombre muerto. Y los muertos se quedan encerrados, sábado y domingo. ¿Está claro?

Se volvió hacia el capitán Garrido, pero este parecía distraído. Miraba el horizonte, con ojos vagabundos. Gamboa se llevó el silbato a los labios. Hubo un breve temblor en las columnas.

—Primera línea de ataque. Lista para entrar en acción. Los brigadieres adelante, los suboficiales a la retaguardia.

Miró su reloj. Eran las nueve en punto. Dio un pitazo largo. El sonido penetrante hirió los oídos del capitán, que hizo un gesto de sorpresa. Comprendió que, durante unos segundos, había olvidado la campaña y se sintió en falta. Vivamente se trasladó junto a los matorrales, detrás de la compañía, para seguir la operación.

Antes que cesara el sonido metálico, el capitán Garrido vio que la primera fila de ataque, dividida en tres cuerpos, salía impulsada en un movimiento simultáneo: los tres gru-

---

[463] *Camisa comando.* De estilo militar, con dos o más bolsillos frontales.

[464] *Apachurrar.* (Am.) Aplastar.

[465] *En zigzag.* Avanzar haciendo eses, no de forma lineal, para evitar el hipotético fuego enemigo.

pos se abrían en abanico, avanzaban a toda velocidad desplegándose adelante y hacia los lados, igual a un pavo real que yergue su poderoso plumaje. Precedidos de los brigadieres, los cadetes corrían doblados sobre sí mismos, la mano derecha aferrada al fusil, que colgaba perpendicular, el cañón apuntando al cielo de través[466], la culata a pocos centímetros del suelo. Luego, escuchó un segundo silbato, menos largo pero más agudo que el primero y más lejano —porque el teniente Gamboa también corría, de medio lado, para controlar los detalles de la progresión—, y, al instant, la línea, como pulverizada por una ráfaga invisible, desaparecía entre las hierbas: el capitán pensó en los soldados de latón de las tómbolas cuando el perdigón los derriba. Y, en el acto, los rugidos de Gamboa poblaban la mañana como seres eléctricos —«¿por qué se adelanta ese grupo? Rospigliosi, pedazo de asno, ¿quiere que le vuelen la cabeza?, ¡cuidado con enterrar el fusil!»—; y nuevamente se escuchaba el silbato y la línea cimbreante surgía de entre las hierbas y se alejaba a toda carrera y, poco después, al conjuro de otro silbato, volvía a desaparecer de su vista, y la voz de Gamboa se distanciaba y perdía: el capitán escuchaba groserías insólitas, nombres desconocidos, veía avanzar la vanguardia, se distraía por momentos, en tanto que las columnas del centro y de la retaguardia comenzaban a hervir. Los cadetes, olvidando la presencia del capitán, hablaban a voz en cuello, se burlaban de los que avanzaban con Gamboa: «el negro Vallano se arroja como un costal, debe tener huesos de jebe[467]; y esa mierda del Esclavo, tiene miedo de rasguñarse la carita».

De pronto, Gamboa surgió ante el capitán Garrido, gritando: «Segunda línea de ataque: lista para entrar en acción». Los jefes de grupo levantaron el brazo derecho,

---

[466] *De través.* Atravesado.
[467] *Jebe.* (Am.) Caucho.

treinta y seis cadetes quedaron inmóviles. El capitán miró a Gamboa: tenía el rostro sereno, los puños apretados, y lo único excepcional era su mirada móvil: brincaba de un punto a otro, se animaba, se exasperaba, sonreía. La segunda línea se desbordó por el campo. Los cadetes se empequeñecían, el teniente corría de nuevo, el silbato en la mano, la cara vuelta hacia la formación.

Ahora el capitán veía dos líneas, extendidas en el campo, sumiéndose en la tierra y resurgiendo, alternativamente, llenando de vida el campo desolado. No podía saber ya si los cadetes ejecutaban el salto como prescribían los manuales, dejándose caer sobre la pierna, el costado y el brazo izquierdo, ladeando el cuerpo de tal modo que el fusil, antes que tocar el suelo, golpeara sus costillas, ni si las líneas de ataque conservaban sus distancias y los grupos de combate mantenían la cohesión, ni si los brigadieres continuaban a la cabeza, como puntas de lanza y sin perder de vista al teniente. El frente comprendía unos cien metros y una profundidad cada vez mayor. De pronto, Gamboa reapareció ante él, el rostro siempre sereno, los ojos afiebrados, tocó el silbato y la retaguardia, encuadrada por los suboficiales, salió despedida hacia el cerro. Ahora eran tres las columnas que avanzaban, lejos de él, que había quedado solo junto a los matorrales espinosos. Permaneció en el sitio unos minutos, pensando en lo lentos, lo torpes que eran los cadetes, si los comparaba con los soldados o con los alumnos de la Escuela Militar.

Luego caminó detrás de la compañía; a ratos, observaba con los prismáticos. Desde lejos, la progresión sugería un movimiento simultáneo de retroceso y avance: cuando la línea delantera estaba tendida, la segunda columna progresaba a toda carrera, superaba la posición de aquella y pasaba a la vanguardia; la tercera columna avanzaba hasta el emplazamiento abandonado por la segunda línea. Al avance siguiente, las tres columnas volvían al orden inicial, segundos después se desarticulaban, se igualaban. Gamboa agitaba los brazos, parecía apuntar y disparar con el dedo a ciertos cadetes y, aunque no podía oírlo, el capitán Garrido adivinaba fácilmente sus órdenes, sus observaciones.

Y, súbitamente, oyó los disparos. Miró su reloj. «Exacto —pensó—. Las nueve y media en punto». Observó con los prismáticos; en efecto, la vanguardia se hallaba a la distancia prevista. Miró los blancos, pero no alcanzó a distinguir los tiros acertados. Corrió unos veinte metros y esta vez comprobó que las circunferencias tenían una docena de perforaciones. «Los soldados son mejores, pensó; y estos salen con grado de oficiales de reserva. Es un escándalo». Siguió avanzando, casi sin quitarse los prismáticos de la cara. Los saltos eran más cortos: las columnas progresaban de diez en diez metros. Disparó la segunda línea y, apenas apagado el eco, el silbato indicó que las columnas de adelante y atrás podían avanzar. Los cadetes se destacaban diminutos contra el horizonte, parecían brincar en el sitio, caían. Un nuevo silbato y la columna que estaba tendida disparaba. Después de cada ráfaga, el capitán examinaba los blancos y calculaba los impactos. A medida que la compañía se acercaba al cerro, los tiros eran mejores: las circunferencias estaban acribilladas. Observaba las caras de los tiradores: rostros congestionados, infantiles, lampiños, un ojo cerrado y otro fijo en la ranura del alza. El retroceso de la culata conmovía esos cuerpos jóvenes que, el hombre todavía resentido, debían incorporarse, correr agazapados y volver a arrojarse y disparar, envueltos por una atmósfera de violencia que solo era un simulacro. Porque el capitán Garrido sabía que la guerra no era así[468].

En ese momento vio la silueta verde que hubiera podido pisar si no la divisaba a tiempo, y ese fusil con el cañón monstruosamente hundido en la tierra, en contra de todas las instrucciones sobre el cuidado del arma. No atinaba a

---

[468] Ver fragmento desechado en apéndice final.

comprender qué podían significar ese cuerpo y ese fusil derribados. Se inclinó. El muchacho tenía la cara contraída por el dolor y los ojos y la boca muy abiertos. La bala le había caído en la cabeza: un hilo de sangre corría por el cuello.

El capitán dejó caer los prismáticos que tenía en la mano, cargó al cadete, pasándole un brazo por las piernas y otro por la espalda y echó a correr, atolondrado, hacia el cerro, gritando: «¡teniente Gamboa, teniente Gamboa!». Pero tuvo que correr muchos metros antes que lo oyeran. La primera compañía —escarabajos idénticos que escalaban la pendiente hacia los blancos— debía estar demasiado absorbida por los gritos de Gamboa y el esfuerzo que exigía el ascenso rampante para mirar atrás. El capitán trataba de localizar el uniforme claro de Gamboa o a los suboficiales. De pronto, los escarabajos se detuvieron, giraron y el capitán se sintió observado por decenas de cadetes. «Gamboa, suboficiales, gritó. ¡Vengan, rápido!». Ahora los cadetes se descolgaban por la pendiente a toda carrera y él se sintió ridículo con ese muchacho en los brazos. «Tengo una suerte de perro —pensó—. El coronel meterá esto en mi foja de servicios».

El primero en llegar a su lado fue Gamboa. Miró asombrado al cadete y se inclinó para observarlo, pero el capitán gritó:

—Rápido, a la enfermería. A toda carrera.

Los suboficiales Morte y Pezoa cargaron al muchacho y se lanzaron por el campo, velozmente, seguidos por el capitán, el teniente y los cadetes que, desde todas direcciones, miraban con espanto el rostro que se balanceaba por efecto de la carrera: un rostro pálido, demacrado, que todos conocían.

—Rápido —decía el capitán—. Más rápido.

De pronto, Gamboa arrebató el cadete a los suboficiales, lo echó sobre sus hombros y aceleró la carrera; en pocos segundos sacó una distancia de varios metros.

—Cadetes —gritó el capitán—. Paren el primer coche que pase.

Los cadetes se apartaron de los suboficiales y cortaron camino, transversalmente. El capitán quedó retrasado, junto a Morte y Pezoa.

—¿Es de la primera compañía? —preguntó.

—Sí, mi capitán —dijo Pezoa—. De la primera sección.

—¿Cómo se llama?

—Ricardo Arana, mi capitán —vaciló un instante y añadió—: Le dicen el Esclavo.

Segunda parte

Je ne laisserai personne dire que c'est le plus bel âge de la vie[469].

PAUL NIZAN

---

[469] La cita completa, al inicio de *Adán, Arabia* (1931), en español, reza: «Tenía veinte años. No permitiré que nadie diga que es la edad más bella de la vida» (Nizan, 1991: 62; trad. de Enrique Sordo). Desde la edición de la RAE, se elimina la primera frase, como en el borrador E [Mario Vargas Llosa Papers (C0641), serie 2: obras, caja 17, carpeta 2], ya que los cadetes no alcanzan esa edad.

I

Tengo pena por la perra Malpapeada que anoche estuvo llora y llora. Yo la envolvía bien con la frazada[470] y después con la almohada pero ni por esas dejaban de oírse los aullidos tan largos. A cada rato parecía que se ahogaba y atoraba y era terrible, los aullidos despertaban a toda la cuadra. En otra época, pase. Pero como todos andan nerviosos, comenzaban a insultar y a carajear y a decir «sácala o llueve»[471] y tenía que estar guapeando[472] a uno y a otro desde mi cama, hasta que a eso de la medianoche ya no había forma. Yo mismo tenía sueño y la Malpapeada lloraba cada vez más fuerte. Varios se levantaron y vinieron a mi cama con los botines en la mano. No era cosa de machucarse con toda la sección, ahora que estamos tan deprimidos. Entonces la saqué y la llevé hasta el patio y la dejé pero al darme vuelta la sentí que me estaba siguiendo y le dije de mala manera: «quieta ahí, perra, quédese donde la he dejado por llorona», pero la Malpapeada siempre detrás de mí, la pata encogida sin tocar el suelo, y daba compasión ver los esfuerzos que hacía por seguirme. Así que la cargué y la llevé hasta el descampado y la puse sobre la hierbita y le rasqué

---

[470] *Frazada.* (Am.) Manta.
[471] Hace referencia a la creencia popular de que cantar mal provoca lluvia.
[472] *Guapear.* (Per.) Reprender, hacer el guapo o matón, amenazar.

un rato el cogote y después me vine y esta vez no me siguió. Pero dormí mal, mejor dicho no dormí. Me estaba viniendo el sueño y, zaz[473], los ojos se me abrían solos y pensaba en la perra y además comencé a estornudar porque cuando la saqué al patio no me puse los zapatos y todo mi piyama está lleno de huecos y creo que había mucho viento y a lo mejor llovía. Pobre la Malpapeada, congelándose ahí afuera, ella que es tan friolenta[474]. Muchas veces la he pescado en la noche enfureciéndose porque yo me muevo y la[475] destapo. Tiesa de cólera, se incorpora murmurando y, con los dientes, jala la frazada hasta volver a taparse o se mete sin más hasta el fondo de la cama para sentir el calorcito de mis pies. Los perros son bien fieles, más que los parientes, no hay nada que hacer. La Malpapeada es chusca[476], una mezcla de toda clase de perros, pero tiene un alma blanca. No me acuerdo cuándo vino al colegio. Seguro no la trajo nadie, pasaba y le dio ganas de meterse a ver, y le gustó y se quedó. Se me ocurre que ya estaba en el colegio cuando entramos. A lo mejor nació aquí y es leonciopradina. Era una enanita, yo me fijé en ella, andaba metiéndose en la sección todo el tiempo desde la época del bautizo, parecía sentirse en su casa, cada vez que entraba uno de cuarto se le lanzaba a los pies y le ladraba y quería morderlo. Era machaza[477]: la hacían volar a patadones y ella volvía a la carga, ladrando y mostrando sus dientes, unos dientes chiquitos de perrita muy joven. Ahora ya está crecida, debe tener más de tres años, ya está vieja para ser perra, los animales no viven mucho, sobre todo si son chuscos y comen poco. No recuerdo haber visto que la Malpapeada coma mucho. Algunas veces le tiro cáscaras, esos son sus mejores banquetes.

---

[473] *Zaz*. Onomatopeya para indicar que algo ocurre de golpe.
[474] *Friolenta*. Que siempre sentía frío.
[475] Hasta la edición de la RAE decía «me».
[476] *Chusca*. (Per.) Que no es de pura raza.
[477] *Machaza*. Valiente como un macho.

Porque la hierba solo la mastica: se chupa el jugo y la escupe. Se mete un poco de hierba en la boca y se queda horas masca y masca, como un indio su coca[478]. Siempre estaba metida en la sección y algunos decían que traía pulgas y la sacaban, pero la Malpapeada siempre volvía, la botaban mil veces y al poquito rato la puerta comenzaba a crujir y ahí abajo aparecía, casi junto al suelo, el hocico de la perra y nos daba risa su terquedad y a veces la dejábamos entrar y jugábamos con ella. No sé a quién se le ocurrió ponerle Malpapeada. Nunca se sabe de dónde salen los apodos. Cuando empezaron a decirme Boa me reía y después me calenté y a todos les preguntaba quién inventó eso y todos decían fulano y ahora ni cómo sacarme de encima ese apodo, hasta en mi barrio me dicen así. Se me ocurre que fue Vallano. Él me decía siempre: «haznos una demostración, orina por encima de la correa», «muéstrame esa paloma[479] que te llega a la rodilla». Pero no me consta.

Alberto sintió que lo cogían del brazo. Vio un rostro sinuoso, que no recordaba. Sin embargo, el muchacho le sonreía como si se conocieran. Tras él, se mantenía rígido otro cadete, más pequeño. No podía verlos bien; eran solo las seis de la tarde, pero la neblina se había adelantado. Estaban en el patio de quinto, en las proximidades de la pista. Grupos de cadetes circulaban de un lado a otro.

—Espera, Poeta —dijo el muchacho—. Tú que eres un sabido, ¿no es cierto que ovario es lo mismo que huevo, solo que femenino?

—Suelta —dijo Alberto—. Estoy apurado.

---

[478] Hace referencia a la práctica andina de *chacchar,* de mascar coca contra el cansancio y el mal de altura o soroche.

[479] *Paloma.* (Am.) Pene.

—No friegues, hombre —insistió aquel—. Solo un momento. Hemos hecho una apuesta.

—Sobre un canto —dijo el más pequeño, acercándose—. Un canto boliviano. Este es medio boliviano y sabe canciones de allá. Cantos bien raros. Cántaselo, para que vea.

—Te digo que me sueltes —dijo Alberto—. Tengo que irme.

En vez de soltarlo, el cadete le apretó el brazo con más fuerza. Y cantó:

> Siento en el ovario
> un dolor profundo;
> es el peladingo[480]
> que ya viene al mundo.

El más pequeño se rio.

—¿Vas a soltarme?

—No. Dime primero que sí es lo mismo.

—Así no vale —dijo el pequeño—. Lo estás sugestionando.

—Sí es lo mismo —gritó Alberto y se libró de un tirón. Se alejó. Los muchachos se quedaron discutiendo. Caminó muy rápido hasta el edificio de los oficiales y allí dobló; estaba solo a diez metros de la enfermería y apenas distinguía sus muros: la neblina había borrado puertas y ventanas. En el pasillo no había nadie; tampoco en la pequeña oficina de la guardia. Subió al segundo piso, venciendo de dos en dos los escalones. Junto a la entrada, había un hombre con un mandil blanco. Tenía en la mano un periódico pero no leía: miraba la pared con aire siniestro. Al sentirlo, se incorporó.

—Salga de aquí, cadete —dijo—. Está prohibido.

---

[480] *Peladingo.* (Bol.) Pelado, bebé. Hay que recordar que Vargas Llosa vivió su infancia en Cochabamba (Bolivia), con su madre y su familia materna, entre 1937 y 1946, momento en que se trasladaron a la peruana ciudad de Piura.

—Quiero ver al cadete Arana.

—No —dijo el hombre, de mal modo—. Váyase. Nadie puede ver al cadete Arana. Está aislado.

—Tengo urgencia —insistió Alberto—. Por favor. Déjeme hablar con el médico de turno.

—Yo soy el médico de turno.

—Mentira. Usted es el enfermero. Quiero hablar con el médico.

—No me gustan esas bromas —dijo el hombre. Había dejado el periódico en el suelo.

—Si no llama al médico, voy a buscarlo yo —dijo Alberto—. Y pasaré aunque usted no quiera.

—¿Qué le pasa, cadete? ¿Está usted loco?

—Llame al médico, carajo —gritó Alberto—. Maldita sea, llame al médico.

—En este colegio todos son unos salvajes —dijo el hombre. Se puso de pie y se alejó por el corredor. Las paredes habían sido pintadas de blanco, tal vez recientemente, pero la humedad las había ya impregnado de llagas grises. Momentos después, el enfermero apareció seguido de un hombre alto, con anteojos.

—¿Qué desea, cadete?

—Quisiera ver al cadete Arana, doctor.

—No se puede —repuso el médico, haciendo un ademán de impotencia—. ¿No le ha dicho el soldado que está prohibido subir aquí? Podrían castigarlo, joven.

—Ayer vine tres veces —dijo Alberto—. Y el soldado no me dejó pasar. Pero hoy no estaba. Por favor, doctor, quisiera verlo aunque sea un minuto.

—Lo siento muchísimo. Pero no depende de mí. Usted sabe lo que es el reglamento. El cadete Arana está aislado. No lo puede ver nadie. ¿Es pariente suyo?

—No —dijo Alberto—. Pero tengo que hablar con él. Es algo urgente.

El médico le puso la mano en el hombro y lo miró compasivamente.

—El cadete Arana no puede hablar con nadie —dijo—. Está inconsciente. Ya se pondrá bueno. Y ahora salga de aquí. No me obligue a llamar al oficial.

—¿Podré verlo si traigo una orden del mayor jefe de cuartel?

—No —dijo el médico—. Solo con una orden del coronel.

Iba a esperarla a la salida de su colegio dos o tres veces por semana, pero no siempre me acercaba. Mi madre se había acostumbrado a almorzar sola, aunque no sé si de veras creía que me iba a casa de un amigo. De todos modos, le convenía que yo faltara, así gastaba menos en la comida. Algunas veces, al verme regresar a casa a mediodía, me miraba con fastidio y me decía: «¿hoy no vas a Chucuito?». Por mí, hubiera ido todos los días a buscarla a su colegio, pero en el Dos de Mayo no me daban permiso para salir antes de la hora. Los lunes era fácil, pues teníamos educación física; en el recreo me escondía detrás de los pilares hasta que el profesor Zapata se llevara al año a la calle; entonces me escapaba por la puerta principal. El profesor Zapata había sido campeón de box[481], pero ya estaba viejo y no le interesaba trabajar; nunca pasaba lista. Nos llevaba al campo y decía: «jueguen fútbol que es un buen ejercicio para las piernas; pero no se alejen mucho». Y se sentaba en el pasto a leer el periódico. Los martes era imposible salir antes; el profesor de matemáticas conocía a toda la clase por su nombre. En cambio, el miércoles teníamos dibujo y música y el doctor Cigüeña vivía en la luna; después del recreo de las once me salía por los garajes y tomaba el tranvía a media cuadra del colegio.

---

[481] *Box* (Am.). Del inglés, boxeo.

El flaco Higueras me seguía dando plata. Siempre esperaba en la plaza de Bellavista para invitarme un trago, un cigarrillo y para hablarme de mi hermano, de mujeres, de muchas cosas. «Ya eres un hombre, me decía. Hecho y derecho»[482]. A veces me ofrecía dinero sin que yo se lo pidiera. No me daba mucho, cincuenta centavos o un sol, cada vez, pero bastaba para el pasaje. Iba hasta la plaza Dos de Mayo, seguía la avenida Alfonso Ugarte hasta su colegio y me paraba siempre en la tienda de la esquina. Algunas veces me acercaba y ella me decía: «hola, ¿hoy también saliste temprano?» y luego me hablaba de otra cosa y yo también. «Es muy inteligente, pensaba yo; cambia de tema para no ponerme en apuros». Caminábamos hacia la casa de sus tíos, unas ocho cuadras, y yo procuraba que fuéramos bien despacio, dando pasitos cortos o parándome a mirar las vitrinas, pero nunca demoramos más de media hora. Conversábamos de las mismas cosas, ella me contaba lo que ocurría en su colegio y yo también, de lo que estudiaríamos en la tarde, de cuándo serían los exámenes y si aprobaríamos el año. Yo conocía de nombre a todas las chicas de su clase y ella los apodos de mis compañeros y profesores y los chismes que corrían sobre los muchachos más sabidos del Dos de Mayo. Una vez pensé que le diría: «anoche me soñé que éramos grandes y nos casábamos». Estaba seguro que ella me haría preguntas y ensayé muchas frases para no quedarme callado. Al día siguiente, mientras caminábamos por la avenida Arica, le dije de repente: «oye, anoche me soñé…». «¿Qué cosa?, ¿qué soñaste?», me preguntó. Y yo solo le dije: «que pasábamos de año los dos». «Ojalá que ese sueño se cumpla», me contestó.

Cuando la acompañaba, cruzábamos siempre a los alumnos de La Salle, con sus uniformes café con leche, y ese era otro tema de conversación. «Son unos maricas, le

---

[482] *Hecho y derecho.* Adulto.

decía; no tienen ni para comenzar con los del Dos de Mayo. Esos blanquiñosos se parecen a los del colegio de los hermanos maristas del Callao, que juegan fútbol como mujeres; les cae una patada y se ponen a llamar a su mamá; mírales las caras, nomás». Ella se reía y yo seguía hablando de lo mismo, pero al fin se me agotaba el tema y pensaba: «ya estamos llegando». Lo que me ponía más nervioso era la idea de que se aburriera al oírme contar siempre las mismas historias, pero me consolaba pensando que ella también me hablaba muchas veces de lo mismo y a mí eso nunca me parecía cansado. Me contaba dos y hasta tres veces la película que veía con su tía los lunes femenino[483]. Precisamente, hablando de cine me atreví una vez a decirle algo. Ella me preguntó si había visto no sé qué película y le dije que no. «Nunca vas al cine, ¿no?», me preguntó. «Ahora no mucho, le dije, pero el año pasado iba. Con dos muchachos del Dos de Mayo gorreábamos la *vermouth*[484] de los miércoles en el Sáenz Peña; el primo de uno de mis amigos era policía municipal y, cuando estaba de servicio, nos hacía pasar a cazuela. Apenas se apagaban las luces nos bajábamos a platea alta; están separadas por una madera que cualquiera la salta». «¿Y nunca los chaparon?», dijo ella, y yo le dije: «quién nos iba a chapar si el municipal era el primo de mi amigo», y ella me dijo: «¿por qué este año no hacen lo mismo?». «Ahora van los jueves, le dije, porque al municipal le han cambiado su día de servicio». «¿Y tú no vas?», me preguntó. Y yo, sin darme cuenta, le contesté: «prefiero ir a tu casa a estar contigo». Y apenas se lo dije me di cuenta y me callé. Fue peor porque ella se puso a mirarme muy seria y yo pensé: «ya se enojó». Y

---

[483] *Lunes femenino.* Pase especial de los lunes para mujeres en los cines, más barato y más seguro, sin peligro de ser molestadas por hombres.

[484] *Vermouth.* Sesión de cine de media tarde, posterior a la *matiné* y anterior a la de la noche. Hasta la edición de 1997 (en la que hay una errata y aparece *«vermounth»),* puede leerse «vermuth» y sin cursiva.

472

entonces dije: «pero quizá una de estas semanas vaya con ellos. Aunque, la verdad, no me gusta mucho el cine». Y le hablé de otra cosa, pero sin dejar de pensar en la cara que había puesto, una cara distinta a la de siempre, como si al oírme se le hubieran ocurrido las cosas que no me atrevía a decirle.

Una vez el flaco Higueras me regaló un sol cincuenta. «Para que te compres cigarrillos, me dijo, o te emborraches si tienes penas de amor». Al día siguiente íbamos caminando por la avenida Arica, por la vereda del cine Breña, y de casualidad nos paramos frente a la vitrina de una panadería. Había unos pasteles de chocolate y ella dijo: «¡qué ricos!». Me acordé de la plata que tenía en el bolsillo, pocas veces he sentido tanta felicidad. Le dije: «espera, tengo un sol y voy a comprar uno» y ella dijo: «no, no estés gastando, lo decía en broma», pero yo entré y le pedí al chino un pastel. Estaba tan atolondrado que me salí sin esperar el cambio, pero el chino, muy honrado, me dio alcance y me dijo: «le debo una peseta[485]. Téngala». Le di el pastel y ella me dijo: «pero no va a ser todo para mí. Partamos». Yo no quería y le aseguraba que no tenía ganas, pero ella insistía y al final me dijo: «al menos dale un mordisco» y estiró la mano y me puso el pastel en la boca. Mordí un pedacito y ella se rio. «Te has manchado toda la cara, me dijo, qué tonta soy, yo tengo la culpa, voy a limpiarte». Y, entonces, levantó la otra mano y la acercó a mi cara. Yo me quedé inmóvil y la sonrisa se me heló al sentir que me tocaba, y no me atrevía a respirar cuando pasaba sus dedos por mi boca, para no mover los labios, se hubiera dado cuenta que tenía unas ganas de besarle la mano. «Ya está», dijo después, y seguimos caminando hacia La Salle, sin hablar una palabra, yo estaba muerto con lo que acababa de pasar, y estaba seguro que se había demorado al pasar su mano por mi

---

[485] *Peseta.* Moneda.

boca, o que la había pasado varias veces y yo decía para mí: «a lo mejor lo hizo adrede».

Además, La Malpapeada no era la que traía las pulgas; yo creo que el colegio le contagió las pulgas a la perra, las pulgas de los serranos. Una vez le echaron ladillas[486] encima a la pobre, el Jaguar y el Rulos, qué desgraciados. El Jaguar había metido las narices no sé dónde, en las pocilgas de la primera cuadra de Huatica, me figuro, y le habían pegado unas ladillas enormes. Las hacía correr por el baño y se veían sobre los mosaicos grandotas como hormigas. El Rulos le dijo: «¿por qué no se las echamos a alguien?» y la Malpapeada estaba mirando, para su mala suerte. A ella le tocó. El Rulos la tenía colgada del pescuezo, pataleando, y el Jaguar le pasaba sus bichos con las dos manos y después se excitaron y el Jaguar gritó: «todavía me quedan toneladas, ¿a quién bautizamos?» y el Rulos gritó: «al Esclavo». Yo fui con ellos. Él estaba durmiendo; me acuerdo que lo cogí de la cabeza y le tapé los ojos y el Rulos le sujetó las piernas. El Jaguar le incrustaba las ladillas entre los pelos y yo le gritaba: «con más cuidado, carambolas[487], me las estás metiendo por las mangas». Si yo hubiera sabido que al muchacho le iba a pasar lo que le ha pasado, no creo que le hubiera agarrado la cabeza esa vez, ni lo habría fundido tanto. Pero no creo que a él le pasara nada con las ladillas y en cambio a la Malpapeada la fregaron. Se peló casi enterita y andaba frotándose contra las paredes y tenía una pinta de perro pordiosero y leproso con el cuerpo pura llaga. Debía picarle mucho, no paraba de frotarse, sobre todo en la pared de la cuadra que tiene raspaduras. Su lomo parecía una

---

486 *Ladilla.* Insecto parásito que se transmite por contacto sexual.
487 *Carambolas.* Expresión que denota sorpresa, proviene de «caramba».

bandera peruana, rojo y blanco, blanco y rojo, yeso y sangre. Entonces el Jaguar dijo: «si le echamos ají[488] se va a poner a hablar como un ser humano», y me ordenó: «Boa, anda róbate un poco de ají de la cocina». Fui y el cocinero me regaló varios rocotos[489]. Los molimos con una piedra, sobre el mosaico, y el serrano Cava decía «rápido, rápido». Después el Jaguar dijo: «cógela y tenla mientras la curo». De veras que casi se pone a hablar. Daba brincos hasta los roperos, se torcía como una culebra y qué aullidos los que daba. Vino el suboficial Morte, asustado con el ruido, y al ver los saltos de la Malpapeada se puso a llorar de risa y decía: «qué tales pendejos, qué tales pendejos». Pero lo más raro del caso es que la perra se curó. Le volvió a salir el pelo y hasta me parece que engordó. Seguro creyó que yo le había echado el ají para curarla, los animales no son inteligentes y vaya usted a saber lo que se le metió en la cabeza. Pero, desde ese día, dale a estar detrás de mí todo el tiempo. En las filas se me metía entre los pies y no me dejaba marchar; en el comedor se instalaba bajo mi silla y movía el rabo por si yo le tiraba una cáscara; me esperaba en la puerta de la clase y, en los recreos, al verme salir, comenzaba a hacerme gracias con el hocico y las orejas; y en las noches se trepaba a mi cama y quería pasarme la lengua por toda la cara. Y era por gusto que yo le pegara. Se retiraba pero volvía, midiéndome con los ojos, esta vez me vas a pegar o no, me acerco un poquito más y me alejo, a que ahora no me pateas, qué sabida. Y todos comenzaron a burlarse y a decir «te la tiras, bandolero», pero no era verdad, ni siquiera se me había pasado por la cabeza todavía manducarme a una perra[490]. Al principio me daba cólera el animal tan pegajoso, aunque a veces, como de casualidad, le rascaba la cabeza y ahí le descubrí el gusto. En las noches se me montaba

---

[488] *Ají.* (Indig.) Voz taína. Condimento picante.
[489] *Rocoto.* (Indig.) Del quechua, *ruqutu*. Chile o pimiento picante.
[490] Adviértase el «todavía».

encima y se revolcaba, sin dejarme dormir, hasta que le metía los dedos al cogote y la rascaba un poco. Entonces, se quedaba tranquila. Lo de las noches era viveza[491] de la perra. Al oírla moverse todos empezaban a fundirme, «ya Boa, deja en paz a ese animal, lo vas a estrangular», ah bandida, eso sí que te gusta, ¿no?, ven acá, que te rasque la crisma y la barriguita. Y ahí mismo se ponía quieta como una piedra pero en mi mano yo siento que está temblando del gusto y si dejo de rascar un segundo, brinca, y veo en la oscuridad que ha abierto el hocico y está mostrando sus dientes tan blancos. No sé por qué los perros tienen los dientes tan blancos, pero todos los tienen así, nunca he visto un perro con un diente negro ni me acuerdo haber oído que a un perro se le cayó un diente o se le carió y tuvieron que sacárselo. Eso es algo raro de los perros y también es raro que no duerman. Yo creía que solo la Malpapeada no dormía, pero después me contaron que todos los perros son iguales, desvelados. Al comienzo me daba recelo, también un poco de susto. Basta que abriera los ojos y ahí mismo la veía, mirándome, y a veces yo no podía dormir con la idea de que la perra se pasaba la noche a mi lado sin bajar los párpados, eso es algo que pone nervioso a cualquiera, que lo estén espiando, aunque sea una perra que no comprende las cosas pero a veces parece que comprende.

Alberto dio media vuelta y bajó. Cuando llegaba a los primeros peldaños de la escalera cruzó a un hombre, ya de edad. Tenía el rostro demacrado y los ojos llenos de zozobra.

—Señor —dijo Alberto.

El hombre ya había subido algunos escalones; se detuvo y se volvió.

---

[491] *Viveza*. Picardía.

—Perdone —dijo Alberto—. ¿Es usted algo del cadete Ricardo Arana?

El hombre lo observó detenidamente, como intentando reconocerlo.

—Soy su padre —dijo—. ¿Por qué?

Alberto subió dos escalones; sus ojos estaban a la misma altura. El padre de Arana lo miraba fijamente. Unas manchas azules teñían sus párpados; sus pupilas revelaban alarma, desvelo.

—¿Puede decirme cómo está Arana? —preguntó Alberto.

—Está aislado —repuso el hombre, con voz ronca—. No nos dejan verlo. Ni siquiera a nosotros. No tienen derecho. ¿Usted es amigo de él?

—Somos de la misma sección —dijo Alberto—. A mí tampoco me han dejado entrar.

El hombre asintió. Parecía abrumado. Una barba rala sombreaba sus mejillas y su mentón; el cuello de la camisa aparecía con arrugas y manchas y la corbata, algo caída, mostraba un nudo ridículamente pequeño.

—Solo he podido verlo un segundo —dijo el hombre—. Desde la puerta. No debían hacer eso.

—¿Cómo está? —preguntó Alberto—. ¿Qué le ha dicho el médico?

El hombre se llevó las manos a la frente y luego se limpió la boca con los nudillos.

—No sé —dijo—. Lo han operado dos veces. Su madre está medio loca. No me explico cómo ha podido ocurrir una cosa así. Justamente cuando estaba por terminar el año. Es mejor no pensar en eso, son reflexiones tontas. Solo hay que rezar. Dios tiene que sacarlo sano y salvo de esta prueba. Su madre está en la capilla. El doctor ha dicho que tal vez podamos verlo esta noche.

—Se salvará —dijo Alberto—. Los médicos del colegio son los mejores, señor.

—Sí, sí —dijo el hombre—. El señor capitán nos ha dado muchas esperanzas. Es un hombre muy amable. Capitán Garrido, creo. Nos trajo un saludo del coronel, ¿sabe?

El hombre volvió a pasarse la mano por la cara. Buscó en su bolsillo y extrajo un paquete de cigarrillos. Ofreció uno a Alberto y este lo rechazó. El hombre volvió a meter la mano en el bolsillo. No encontraba los fósforos.

—Espere un momento —dijo Alberto—. Voy a conseguirle fuego.

—Voy con usted —dijo el hombre—. Es por gusto que siga aquí, sentado en el pasillo, sin tener con quien hablar. He pasado dos días así. Estoy con los nervios destrozados. Quiera Dios que no ocurra nada irremediable.

Salieron de la enfermería. En la pequeña oficina de la entrada estaba el soldado de guardia. Miró a Alberto con sorpresa y adelantó un poco la cabeza, pero no dijo nada. Había oscurecido. Alberto tomó el descampado, en dirección a La Perlita. A lo lejos se distinguían las luces de las cuadras. El edificio de las aulas estaba a oscuras. No se oía ruido alguno.

—¿Usted estaba con él cuando ocurrió? —preguntó el hombre.

—Sí —dijo Alberto—. Pero no cerca de él. Yo iba al otro extremo. Fue el capitán quien lo vio, cuando nosotros ya estábamos en el cerro.

—Esto es injusto —dijo el hombre—. Un castigo injusto. Somos gente honrada. Vamos a la iglesia todos los domingos, no hemos hecho mal a nadie. Su madre siempre hace obras de caridad. ¿Por qué nos envía Dios esta desgracia?

—Todos los de la sección estamos muy preocupados —dijo Alberto. Hubo un silencio y, al fin, agregó—: Lo estimamos mucho. Es un gran compañero.

—Sí —dijo el hombre—. No es un mal muchacho. Es mi obra, ¿sabe usted? He tenido que ser algo duro con él a veces. Pero era por su bien. Me ha costado mucho trabajo hacerlo un hombre. Es mi único hijo, todo lo que hago es por su bien. Por su futuro. Hábleme de él, ¿quiere? De su vida en el colegio. Ricardo es muy reservado.

No nos decía nada. Pero a veces parecía que no estaba contento.

—La vida militar es un poco fuerte —dijo Alberto—. Cuesta acostumbrarse. Nadie está muy contento al principio.

—Pero le hizo bien —dijo el hombre, con pasión—. Lo transformó, lo hizo otro. Nadie puede negar eso, nadie. Usted no sabe cómo era de chico. Aquí lo templaron, lo hicieron responsable. Eso es lo que yo quería, que fuera más varonil, que tuviera más personalidad. Además, si él hubiera querido salirse pudo decírmelo. Yo le dije que entrara y él aceptó. No es mi culpa. Yo he hecho todo pensando en su futuro.

—Cálmese, señor —dijo Alberto—. No se preocupe. Estoy seguro que ya pasó lo peor.

—Su madre me echa la culpa —dijo el hombre, como si no lo oyera—. Las mujeres son así, injustas, no comprenden las cosas. Pero yo tengo mi conciencia tranquila. Lo metí aquí para hacer de él un ser fuerte, un hombre de provecho. Yo no soy un adivino. ¿Usted cree que se me puede culpar, así porque sí?

—No sé —dijo Alberto, confuso—. Quiero decir, claro que no. Lo principal es que Arana se cure.

—Estoy muy nervioso —dijo el hombre—. No me haga caso. A ratos pierdo el control.

Habían llegado a La Perlita. Paulino estaba en el mostrador, la cara apoyada entre las manos. Miró a Alberto como si lo viera por primera vez.

—Una caja de fósforos —dijo este.

Paulino miró con desconfianza al padre de Arana.

—No hay —dijo.

—No es para mí, sino para el señor.

Sin decir nada, Paulino sacó una caja de fósforos de debajo del mostrador. El hombre quemó tres cerillas tratando de encender su cigarrillo. En la luz instantánea, Alberto vio que las manos del hombre temblaban.

—Deme un café —dijo el padre de Arana—. ¿Usted quiere tomar[492] algo?

—Café no hay —dijo Paulino, con voz aburrida—. Una cola[493], si quiere.

—Bueno —dijo el hombre—. Una cola, cualquier cosa.

Ha olvidado ese mediodía claro, sin llovizna y sin sol. Bajó del tranvía Lima-San Miguel en el paradero del cine Brasil, el anterior al de su casa. Siempre descendía allí, prefería caminar esas diez cuadras inútiles, aun cuando lloviese, para prolongar la distancia que lo separaba del encuentro inevitable. Era la última vez que cumpliría ese trajín; los exámenes habían terminado la semana anterior, acababan de entregarles las libretas, el colegio había muerto, resucitaría tres meses después. Sus compañeros estaban alegres ante la perspectiva de las vacaciones; él, en cambio, sentía temor. El colegio constituía su único refugio. El verano lo tendría sumido en una inercia peligrosa, a merced de ellos.

En vez de tomar la avenida Salaverry, continuó por la avenida Brasil hasta el parque. Se sentó en una banca, hundió las manos en los bolsillos, se encogió un poco y permaneció inmóvil. Se sintió viejo; la vida era monótona, sin alicientes, una pesada carga. En las clases, sus compañeros hacían bromas apenas les daba la espalda el profesor: cambiaban morisquetas[494], bolitas de papel, sonrisas. Él los observaba, muy serio y desconcertado: ¿por qué no podía ser como ellos, vivir sin preocupaciones, tener amigos, parientes solícitos? Cerró los ojos y continuó así un largo rato, pensando en Chiclayo, en la tía Adelina, en la dichosa impaciencia con que aguardaba de niño la llegada del

---

492 *Tomar.* (Am.) Beber.
493 *Cola.* Refresco de cola, genérico.
494 *Morisqueta.* (Am.) Gesto, mueca.

verano. Luego se incorporó y se dirigió hacia su casa, paso a paso.

Una cuadra antes de llegar, su corazón dio un vuelco: el coche azul estaba estacionado a la puerta. ¿Había perdido la noción del tiempo? Preguntó la hora a un transeúnte. Eran las once. Su padre nunca volvía antes de la una. Apresuró el paso. Al llegar al umbral, escuchó las voces de sus padres; discutían. «Diré que se descarriló un tranvía, que tuve que venirme a pie desde Magdalena Vieja», pensó, con la mano en el timbre.

Su padre le abrió la puerta. Estaba sonriente y en sus ojos no había el menor asomo de cólera. Extrañamente, le dio un golpe cordial en el brazo y le dijo, casi con alegría:

—Ah, al fin llegas. Justamente estábamos hablando de ti con tu madre. Pasa, pasa.

Él se sintió tranquilizado; de inmediato su cara se descompuso en esa sonrisa estúpida, desarmada e impersonal que era su mejor escudo. Su madre estaba en la sala. Lo abrazó tiernamente y él sintió inquietud: esas efusiones podían modificar el buen humor de su padre. En los últimos meses, este lo había obligado a intervenir como árbitro o testigo en las disputas familiares. Era humillante y atroz: debía responder «sí, sí», a todas las preguntas-afirmaciones que su padre le hacía y que constituían graves acusaciones contra su madre: derroche, desorden, incompetencia, puterío. ¿Sobre qué debía testimoniar esta vez?

—Mira —dijo su padre, amablemente—. Ahí sobre la mesa, hay algo para ti.

Volvió los ojos: en la carátula[495] vio la fachada borrosa de un gran edificio y, al pie, una inscripción en letras mayúsculas: «El colegio Leoncio Prado no es una antesala de la carrera militar». Alargó la mano, tomó el folleto, lo acercó a su rostro y comenzó a hojearlo con sobresalto: vio can-

---

[495] *Carátula.* Portada.

chas de fútbol, una piscina tersa, comedores, dormitorios desiertos, limpios y ordenados. En las dos caras de la página central, una fotografía iluminada mostraba una formación de líneas perfectas, desfilando ante una tribuna; los cadetes llevaban fusiles y bayonetas. Los quepís eran blancos y las insignias doradas. En lo alto de un mástil, flameaba una bandera.

—¿No te parece formidable? —dijo el padre. Su voz era siempre cordial, pero él la conocía ya bastante, para advertir ese ligerísimo cambio en la entonación, en la vocalización, que velaba una advertencia.

—Sí —dijo inmediatamente—. Parece formidable.

—¡Claro! —dijo el padre. Hizo una pausa y se volvió a la madre—: ¿No ves? ¿No te dije que sería el primero en entusiasmarse?

—No me parece —repuso la madre, débilmente, y sin mirarlo—. Si quieres que entre ahí, haz lo que te parezca. Pero no me pidas mi opinión. No estoy de acuerdo en que vaya interno a un colegio de militares.

Él levantó la vista.

—¿Interno a un colegio de militares? —sus pupilas ardían—. Sería formidable, mamá, me gustaría mucho.

—Ah, las mujeres —dijo el padre, compasivamente—. Todas son iguales. Estúpidas y sentimentales. Nunca comprenden nada. Anda, muchacho, explica a esta mujer que entrar al Colegio Militar es lo que más te conviene.

—Ni siquiera sabe lo que es —balbuceó la madre.

—Sí sé —replicó él, con fervor—. Es lo que más me conviene. Siempre te he dicho que quería ir interno. Mi papá tiene razón.

—Muchacho —dijo el padre—. Tu madre te cree un estúpido incapaz de razonar. ¿Comprendes ahora todo el mal que te ha hecho?

—Debe ser magnífico —repitió él—. Magnífico.

—Bueno —dijo la madre—. Puesto que no hay nada que discutir, me callo. Pero conste que no me parece.

—No te he pedido tu opinión —dijo el padre—. Estas cosas las resuelvo yo. Simplemente te comunicaba una decisión.

La mujer se puso de pie y salió de la sala. El hombre se calmó al instante.

—Tienes dos meses para prepararte —le dijo—. Los exámenes deben ser fuertes, pero como no eres bruto, los aprobarás sin dificultad. ¿No es cierto?

—Estudiaré mucho —prometió él—. Haré todo lo posible por entrar.

—Eso es —dijo el padre—. Te inscribiré en una academia y te compraré los cuestionarios desarrollados. Aunque me cueste mucha plata, vale la pena. Es por tu bien. Ahí te harán un hombre. Todavía estás a tiempo para corregirte.

—Estoy seguro que aprobaré —dijo él—. Seguro.

—Bueno, ni una palabra más. ¿Estás contento? Tres años de vida militar te harán otro. Los militares saben hacer sus cosas. Te templarán el cuerpo y el espíritu. ¡Ojalá hubiera tenido yo a alguien que se preocupara de mi porvenir como yo del tuyo!

—Sí. Gracias, muchas gracias —dijo él. Y, después de un segundo, añadió, por primera vez—: Papá.

—Hoy puedes ir al cine después del almuerzo —dijo el padre—. Te daré diez soles de propina.

Los sábados a la Malpapeada le da la tristeza. Antes no era así. Al contrario, venía con nosotros a la campaña, correteaba y daba brincos al oír los disparos que le pasaban zumbando, y estaba en todas partes, y se excitaba más que los otros días. Pero después se hizo mi pata y cambió de maneras. Los sábados se ponía media rara y se prendía a mí como una lapa[496], y andaba pegada a mis pies, lamiéndome y mirándome con sus legañas. Hace tiempo que me di cuenta, cada vez que

---

[496] *Lapa*. Molusco que se pega a las rocas, difícil de arrancar.

regresamos de campaña y nos llevan a los baños, o si no después, al volver a la cuadra para ponerme el uniforme de salida, ella se mete debajo de la cama o se zambulle en el ropero y comienza a llorar bajito, de pena porque voy a salir. Y sigue llorando bajito cuando formamos, y me sigue, caminando con su cabeza agachada, como un alma en pena. Se para en la puerta del colegio, levanta su hocico y se pone a mirarme, y yo la siento cuando estoy lejos, incluso cuando estoy llegando a la avenida de las Palmeras, siento que la Malpapeada sigue en la puerta del colegio, frente a la Prevención, mirando la carretera por donde me he ido y esperando. Eso sí, nunca ha tratado de seguirme fuera del colegio, aunque nadie le ha dicho que se quede adentro, parece que fuera cosa de ella, como una penitencia, eso también es algo raro. Pero, cuando regreso los domingos en la noche, ahí está la perra en la puerta, toda nerviosa, corriendo entre los cadetes que entran y su hocico no se está quieto, se mueve y huele y yo sé que me siente desde lejos porque la oigo que se acerca, ladrando, y, apenas me ve, brinca, para la cola y se tuerce todita de puro contenta. Es un animal bien leal, me compadezco de haberla machucado. No es que siempre la haya tratado bien, muchas veces la he molido solo porque estaba deprimido o jugando. Y no se puede decir que la Malpapeada se enojara, más bien parecía que le gustaba, seguro creía que eran cariños. «¡Salta Malpapeada, no tengas miedo!», y la perra, arriba del ropero, roncando y ladrando, mirando con un susto, como el perro en la punta de la escalera. «¡Salta, salta Malpapeada!» y no se decidía hasta que yo me acercaba por detrás y un pequeño empujón y la perra cayendo con los pelos parados, rebotando en el suelo. Pero era en broma. Ni yo me compadecía de ella, ni la Malpapeada se molestaba aunque le doliera. Pero hoy fue distinto, le di a la mala[497], con intención. No se puede decir que yo tenga la culpa de todo. Hay que tener en cuenta

---

[497] *A la mala.* Mucho.

las cosas que han pasado. El pobre cholo Cava, a cualquiera se le ponen los nervios como alambres, y el Esclavo con su pedazo de plomo en la cabeza, es natural que todos estemos muñequeados. Además, no sé por qué nos hicieron poner el uniforme azul, justamente con ese sol de verano, y todos estábamos transpirando y teníamos como diablos azules[498] en la barriga. A qué hora lo traen, cómo estará, habrá cambiado con tantos días de encierro, debe haberse enflaquecido, a lo mejor lo tenían a pan y agua, metido en un cuarto todo el día, con los muñecos del Consejo de Oficiales, salir solo para cuadrarse ante el coronel y los capitanes, ya me imagino las preguntas, los gritos, le deben haber sacado la mugre. Para qué, aunque serrano, se ha portado como un hombre, ni una palabra para acusar a nadie, aguantó solito el bolondrón[499], yo fui, yo me tiré el examen de química, yo solito, nadie sabía, rompí el vidrio y todavía me arañé las manos, miren los rasguños. Y luego otra vez la Prevención, a esperar que el soldado le pase la comida por la ventana —ya se me ocurre qué comida, la de la tropa— y a pensar lo que le hará su padre cuando vuelva a la sierra y le diga: «me expulsaron». Su padre debe ser muy bruto, todos los serranos son muy brutos, en el colegio yo tenía un amigo que era puneño y su padre lo mandaba a veces con tremendas cicatrices de los correazos que le daba. Debe haber pasado unos días muy negros el serrano Cava, me compadezco de él. Seguro que nunca lo volveré a ver. Así es la vida, hemos estado tres años juntos y ahora se irá a la sierra y ya no volverá a estudiar, se quedará a vivir con los indios y las llamas, será un chacarero[500] bruto. Eso es lo peor de este colegio, los años aprobados no les valen a los expulsados, han pensado muy bien en la

---

[498] *Diablos azules*. (Am.) Aquí, tensión, inquietud. Sin embargo, la expresión de «diablos azules» se suele usar para indicar los efectos extremos del alcohol, el *delirium tremens* alucinatorio.

[499] *Bolondrón*. (Per.) Bronca.

[500] *Chacarero*. (Am.) Que cultiva una chacra, campesino.

manera de joder a la gente estos cabrones. Debe haberlas pasado muy mal estos días el serrano, y toda la sección estuvo pensando en eso, como yo, mientras nos tenían con el uniforme azul, plantados en el patio, con ese sol tan fuerte, esperando que lo trajeran. No se podía levantar la cabeza porque los ojos se ponían a llorar. Y nos tuvieron esperando un rato sin que pasara nada. Después llegaron los tenientes con sus uniformes de parada, y el mayor jefe de cuartel, y de repente llegó el coronel y entonces nos cuadramos. Los tenientes fueron a darle el parte, qué escalofríos que teníamos. Cuando el coronel habló había un silencio que daba miedo toser. Pero no solo estábamos asustados. También entristecidos, sobre todo los de la primera, no era para menos sabiendo que dentro de un ratito iban a ponernos delante a alguien que ha estado viviendo con nosotros tanto tiempo, un muchacho al que hemos visto calato tantas veces, con el que hemos hecho tantas cosas, habría que ser de piedra para no sentir algo en el corazón. Ya el coronel había empezado a hablar con su vocecita rosquetona[501]. Estaba blanco de cólera y decía cosas terribles contra el serrano, contra la sección, contra el año, contra todo el mundo y ahí comencé a darme cuenta que la Malpapeada estaba jode y jode con el zapato. Fuera Malpapeada, zafa de aquí perra sarnosa, anda a morderle los cordones al coronel, quédate quieta, no te aproveches del momento para fregarme la paciencia. Y no poder darle siquiera una patadita suave para que se largue. El teniente Huarina y el suboficial Morte están cuadrados a menos de un metro y si respiro me sienten, perra no abuses de las circunstancias. Detente animal feroz que el hijo de Dios nació primero que vos[502]. Ni por esas, nunca la vi tan porfiada, jaló y jaló el cordón hasta que lo rompió y sentí que el pie me quedaba chico dentro del zapato. Pero dije, ya se dio gusto, ahora se

---

[501] *Rosquetona.* (Per.) Como de rosquete, o supuesto afeminado. Aquí, aflautada o seductora.
[502] Oración popular de protección.

mandará mudar, por qué no te largaste Malpapeada, tú tienes la culpa de todo. En vez de quedarse quieta dale a joder con el otro zapato, como si se hubiera dado cuenta que yo no podía moverme ni un milímetro, ni siquiera mirarla, ni siquiera decirle palabrotas. Y en eso lo trajeron al serrano Cava. Venía en medio de dos soldados, como si fueran a fusilarlo, y estaba bien pálido. Sentí que me crecía el estómago, que me subía un jugo por la garganta, algo bien doloroso. El serrano, amarillo, marcaba el paso entre los dos soldados, también dos serranos, los tres tenían la misma cara, parecían trillizos, solo que Cava estaba amarillo. Se acercaban por la pista de desfile y todos los miraban. Dieron la vuelta y se quedaron marcando el paso frente al batallón, a pocos metros del coronel y de los tenientes. Yo decía «por qué siguen marcando el paso» y me di cuenta que ni él ni los soldados sabían qué hacer delante de los oficiales y a nadie se le ocurría decir «firmes». Hasta que Gamboa se adelantó, hizo un gesto, y los tres se cuadraron. Los soldados retrocedieron y lo dejaron solito en el matadero y él no se atrevía a mirar a ningún lado, hermanito no sufras, el Círculo está contigo de corazón y algún día te vengaremos. Yo dije «ahorita se echa a llorar», no te eches a llorar serrano, les darías un gusto a esos mierdas, aguanta firme, bien cuadrado y sin temblar, para que aprendan. Estate quieto y tranquilo, ya verás que se acaba rápido, si puedes sonríe un poco y verás cómo les arde[503]. Yo sentía que toda la sección era un volcán y que teníamos unas ganas de estallar. El coronel se había puesto a hablar de nuevo y le decía cosas al serrano para bajarle la moral, hay que ser perverso, hacer sufrir a un muchacho al que han fregado ya a su gusto. Le daba consejos que todos oíamos, le decía que aprovechara la lección, le contaba la vida de Leoncio Prado, que a los chilenos que lo fusilaron les dijo «quiero comandar[504] yo

---

[503] *Arder.* (Am.) Quemar. De forma figurada, molestar, fastidiar.
[504] *Comandar.* Estar al frente de un comando, liderar a un grupo de soldados.

mismo el pelotón de ejecución», qué tal baboso. Después tocaron la corneta y el Piraña, las mandíbulas machuca y machuca, fue hasta el serrano Cava, y yo pensaba «voy a llorar de pura rabia» y la maldita Malpapeada dale y dale a morder el zapato y la basta del pantalón, me la vas a pagar malagradecida[505], te vas a arrepentir de lo que haces. Aguanta serrano, ahora viene lo peor, después te irás tranquilo a la calle y no más militares, no más consignas, no más imaginarias. El serrano estaba inmóvil pero se seguía poniendo más pálido, su cara, que es tan oscura, se había blanqueado, desde lejos se notaba que le temblaba la barbilla. Pero aguantó. No retrocedió ni lloró cuando el Piraña le arrancó la insignia de la cristina y las solapas y después el emblema del bolsillo y lo dejó todo harapos, el uniforme roto y otra vez tocaron la corneta y los dos soldados se le pusieron a los lados y comenzaron a marcar el paso. El serrano casi no levantaba los pies. Después, se fueron hasta la pista de desfile. Tenía que torcer los ojos para verlo alejarse. El pobre no podía seguir el paso, se tropezaba y, a ratos, bajaba la cabeza, seguro para ver cómo le había quedado el uniforme de jodido[506]. Los soldados, en cambio, levantaban bien las piernas para que los viera el coronel. Después los tapó el muro y yo pensé, espérate Malpapeada, sigue comiéndote el pantalón, ahora te toca tu turno, ya la vas a pagar, y todavía no nos hicieron romper filas porque el coronel volvió a hablar sobre los próceres. Ya debes estar en la calle, serrano, esperando el ómnibus, mirando la Prevención por última vez, no te olvides de nosotros, y aunque te olvides, aquí quedan tus amigos del Círculo para ocuparse de la revancha. Ya no eres un cadete, sino un civil cualquiera, puedes acercarte a un teniente o a un capitán y no tienes que saludarlo, ni cederle el asiento ni la vereda. Malpapeada, por qué mejor no das un salto y me muerdes la corbata o la nariz, haz

---

[505] *Malagradecida*. Desagradecida.
[506] *Jodido*. Aquí, estropeado.

lo que quieras, estás en tu casa. Hacía un calor terrible y el coronel seguía hablando.

Cuando Alberto salió de su casa comenzaba a oscurecer y, sin embargo, solo eran las seis. Había demorado lo menos media hora en arreglarse, lustrar los zapatos, dominar el impetuoso remolino del cráneo, armar la onda. Incluso, se había afeitado con la navaja de su padre el vello ralo que asomaba sobre el labio superior y bajo las patillas. Fue hasta la esquina de Ocharán y Juan Fanning y silbó. Segundos después, Emilio aparecía en la ventana; también estaba acicalado.

—Son las seis —dijo Alberto—. Vuela.

—Dos minutos.

Alberto miró su reloj, compuso el pliegue del pantalón, extrajo unos milímetros el pañuelo del bolsillo de su chaqueta, se contempló con disimulo en el cristal de una ventana: la gomina cumplía bien su cometido, el peinado se conservaba intacto. Emilio salió por la puerta de servicio.

—Hay gente en la sala —le dijo a Alberto—. Hubo un almuerzo. Uf, qué asco. Todos están hechos polvo y la casa huele a *whisky* de arriba abajo. Y, con la borrachera, mi padre me ha fregado. Se hace el gracioso y no quiere darme la propina.

—Yo tengo plata —dijo Alberto—. ¿Quieres que te preste?

—Si vamos a algún sitio, sí. Pero, si nos quedamos en el parque Salazar, no vale la pena. Oye, ¿cómo hiciste para que te dieran propina? ¿Tu padre no ha visto la libreta de notas?[507].

—Todavía no. Solo la ha visto mi madre. El viejo reventará de rabia. Es la primera vez que me jalan en tres cursos.

---

[507] *Libreta de notas.* Cartilla de calificaciones.

Tendré que estudiar todo el verano. Apenas podré ir a la playa. Bah, ni pensar en eso. Además, a lo mejor ni se enoja. Hay grandes líos en mi casa.

—¿Por qué?

—Anoche mi padre no vino a dormir. Apareció esta mañana, lavado y afeitado. Es un fresco.

—Sí, es un bárbaro —asintió Emilio—. Tiene montones de mujeres. ¿Y qué le dijo tu madre?

—Le tiró un cenicero. Y después se echó a llorar a gritos. Toda la vecindad debe haber oído.

Caminaban hacia Larco, por la calle Juan Fanning. Al verlos pasar, el japonés de la tienducha de los jugos de fruta donde se refugiaban hacía años después de los partidos de fulbito, los saludó con la mano. Acababan de encenderse las luces de la calle, pero las veredas continuaban en la sombra, las hojas y las ramas de los árboles detenían la luz. Al cruzar la calle Colón echaron una mirada hacia la casa de Laura. Allí solían reunirse las muchachas del barrio, antes de ir al parque Salazar, pero todavía no habían llegado: las ventanas del salón estaban a oscuras.

—Creo que iban a ir donde Matilde —dijo Emilio—. El Bebe y Pluto se fueron allá después del almuerzo —se rio—. El Bebe anda medio loco. Irse a la quinta de los Pinos y día domingo. Si no lo han visto los padres de Matilde, los matones le habrán roto el alma. Y también a Pluto, que no tiene nada que ver en el asunto.

Alberto se rio.

—Está loco por esa chica —dijo—. Templado hasta el cien[508].

La quinta de los Pinos está lejos del barrio, al otro lado de la avenida Larco, más allá del parque Central, cerca de los rieles del tranvía a Chorrillos. Hace algunos años, esa quinta pertenecía a territorio enemigo, pero los tiempos

---

[508] *Hasta el cien.* Hasta el tope, por completo.

han cambiado, los barrios ya no constituyen dominios infranqueables. Los forasteros ambulan por Colón, Ocharán y la calle Porta, visitan a las muchachas, asisten a sus fiestas, las enamoran, las invitan al cine. A su vez, los varones han tenido que emigrar. Al principio iban en grupos de ocho o diez a recorrer otros barrios miraflorinos, los más próximos, como el de 28 de Julio y la calle Francia y, luego, los distantes, como el de Angamos y el de la avenida Grau, donde vive Susuki, la hija del contralmirante. Algunos encontraron enamoradas en esos barrios extranjeros y se incorporaron a ellos, aunque sin renunciar a la morada solar, Diego Ferré. En ciertos barrios hallaron resistencia: burlas y sarcasmos de los hombres, desaires de las mujeres. Pero en la quinta de los Pinos la hostilidad de los muchachos del lugar se traducía en violencia. Cuando el Bebe comenzaba a rondar a Matilde, una noche lo asaltaron y le echaron un balde de agua. Sin embargo, el Bebe sigue asediando la quinta y con él otros muchachos del barrio, porque allí no solo vive Matilde, sino también Graciela y Molly, que no tienen enamorado.

—¿No son esas? —dijo Emilio.

—No. ¿Estás ciego? Son las García.

Estaban en la avenida Larco, a veinte metros del parque Salazar. Una serpiente avanza, despacio, por la pista, se enrosca sobre sí misma frente a la explanada, se pierde en la mancha de vehículos estacionados al borde del parque y luego aparece al otro extremo, disminuida: gira y toma nuevamente la avenida Larco, en sentido contrario. Algunos automóviles llevan la radio prendida: Alberto y Emilio escuchan músicas de baile y un torrente de voces jóvenes, risas. A diferencia de cualquier otro día de la semana, hoy las veredas de Larco que colindan con el parque Salazar están cubiertas de gente. Pero nada de eso les llama la atención: el imán que, todas las tardes de domingo, atrae hacia el parque Salazar a los miraflorinos menores de veinte años ejerce su poder sobre ellos desde hace tiempo. No son ajenos a esa multitud sino parte de ella: van bien vestidos, perfumados, el espíritu en paz; se sienten en familia. Miran a su alrededor y encuentran rostros que les sonríen, voces que les hablan en un lenguaje que es el suyo. Son los mismos rostros que han visto mil veces en la piscina del Terrazas, en la playa de Miraflores, en La Herradura, en el club Regatas, en los cines Ricardo Palma, Leuro o Montecarlo, los mismos que los reciben en las fiestas de los sábados. Pero no solo conocen las facciones, la piel, los gestos de esos jóvenes que avanzan como ellos hacia la cita dominical del parque Salazar; también están al tanto de su vida, de sus problemas y de sus ambiciones; saben que Tony no es feliz a pesar del coche *sport*[509] que le regaló su padre en Navidad, pues Anita Mendizábal, la muchacha que ama, es esquiva y coqueta: todo Miraflores se ha mirado en sus ojos verdes que sombrean unas pestañas largas y sedosas; saben que Vicky y Manolo, que acaban de pasar junto a ellos tomados de la mano, no llevan mucho tiempo, apenas una semana y que Paquito sufre porque es el hazmerreír de Miraflores, con sus forúnculos y su joroba; saben que Sonia partirá mañana al extranjero, tal vez por mucho tiempo, pues su padre ha sido nombrado embajador y que ella está triste ante la perspectiva de abandonar su colegio, sus amigas y las clases de equitación. Pero, además, Alberto y Emilio saben que están unidos a esa multitud por sentimientos recíprocos: a ellos también los conocen los otros. En su ausencia se evocan sus proezas o fracasos sentimentales, se analizan sus romances, se los considera al elaborar las listas de invitados para las fiestas. Vicky y Manolo, justamente, deben estar hablando de ellos en ese momento: «¿viste a Alberto? Helena le hizo caso después de largarlo cinco veces. Lo aceptó la semana pasada y ahora lo va a largar de nuevo. Pobrecito».

---

[509] *Sport.* Deportivo.

El parque Salazar está lleno de gente. Apenas franquean el sardinel que contornea los pulidos cuadriláteros de hierba, que a su vez circundan una fuente con peces rojos y amarillos y un monumento ocre, Alberto y Emilio cambian de expresión: sus bocas se despliegan ligeramente, los pómulos se recogen, las pupilas chispean, se inquietan, en una media sonrisa idéntica a la que aparece en los rostros que cruzan. Grupos de muchachos se mantienen inmóviles, apoyados en el muro del malecón, y contemplan la rueda humana que gira al borde de los cuadriláteros, dividida en hileras que circulan en direcciones opuestas. Las parejas se saludan unas a otras, con un saludo que no altera la media sonrisa fija, sino apenas la posición de las cejas y los párpados, un movimiento rápido y mecánico que arruga momentáneamente la frente, un reconocimiento más que un saludo, una especie de santo y seña. Alberto y Emilio dan dos vueltas al parque, reconocen a sus amigos, a los conocidos, a los intrusos que vienen desde Lima, Magdalena o Chorrillos, para contemplar a esas muchachas que deben recordarles a las artistas de cine. Desde sus puestos de observación, los intrusos lanzan frases hacia la rueda humana, anzuelos que quedan flotando entre los bancos de muchachas.

—No han venido —dijo Emilio—. ¿Qué hora tienes?

—Las siete. Pero a lo mejor están por ahí y no las vemos. Laura me dijo esta mañana que vendrían de todos modos. Iba a pasar a buscar a Helena.

—Te ha dejado plantado. No sería raro. Helena se pasa la vida haciéndote perradas[510].

—Ahora ya no —dijo Alberto—. Eso era antes. Pero ahora está conmigo. Es distinto.

Dieron otras vueltas, observando ansiosamente a todos lados, sin encontrarlas. En cambio, divisaron a algunas pa-

---

[510] *Perrada.* (Am.) Perrería. Mala pasada.

rejas del barrio: el Bebe y Matilde, Tico y Graciela, Pluto y Molly.

—Ha pasado algo —dijo Alberto—. Ya deberían estar acá.

—Si vienen, te acercas tú solo —repuso Emilio, malhumorado—. Yo no acepto estas cosas, soy muy orgulloso.

—A lo mejor no es culpa de ellas. De repente no las dejaron salir.

—Cuentos[511]. Cuando una chica quiere salir, sale aunque se acabe el mundo.

Siguieron dando vueltas, sin hablar, fumando. Media hora después, Pluto les hizo una seña. «Ahí están, les dijo, señalando una esquina. ¿Qué esperan?». Alberto se lanzó en esa dirección, atropellando a las parejas. Emilio lo siguió; murmuraba entre dientes. Naturalmente, no estaban solas; las rodeaba un círculo de intrusos. «Permiso», dijo Alberto y los sitiadores se retiraron, sin protestar. Momentos después, Emilio y Laura, Alberto y Helena, giraban también, lentamente, tomados de la mano.

—Creí que ya no ibas a venir.

—No pude salir antes. Mi mamá estaba sola y tuve que esperar a mi hermana, que había ido al cine. Y no puedo quedarme mucho rato. Tengo que volver a las ocho.

—¿Nada más que hasta las ocho? Pero si casi son las siete y media.

—Todavía no. Solo son las siete y cuarto.

—Es lo mismo.

—¿Qué te pasa? ¿Estás de mal humor?

—No, pero trata de comprender mi situación, Helena. Es terrible.

—¿Qué cosa es terrible? No entiendo lo que quieres decir.

—Quiero decir la situación de nosotros. No nos vemos nunca.

---

[511] *Cuento.* Historia, tontería, excusa.

—¿No ves? Te advertí que iba a pasar esto. Por eso no quería aceptarte.

—Pero eso no tiene nada que ver. Si estamos juntos, lo más natural es que nos veamos un poco. Cuando no eras mi enamorada te dejaban salir como a las otras chicas. Pero ahora te tienen encerrada, ni que fueras una criatura. Yo creo que la culpa es de Inés.

—No hables mal de mi hermana, no me gusta que se metan con mi familia.

—Yo no me meto con tu familia, pero tu hermana es una antipática. Me odia.

—¿A ti? Ni sabe cómo te apellidas.

—Eso crees. Siempre que la veo en el Terrazas, la saludo y no me contesta. Pero varias veces la he pescado mirándome a la disimulada.

—A lo mejor le gustas.

—¿Quieres dejar de burlarte de mí? ¿Qué te pasa?

—Nada.

Alberto aprieta levemente la mano de Helena y la mira a los ojos; ella está muy seria.

—Trata de comprenderme, Helena. ¿Por qué eres así?

—¿Cómo soy? —responde ella, con sequedad.

—No sé, a ratos parece que te molestara estar conmigo. Y yo estoy cada vez más enamorado de ti. Por eso me desespera no verte.

—Yo te lo advertí. No me eches la culpa.

—He estado tras de ti más de dos años. Y cada vez que me largabas, pensaba: «pero algún día me hará caso y entonces me olvidaré de los malos ratos que estoy pasando». Pero ha resultado peor. Antes, al menos te veía seguido.

—¿Sabes una cosa? No me gusta que me hables así.

—¿Que te hable cómo?

—Que me digas eso. Hay que ser un poco orgulloso. No me ruegues.

—Si no te estoy rogando. Te digo la verdad. ¿Acaso no eres mi enamorada? ¿Para qué quieres que sea orgulloso?

—No lo digo por mí, sino por ti. No te conviene.

—Yo soy como soy.

—Bueno, allá tú.

Él vuelve a apretarle la mano y trata de encontrar sus ojos, pero esta vez ella rehúye la mirada. Está mucho más seria y grave.

—No peleemos —dice Alberto—. Estamos tan poco juntos.

—Tengo que hablar contigo —dice ella, bruscamente.

—Sí. ¿Qué cosa?

—He estado pensando.

—¿Pensando en qué, Helena?

—En que mejor sería que quedáramos como amigos.

—¿Como amigos? ¿Quieres pelear conmigo? ¿Por lo que te he dicho? No seas sonsa[512]. No me hagas caso.

—No, no era por eso. Lo pensé desde antes. Creo que mejor estábamos como antes. Somos muy distintos.

—Pero a mí eso no me importa. Yo estoy enamorado de ti, seas como seas.

—Pero yo no. Lo he pensado mejor y no estoy enamorada de ti.

—Ah —dice Alberto—. Ah, bueno.

Siguen en la rueda, avanzando lentamente; han olvidado que están de la mano. Recorren todavía unos veinte metros, mudos y sin mirarse. A la altura de la pileta[513], ella abre apenas los dedos, sin ninguna violencia, como sugiriendo algo, y él comprende y la suelta. Pero no se detienen. Así, uno junto al otro y siempre callados, dan toda una vuelta al parque, mirando a las parejas que vienen en dirección opuesta, sonriendo a los conocidos. Cuando llegan a la avenida Larco, se detienen. Se miran.

—¿Lo has pensado bien? —dice Alberto.

---

[512] *Sonsa.* (Am.) Tonta.
[513] *Pileta.* (Am.) Aquí, estanque.

—Sí —responde ella—. Creo que sí.

—Bueno. En ese caso no hay nada que decir.

Ella asiente y sonríe un segundo, pero luego adopta nuevamente un rostro de circunstancias. Él le estira la mano. Helena le alcanza la suya y dice, con voz muy amable y aliviada:

—¿Pero seguiremos como amigos, no?

—Claro —responde él—. Claro que sí.

Alberto se aleja por la avenida, entre el dédalo[514] de coches estacionados con el parachoques tocando el sardinel del parque. Va hasta Diego Ferré y tuerce. La calle está vacía. Camina por el centro de la pista, a trancos largos. Antes de llegar a Colón escucha pasos precipitados y una voz que lo llama por su nombre. Se vuelve. Es el Bebe.

—Hola —dice Alberto—. ¿Qué haces aquí? ¿Y Matilde?

—Ya se fue. Tenía que volver temprano.

El Bebe se acerca y da una palmada a Alberto, en el hombro. Luce una cara amistosa, fraternal.

—Lo siento por lo de Helena —le dice—. Pero creo que es mejor. Esa chica no te conviene.

—¿Cómo sabes? Si acabamos de pelear.

—Yo sabía desde anoche. Todos sabíamos. Pero no te dijimos nada, para no amargarte.

—No te entiendo, Bebe. Háblame claro, por favor.

—¿No te vas a amargar?

—No hombre, dime de una vez qué pasa.

—Helena se muere por Richard.

—¿Richard?

—Sí, ese de San Isidro.

—¿Quién te ha dicho eso?

—Nadie. Pero todos se han dado cuenta. Anoche estuvieron juntos donde Nati.

---

[514] *Dédalo.* Laberinto.

—¿Quieres decir en la fiesta de Nati? Mentira, Helena no fue.

—Sí fue, eso es lo que no queríamos decirte.

—Me dijo que no iba a ir.

—Por eso te digo que esa chica no te convenía.

—¿Tú la viste?

—Sí. Estuvo bailando toda la noche con Richard. Y Ana se acercó a decirle: ¿ya peleaste con Alberto? Y ella le dijo, no, pero peleo mañana de todas maneras. No te vayas a amargar por lo que te he contado.

—Bah —dice Alberto—. Me importa un pito. Ya me estaba cansando de Helena, te juro.

—Buena, hombre —dice el Bebe y le da otra palmada—. Así me gusta. Lánzate sobre otra chica, esa es la mejor venganza, la que más arde, la más dulce. ¿Por qué no le caes a la Nati? Está regia[515]. Y ahora está solita.

—Sí —dice Alberto—. Tal vez. No es mala idea.

Recorren la segunda cuadra de Diego Ferré y en la puerta de la casa de Alberto se despiden. El Bebe lo palmea dos o tres veces, en señal de solidaridad. Alberto entró y tomó directamente la escalera hacia su cuarto. La luz estaba encendida. Abrió la puerta; su padre, de pie, tenía la libreta de notas en la mano; su madre, sentada en la cama, parecía pensativa.

—Buenas —dijo Alberto.

—Hola, joven —dijo el padre.

Vestía de oscuro, como de costumbre y parecía recién afeitado. Sus cabellos brillaban. Tenía una expresión aparentemente dura, pero sus ojos perdían por instantes la gravedad y, ansiosos, se proyectaban sobre los zapatos relucientes, la corbata de motas grises, el albo pañuelo del bolsillo, las manos impecables, los puños de la camisa, los pliegues del pantalón. Se examinaba con una mirada ambi-

---

[515] *Regia.* (Am.) Estupenda, como una reina.

gua, inquieta y complacida, y luego los ojos recuperaban la supuesta dureza.

—Vine más temprano —dijo Alberto—. Me dolía un poco la cabeza.

—Debe ser la gripe —dijo la madre—. Acuéstate, Albertito.

—Antes, vamos a hablar un poco, jovencito —dijo el padre, agitando la libreta de notas—. Acabo de leer esto.

—Algunos cursos están mal —dijo Alberto—. Pero lo importante es que salvé el año.

—Cállate —dijo el padre—. No digas estupideces. (La madre lo miró, contrariada). Esto no ha ocurrido nunca en mi familia. Se me cae la cara de vergüenza. ¿Sabes cuánto tiempo hace que nosotros ocupamos los primeros puestos en el colegio, en la universidad, en todas partes? Hace dos siglos. Si tu abuelo hubiera visto esta libreta, se habría muerto de la impresión.

—También mi familia —protestó la madre—. ¿Qué te crees? Mi padre, fue ministro dos veces.

—Pero esto se acabó —dijo el padre, sin prestar atención a la madre—. Es un escándalo. No voy a dejar que eches mi apellido por el suelo. Mañana comienzas tus clases con un profesor particular para prepararte al ingreso.

—¿Ingreso adónde? —preguntó Alberto.

—Al Leoncio Prado. El internado te hará bien.

—¿Interno? —Alberto lo miró asombrado.

—No me convence del todo ese colegio —dijo la madre—. Se puede enfermar. El clima de La Perla es muy húmedo.

—¿No te importa que vaya a un colegio de cholos? —dijo Alberto.

—No, si es la única manera de que te compongas —dijo el padre—. Con los curas puedes jugar, pero no con los militares. Además, en mi familia todos hemos sido siempre muy demócratas. Y, por último, el que es gente[516] es gente en todas partes. Ahora acuéstate y desde mañana a estudiar. Buenas noches.

—¿A dónde vas? —exclamó la madre.

—Tengo un compromiso urgente. No te preocupes. Volveré temprano.

—Pobre de mí —suspiró la madre, inclinando la cabeza.

Pero cuando rompimos filas me hice el disimulado. Ven Malpapeada, perrita, qué graciosa eres, chusquita, ven. Y vino. Todo es culpa suya, por confiada, si en ese momento se escapa, después hubiera sido otra cosa. Me compadezco de ella. Pero al ir al comedor todavía estaba furioso, me importaba un pito que la Malpapeada estuviera en el pasto con su pata encogida. Se va a quedar coja, estoy casi seguro. Mejor le hubiera salido sangre, esas heridas se curan, la piel se cierra y queda solo una cicatriz. Pero no le salió sangre, ni ladró. La verdad, yo le había tapado el hocico con una mano y con la otra le daba vueltas a la pata, como al pescuezo de la gallina que se tiró el serrano Cava, pobre. Le estaba doliendo, sus ojos decían que le estaba doliendo, toma perra para que aprendas a fregar cuando estoy en la fila, para que te aproveches, soy tu pata pero no tu cholito[517], nunca muerdas cuando hay oficiales delante. La perra temblaba calladita pero solo cuando la solté me di cuenta que la había fregado, no podía pararse, se caía y su pata se había arrugado, se levantaba y se caía, se levantaba y se caía, y comenzó a aullar suavecito y de nuevo me dieron ganas de zumbarle. Pero en la tarde me vino la compasión, cuando al volver de las aulas la encontré quietecita en la hierba, en el mismo sitio de la mañana. Le dije: «venga acá,

---

[516] *Gente.* Se sobreentiende, gente «decente», gente bien.

[517] *Cholito.* (Per.) Diminutivo de «cholo». Aquí, con el sentido de subordinado.

500

perra malcriada, venga a pedirme perdón». Ella se levantó y se cayó, dos o tres veces se levantó y se cayó y al fin pudo moverse, pero solo con tres patas y cómo aullaba, seguro le dolía muchísimo. La he fregado, se quedará coja para siempre. Me dio pena y la cargué y quise sobarle[518] la pata y dio un chillido, así que dije tiene algo quebrado, mejor ni la toco. La Malpapeada no es rencorosa, todavía me lamía la mano y se quedaba con la cabeza colgando entre mis brazos, yo comencé a arañarle el pescuezo y la barriga. Pero apenas la ponía en el suelo para hacerla caminar se caía o solo daba un brinquito y le resultaba difícil hacer equilibrio con tres patas y aullaba, se nota que cuando hace cualquier esfuerzo lo siente en la pata que le machuqué. El serrano Cava no quería a la Malpapeada, la detestaba. Varias veces lo pesqué tirándole piedras, pateándola al descuido cuando yo no lo veía. Los serranos son bien hipócritas y en eso Cava era bien serrano. Mi hermano siempre dice: si quieres saber si un tipo es serrano, míralo a los ojos, verás que no aguanta y tuerce la vista. Mi hermano los conoce bien, para algo ha sido camionero. De chico yo quería ser camionero como él. Iba a la sierra, a Ayacucho, dos veces por semana, para regresar al día siguiente y eso durante años, y no recuerdo una sola vez que no llegara hablando pestes de los serranos. Se tomaba unas copas y ahí mismo empezaba a buscar un serrano, para zumbarle. Dice que lo pescaron borracho y debe ser la pura verdad, me parece imposible que si lo agarran seco[519] lo hubieran machucado en esa forma. Algún día iré a Huancayo y sabré quiénes fueron y les pesará en el alma lo que le hicieron. Oiga, dijo el policía, ¿aquí vive la familia Valdivieso? Sí, le contesté, si es que habla de la familia de Ricardo Valdivieso y me acuerdo que mi madre me jaló de las cerdas y me metió adentro y se

---

518 *Sobar.* En este contexto, acariciar, tocar de forma insistente.
519 *Seco.* Sobrio.

adelantó toda asustada y mirando al cachaco[520] con una desconfianza le dijo: «hay muchos Ricardo Valdivieso en el mundo y, además, nosotros no tenemos que pagar las culpas de nadie. Somos pobres, pero honrados, señor policía, usted no tiene que hacer caso de lo que dice la criatura». Pero yo ya tenía más de diez años, no era ninguna criatura. El cachaco se rio y dijo: «no es que Ricardo Valdivieso haya hecho nada, sino que está en la Asistencia Pública más cortado que una lombriz[521]. Lo han chaveteado[522] por todas partes y dijo que avisaran a la familia». «Fíjate cuánta plata queda en esa botella, me dijo mi madre. Habrá que llevarle unas naranjas». Por gusto le compramos fruta, ni pudimos dársela, estaba todo vendado, solo se le veían los ojos. El policía ese estuvo conversando con nosotros y nos decía, qué tal bruto, ¿usted sabe señora dónde lo cortaron? En Huancayo. ¿Y sabe dónde lo recogieron? Cerca de Chosica, qué tal bruto. Se subió a su camión y se vino a Lima lo más fresco. Cuando lo encontraron ahí, salido de la carretera, se había quedado dormido sobre el timón[523], yo creo que más de borracho que de herido. Y si usted viera cómo está ese camión, todo pegajoso de la sangre que este bruto vino chorreando por el camino, señora, perdóneme que se lo diga, pero es un bruto como no hay dos. ¿Usted sabe lo que le dijo el doctor? Todavía estás borracho, hombre, tú no has venido desde Huancayo en ese estado, te hubieras más que muerto a medio camino, si te han metido más de treinta chavetazos. Y mi madre le decía, sí señor policía, su padre también era así, una vez me lo trajeron medio muerto, casi ni podía hablar y quería que le fuera a comprar más licor, y como no podía levantar los brazos de tanto que le dolían,

---

[520] *Cachaco*. (Per.) Aquí, policía.

[521] *Más cortado que una lombriz.* Comparación hiperbólica con los anillos que presenta en su cuerpo este tipo de gusano.

[522] *Chavetear.* (Am.) Pinchar con la navaja.

[523] *Timón.* (Am.) Volante del vehículo.

yo misma tenía que meterle a la boca la botella de pisco, se da usted cuenta qué familia. El Ricardo ha salido a su padre, para mi desgracia. Un día, como su padre, se irá y no volveremos a saber dónde anda ni qué hace. En cambio, el padre de este (y me dio un manazo[524]) era tranquilo, un hombre de su casa, todo lo contrario del otro. De su trabajo a su hogar y al fin de la semana me entregaba su sobre con la plata y yo le daba para sus cigarrillos y sus pasajes y el resto lo guardaba. Un hombre muy distinto del otro, señor policía, y casi no probaba licor. Pero mi hijo mayor, quiero decir ese que está ahí vendado, le tenía tirria[525]. Y le hacía pasar muy malos ratos. Cuando el Ricardo, que todavía era un muchacho, llegaba tarde, mi pobre compañero se ponía a temblar, ya sabía que este bruto vendría borracho y empezaría a preguntar ¿dónde está ese señor que dice que es mi padrastro para conversar un poquito con él? Y mi pobre compañero se escondía en la cocina, hasta que el Ricardo lo encontraba y lo hacía correr por toda la casa. Y tanto lo cargó, que este también se me fue. Pero con razón. Y el cachaco se reía como una chancha[526] de contento y el Ricardo se movía en su cama, furioso de no poder abrir la boca para decirle a su madre que se callara y no lo hiciera quedar tan mal. Mi madre le regaló una naranja al cachaco y las otras las llevamos a la casa. Y cuando el Ricardo se curó me dijo: «cuídate siempre de los serranos, que son lo más traicionero que hay en el mundo. Nunca se te paran de frente, siempre hacen las cosas a la mala, por detrás. Esperaron que yo estuviera bien borracho, con pisco que ellos mismos me convidaron, para echárseme encima. Y, ahora, como me han quitado el brevete[527], no podré volver a Huancayo a arreglarles cuentas». Será por eso que los serra-

---

[524] *Manazo.* (Am.) Manotazo, golpe con la mano.
[525] *Tener tirria.* Tener manía.
[526] *Como una chancha.* Mucho y fuerte.
[527] *Brevete.* (Per.) Permiso de conducir o manejar.

nos siempre me han caído atravesados[528]. Pero en el colegio había pocos, dos o tres. Y estaban acriollados[529]. En cambio, cómo me chocó cuando entré aquí la cantidad de serranos. Son más que los costeños. Parece que se hubiera bajado toda la puna[530], ayacuchanos, puneños, ancashinos, cuzqueños, huancaínos[531], carajo y son serranos completitos, como el pobre Cava. En la sección hay varios pero a él se le notaba más que a nadie. ¡Qué pelos! No me explico cómo un hombre puede tener esos pelos tan tiesos. Me consta que se avergonzaba. Quería aplastárselos y se compraba no sé qué brillantina y se bañaba en eso la cabeza para que no se le pararan los pelos y le debía doler el brazo de tanto pasarse el peine y echarse porquerías. Ya parecía que se estaban asentando, cuando, juácate[532], se levantaba un pelo, y después otro, y después cincuenta pelos, y mil, sobre todo de las patillas, ahí es donde los pelos se les paran como agujas a los serranos y también atrás, encima del cogote. El serrano Cava ya estaba medio loco de tanto que lo batían por sus pelos y su brillantina, que echaba un olor salvaje a podredumbre. Siempre voy a acordarme de tanto que lo batían cuando aparecía con su cabeza brillando y todos lo rodeaban y comenzaban a contar, uno, dos, tres, cuatro, a grito pelado, y antes que llegáramos a diez ya habían saltado los pelos, y él aguantando verde y los pelos saltando uno tras otro y antes que contáramos cincuenta

---

[528] *Caer atravesado.* Caer mal.

[529] *Acriollados.* (Am.) Aculturados, asimilados a la vida criolla de la costa.

[530] *Puna.* (Indíg.) Voz quechua para denominar los altos y desérticos páramos andinos.

[531] *Ayacuchanos, puneños, ancashinos, cuzqueños, huancaínos.* Naturales de Ayacucho, Puno, Ancash, Cuzco, Huancayo, respectivamente. Ciudades todas ellas situadas en distintas zonas de la sierra, de la cordillera de los Andes, con gran presencia indígena y quechua hablante.

[532] *Juácate.* (Per.) Interjección que expresa algo que se produce por sorpresa, parecido a «¡toma!».

todos sus pelos estaban como un sombrero de espinas. Eso es lo que más los friega, la pelambre. Pero a Cava más que a los otros, qué manera de tener pelos, casi no se le ve la frente, le crecen sobre las cejas, no debe ser cómodo tener esa peluca, ser un hombre sin frente, y eso era otra cosa que le fregaba mucho. Una vez lo encontraron afeitándose la frente, el negro Vallano, creo. Entró a la cuadra y dijo: «corran que el serrano Cava se está sacando los pelos de la frente, es algo que vale la pena». Fuimos corriendo al baño de las aulas, porque hasta ahí se había ido para que nadie lo pescara, y ahí estaba el serrano con la frente enjabonada como si fuera la barba, y se metía la navaja con mucho cuidadito para no cortarse y qué tal manera de batirlo. Se puso medio loco de cólera y esa fue la vez que se trompeó con el negro Vallano, ahí mismo, en el baño. Qué manera de sonarse, pero el negro era más fuerte, le dio sin misericordia. Y el Jaguar dijo: «oigan, tanto que quiere quitarse los pelos, por qué no lo ayudamos». No creo que hiciera bien, el serrano era del Círculo, pero él no pierde la oportunidad de fregar. Y el negro Vallano, que estaba enterito a pesar de la pelea, fue el primero que se lanzó sobre el serrano, y después yo, y cuando lo tuvimos bien cogido, el Jaguar le echó la misma espuma que quedaba en la brocha, le embadurnó toda la frente peluda y cerca de media cabeza y comenzó a afeitarlo. Quieto serrano, la navaja se te va a meter al cráneo si te mueves. El serrano Cava hinchaba los músculos bajo mis brazos, pero no podía moverse y miraba al Jaguar con una furia. Y el Jaguar, rapa y rapa, aféitale media mitra[533], qué manera de batir. Y después el serrano se quedó quieto y el Jaguar le limpió la espuma con pelos y, de pronto, le aplastó la mano en la cara: «come, serrano, no tengas asco, espumita rica, come». Y qué manera de reírnos cuando se paró y corrió a mirarse en el espejo. Creo que

---

[533] *Mitra.* (Per.) Cabeza.

nunca me he reído tanto como esa vez, al ver a Cava caminando delante de nosotros por la pista de desfile, con la mitad de la cabeza afeitada y la otra mitad con los pelos tiesos, y el Poeta daba saltos y gritaba: «aquí está el último mohicano[534], den parte a la Prevención», y todo el mundo se acercaba y el serrano iba rodeado de cadetes que lo señalaban con el dedo y en el patio lo vieron dos suboficiales y también comenzaron a reírse y entonces al serrano no le quedó más remedio que reírse. Y después en la fila el teniente Huarina dijo: «¿qué les pasa, mierdas, que andan riéndose como locas?[535]. A ver, brigadieres, vengan aquí». Y los brigadieres, nada mi teniente, efectivo completo y los suboficiales dijeron: «un cadete de la primera anda con la cabeza medio pelada» y Huarina dijo: «aquí el cadete»[536]. No había quien se aguantara la risa cuando el serrano Cava se cuadró frente a Huarina y este le dijo «quítese la cristina» y él se la quitó. «Silencio, dijo Huarina, ¿qué es eso de reírse en la formación?», pero él también miraba la cabeza del serrano y se le torcía la boca. «¿Qué ha pasado, oiga?», y el serrano, nada mi teniente, cómo que nada, usted cree que el Colegio Militar es un circo, no mi teniente, por qué tiene la cabeza así, me he cortado el pelo por el calor mi teniente[537], y Huarina entonces se rio y le dijo a Cava: «es usted una putita perdida, pero este no es un colegio de locas, vaya a la peluquería y que lo rapen, así se le van a quitar

---

[534] Referencia burlesca a la obra homónima de James Fenimore Cooper (Burlington, 1789-Cooperstown, 1851), *The Last of the Mohicans/ El último mohicano* (1826), por el corte de pelo del cadete, como el de la tribu nativa americana a la que pertenecía el protagonista.

[535] *Loca*. Forma despectiva de referirse a los homosexuales.

[536] Expresión que recuerda a la imagen del *Ecce homo* («He aquí el hombre»).

[537] Aquí se puede observar cómo se mezclan los parlamentos de Huarina y de Cava en el diálogo, sin marcarlos siquiera entre comillas, tal y como hará, de forma constante, en su siguiente novela, *La casa verde* (1966), exigiendo con ello la complicidad de un lector atento.

los calores y no saldrá hasta que tenga el pelo como dice el reglamento». Pobre serrano, no era mala gente, después nos llevamos bien. Al principio me caía mal, solo por ser serrano, por las cosas que le hicieron al Ricardo. Siempre andaba batiéndolo. Cuando se reunía el Círculo y había que sortear a uno que zumbara a uno de cuarto y salía el serrano, yo decía mejor elegimos a otro, este se hará chapar y nos caerán encima. Y Cava se quedaba callado, asimilando. Y, después, cuando el Círculo se deshizo y el Jaguar nos propuso: «el Círculo se acabó, pero si quieren formamos otro, nosotros cuatro», yo dije nada con serranos, son unos cobardes y el Jaguar dijo: «esto hay que arreglarlo de una vez, nada de estas bromas entre nosotros». Lo llamó a Cava y le dijo: «el Boa nos ha dicho que eres un cobarde y que no debes formar parte del Círculo, tienes que demostrarle que está equivocado». Y el serrano dijo bueno. Esa noche nos fuimos los cuatro al estadio, y nos quitamos las hombreras para que al pasar por cuarto y quinto no vieran que éramos perros y nos llevaran a tender camas. Y logramos pasar y llegamos al estadio y el Jaguar dijo: «peleen sin decir lisuras ni gritar, las cuadras de cuarto y quinto están llenas de hijos de perra a estas horas». Y el Rulos dijo: «mejor sería que se quitaran las camisas, no vayan a romperlas y mañana hay revista de prendas». Así que nos quitamos las camisas y el Jaguar dijo: «comiencen cuando quieran». Yo ya sabía que el serrano no podía, pero cómo iba a pensar que resistiera tanto. Eso también había sido cierto, los serranos son bien duros para el castigo, aunque no lo parezcan, siendo tan bajitos. Y Cava es bajo, pero eso sí, muy maceteado[538]. No tiene cuerpo, es todo cuadrado, ya me había fijado. Y cuando le daba, parecía que no le hacía nada, aguantaba lo más fresco. Pero es muy bruto, muy serrano, se me prendía del pescuezo y la cintura y no había modo de zafarse, le molía

---

[538] *Maceteado.* (Per.) Mazado, fornido.

la espalda y la cabeza para que se alejara, pero al ratito volvía como un toro, qué resistencia. Y daba pena ver lo poco ágil que era. Eso también lo sabía, los serranos no saben usar los pies. Solo los chalacos[539] manejan las patas como se debe, mejor que las manos, ellos deben haber inventado la chalaca[540], pero no es fácil, cualquiera no levanta las dos patas a la vez y las planta en la cara del enemigo. Los serranos pelean solo con las dos manos. Ni siquiera saben usar la cabeza como los criollos, y eso que la tienen dura. Creo que los chalacos son los mejores peleadores del mundo. El Jaguar dice que es de Bellavista, pero yo creo que es chalaco, en todo caso está tan cerquita. No conozco a nadie que maneje como él la cabeza y los pies. Casi no usa las manos para pelear, chalaca y cabezazo todo el tiempo, no quisiera pelearme nunca con el Jaguar. Mejor paramos, serrano, le dije. «Como tú quieras, me contestó, pero nunca más digas que soy un cobarde». «Pónganse las camisas, dijo el Rulos, y límpiense las caras, ahí viene alguien, creo que son suboficiales». Pero no eran suboficiales sino cadetes de quinto. Y eran cinco. «¿Por qué están sin cristinas?», dijo uno. «Ustedes son de cuarto o perros, no disimulen». Y otro gritó: «cuádrense y vayan sacando la plata y los cigarrillos». Yo estaba muy cansado, me quedé quieto mientras el tipo ese me rebuscaba los bolsillos. Pero el que estaba registrando al Rulos dijo: «este está lleno de plata y de Incas, qué tesoro». Y el Jaguar les dijo, con su risita: «ustedes son muy valientes porque están en quinto, ¿no?». Y uno preguntó: «¿qué ha dicho este perro?». No se les veían las caras porque estaba oscuro. Y otro tipo dijo: «¿quiere repetir lo que ha dicho, perro?». Y el Jaguar le dijo: «si usted no estuviera en quinto, mi cadete, seguro que no se atrevía a sacarnos la plata y los cigarrillos». Y los cadetes

---

[539] *Chalaco*. (Per.) Natural del Callao, zona del puerto de Lima.
[540] *Chalaca*. (Per.) También conocida como «chilena», es un tiro futbolístico que se realiza con el cuerpo suspendido en el aire, en paralelo al suelo, mientras se patea, en principio, la pelota.

se rieron. Le preguntaron: «¿usted es muy maldito[541], por lo que parece?». «Sí, les dijo el Jaguar. Una barbaridad de maldito. Y también creo que no se atreverían a meterme las manos al bolsillo si estuviéramos en la calle». «Qué me cuentan, qué me cuentan», dijo otro, «¿oyen lo que estoy oyendo?». Y otro dijo: «si usted quiere, cadete, podría quitarme las insignias y tirarlas al suelo y se me ocurre que también sin insignias le meto la mano donde se me antoje». «No, mi cadete, dijo el Jaguar, no creo que se atrevería»[542]. «Vamos a probar», dijo el cadete. Y se quitó el sacón y las insignias y al ratito el Jaguar lo había tumbado y lo machucaba contra el suelo, así que el tipo se puso a gritar: «¡Qué esperan para ayudarme!». Y los otros se echaron sobre el Jaguar y el Rulos dijo: «esto sí que no lo permito». Y yo me fui sobre el montón, qué pelea más rara, nadie veía nada, y a ratos me caían como pedradas y yo pensaba: «se me hace que son las patas del Jaguar». Y ahí estuvimos en el cargamontón hasta que sonó el pito y todos salimos corriendo. Qué manera de estar molidos. En la cuadra, cuando nos quitamos las camisas, los cuatro estábamos hinchados de arriba abajo y nos moríamos de risa. Toda la sección se amontonó en el baño y decían: «cuenten». Y el Poeta nos echó pasta de dientes en la cara para bajar la hinchazón. Y en la noche el Jaguar dijo: «ha sido como el bautizo del nuevo Círculo». Y después yo fui hasta la cama del pobre Cava y le dije: «oye, quedamos como amigos». Y él me dijo: «por supuesto».

Bebieron las colas sin hablar. Paulino los miraba descaradamente, con sus ojos malignos. El padre de Arana bebía del pico[543] de la botella, a tragos cortos; a veces, se quedaba con

---

[541] *Maldito.* Rebelde.
[542] Emplea el condicional en lugar del subjuntivo normativo.
[543] *Beber del pico de la botella.* (Am.) Beber a morro, directamente de la botella, sin vaso.

la botella suspendida sobre la boca y los ojos ausentes. Reaccionaba haciendo una mueca y volvía a tomar otro trago. Alberto bebía sin ganas, el gas le hacía cosquillas en el estómago. Procuraba no hablar, temía que el hombre se lanzara a nuevas confidencias. Miraba a un lado y a otro. No se veía a la vicuña, probablemente estaba en el estadio. El animal huía al otro extremo del colegio cuando los cadetes estaban libres. Durante las clases, en cambio, venía a recorrer el campo de hierba a pasos lentos y gimnásticos. El padre de Arana pagó las bebidas y dio a Paulino una propina. El edificio de las aulas no se veía, aún estaban sin encender las luces de la pista de desfile y la neblina había descendido hasta el suelo.

—¿Sufría mucho? —preguntó el hombre—. El sábado, al traerlo aquí. ¿Sufría mucho?

—No, señor. Estaba desmayado. Lo subieron a un coche en la avenida Progreso. Y lo trajeron directamente a la enfermería.

—Solo nos avisaron el sábado en la tarde —dijo el hombre, con voz fatigada—. A eso de las cinco. Hacía como un mes que no salía y su madre quería venir a verlo. Siempre lo castigaban por una cosa u otra. Yo pensaba que eso lo obligaba a estudiar más. Nos llamó por teléfono el capitán Garrido. Fue algo duro para nosotros, joven. Vinimos al instante, casi choco en la Costanera. Y ni siquiera nos dejaron estar con él. Eso no habría ocurrido en una clínica.

—Si ustedes quisieran, podrían llevarlo a otra clínica. No se atreverán a prohibirles eso.

—El médico dice que ahora no se lo puede mover. Está muy grave, esa es la verdad, para qué engañarse. Su madre se va a volver loca. Está furiosa conmigo, sabe usted, eso es lo más injusto, por lo del viernes. Las mujeres son así, todo lo tergiversan. Si yo he sido severo con el muchacho, ha sido por su bien. Pero el viernes no pasó nada, una tontería. Y me lo saca en cara todo el tiempo.

—Arana no me contó nada —dijo Alberto—. Y eso que siempre me hablaba de sus cosas.

—Le digo que no pasó nada. Vino a la casa por unas horas, le habían dado un permiso no sé por qué. Hacía un mes que no salía. Y apenas llegó quiso ir a la calle. Era una desconsideración, no es cierto, qué es eso de llegar y salir disparado de su casa. Le dije que se quedara con su madre, que tanto se desespera cuando no sale. Nada más, fíjese si no es una tontería. Y ahora ella me dice que yo lo martiricé hasta el final, ¿no es injusto y estúpido?

—Su señora debe estar nerviosa —dijo Alberto—. Es natural. Una cosa así...

—Sí, sí —dijo el hombre—. No hay manera de convencerla que descanse. Se pasa todo el día en la enfermería, esperando al médico. Y para nada. Apenas nos habla, fíjese. Calma, un poco de paciencia señores, estamos haciendo todo lo posible, ya les avisaremos. El capitán puede ser muy amable, nos quiere tranquilizar, pero hay que ponerse en nuestro caso. Parece tan increíble, después de tres años, ¿cómo le puede ocurrir a un cadete un accidente así?

—Es decir —dijo Alberto—. No se sabe. Mejor dicho...

—El capitán nos explicó —dijo el hombre—. Lo sé todo. Ya sabe usted, los militares son partidarios de la franqueza. Al pan pan y al vino vino[544]. No hablan con rodeos.

—¿Le contó todo con detalles?

—Sí —dijo el padre—. Se me ponían los pelos de punta. Parece que el fusil chocó cuando él apretaba el gatillo. ¿Se da usted cuenta? En parte es culpa del colegio. ¿Qué clase de instrucción les dan?

—¿Le dijo que se había disparado él mismo? —lo interrumpió Alberto.

—Fue un poco brusco en eso —dijo el hombre—. No debió decirlo delante de su madre. Las mujeres son débiles. Pero los militares no tienen pelos en la lengua[545]. Yo quería

---

[544] *Al pan pan y al vino vino.* Expresión idiomática que significa llamar a las cosas por su nombre.
[545] *No tener pelos en la lengua.* No callarse nada, ser muy directo.

que mi hijo fuera así, una roca. ¿Sabe lo que nos dijo? En el Ejército los errores se pagan caros, así, tal como se lo cuento. Y nos dio explicaciones, que los peritos revisaron el arma, que todo funciona perfectamente, que la culpa fue solo del muchacho. Pero yo tengo mis dudas. Yo pienso que la bala se escapó por accidente. En fin, uno no puede saber. Los militares entienden de estas cosas más que uno. Además, ahora qué importa.

—¿Le dijo todo eso? —insistió Alberto.

El padre de Arana lo miró.

—Sí. ¿Por qué?

—Por nada —repuso Alberto—. Nosotros no vimos. Estábamos en el cerro.

—Me disculpan —dijo Paulino—. Pero tengo que cerrar.

—Será mejor que vuelva a la enfermería —dijo el hombre—. Tal vez ahora podamos verlo un rato.

Se levantaron y Paulino les hizo un saludo con la mano. Volvieron a avanzar sobre la hierba. El padre de Arana caminaba con las manos a la espalda; se había subido las solapas del saco. «El Esclavo nunca me habló de él», pensó Alberto. «Ni de su madre».

—¿Puedo pedirle un favor? —dijo—. Quisiera ver a Arana un momento. No digo ahora. Mañana, o pasado, cuando esté mejor. Usted podría hacerme entrar a su cuarto diciendo que soy un pariente, o un amigo de la familia.

—Sí —dijo el hombre—. Ya veremos. Hablaré con el capitán Garrido. Parece muy correcto. Un poco estricto, como todos los militares. Después de todo, es su oficio.

—Sí —dijo Alberto—. Los militares son así.

—¿Sabe? —dijo el hombre—. El muchacho está muy resentido conmigo. Yo me doy cuenta. Le hablaré y, si no es bruto, comprenderá que todo ha sido por su bien. Verá que las responsables son su madre y la vieja loca de Adelina.

—¿Es una tía suya, creo? —dijo Alberto.

—Sí —afirmó el hombre, enfurecido—. La histérica esa. Lo crio como a una mujercita. Le regalaba muñecas y le hacía rizos. A mí no pueden engañarme. He visto fotos que le tomaron en Chiclayo. Lo vestían con faldas y le hacían rulos, a mi propio hijo, ¿comprende usted? Se aprovecharon de que yo estaba lejos. Pero no se iban a salir con la suya.

—¿Usted viaja mucho, señor?

—No —respondió brutalmente el hombre—. No he salido nunca de Lima. Ni me interesa. Pero cuando yo lo recobré estaba maleado, era un inservible, un inútil. ¿Quién me puede culpar por haber querido hacer de él un hombre? ¿Eso es algo de que tengo que avergonzarme?

—Estoy seguro que sanará pronto —dijo Alberto—. Seguro.

—Pero tal vez he sido un poco duro —prosiguió el hombre—. Por exceso de cariño. Un cariño bien entendido. Su madre y esa loca de Adelina no pueden comprender. ¿Quiere usted un consejo? Cuando tenga hijos, póngalos lejos de la madre. No hay nada peor que las mujeres para malograr a un muchacho.

—Bueno —dijo Alberto—. Ya llegamos.

—¿Qué pasa allá? —dijo el hombre—. ¿Por qué corren?

—Es el silbato —dijo Alberto—. Para formar. Tengo que irme.

—Hasta luego —dijo el hombre—. Gracias por acompañarme.

Alberto echó a correr. Pronto alcanzó a uno de los cadetes que habían pasado antes. Era Urioste.

—Todavía no son las siete —dijo Alberto.

—El Esclavo ha muerto —dijo Urioste, jadeando—. Estamos yendo a dar la noticia.

II

Esa vez mi cumpleaños cayó día de fiesta. Mi madre me dijo: «anda temprano donde tu padrino, que a veces se va al campo». Y me dio un sol para el pasaje. Fui hasta la casa de mi padrino, que vivía lejísimos, Bajo el Puente, pero ya no estaba. Me abrió su mujer, que nunca nos había querido. Me puso mala cara y me dijo: «mi marido no está. Y no creo que venga hasta la noche, así que ni lo esperes». Regresé a Bellavista, de mala gana, tenía la ilusión de que mi padrino me regalara cinco soles, como todos los años. Pensaba comprarle a Tere una caja de tizas, pero esta vez como un regalo de a deveras, y también un cuaderno cuadriculado de cien páginas, su cuaderno de álgebra se había terminado. O decirle que fuéramos al cine, claro que también con su tía. Hasta saqué cuentas y con cinco soles me alcanzaba para tres plateas del Bellavista y todavía sobraban unos reales. Cuando llegué a la casa, mi madre me dijo: «tu padrino es un desgraciado, igual que su mujer. Seguro que se hizo negar[546] el muy mezquino». Y yo pensé que tenía razón. Entonces mi madre me dijo: «ah, dice Tere que vayas. Vino a buscarte». «¿Ah, sí?, le dije yo; qué raro, ¿qué querrá?». Y de veras no sabía para qué me había buscado, era la primera vez que lo hacía y sospeché algo. Pero no lo que

---

[546] *Hacerse negar.* Decir, falsamente, que no está en casa.

pasó. «Se ha enterado de mi cumpleaños y me va a felicitar», decía yo. Estuve en su casa de dos saltos. Toqué la puerta y me abrió la tía. La saludé y apenas me vio se dio media vuelta y regresó a la cocina. La tía siempre me trataba así, como si yo fuera una cosa. Me quedé un momento en la puerta abierta, sin atreverme a entrar, pero en eso apareció ella, y venía sonriendo de una manera. «Hola, me dijo. Entra». Yo solo le dije: «hola», y me puse a sonreír sin ganas. «Ven, me dijo. Vamos a mi cuarto». Yo la seguí, muy curioso y sin decirle nada. En su cuarto abrió un cajón y se volvió con un paquete en las manos y me dijo: «toma por tu cumpleaños». Yo le dije: «¿cómo supiste?». Y ella me contestó: «lo sé desde el año pasado». Yo no sabía qué hacer con el paquete, que era bien grande. Al fin, me decidí a abrirlo. Solo tuve que desenvolverlo, pues no estaba atado, Era un papel marrón, el mismo que usaba el panadero de la esquina y pensé que a lo mejor ella se lo había pedido especialmente. Saqué una chompa sin mangas, casi el mismo color que el papel, y ahí mismo comprendí que ella había pensado en eso, como tenía tanto gusto hizo que la chompa y la envoltura estuvieran de acuerdo. Dejé el papel en el suelo y a la vez que miraba la chompa le decía: «ah, pero es muy bonita. Ah, muchas gracias. Ah, qué bien está». Tere decía sí con la cabeza y parecía más contenta que yo mismo. «La tejí en el colegio, me dijo; en las clases de labor. Hice creer que era para mi hermano». Y lanzó una carcajada. Quería decir que planeó lo del regalo hacía tiempo y que entonces ella también pensaba en mí cuando yo no estaba, y eso de hacerme un regalo mostraba que me tenía por algo más que un amigo. Yo le seguía diciendo «muchas gracias, muchas gracias» y ella se reía y me decía: «¿te gusta?, ¿de veras?; pero pruébatela». Me la puse y me estaba un poco corta, pero la estiré rápido para que no se notara y ella no lo notó, estaba tan contenta que se alababa a sí misma: «te queda muy bien, te queda muy bien y eso que no sabía tus medidas, las saqué al cálculo». Me quité la chompa y otra vez la envolví, pero no podía hacer el paquete y ella vino a mi lado y me dijo: «suelta, qué feo lo envuelves, déjame a mí». Y ella misma lo envolvió sin una arruga y me lo entregó y entonces me dijo: «tengo que darte el abrazo por tu cumpleaños». Y me abrazó y yo también la abracé y durante unos segundos sentí su cuerpo, y sus cabellos me rozaron la cara y otra vez oí su risa tan alegre. «¿No estás contento? ¿Por qué pones esa cara?», me preguntó y yo hice esfuerzos por reírme.

El primero en entrar fue el teniente Gamboa. Se había quitado la cristina en el pasillo, de modo que se limitó a cuadrarse y a hacer sonar los talones. El coronel estaba sentado en su escritorio. Tras él, Gamboa adivinaba en las tinieblas desplegadas más allá de la amplia ventana, la verja exterior del colegio, la carretera y el mar. Unos segundos después se oyeron pasos. Gamboa se retiró de la puerta y continuó en posición de firmes. Entraron el capitán Garrido y el teniente Huarina. También llevaban la cristina en la correa del pantalón, entre el primero y el segundo tirante. El coronel continuaba en el escritorio y no levantaba la vista. La habitación era elegante, muy limpia, los muebles parecían charolados[547]. El capitán Garrido se volvió hacia Gamboa; sus mandíbulas latían armoniosamente.

—¿Y los otros tenientes?

—No sé, mi capitán. Los cité para esta hora.

Momentos después entraron Calzada y Pitaluga. El coronel se puso de pie. Era mucho más bajo que todos los presentes y exageradamente gordo; tenía los cabellos casi blancos y usaba anteojos[548]; tras los cristales se veían unos ojos grises, hundidos y desconfiados. Los miró uno por uno; los oficiales seguían cuadrados.

---

[547] *Charolado*. (Am.) Acharolado, brillante como charol.
[548] *Anteojos*. (Am.) Lentes, gafas.

—Descansen —dijo el coronel—. Siéntense.

Los tenientes esperaron que el capitán Garrido eligiera su asiento. Había varios sillones de cuero, dispuestos en círculo; el capitán ocupó el que estaba junto a una lámpara de pie. Los tenientes se sentaron a su alrededor. El coronel se acercó. Los oficiales lo miraban, un poco inclinados hacia él, atentos, serios, respetuosos.

—¿Todo en orden? —dijo el coronel.

—Sí, mi coronel —repuso el capitán—. Ya está en la capilla. Han venido algunos familiares. La primera sección hace la guardia de honor. A las doce la reemplazará la segunda. Después las otras. Ya trajeron las coronas[549].

—¿Todas? —dijo el coronel.

—Sí, mi coronel. Yo mismo puse su tarjeta en la más grande. También trajeron la de los oficiales y la de la Asociación de Padres de Familia. Y una corona por año. Los familiares también enviaron coronas y flores.

—¿Habló usted con el presidente de la asociación para lo del entierro?

—Sí, mi coronel. Dos veces. Dijo que toda la directiva asistiría.

—¿Le hizo preguntas? —el coronel arrugó la frente—. Ese Juanes siempre está metiendo las narices en todo. ¿Qué le dijo?

—No le di detalles. Le expliqué que había muerto un cadete, sin indicar las circunstancias. Y le indiqué que habíamos encargado una corona en nombre de la asociación y que debían pagarla con sus fondos.

—Ya vendrá a hacer preguntas —dijo el coronel, mostrando el puño—. Todo el mundo vendrá a hacer preguntas. En estos casos siempre aparecen intrigantes y curiosos. Estoy seguro que esto llegará hasta el ministro.

---

[549] *Corona.* Adorno floral de forma redonda, propio de los funerales, con una cinta de recordatorio en señal de duelo.

El capitán y los tenientes lo escuchaban sin pestañear. El coronel había levantado la voz; sus últimas palabras eran gritos.

—Todo esto puede ser terriblemente perjudicial —añadió—. El colegio tiene enemigos. Es su gran oportunidad. Pueden aprovechar una estupidez como esta para lanzar mil calumnias contra el establecimiento y, por supuesto, contra mí. Es preciso tomar precauciones. Para eso los he reunido.

Los oficiales acentuaron la expresión de gravedad y asintieron con movimientos de cabeza.

—¿Quién entra de servicio mañana?

—Yo, mi coronel —dijo el teniente Pitaluga.

—Bien. En la primera formación leerá un orden del día. Tome nota. Los oficiales y el alumnado deploran profundamente el accidente que ha costado la vida al cadete. Especifique que se debió a un error de él mismo. Que no quede la menor duda. Que esto sirva de advertencia, para un cumplimiento más estricto del reglamento y de las instrucciones, etc. Redáctela esta noche y tráigame el borrador. Lo corregiré yo mismo. ¿Quién es el teniente de la compañía del cadete?

—Yo, mi coronel —dijo Gamboa—. Primera compañía.

—Reúna a las secciones antes del entierro. Deles una pequeña conferencia. Lamentamos sinceramente lo sucedido, pero en el Ejército no se pueden cometer errores. Todo sentimentalismo es criminal. Usted se quedará a hablar conmigo de este asunto. Vamos a aclarar primero los detalles del entierro. ¿Estuvo con la familia, Garrido?

—Sí, mi coronel. Están de acuerdo en que sea a las seis de la tarde. Hablé con el padre. La madre está muy afectada.

—Irá solo el quinto año —lo interrumpió el coronel—. Recomienden a los cadetes discreción absoluta. Los trapos sucios se lavan en casa. Pasado mañana los reuniré en el salón de actos y les hablaré. Una tontería cualquiera puede desatar un escándalo. El ministro reaccionará mal cuando se entere, no faltará quien vaya a decírselo, ya saben que estoy rodeado de enemigos. Bien, vamos por partes. Teniente Huarina, encárguese de pedir camiones a la Escuela Militar. Usted vigilará el desplazamiento. Y la devolución de los camiones a la hora debida. ¿Entendido?

—Sí, mi coronel.

—Pitaluga, vaya a la capilla. Sea amable con los familiares. Yo iré a saludarlos dentro de un momento. Que los cadetes de la guardia de honor observen la máxima disciplina. No toleraré la menor infracción durante el velorio o el entierro. Lo hago responsable. Quiero que el quinto año dé la impresión de sentir mucho la muerte del cadete. Eso constituye siempre una nota positiva.

—Por eso no se preocupe, mi coronel —dijo Gamboa—. Los cadetes de la compañía están muy impresionados.

—¿Sí? —dijo el coronel, mirando a Gamboa con sorpresa—. ¿Por qué?

—Son muy jóvenes mi coronel —dijo Garrido—. Los mayores tienen dieciséis años, solo unos cuantos diecisiete. Han vivido con él casi tres años. Es natural que estén impresionados.

—¿Por qué? —insistió el coronel—. ¿Qué han dicho? ¿Qué han hecho? ¿Cómo sabe usted que están impresionados?

—No pueden dormir, mi coronel. He recorrido todas las secciones. Los cadetes están despiertos en sus camas, y hablan de Arana.

—¡En las cuadras no se puede hablar después del toque de silencio! —gritó el coronel—. ¿Cómo es posible que no lo sepa, Gamboa?

—Los he hecho callar, mi coronel. No hacen bulla, hablan en voz baja. Solo se oye un murmullo. He ordenado a los suboficiales que recorran las cuadras.

—No me extraña que ocurran accidentes como este en el quinto año —dijo el coronel, mostrando el puño nuevamente; pero su puño era blanco y pequeñito, no inspiraba respeto—; los propios oficiales fomentan la indisciplina.

Gamboa no respondió.

—Pueden retirarse —dijo el coronel, dirigiéndose a Calzada, Pitaluga y Huarina—. Una vez más les recomiendo discreción absoluta.

Los oficiales se pusieron de pie, chocaron los talones y salieron. Sus pasos se perdieron en el corredor. El coronel se sentó en el sillón que ocupaba Huarina, pero al instante se levantó y comenzó a pasear por la habitación.

—Bueno —dijo de pronto, deteniéndose—. Ahora quiero saber lo que ha pasado. ¿Cómo ha sido?

El capitán Garrido miró a Gamboa y con un movimiento de cabeza le indicó que hablara. El teniente se volvió hacia el coronel.

—En realidad, mi coronel, todo lo que sé figura en el parte. Yo dirigía la progresión desde el otro extremo, en el flanco derecho. No vi ni sentí nada, hasta que llegamos cerca de la cumbre. El capitán tenía cargado al cadete.

—¿Y los suboficiales? —preguntó el coronel—. ¿Qué hacían mientras usted dirigía la progresión? ¿Estaban ciegos y sordos?

—Iban a la retaguardia, mi coronel, según las instrucciones. Pero tampoco notaron nada —hizo una pausa y añadió, respetuosamente—: También lo indiqué en el parte.

—¡No puede ser! —gritó el coronel; sus manos se elevaron en el aire y cayeron contra su prominente barriga; allí quedaron, asidas al cinturón. Hizo un esfuerzo por calmarse—. Es estúpido que me diga que nadie vio que un hombre caía herido. Ha debido gritar. Tenía decenas de cadetes a su alrededor. Alguien tiene que saber...

—No, mi coronel —dijo Gamboa—. La distancia entre hombre y hombre era grande. Y los saltos se daban a toda carrera. Sin duda, el cadete cayó cuando se disparaba y los balazos apagaron sus gritos, si es que gritó. En ese terreno hay hierba alta y al caer quedó medio oculto. Los que venían detrás no lo vieron. He interrogado a toda la compañía.

El coronel se volvió hacia el capitán.

—¿Y usted también estaba en la luna?

—Yo controlaba la progresión desde atrás, mi coronel —dijo el capitán Garrido, pestañeando; sus mandíbulas trituraban las palabras como dos moledoras[550]. Hacía grandes ademanes—. Los grupos avanzaban alternativamente. El cadete debe haber caído herido en el momento que su línea se arrojaba al suelo. Al siguiente silbato ya no pudo levantarse y permaneció medio enterrado en la hierba. Probablemente estaba algo atrasado en relación con su columna y por eso la retaguardia, en el salto siguiente, lo dejó atrás.

—Todo eso está muy bien —dijo el coronel—. Ahora díganme realmente lo que piensan.

El capitán y Gamboa se miraron. Hubo un silencio incómodo, que ninguno se atrevía a quebrar. Finalmente, habló el capitán, en voz baja:

—Ha podido dispararse su propio fusil —miró al coronel—. Es decir, al chocar contra el suelo, pudo engancharse el gatillo en el cuerpo.

—No —dijo el coronel—. Acabo de hablar con el médico. No hay ninguna duda, la bala vino de atrás. Ha recibido el balazo en la nuca. Usted ya está viejo, sabe de sobra que los fusiles no se disparan solos. Eso está bien para decírselo a los familiares y evitar complicaciones. Pero los verdaderos responsables son ustedes —el capitán y el teniente se enderezaron ligeramente en sus asientos—. ¿Cómo se efectuaba el fuego?

—Según las instrucciones, mi coronel —dijo Gamboa—. Fuego de apoyo, alternado. Los grupos de asalto se protegían uno a otro. El fuego estaba perfectamente sincro-

---

[550] *Moledora.* Piedra de moler.

nizado. Antes de ordenar el tiro, yo comprobaba que la vanguardia estuviera a cubierto, que todos los cadetes se hallaran tendidos. Por eso dirigía la progresión desde el flanco derecho, para tener una visibilidad mayor. Ni siquiera había obstáculos naturales. En todo momento pude dominar el terreno donde operaba la compañía. No creo haber cometido ningún error, mi coronel.

—Hemos hecho el mismo ejercicio más de cinco veces este año, mi coronel —dijo el capitán—. Y los de quinto lo han hecho más de quince veces desde que están en el colegio. Además, han realizado campañas más completas, con más riesgos. Yo señalo los ejercicios de acuerdo al programa elaborado por el mayor. Nunca he ordenado maniobras que no figuren en el programa.

—Eso a mí no me importa —dijo el coronel, lentamente—. Lo que interesa es saber qué error, qué equivocación ha causado la muerte del cadete. ¡Esto no es un cuartel, señores! —levantó su puño blancuzco—. Si le cae un balazo a un soldado, se le entierra y se acabó. Pero estos son alumnos, niños de su casa, por una cosa así se puede armar un tremendo lío. ¿Y si el cadete hubiera sido hijo de un general?

—Tengo una hipótesis, mi coronel —dijo Gamboa. El capitán se volvió a mirarlo con envidia—. Esta tarde he revisado cuidadosamente los fusiles. La mayoría son viejos y poco seguros, mi coronel, usted ya sabe. Algunos tienen desviada el alza, el guion[551], otros están con el interior del cañón ligeramente dañado. Esto no basta, claro está. Pero es posible que un cadete modificara la posición del alza, sin darse cuenta, y apuntara mal. La bala ha podido seguir una trayectoria rampante. Y el cadete Arana, por una desgraciada coincidencia, pudo estar en mala posición, mal cubierto. En fin, solo es una hipótesis, mi coronel.

---

[551] *El guion.* La marca del alza del arma, para apuntar.

—La bala no cayó del cielo —dijo el coronel, más tranquilo, como si algo se hubiera resuelto—. No me dice usted nada nuevo, la bala se le escapó a uno de la retaguardia. ¡Pero esos accidentes no pueden ocurrir aquí! Lleve mañana mismo todos los fusiles a la armería. Que cambien los inservibles. Capitán, encárguese de que en las otras compañías se haga también una revisión. Pero no ahora; dejemos pasar unos días. Y con mucha prudencia: no debe trascender una palabra de este asunto. Está en juego el prestigio del colegio, e incluso el del Ejército. Felizmente, los médicos han sido muy comprensivos. Harán un informe técnico, sin hipótesis. Lo más sensato es mantener la tesis de un error cometido por el propio cadete. Hay que cortar de raíz cualquier rumor, cualquier comentario. ¿Entendido?

—Mi coronel —dijo el capitán—. Permítame hacerle observar que esta tesis me parece mucho más verosímil que la de un tiro de la retaguardia.

—¿Por qué? —dijo el coronel—. ¿Por qué más verosímil?

—Más aún, mi coronel. Yo me atrevería a afirmar que la bala salió del fusil del propio cadete. Es imposible que, apuntando a blancos situados a varios metros de altura sobre el terreno, la trayectoria de una bala sea rampante. El cadete ha podido accionar el gatillo inconscientemente, al caer sobre el fusil. He visto con mis propios ojos que los cadetes se arrojaban de manera defectuosa, sin ninguna técnica. Y el cadete Arana jamás se distinguió en las campañas.

—Después de todo, es posible —dijo el coronel, muy calmado—. Todo es posible en este mundo. ¿Y usted de qué se ríe, Gamboa?

—No me río, mi coronel. Perdóneme, pero se ha confundido.

—Así espero —dijo el coronel, palmeándose el vientre y sonriendo, por primera vez—. Y que esto les sirva de lección. El quinto año y, sobre todo, la primera compañía, nos ha dado malos ratos, señores. Hace unos días expulsamos a un cadete que robaba exámenes, rompiendo ventanas, como un gánster[552] de película. Ahora esto. Pongan mucho cuidado en el futuro. No hago amenazas, señores, entiéndanlo bien. Pero tengo una misión que cumplir aquí. Y ustedes también. Debemos cumplirla como militares, como peruanos. Sin contemplaciones ni sentimentalismos. Venciendo todos los obstáculos. Pueden retirarse, señores.

El capitán Garrido y el teniente Gamboa salieron. El coronel se quedó mirándolos, con expresión solemne, hasta que la puerta se cerró tras ellos. Entonces, se rascó la barriga.

Una tarde que regresaba del colegio, el flaco Higueras me dijo: «¿no te importa que vayamos a otro sitio? Prefiero no entrar a esa cantina». Le dije que no me importaba y me llevó a un bar de la avenida Sáenz Peña, oscuro y sucio. Por una puerta muy pequeña, junto al mostrador, se pasaba a un salón grande. El flaco Higueras conversó un momento con el chino que atendía; parecían conocerse mucho. El flaco pidió dos cortos y cuando terminamos de beber, me preguntó, mirándome muy serio, si yo era un hombre tan macho como mi hermano. «No sé, le dije, creo que sí. ¿Por qué?». «Me debes cerca de veinte soles, me respondió. ¿No es cierto?». Sentí una culebra en la espalda, ya no me acordaba que ese dinero era prestado y pensé, ahora me va a pedir que le pague y qué hago. Pero el flaco me dijo: «no es para cobrarte. Solo que ya eres un hombre y necesitas plata. Yo puedo prestarte cuanto te falte. Pero para eso es necesario que la consiga. ¿Quieres ayudarme a conseguir plata?». Le pregunté qué tenía que hacer y me contestó: «es peligroso y si te da miedo, no hemos dicho nada. Hay una casa que yo conozco y está vacía. Es de gente rica, tienen para

---

[552] *Gánster.* Del inglés, *gangster,* miembro de una banda o *gang.* Delincuente.

llenar no sé cuántos cuartos de billetes, así como Atahualpa[553], tú ya sabes eso». «¿Quieres decir robar?», le pregunté. «Sí, dijo el flaco. Aunque no me gusta esa palabra. Esa gente está podrida en plata y ni tú ni yo tenemos dónde caernos muertos. ¿Tienes miedo? No creas que quiero obligarte. ¿De dónde crees que conseguía tanto dinero tu hermano? Lo que tienes que hacer es muy fácil». «No, le dije, perdóname, pero no quiero». No tenía miedo pero me había agarrado de sorpresa y solo pensaba cómo nunca me había dado cuenta de que mi hermano y el flaco Higueras eran ladrones. El flaco no me habló más del asunto, pidió otras dos copas y me ofreció un cigarrillo. Como siempre, me contó chistes. Era muy gracioso, cada día sabía nuevos cuentos colorados[554] y los contaba muy bien, haciendo muecas y cambiando de voz. Abría tanto la boca para reírse que se veían sus muelas y su garganta. Yo lo escuchaba y también me reía, pero seguro notó en mi cara que pensaba en otra cosa, porque me dijo: «¿qué te pasa?; ¿te has puesto triste por lo que te propuse? Olvídate del asunto». Yo le dije: «¿y si un día te pescan?». Él se puso serio. «Los soplones son muy brutos, me contestó. Y, además, son más ladrones que nadie. Pero, en fin, si me pescan me friego. Así son las cosas de la vida». Yo quería seguir hablando de lo mismo y le pregunté: «¿y cuánto tiempo de cárcel te darían, si te pescan?». «No sé, dijo él, eso depende de la plata que tenga en el momento». Y me contó que una vez pescaron a mi hermano, metiéndose a una casa de La Perla. Un cachaco que pasaba por ahí le sacó la pistola y le estuvo apuntando y le decía: «caminando para la comisaría, cinco metros adelante, o lo quemo a balazos, so ladrón». Y que mi her-

---

[553] *Atahualpa*. El último inca, cuyo oro codició y obtuvo Francisco Pizarro.

[554] *Cuento colorado*. (Am.) Chiste que ruboriza —de ahí el adjetivo— por su contenido obsceno; también se conoce como «chiste verde» en otras latitudes.

mano se echó a reír con gran concha y le dijo: «¿estás borracho? Me estoy entrando ahí porque la cocinera me espera en su cama. Si quieres ver, méteme la mano al bolsillo y verás». Y dice que el cachaco dudó un momento, pero después le dio curiosidad y se le acercó. Le puso la pistola en el ojo y, mientras le hurgaba el bolsillo, le decía: «te mueves un milímetro y te hago polvo el ojo. Si no te mueres, te quedas tuerto, así que quieto». Y cuando sacó la mano tenía un fajo[555] de billetes. Mi hermano se echó a reír y le dijo: «tú eres un cholo y yo soy un cholo, somos hermanos. Quédate con esa plata y déjame ir. Otro día vendré a ver a la cocinera». Y el cachaco le contestó: «me voy a mear, ahí detrás de esa pared. Si estás aquí cuando vuelva, te cargo a la comisaría por corromper a la autoridad». Y el flaco también me contó que una vez casi los agarran a los dos, por Jesús María. Los pescaron saliendo de una casa y un cachaco comenzó a tocar silbato y ellos corrían por los techos. Al fin se tiraron a un jardín y mi hermano se torció el pie y le gritó: «córrete que a mí ya me fundieron». Pero el flaco no quiso escaparse solo y lo fue arrastrando hasta uno de los buzones de las esquinas. Se metieron ahí y estuvieron apretados, casi sin respirar, no sé cuántas horas y después tomaron un taxi y vinieron al Callao.

Después de esto dejé de ver al flaco Higueras varios días y pensé: «ya lo han cogido». Pero una semana más tarde volví a verlo, en la plaza de Bellavista y volvimos a ir donde el chino a tomar una copa, a fumar y a conversar. Ese día no tocó el tema, ni tampoco el siguiente, ni los otros. Yo iba a estudiar todas las tardes donde Tere, pero no había vuelto a esperarla a la salida de su colegio porque no tenía plata. No me atrevía a pedirle al flaco Higueras y pasaba muchas horas pensando en la manera de conseguir unos soles. Una vez en el colegio nos pidieron comprar un libro y se lo dije a mi

---

[555] *Fajo*. Paquete.

madre. Se puso furiosa, gritó que hacía milagros para que pudiéramos comer y que al año siguiente no volvería al colegio, porque ya tendría trece años y debía ponerme a trabajar. Me acuerdo que un domingo fui donde mi padrino, sin decir nada a mi madre. Tardé más de tres horas en llegar, tuve que atravesar a pie todo Lima. Antes de tocar la puerta de su casa, aguaité[556] por la ventana a ver si lo descubría; tenía miedo que saliera su mujer, como la vez pasada, y lo negara. No salió su mujer, sino su hija, una flaca sin dientes. Me dijo que su padre estaba en la sierra y que no volvería antes de diez días. Así que no pude comprarme el libro, pero mis compañeros me lo prestaban y así hacía las tareas. Lo grave era no poder ir a buscar a Tere a su colegio, eso me tenía deprimido. Una tarde que estábamos estudiando y como su tía se había ido un momento al otro cuarto, ella me dijo: «ya nunca has vuelto a esperarme». Y yo me puse rojo, y le dije: «pensaba ir mañana. ¿Siempre sales a las doce, no?». Y esa noche salí a la plaza de Bellavista a buscar al flaco Higueras, pero no estaba. Se me ocurrió que andaría en el bar ese de la avenida Sáenz Peña y me fui hasta allá. La cantina estaba llena de gente y de humo y había borrachos que gritaban. Al verme entrar, el chino me gritó: «largo de aquí, mocoso». Y yo le dije: «tengo que ver al flaco Higueras, es urgente». El chino entonces me reconoció y me señaló la puerta del fondo. El salón grande estaba más lleno que el de la entrada, con el humo casi no se podía ver, y había mujeres sentadas en las mesas o en las rodillas de los tipos, que las manoseaban y las besaban. Una de ellas me agarró la cara y me dijo: «¿qué haces aquí, renacuajo?»[557]. Y yo le dije: «calla, puta». Y ella se rio pero el borracho que la tenía abrazada me dijo: «te voy a dar un cuete[558] por insultar a la señora». En eso apareció el flaco. Cogió al borracho de un brazo y lo calmó diciéndole:

---

[556] *Aguaitar.* (Am.) Observar, vigilar.
[557] *Renacuajo.* Pequeño.
[558] *Cuete.* (Per.) Deformación de «cohete». Puñetazo.

«es mi primo y el que quiera hacerle algo se las ve conmigo». «Está bien, flaco, dijo el tipo, pero que no ande diciendo putas a mis mujeres. Hay que ser educado y sobre todo de chico». El flaco Higueras me puso una mano en el hombro y me llevó hasta una mesa donde había tres hombres. No conocía a ninguno; dos eran criollos y el otro serrano. Me presentó como a su amigo, hizo que me trajeran una copa. Yo le dije que quería hablarle a solas. Fuimos al urinario, y allí le dije: «necesito plata, flaco; por lo que más quieras, préstame dos soles». Él se rio y me los dio. Pero luego me dijo: «oye, ¿te acuerdas de lo que hablamos el otro día? Bueno, yo también quiero que me hagas un favor. Te necesito. Somos amigos y tenemos que ayudarnos. Es solo por una vez. ¿Bueno?». Yo le contesté: «bueno. Solo una vez y a cambio de todo lo que te debo». «De acuerdo, me dijo. Y si nos va bien, no te arrepentirás». Regresamos a la mesa y les dijo a los tres tipos: les presento a un nuevo colega». Los tres se rieron, me abrazaron y estuvieron haciendo bromas. En eso se acercaron dos mujeres y una de ellas comenzó a fregar al flaco. Quería besarlo y el serrano le dijo: «déjalo en paz. ¿Por qué mejor no besuqueas a la criatura?». Y ella dijo: «con mucho gusto». Y me besó en la boca mientras los otros se reían. El flaco Higueras la separó y me dijo: «ahora, anda vete. No vuelvas por acá. Espérame mañana a las ocho de la noche en la plaza Bellavista, junto al cine». Me fui y traté de pensar solo en que al día siguiente iría a esperar a Tere, pero no podía, estaba muy excitado por lo del flaco Higueras. Se me ocurría lo peor, que los cachacos nos pescarían y que me mandarían a la correccional de La Perla por ser menor y que Tere se enteraría de todo y no querría oír hablar más de mí.

Era peor que si la capilla hubiera estado a oscuras. La media luz intermitente provocaba sombras, registraba cada movimiento y lo repetía en las paredes o en las losetas, divulgándolo a los ojos de todos los presentes, y mantenía los rostros en una penumbra lúgubre que agravaba su seriedad y la hacía hostil, casi siniestra. Y, además, había ese murmullo quejumbroso, constante (una voz que balbucea una sola palabra, con un mismo acento, la última sílaba encadenada a la primera), que llegaba hasta ellos por detrás, se hundía en sus oídos como una hebra finísima y los exasperaba. Hubieran soportado mejor que la mujer gritara, profiriese grandes exclamaciones, invocara a Dios y a la Virgen, se mesara los cabellos[559] o llorara, pero desde que entraron guiados por el suboficial Pezoa, que los distribuyó en dos columnas, pegados a los muros de la capilla, a ambos lados del ataúd, habían escuchado ese mismo murmullo de mujer que brotaba de atrás, del sector vecino a la puerta, donde estaban las bancas y el confesionario. Solo mucho rato después de que Pezoa les ordenó presentar armas —obedecieron sin marcialidad y sin ruido, pero con precisión— habían distinguido, tras el murmullo, movimientos o voces instantáneas, la presencia de otra gente en la capilla, además de la mujer que se quejaba. No podían mirar sus relojes: estaban en posición de firmes, a medio metro de distancia uno de otro, sin hablar. Cuando más, volvían ligeramente la cabeza para observar el ataúd, pero solo alcanzaban a ver la superficie negra y pulida y las coronas de flores blancas. Ninguna de las personas que estaban en la parte anterior de la capilla se había acercado al ataúd. Probablemente lo habían hecho antes que ellos llegaran y ahora se ocupaban de consolar a la mujer. El capellán del colegio, con un insólito rostro contrito, había pasado varias veces en dirección al altar; regresaba hasta la puerta, sin duda se mezclaba unos instantes al grupo de personas, y luego volvía a recorrer la nave, los ojos bajos, el rostro juvenil y deportivo contraído en una expresión adecuada a la atmós-

---

[559] *Mesarse los cabellos.* Tirarse o jalarse de los pelos, en signo de dolor. Antigua expresión que ya se halla en el *Poema de mio Cid.*

fera. Pero, a pesar de haber pasado tantas veces junto al ataúd, ni una sola vez se había detenido a mirar. Hacía rato que estaban allí; a algunos les dolía el brazo por el peso del fusil. Además, hacía calor: el recinto era estrecho, todos los cirios del altar estaban encendidos y ellos vestían los uniformes de paño. Muchos transpiraban. Pero se mantenían inmóviles, los talones unidos, la mano izquierda pegada al muslo, la derecha en la culata del fusil, el cuerpo erguido. Sin embargo, esta gravedad era reciente. Cuando, un segundo después de haber abierto la puerta de la cuadra con los puños, Urioste dio la noticia (un solo grito ahogado: «¡El Esclavo ha muerto!») y vieron su rostro congestionado por la carrera, una nariz y una boca que temblaban, unas mejillas y una frente empapadas de sudor y, tras él, sobre su hombro, alcanzaron a ver el rostro del Poeta, lívido y con las pupilas dilatadas, hubo incluso algunas bromas. La voz inconfundible del Rulos clamó, casi inmediatamente después del portazo: «a lo mejor se ha ido al infierno, uy, mamita». Y unos cuantos lanzaron una carcajada. Pero no eran las risas salvajemente sarcásticas de costumbre —aullidos verticales que ascendían, se congelaban y, durante unos segundos, vivían por su cuenta, emancipados de los cuerpos que los expelían—, sino unas risas muy cortas e impersonales, sin matices, defensivas. Y cuando Alberto gritó: «si alguien hace una broma más, le saco la puta que lo parió», sus palabras se escucharon nítidamente: un silencio macizo había reemplazado a las risas. Nadie le respondió. Los cadetes permanecían en sus literas o ante los roperos, miraban las paredes malogradas por la humedad, las losetas sangrientas, el cielo sin estrellas que descubrían las ventanas, los batientes del baño que oscilaban. No decían nada, apenas se miraban entre ellos. Luego, continuaron ordenando los roperos, tendiendo las camas, encendieron cigarrillos, hojearon las copias, zurcieron los uniformes de campaña. Lentamente, se reanudaron los diálogos, aunque tampoco eran los mismos: había desaparecido el humor, la ferocidad y hasta las alusiones escabrosas, las malas palabras. Curiosamente, hablaban en voz baja, como después del toque de silencio, con frases medidas y lacónicas, sobre todos los temas salvo la muerte del Esclavo: se pedían hilo negro, retazos de tela, cigarrillos, apuntes de clases, papel de carta, copias de exámenes. Después, dando rodeos, tomando toda clase de precauciones, evitando tocar lo esencial, cambiaron preguntas —«¿a qué hora fue?»— e hicieron consideraciones laterales —«el teniente Huarina dijo que lo iban a operar otra vez, a lo mejor fue durante la operación»; «¿nos llevarán al entierro?»—. Luego, se abrieron paso cautelosas manifestaciones emotivas: «joderse a esa edad, qué mala suerte»; «mejor se hubiera quedado seco ahí mismo, en campaña; está fregado eso de estar muriéndose tres días»; «faltaban solo dos meses para terminar, eso se llama ser salado». Eran homenajes indirectos, variaciones sobre el mismo tema y grandes intervalos de silencio. Algunos cadetes permanecían callados y se contentaban con asentir. Después, sonó el silbato y salieron de la cuadra sin precipitarse, ordenadamente. Cruzaron el patio hacia el emplazamiento y se instalaron calmadamente en la fila; no protestaban por la colocación, se cedían los sitios unos a otros, se alineaban con sumo cuidado y, por último, se pusieron en posición de firmes por su propia voluntad, sin esperar la voz del brigadier. Y así cenaron, casi sin hablar: sentían que en el anchísimo comedor los ojos de centenares de cadetes se volvían hacia ellos y escuchaban de vez en cuando voces que salían de las mesas de los perros —«esos son los de la primera, su sección»— y había dedos que los señalaban. Masticaban los alimentos sin empeño, ni disgusto, ni placer. Y a la salida respondieron con monosílabos o cortantes groserías a las preguntas de los cadetes de las otras secciones o de los otros años, irritados por esa curiosidad invasora. Más tarde, en la cuadra, rodearon a Arróspide y el negro Vallano dijo lo que todos sentían: «anda dile al teniente que queremos velarlo». Y se volvió a los otros y añadió: «al menos, me parece a mí; como era de la sección, creo que deberíamos». Y nadie se burló, algunos asintieron con la cabeza, otros dijeron: «claro, claro». Y el brigadier fue a hablar con el teniente y regresó a decirles que se pusieran los uniformes de salida, guantes incluido, y que lustraran los zapatos y formaran una media hora después con fusiles y bayonetas, pero sin correaje blanco. Todos insistieron en que Arróspide volviera donde el teniente a decirle que ellos querían velarlo toda la noche, pero el teniente no aceptó. Y ahora estaban allí, desde hacía una hora, en la indecisa penumbra de la capilla, escuchando el quejido monótono de la mujer, viendo de reojo el ataúd, solitario en el centro de la nave y que parecía vacío.

Pero él estaba allí. Lo supieron definitivamente cuando el teniente Pitaluga ingresó a la capilla, precedido del crujido de sus zapatos, que se superpuso al lamento de la mujer y retuvo toda su atención, mientras lo sentían aproximarse a su espalda, y lo iban viendo aparecer, de dos en dos, a medida que avanzaba, se ponía a su altura, y los dejaba atrás. Los fascinó cuando comprobaron que iba de frente al ataúd. Los ojos clavados en su nuca, lo vieron detenerse casi encima de una de las coronas, inclinar un poco la cabeza para ver mejor y quedarse así un momento, algo arqueado sobre sí mismo y tuvieron como un fugaz estremecimiento al ver que movía una mano, la llevaba a la cabeza, se sacaba la cristina y luego se persignaba rápidamente, se enderezaba, le veían el rostro abotagado[560] y los ojos inexpresivos, y volvía a recorrer el mismo camino, en dirección contraria. Lo vieron desaparecer, de dos en dos, escucharon sus pasos que se alejaban y luego surgió otra vez el murmullo quejumbroso de la mujer invisible.

Momentos después, el teniente Pitaluga volvió a aproximarse a los cadetes y les fue diciendo al oído que podían

[560] *Abotagado.* Hinchado, deformado.

bajar el arma y ponerse en descanso. Así lo hicieron; pronto surgió un movimiento menor: los cadetes se frotaban el hombro y lenta, imperceptiblemente, acortaban la distancia que los separaba. Las hileras se iban estrechando con un rumor suave y respetuoso, que no destruía la severidad del ambiente, sino la acentuaba. Luego oyeron la voz del teniente Pitaluga. Comprendieron de inmediato que hablaba a la mujer. Sin duda, hacía esfuerzos por hablar en voz baja, tal vez sufría al no conseguirlo. Como era ronco y, además, lo traicionaba una antigua convicción que asociaba la virilidad a la violencia de la voz humana, sus palabras eran un chorro de bruscos altibajos, del que percibían fragmentos inteligibles, el nombre de Arana, por ejemplo, que oyeron varias veces y al principio apenas reconocieron porque el muerto era para ellos el Esclavo. La mujer no parecía prestarle atención; seguía quejándose y eso debía desconcertar al teniente Pitaluga que, por momentos, se callaba y solo después de una larga pausa reanudaba su concierto.

«¿Qué dice Pitaluga?», preguntó Arróspide, con los dientes apretados, sin mover los labios. Estaba a la cabeza de una de las columnas. Vallano, situado detrás del brigadier, repitió y lo mismo hizo el Boa, y así la pregunta llegó a la cola de la fila. El último cadete, el más próximo a las bancas donde el teniente Pitaluga hablaba a la mujer, dijo: «cuenta cosas del Esclavo». Y continuó repitiendo las frases que escuchaba, sin agregar ni suprimir nada, transmitiendo aún los sonidos puros. Pero era fácil reconstituir el monólogo del teniente: «un cadete brillante, estimado de oficiales y suboficiales, un compañero modelo, un alumno aplicado y distinguido por sus profesores; todos deploran su desaparición; el vacío y !a pesadumbre que reina en las cuadras; llegaba entre los primeros a la fila; era disciplinado, marcial, tenía porte, hubiera sido un excelente oficial; leal y valiente; buscaba el peligro en las campañas, se le confiaban misiones difíciles que ejecutaba sin dudas ni murmuraciones; en la vida ocurren desgracias, hay que sobreponerse al dolor; oficiales, profesores y cadetes comparten el dolor de la familia; el coronel en persona vendrá a dar su sentido pésame a los padres; será enterrado con honores; sus compañeros de año irán con uniforme de parada y armas; los de la primera llevarán las cintas[561]; es como si la patria hubiera perdido a uno de sus hijos; paciencia y resignación; su recuerdo formará parte de la historia del colegio; vivirá en los corazones de las nuevas promociones; la familia no debe preocuparse de nada, la administración del colegio correrá con todos los gastos del entierro; apenas ocurrida la desgracia se encargaron las coronas, la del coronel director es la más grande». A través de la improvisada correa de transmisión, los cadetes siguieron las palabras del teniente Pitaluga, sin dejar de escuchar el inacabable murmullo de la mujer; de vez en cuando, voces masculinas interrumpían brevemente a Pitaluga.

Luego llegó el coronel. Reconocieron sus pasos de gaviota, rápidos y muy cortos; Pitaluga y los otros se callaron, el quejido de la mujer se hizo más dulce, más lejano. Sin que nadie lo ordenara, se pusieron en atención. No levantaron las armas, pero juntaron los talones, endurecieron los músculos, apoyaron las manos en el cuerpo, a lo largo de la franja negra del pantalón. Cuadrados, escucharon la vocecita aguda del coronel. Hablaba más bajo que Pitaluga y el teléfono humano se había interrumpido: solo los que estaban a la cola comprendieron lo que decía. No lo veían, pero les era fácil imaginarlo, tal como era en las actuaciones, irguiéndose ante el micro con una mirada soberbia y complacida, y elevando las manos como para mostrar que no llevaba nada escrito. Ahora también hablaba sin duda de los sagrados valores del espíritu, de la vida militar que hace a los hombres sanos y eficientes y de la disciplina, que es la base del orden. No lo veían, pero adivinaban su rostro

---

[561] *Cinta.* Tira de tela negra en señal de duelo.

de ceremonia, sus pequeñas manos fofas evolucionando[562] ante los ojos enrojecidos de la mujer y apoyándose por instantes en la hebilla del cinturón que rodeaba el magnífico vientre, sus piernas entreabiertas para soportar mejor el peso de su cuerpo. Y adivinaban también los ejemplos y las moralejas que exponía, el desfile de los próceres epónimos, de los mártires de la Independencia y la guerra con Chile, los héroes inmarcesibles[563] que habían derramado su sangre generosa por la patria en peligro. Cuando el coronel se calló, la mujer había dejado de quejarse. Fue un momento insólito: la capilla parecía transformada. Algunos cadetes se miraron, incómodos. Pero el silencio no duró mucho rato. Pronto, el coronel, seguido del teniente Pitaluga y de un civil vestido de oscuro, avanzó hacia el ataúd y los tres estuvieron contemplándolo un momento. El coronel tenía cruzadas las manos sobre el vientre; su labio inferior avanzado ocultaba el labio superior y sus párpados estaban entrecerrados: era la expresión reservada a los acontecimientos graves. El teniente y el civil permanecían a su lado, este último tenía un pañuelo blanco en la mano. El coronel se volvió hacia Pitaluga, le dijo algo al oído y ambos se aproximaron al civil, que asintió dos o tres veces. Luego regresaron a la parte posterior de la capilla. Entonces, la mujer reanudó el murmullo. Aun después de que el teniente les indicó que salieran al patio, donde esperaba la segunda sección para reemplazarlos en la guardia, continuaron escuchando el lamento de la mujer.

Salieron uno por uno. Giraban sobre el sitio y, en puntas de pie, avanzaban hacia la puerta. Echaban miradas furtivas hacia las bancas, con la esperanza de descubrir a la mujer, pero se lo impedía un grupo de hombres —había tres, además de Pitaluga y el coronel—, que permanecían de

---

[562] *Evolucionar.* En este contexto, moverse.
[563] *Inmarcesible.* Que no se marchita.

pie, muy serios. En la pista de desfile, frente a la capilla, se hallaban los cadetes de la segunda, también en uniforme y con fusiles. Los de la primera formaron unos metros más allá, al borde del descampado. El brigadier, la cabeza metida entre los dos primeros de la fila, observaba si el alineamiento era correcto. Luego, se desplazó hacia la izquierda para contar el efectivo. Ellos esperaban, sin moverse, hablando en voz baja de la mujer, el coronel, el entierro. Después de unos minutos comenzaron a preguntarse si el teniente Pitaluga los había olvidado. Arróspide seguía subiendo y bajando a lo largo de la formación.

Cuando el oficial salió de la capilla, el brigadier ordenó atención y fue a su encuentro. El teniente le indicó que llevara la sección a la cuadra y Arróspide volvía la cabeza para ordenar la marcha, cuando de la cola brotó una voz: «falta uno». El teniente, el brigadier y varios cadetes volvieron la vista; otras voces repetían ya: «sí, falta uno». El teniente se aproximó. Arróspide recorría ahora las columnas a toda velocidad y, para mayor seguridad, contaba los efectivos con los dedos. «Sí, mi teniente, dijo al fin; éramos 29 y somos 28». Entonces, alguien gritó: «es el Poeta». «Falta el cadete Fernández, mi teniente», dijo Arróspide. «¿Entró a la capilla?», preguntó Pitaluga. «Sí, mi teniente. Estaba detrás de mí». «Con tal que no se haya muerto también», murmuró Pitaluga, haciendo un gesto al brigadier para que lo siguiera.

Lo vieron apenas llegaron a la puerta. Estaba en el centro de la nave —su cuerpo les ocultaba el ataúd, pero no las coronas—, el fusil algo ladeado, la cabeza baja. El teniente y el brigadier se detuvieron en el umbral. «¿Qué hace ahí ese pelotudo?, dijo el oficial: sáquelo en el acto». Arróspide avanzó y, al pasar junto al grupo de civiles, su mirada cruzó la del coronel. Hizo una venia, pero no supo si el coronel le contestó, porque volvió el rostro de inmediato. Alberto no se movió cuando Arróspide lo tomó del brazo. El brigadier olvidó un momento su misión para echar una mirada al ataúd: estaba cubierto también en la parte superior de una madera negra y lisa, que remataba en un cristal empañado, a través del cual se distinguía borrosamente un rostro y un quepí. La cara del Esclavo, envuelta en una venda blanca, parecía hinchada y de color granate. Arróspide sacudió a Alberto. «Todos están formados, le dijo, y el teniente te espera en la puerta. ¿Quieres que te consignen?». Alberto no respondió; siguió a Arróspide como un sonámbulo. En la pista de desfile, se les acercó el teniente Pitaluga. «So cabrón, dijo a Alberto, ¿le gusta mucho eso de mirar la cara a los muertos?». Alberto tampoco respondió y siguió caminando hacia la formación, donde ocupó su puesto, dócilmente, bajo la mirada de sus compañeros. Varios le preguntaron qué había ocurrido. Pero él no les hizo caso ni pareció darse cuenta minutos más tarde, cuando Vallano, que marchaba a su lado, dijo en voz bastante alta para que oyera toda la sección: «el Poeta está llorando».

III

Ya está sana pero se ha quedado para siempre con su pata chueca[564]. Debe haberse torcido algo de muy adentro, un huesecito, un cartílago, un músculo, he tratado de enderezarle la pata y no había manera, está dura como un gancho de fierro y por más que jalaba no la movía ni un tantito[565] así. Y la Malpapeada comenzaba a llorar y a patalear así que la he dejado tranquila. Ya medio que se ha acostumbrado. Camina un poco raro, cayéndose a la derecha y no puede correr como antes, da unos brincos y se para. Es natural que se canse muy pronto, solo tres patas la sostienen, está lisiada. Para remate fue la de adelante, donde apoyaba su cabezota, ya nunca será la perra que fue. En la sección le han cambiado de nombre, ahora le dicen la Malpateada. Creo que se le ocurrió al negro Vallano, siempre anda poniendo apodos a la gente. Todo está cambiando, como la Malpapeada, desde que estoy aquí es la primera vez que pasan tantas cosas en tan pocos días. Lo chapan al serrano Cava tirándose el examen de química, le hacen su Consejo de Oficiales y le arrancan las hombreras. Ya debe estar en su tierra el pobre, entre huanacos[566]. Nunca habían expulsado a uno de la sección, nos ha caído la mala

---

[564] *Chueca.* (Indig.) Del náhuatl, *xocuo*, cojo.
[565] *Ni un tantito.* Ni un poquito.
[566] *Huanaco.* (Indig.) Guanaco. Del quechua, *huanacu*. También conocido como «guanaco». Mamífero camélido andino de menor tamaño que la llama y la vicuña.

suerte y cuando cae no hay quien la pare, así dice mi madre y estoy viendo que no le falta razón. Después, el Esclavo. Qué salmuera[567], no solo por el balazo en la cabeza, encima lo operaron no sé cuántas veces, y encima morirse, no creo que a nadie le haya pasado cosa peor. Aunque disimulen, todos han cambiado por estas desgracias, a mí no se me escapan las cosas. Quizá todo vuelva a ser como era, pero estos días la sección anda distinta, hasta las caras de los muchachos son distintas. Por ejemplo, el Poeta es otra persona y nadie se le prende ni le dice nada, como si fuera normal verle cara de ahuevado[568]. Ya no habla. Hace más de cuatro días que enterraron a su compinche, podía haber reaccionado ya, pero está peor. El día que se quedó clavado junto al ataúd pensé: «a este lo hizo polvo la desgracia». La verdad, era su pata. Creo que es el único pata que tuvo en el colegio el Esclavo, digo Arana. Pero solo en los últimos tiempos, antes también el Poeta lo batía, se le prendía como todos. ¿Qué pasó para que de pronto anduvieran como yuntas[569], para arriba y para abajo? Los batían mucho, el Rulos le decía al Esclavo: «has encontrado un marido». Y eso parecía. Andaba pegado al Poeta, siguiéndolo a todas partes, mirándolo, hablándole bajito para que nadie lo oyera. Se iban al descampado a conversar tranquilos. Y el Poeta comenzó a defender al Esclavo cuando lo batían. No lo hacía de frente porque es muy malicioso. Alguien comenzaba a prendérsele al Esclavo y al ratito el Poeta estaba batiendo al que batía a su pata y casi siempre ganaba, el Poeta cuando bate es una fiera, al menos era. Ahora ya ni se junta con nadie, ni bromea, anda solo y como durmiendo. En él se nota mucho, antes solo esperaba la ocasión de joder a todo el mundo. Daba gusto verlo defenderse cuando alguien lo batía. «Poeta, hazme una poesía a esto» le

---

567 *Salmuera.* Mala suerte.
568 *Ahuevados.* (Am.) Fastidiado, atontado.
569 *Yuntas.* (Am.) Amigos inseparables, como si fueran unidos por una yunta, como los bueyes.

dijo el negro Vallano y se agarró la bragueta. «Ahorita te la hago, dijo el Poeta, déjame que me inspire». Y al poco rato nos la recitaba: «el pipí[570], donde Vallano, tiene la mano, parece un maní»[571]. Era bien fregado, sabía hacer reír a la gente, a mí se me prendió muchas veces y me daban unas ganas de machucarlo. Hizo buenas poesías a la Malpapeada, todavía tengo una copiada en el cuaderno de literatura: «perra: minetera[572] eres, y loca; ¿por qué no te mueres, cuando el Boa te la emboca entera?». Y casi lo muelo esa noche que levantó a la sección y entró al baño gritando: «miren lo que hace el Boa con la Malpapeada cuando está de imaginaria». Y era hasta respondón. Solo que no peleaba bien, la vez que se trompeó con Gallo lo apachurraron contra la pared. Un poco acriollado, el muchacho, como buen costeño, es tan flaco que me compadezco de sus sesos cuando da un cabezazo. No hay muchos blanquiñosos en el colegio, el Poeta es uno de los más pasables. A los otros los tienen acomplejados, zafa[573], zafa, blanquiñoso mierdoso, cuidado que los cholos te hagan miau. Solo hay dos en la sección, y Arróspide tampoco es mala gente, un terrible chancón, tres años seguidos de brigadier, vaya cráneo. Una vez vi a Arróspide en la calle, en un carrazo[574] rojo y tenía camisita amarilla, se me salió la lengua[575] al verlo tan bien vestido, caracho, este es un blanquiñoso de mucho vento[576], debe vivir en Miraflores. Raro que los dos blanquiñosos de la sección ni se hablen, nunca han sido patas el Poeta y Arróspide, cada uno por su lado, ¿tendrán miedo que uno denuncie al otro de cosas de blan-

---

[570] *Pipí.* (Am.) Pene.

[571] *Maní.* (Indig.) Voz guaraní. Cacahuete. Por otro lado, la coma entre sujeto y predicado (entre «Vallano» y «tiene») es, obviamente, incorrecta, pero responde a la pausa del verso que quiere marcar Alberto.

[572] *Minetera.* (Am.) Que se estimula sexualmente a sí misma con la lengua.

[573] *Zafa.* (Per.) Interjección para alejar a algo o a alguien, equivale a «¡fuera!».

[574] *Carrazo.* (Am.) Aumentativo de «carro», automóvil.

[575] *Salírsele la lengua a alguien.* Impresionar a alguien.

[576] *Vento.* (Am.) Plata, dinero.

quiñosos? Si yo tuviera vento y un carrazo rojo no hubiera entrado al Colegio Militar ni de a cañones[577]. ¿Qué les aprovecha tener plata si aquí andan tan fregados como cualquiera? Una vez el Rulos le dijo al Poeta: «¿y qué haces aquí? Deberías estar en un colegio de curas». El Rulos siempre se preocupa por el Poeta, a lo mejor le tiene envidia y en el fondo le gustaría ser un poeta como él. Hoy me dijo: «¿te has fijado que el Poeta se ha vuelto medio idiota?». Es la pura verdad. No es que haga cosas de idiotas, lo raro es que no hace nada. Se está todo el día tirado en la cama, haciéndose el dormido o durmiendo de veras. El Rulos por probarlo se le acercó a pedirle una novelita y él le dijo: «ya no hago novelitas, déjame tranquilo». Tampoco sé que haya escrito cartas, antes buscaba clientes como loco, puede que ahora le sobre la plata. En las mañanas, cuando nos levantamos, el Poeta ya está en la fila. Martes, miércoles, jueves, hoy en la mañana, siempre el primero en el patio, con su cara larga y mirando sabe Dios qué cosa, soñando con los ojos abiertos. Y los de su mesa dicen que no come. «El Poeta está malogrado de pena, le contó Vallano a Mendoza, deja más de la mitad de su comida y no la vende, le importa un pito que la coja cualquiera, y se la pasa sin hablar». Lo ha demolido la muerte de su yunta. Los blanquiñosos son pura pinta, cara de hombre y alma de mujer, les falta temple; este se ha quedado enfermo, es el que más ha sentido la muerte del, de Arana[578].

¿Vendría este sábado?[579]. El Colegio Militar estaba muy bien, el uniforme y todo, pero qué terrible eso de no saber nunca cuándo saldría. Teresa atravesaba el portal de la plaza

---

[577] *Ni de a cañones*. (Am.) Hiperbólicamente, «ni a tiros», «de ninguna manera».

[578] *La muerte del, de Arana*. Iba a decir: «la muerte del Esclavo», y rectifica en el curso de su propio pensamiento: «de Arana».

[579] Esta pregunta corresponde al final de todo un fragmento descartado, protagonizado por Teresa (cfr. apéndice).

San Martín; los cafés y los bares bullían de parroquianos[580], el aire estaba colmado de brindis, risas y cervezas y, sobre las mesas de la calle, flotaban pequeñas nubes de humo. «Me ha dicho que no va a ser militar, pensó Teresa. ¿Y si cambia de idea y entra a la Escuela de Chorrillos?». A quién le puede hacer gracia casarse con un militar, se pasan la vida en el cuartel y si hay guerra son los primeros que mueren. Además, los trasladan todo el tiempo, qué espantoso vivir en provincias y de repente hasta en la selva, con tantos zancudos y salvajes. Al pasar por el bar Zela[581] escuchó galanterías alarmantes, un grupo de hombres maduros levantó hacia ella media docena de copas como un haz de espadas, un joven le hizo adiós[582] y tuvo que esquivar a un borracho que pretendía atajarla. «Pero no, pensó Teresa. No será militar, sino ingeniero. Solo que tendré que esperarlo cinco años. Es un montón de tiempo. Y si después no quiere casarse conmigo ya seré vieja y nadie se enamora de las viejas». Los otros días de la semana, los portales estaban semidesiertos. Cuando pasaba al mediodía junto a mesas solitarias y quioscos de revistas, solo veía a los lustrabotas[583] de las esquinas y a fugaces vendedores de diarios. Ella iba apresurada a tomar el tranvía para almorzar a toda carrera y regresar a tiempo a la oficina. Pero los sábados, en cambio, recorría el atestado y ruidoso Portal más despacio, mirando siempre al frente, secretamente complacida: era agradable que los hombres la elogiaran, era agradable no tener que volver al trabajo en la tarde. Sin embargo, años atrás, los sábados eran días temibles. Su madre se quejaba y maldecía más que los otros días, porque el padre no volvía hasta muy entrada la noche. Llegaba como un huracán,

---

[580] *Parroquiano.* Cliente habitual.
[581] *Bar Zela.* Conocido bar, situado en la avenida Nicolás de Piérola 96, en la plaza San Martín.
[582] *Hacer adiós.* Hacer un gesto de despedida agitando la mano.
[583] *Lustrabotas.* (Am.) Limpiabotas.

traspasado de alcohol y de ira. Los ojos en llamas, la voz tronante las descomunales manos cerradas en puño, recorría la casa como una fiera su jaula de barrotes, tambaleándose, blasfemando contra la miseria, derribando sillas y golpeando puertas, hasta rodar por el suelo, aplacado y exhausto. Entonces, lo desnudaban entre las dos y le echaban encima una frazada: era demasiado fuerte para subirlo a la cama. Otras veces, venía acompañado. Su madre se precipitaba como una furia sobre la intrusa, sus flacas manos trataban de arañarle la cara. El padre sentaba a Teresa en sus rodillas y le decía con salvaje alegría: «mira, esto es mejor que el cachascán». Hasta que un día, una mujer le rompió la ceja a la madre de un botellazo y tuvieron que llevarla a la Asistencia Pública. Desde entonces, se volvió un ser resignado y pacífico. Cuando el padre llegaba con otra mujer, se encogía de hombros y, arrastrando a Teresa de una mano, salía de la casa. Iban a Bellavista, donde su tía, y volvían el lunes. La casa era un hediondo cementerio de botellas y el padre dormía a pierna suelta entre un charco de vómitos, hablando en sueños contra los ricos y las injusticias de la vida. «Era bueno, pensó Teresa. Trabajaba toda la semana como un animal. Tomaba para olvidarse que era pobre. Pero me quería y no me hubiera abandonado». El tranvía Lima-Chorrillos cruzaba la fachada rojiza de la penitenciaría, la gran mole blancuzca del palacio de Justicia y, de pronto, surgía un paraje refrescante, altos árboles de penachos móviles, estanques de aguas quietas, senderos tortuosos con flores a las márgenes y en medio de una redonda llanura de césped, una casa encantada de muros encalados, altorrelieves, celosías y muchas puertas con aldabas de bronce que eran cabezas humanas: el parque Los Garifos. «Pero mi madre tampoco era mala, pensó Teresa. Solo que había sufrido mucho». Cuando su padre murió, después de una laboriosa agonía en un hospital de caridad, su madre la llevó una noche hasta la puerta de la casa de su tía, la abrazó y le dijo: «No toques hasta que yo me vaya. Estoy harta

543

de esta vida de perros. Ahora voy a vivir para mí y que Dios me perdone. Tu tía te cuidará». El tranvía la dejaba más cerca de su casa que el Expreso. Pero, desde el paradero del tranvía, tenía que atravesar una serie de corralones[584] inquietantes, hervideros de hombres desgreñados y en harapos que le decían frases insolentes y a veces querían agarrarla. Esta vez nadie la molestó. Solo vio a dos mujeres y a un perro: los tres escarbaban con empeño en unos tachos[585] de basura, entre enjambres de moscas. Los corralones parecían vacíos. «Limpiaré todo antes del almuerzo», pensó. Transitaba ya por Lince, entre casas chatas y gastadas. «Para tener la tarde libre».

Desde la esquina de su casa vio a media cuadra la silueta en uniforme oscuro, el quepí blanco y, al borde de la acera, un maletín de cuero. De inmediato, la sorprendió su inmovilidad de maniquí, pensó en esos centinelas clavados junto a las rejas del palacio de Gobierno. Pero estos eran gallardos, hinchaban el pecho y alargaban el cuello, orgullosos de sus largas botas y sus cascos con melena; Alberto, en cambio, tenía sumidos los hombros, la cabeza baja y el cuerpo como escurrido. Teresa le hizo adiós pero él no la vio. «El uniforme le queda bien, pensó Teresa. Y cómo brillan los botones. Parece un cadete de la Naval». Alberto levantó la cabeza cuando ella estuvo apenas a unos metros. Teresa sonrió y él alzó la mano. «¿Qué le pasa?», pensó Teresa. Alberto estaba irreconocible, envejecido. Su rostro lucía un pliegue profundo entre las cejas, sus párpados eran dos lunas negras y los huesos de los pómulos parecían a punto de desgarrar la piel, muy pálida. Tenía la mirada extraviada y los labios exangües.

—¿Acabas de salir? —dijo Teresa, escudriñando la cara de Alberto—. Creí que solo vendrías esta tarde.

Él no respondió. La miraba con ojos vacíos, derrotados.

---

[584] *Corralón*. (Per.) Descampado, lote baldío, potrero.
[585] *Tacho*. (Am.) Del portugués. Montón.

—Te queda bien el uniforme —dijo Teresa, en voz baja, después de unos segundos.

—No me gusta el uniforme —dijo él, con una furtiva sonrisa—. Me lo quito apenas llego a mi casa. Pero hoy no he ido a Miraflores.

Hablaba sin mover los labios y su voz era blanca, hueca.

—¿Qué ha pasado? —preguntó Teresa—. ¿Por qué estás así? ¿Te sientes mal? Dime, Alberto.

—No —dijo Alberto, desviando la mirada—. No tengo nada. Pero no quiero ir a mi casa ahora. Tenía ganas de verte —se pasó la mano por la frente y el pliegue se borró, pero solo por un instante—. Estoy en un problema.

Teresa aguardaba, algo inclinada hacia él, y lo miraba con ternura para animarlo a seguir hablando, pero Alberto había cerrado los labios y se frotaba las manos, suavemente. Ella se sintió, de pronto, angustiada. ¿Qué decir, qué hacer para que él se mostrara confiado, cómo alentarlo, qué pensaría después de ella? Su corazón se había puesto a latir muy rápido. Dudó un momento todavía. De improviso, dio un paso hacia Alberto y le tomó la mano.

—Ven a mi casa —dijo—. Quédate a almorzar con nosotros.

—¿A almorzar? —dijo Alberto, desconcertado; otra vez se pasó la mano por la frente—. No, no molestes a tu tía. Comeré algo por aquí y te vendré a buscar después.

—Ven, ven —insistió ella, recogiendo el maletín del suelo—. No seas sonso. Mi tía no se va a molestar. Ven conmigo.

Alberto la siguió. En la puerta, Teresa le soltó la mano; se mordió los labios y le dijo en un susurro: «No me gusta verte triste». La mirada de él pareció humanizarse, su rostro sonreía ahora agradecido y bajaba hacia ella. Se besaron en la boca, muy rápido. Teresa tocó la puerta. La tía no reconoció a Alberto; sus ojillos lo observaron con desconfianza, recorrieron intrigados su uniforme, se iluminaron al encontrar su rostro. Una sonrisa ensanchó su cara gorda. Se limpió la mano en la falda y se la extendió mientras su boca expulsaba un chorro de saludos:

—¿Cómo está, cómo está, señor Alberto? ¡Qué gusto!, pase, pase. ¡Qué gusto de verlo! No lo había reconocido con ese uniforme tan bonito que tiene. Yo decía, ¿quién es, quién es? y no me daba cuenta. Me estoy quedando ciega por el humo de la cocina, sabe usted, y también por la vejez. Pase, señor Alberto, qué gusto de verlo.

Apenas entraron, Teresa se dirigió a la tía:

—Alberto se quedará a almorzar con nosotras.

—¿Ah? —dijo la tía, como tocada por el rayo—. ¿Qué?

—Se va a quedar a almorzar con nosotras —repitió Teresa.

Sus ojos imploraban a la mujer que no mostrara ese asombro desmedido, que hiciera un gesto de asentimiento. Pero la tía no salía de su pasmo: los ojos muy abiertos, el labio inferior caído, la frente constelada de arrugas, parecía en éxtasis. Al fin, reaccionó y con una mueca agria, ordenó a Teresa:

—Ven aquí.

Dio media vuelta y, retorciendo el cuerpo al andar como un pesado camello, entró a la cocina. Teresa fue tras ella, cerró la cortina e inmediatamente se llevó un dedo a la boca, pero era inútil: la tía no decía nada, solo la miraba iracunda y le mostraba las uñas. Teresa le habló al oído:

—El chino te puede fiar hasta el martes. No digas nada, que no te oiga, después te explico. Tiene que quedarse con nosotras. No te enojes, por favor, tía. Anda, estoy segura que te fiará.

—Idiota —bramó la tía, pero en el acto bajó la voz y se llevó un dedo a la boca. Murmuró—: Idiota. ¿Te has vuelto loca, quieres matarme a colerones?[586]. Hace años que el chino no me fía nada. Le debemos plata y no puedo asomarme por ahí. Idiota.

—Ruégale —dijo Teresa—. Haz cualquier cosa.

---

[586] *Matar a colerones.* (Am.) Matar a disgustos.

—Idiota —exclamó la tía y volvió a bajar la voz—. Solo hay dos platos. ¿Le vas a dar una sopa apenas? No hay ni pan.

—Anda, tía —insistió Teresa—. Por lo que más quieras.

Y, sin esperar su respuesta, regresó a la sala. Alberto estaba sentado. Había puesto el maletín en el suelo y encima el quepí. Teresa se sentó junto a él. Vio que sus cabellos estaban sucios y alborotados como una cresta. Volvió a abrirse la cortina y apareció la tía. Su rostro, todavía enrojecido por la cólera, desplegaba una porfiada sonrisa.

—Ya vengo, señor Alberto. Vuelvo ahorita. Tengo que salir un momentito, sabe usted —miró a Teresa con ojos fulminantes—: Anda a fijarte en la cocina.

Salió dando un portazo.

—¿Qué te pasó el sábado? —preguntó Teresa—. ¿Por qué no saliste?

—Ha muerto Arana —dijo Alberto—. Lo enterraron el martes.

—¿Cómo? —dijo ella—. ¿Arana, el de la esquina? ¿Ha muerto? Pero, no puede ser. ¿Quieres decir Ricardo Arana?

—Lo velaron en el colegio —dijo Alberto; su voz no expresaba emoción alguna, solo cierto cansancio; sus ojos parecían nuevamente ausentes—. No lo trajeron a su casa. Fue el sábado pasado. En la campaña. Hacíamos práctica de tiro. Le cayó un balazo en la cabeza.

—Pero —dijo Teresa, cuando él calló; se la notaba confusa—. Yo lo conocía muy poco. Pero me da mucha pena. ¡Es horrible! —le puso una mano en el hombro—. ¿Estaba en tu misma sección, no? ¿Es por eso qué estás triste?

—En parte, sí —dijo él, con lentitud—. Era mi amigo. Y, además...

—Sí, sí —dijo Teresa—. ¿Por qué estás tan cambiado? ¿Qué otra cosa ha ocurrido? —se acercó a él y lo besó en la mejilla; Alberto no se movió y ella se enderezó, encarnada.

—¿Te parece poco? —dijo Alberto—. ¿Te parece poco que se muriera así? Y yo ni siquiera pude hablar con él. Creía que era su amigo y yo... ¿Te parece poco?

—¿Por qué me hablas en ese tono? —dijo Teresa—. Dime la verdad, Alberto. ¿Por qué estás enojado conmigo? ¿Te han dicho algo de mí?

—¿No te importa que se haya muerto Arana? —dijo él—. ¿No ves que estoy hablando del Esclavo? ¿Por qué cambias de tema? Solo piensas en ti y... —no siguió porque al oírlo gritar los ojos de Teresa se habían llenado de lágrimas; sus labios temblaban—. Lo siento... —dijo Alberto[587]—. Estoy diciendo tonterías. No quería gritarte. Solo que han pasado muchas cosas, estoy muy nervioso. No llores, por favor, Teresita.

La atrajo hacia él, Teresa apoyó la cabeza en su hombro y permanecieron así un momento. Luego Alberto la besó en las mejillas, en los ojos y, largamente, en la boca.

—Claro que me da mucha pena —dijo Teresa—. Pobrecito. Pero te veía tan preocupado que me dio miedo, creí que estabas molesto conmigo por algo. Y cuando me gritaste fue terrible, nunca te había visto furioso. Cómo tenías los ojos.

—Teresa —dijo él—. Yo quería contarte algo.

—Sí —dijo ella; tenía las mejillas incendiadas y sonreía con gran alegría—. Cuéntame, quiero saber todas tus cosas. Él cerró la boca de golpe y la zozobra de su rostro se disolvió en una desalentada sonrisa.

—¿Qué cosa? —dijo ella—. Cuéntame, Alberto.

—Que te quiero mucho —dijo él.

Al abrirse la puerta, se separaron con precipitación: el maletín de cuero se volcó, el quepí rodó al suelo y Alberto se inclinó a recogerlo. La tía le sonreía beatíficamente. Llevaba un paquete en las manos. Mientras preparaba la comida, ayudada por Teresa, esta enviaba a Alberto, a espaldas de su tía, besos volados[588]. Luego hablaron del tiempo, del verano próximo y de las buenas películas. Solo mientras comían,

---

[587] La edición de la RAE elimina «—dijo Alberto—».

[588] *Beso volado*. Gesto con la mano de mandar besos al aire, para que lleguen a su destinatario, a distancia.

Teresa reveló a su tía la muerte de Arana. La mujer lamentó a grandes voces la tragedia, se persignó muchas veces, compadeció a los padres, a la pobre madre sobre todo, y afirmó que Dios mandaba siempre las peores desgracias a las familias más buenas, nadie sabía por qué. Pareció que también iba a llorar, pero se limitó a restregarse los ojos secos y a estornudar. Acabando el almuerzo, Alberto anunció que se marchaba. En la puerta de calle, Teresa volvió a preguntarle:

—¿De veras no estás enojado conmigo?

—No, te juro que no. ¿Por qué podría enojarme contigo? Pero quizá no nos veamos un tiempo. Escríbeme al colegio todas las semanas. Ya te explicaré todo después.

Más tarde, cuando Alberto ya había desaparecido de su vista, Teresa se sintió perpleja. ¿Qué significaba esa advertencia, por qué había partido así? Y entonces tuvo una revelación: «se ha enamorado de otra chica y no se atrevió a decírmelo porque lo invité a almorzar».

La primera vez fuimos a La Perla. El flaco Higueras me preguntó si no me importaba caminar o si quería tomar el ómnibus. Bajamos por la avenida Progreso, hablando de todo menos de lo que íbamos a hacer. El flaco no parecía nervioso, al contrario, estaba mucho más tranquilo que de costumbre y yo pensé que quería darme ánimos, me sentía enfermo de miedo. El flaco se quitó la chompa, dijo que hacía calor. Yo tenía mucho frío, me temblaba el cuerpo y tres veces me paré a orinar. Cuando llegamos al hospital Carrión, salió de entre los árboles un hombre. Di un brinco y grité: «flaco, los tombos»[589]. Era uno de los tipos que estaban con Higueras, la noche anterior, en la chingana de Sáenz Peña. Él sí estaba muy serio y parecía nervioso. Hablaba con el flaco en jerga, no le comprendía muy bien.

---

[589] *Tombo.* (Per.) Policía.

Seguimos caminando y, después de un rato, el flaco dijo: «cortemos por aquí». Nos salimos de la pista y seguimos por el descampado. Estaba oscuro y yo me tropezaba todo el tiempo. Antes de llegar a la avenida de las Palmeras, el flaco dijo: «aquí podemos hacer una pascana[590] para ponernos de acuerdo». Nos sentamos y el flaco me explicó lo que tenía que hacer. Me dijo que la casa estaba vacía y que ellos me ayudarían a subir al techo. Tenía que descolgarme a un jardín y pasar al interior por una ventana muy pequeña, sin vidrios. Luego, abrirles alguna de las ventanas que daban a la calle, salir y volver al sitio donde estábamos. Allí los esperaría. El flaco me repitió varias veces las instrucciones y me indicó con mucho cuidado en qué parte del jardín se encontraba la ventanilla sin vidrios. Parecía conocer perfectamente la casa, me describió con detalles cómo eran las habitaciones. Yo no le hacía preguntas sobre lo que tenía que hacer, sino sobre lo que podía pasarme: «¿estás seguro que no hay nadie? ¿Y si hay perros? ¿Qué hago si me agarran?». Con mucha paciencia, el flaco me tranquilizaba. Después, se volvió hacia el otro y le dijo: «anda, Culepe». Culepe se fue hacia la avenida de las Palmeras y al poco rato lo perdimos de vista. Entonces el flaco me preguntó: «¿tienes miedo?». «Sí, le dije. Un poco». «Yo también, me contestó. No te preocupes. Todos tenemos miedo». Un momento después, silbaron. El flaco se levantó y me dijo: «vamos. Ese silbido quiere decir que no hay nadie cerca». Yo comencé a temblar y le dije: «flaco, mejor me regreso a Bellavista». «No seas tonto, me dijo. En media hora hemos acabado». Fuimos hasta la avenida y ahí apareció otra vez Culepe. «Todo parece un cementerio, nos dijo. No hay ni gatos». Era una casa grande como un castillo, a oscuras. Dimos la vuelta a los muros y, en la parte de atrás, el flaco y Culepe me cargaron[591] hasta que pude cogerme del techo y

---

590 *Pascana.* (Indig.) Voz quechua, *paskana.* Pausa en el trayecto.
591 *Cargar.* Llevar a cuestas.

trepar. Cuando estuve arriba, se me fue el miedo. Quería hacer todo muy rápido. Atravesé el techo y vi que el árbol del jardín estaba muy cerca del muro, como me había dicho el flaco. Pude bajar sin hacer ruido ni arañarme. La ventanilla sin vidrios era muy chica y me asusté al ver que tenía alambre. «Me ha engañado», pensé. Pero el alambre estaba oxidado y apenas lo empujé se hizo trizas. Me costó mucho trabajo pasar, me raspé la espalda y las piernas y un momento creí que me iba a quedar atracado[592]. Adentro de la casa no se veía nada. Me daba de bruces contra los muebles y las paredes. Cada vez que entraba a una habitación, creía que iba a ver las ventanas que daban a la calle y solo había tinieblas. Con los nervios, hacía mucho ruido y no podía orientarme. Pasaban los minutos y no encontraba las ventanas. En una de esas choqué contra una mesa y eché al suelo un florero o algo así que se hizo añicos. Casi lloré al ver en un rincón unas rayitas de luz, no había visto las ventanas porque las ocultaban unas cortinas muy gruesas. Espié y ahí estaba la avenida de las Palmeras, pero no vi ni al flaco ni a Culepe y me dio un susto horrible. Pensé: «vino la policía y me dejaron solo». Estuve mirando un rato a ver si aparecían. En eso me entró una gran decepción y dije, qué me importa, después de todo soy menor y solo me llevarán al reformatorio. Abrí la ventana y salté a la calle. Apenas había tocado el suelo, sentí pasos y oí la voz del flaco que me decía: «bien, muchacho. Ahora anda a la hierbita y no te muevas». Eché a correr, crucé la pista y me tendí. Me puse a pensar en lo que haría si de pronto llegaban los cachacos. A ratos me olvidaba que estaba allí y me parecía que todo era un sueño y que estaba en mi cama y se me aparecía la cara de Tere y me venían unas ganas de verla y de hablarle. Estaba tan distraído pensando en eso, que no sentí al flaco y a Culepe cuando regresaron. Volvimos a

---

[592] *Atracado*. Atorado, clavado.

Bellavista por el descampado, sin subir a la avenida Progreso. El flaco había sacado muchas cosas. En los árboles que están frente al hospital Carrión nos detuvimos y el flaco y Culepe hicieron varios paquetes. Se despidieron antes de entrar a la ciudad. Culepe me dijo: «pasaste la prueba de fuego, compañero». El flaco me dio algunos paquetes, que escondí entre la ropa, y nos sacudimos los pantalones y nos limpiamos los zapatos que estaban enterrados. Después, nos fuimos hasta la plaza, caminando tranquilamente. El flaco me contaba chistes y yo me reía a carcajadas. Me acompañó hasta la puerta de mi casa y ahí me dijo: «te has portado como un buen compañero. Mañana nos veremos y te daré tu parte». Yo le dije que necesitaba dinero con urgencia, aunque fuera un poquito. Me dio un billete de diez soles. «Esto es solo una parte, me dijo. Mañana te daré más si es que esta misma noche vendo lo que sacamos». Yo nunca había tenido tanta plata. Pensaba todo lo que podría hacer con diez soles y se me ocurrían muchas cosas pero no me decidía por ninguna; solo estaba seguro que al día siguiente gastaría cinco reales en ir a Lima. Pensé: «le llevaré un regalo». Estuve horas tratando de encontrar lo que más convenía. Se me ocurrían las cosas más raras, desde cuadernos y tizas hasta caramelos y un canario. A la mañana siguiente, cuando salí del colegio, todavía no había elegido. Y entonces me acordé que ella se había prestado una vez del panadero, un chiste[593] para leer las historietas. Fui hasta un puesto de periódicos y compré tres chistes: dos de aventuras y el otro romántico. En el tranvía me sentía muy contento y se me venían a la cabeza muchas ideas. La esperé como siempre en la tienda de Alfonso Ugarte, y, cuando salió, me acerqué inmediatamente. Nos dimos la mano y empezamos a conversar de su colegio. Yo tenía las revistas bajo el brazo. Cuando cruzamos la plaza Bolognesi, ella,

---

[593] *Chiste*. Aquí, revista gráfica, tebeo o cómic.

que las miraba de reojo hacía rato, me dijo: «¿tienes chistes? Qué bien. ¿Me los prestas cuando los leas?». Yo le dije: «los he comprado para regalártelos». Y ella me dijo: «¿de veras?». «Claro, le contesté. Tómalos». Me dijo: «muchas gracias», y se puso a hojearlos mientras caminábamos. Me di cuenta que el primero que vio y en el que más se demoró fue el romántico. Pensé: «debí comprarle tres románticos, a ella no le pueden interesar las aventuras». Y en la avenida Arica, me dijo: «cuando los lea, te los presto». Le dije que bueno. No hablamos durante un rato. De pronto ella me dijo: «eres muy bueno». Yo me reí y solo contesté: «no creas».

«Debía haberle dicho y a lo mejor me daba un consejo, ¿tú crees que lo que voy a hacer es peor y que el único fregado seré yo? ¿Estoy seguro, quién está seguro? A mí no puedes engañarme, hijo de perra, he visto la cara que tienes, te juro que las vas a pagar caro. Pero ¿debía?». Alberto mira y, con sorpresa, descubre ante él la vasta explanada cubierta de hierba donde se emplazan los cadetes del Leoncio Prado el 28 de julio[594], para el desfile. ¿Cómo ha llegado al Campo de Marte? La explanada desierta, el frío suave, la brisa, la luz del crepúsculo que cae sobre la ciudad como una lluvia parda, le recuerdan el colegio. Mira su reloj: camina sin rumbo hace tres horas. «Ir a mi casa, acostarme, llamar al médico, tomar una pastilla, dormir un mes, olvidarme de todo, de mi nombre, de Teresa, del colegio, ser toda la vida un enfermo, pero con tal de no acordarme». Da media vuelta y desanda el camino que acaba de hacer. Se para junto al monumento a Jorge Chávez[595]; en la penumbra, el compacto triángulo y

---

[594] *El 28 de julio*. Fecha de celebración de la declaración de independencia de Perú por el libertador San Martín; primer día de Fiestas Patrias.
[595] *Jorge Chávez* (París, 1887-Domodossola, 1910), máximo héroe de la aviación civil peruana.

sus estatuas volantes parecen de brea[596]. Un río de automóviles anega la avenida y él espera en la esquina, con otros transeúntes. Pero cuando el río se detiene y las personas que le rodean cruzan la pista ante una muralla de parachoques, él permanece en el sitio, mirando estúpidamente la luz roja del semáforo. «Si se pudiera retroceder y hacer las cosas de nuevo y, por ejemplo, esa noche, decirle dónde está el Jaguar, no está, chau, y a mí qué diablos que le robaran su sacón, cada uno se las arregla como puede, nada más que eso y yo estaría tranquilo, sin problemas, oyendo a mi mamá, Albertito, tu papá siempre lo mismo, con las malas mujeres día y noche, noche y día con las polillas, hijito, siempre lo mismo». Ahora está en el paradero del Expreso, en la avenida 28 de Julio y ha dejado atrás el bar. Al pasar lo miró solo de reojo, pero todavía recuerda el ruido, la claridad hiriente y el humo que salían hasta la calle. Viene un Expreso, la gente sube, el conductor le pregunta «¿y usted?», y como él lo mira con indiferencia, se encoge de hombros y cierra la puerta. Alberto gira y, por tercera vez, recorre el mismo sector de la avenida. Llega a la puerta del bar y entra. El ruido lo amenaza de todas direcciones, la luz lo ciega y pestañea varias veces. Consigue llegar al mostrador entre cuerpos que huelen a alcohol y a tabaco. Pide una lista de teléfonos[597]. «Se lo estarán comiendo a poquitos, si comenzaron por los ojos que son tan blandos, ya deben estar en el cuello, ya se tragaron la nariz, las orejas, se le han metido dentro de las uñas como piques y están devorando la carne, qué banquete se deben estar dando. Debí llamar antes que empezaran a comérselo, antes que lo enterraran, antes que se muriera, antes». El bullicio lo martiriza, le impide concentrarse lo suficiente para localizar, entre las columnas de nombres, el apellido que busca. Finalmente, lo encuentra. Levanta de golpe el auricular, pero cuando va a

---

[596] *Brea.* Derivado del alquitrán.
[597] En la edición de la RAE se actualiza por «guía telefónica».

marcar el número su mano queda suspendida a milímetros del tablero; en sus oídos resuena ahora un pito estridente. Sus ojos perciben a un metro, tras el mostrador, una casaca[598] blanca, con las solapas arrugadas. Marca el número y escucha la llamada: un silencio, un espasmo sonoro, un silencio. Echa un vistazo alrededor. Alguien, en una esquina del bar, brinda por una mujer: otros contestan y repiten un nombre. La campanilla del teléfono sigue llamando, con intervalos idénticos. «¿Quién es?», dice una voz. Queda mudo; su garganta es un trozo de hielo. La sombra blanca que está al frente se mueve, se aproxima. «El teniente Gamboa, por favor», dice Alberto. «*Whisky* americano, dice la sombra, *whisky* de mierda. *Whisky* inglés, buen *whisky*». «Un momento, dice la voz. Voy a llamarlo». Tras él, el hombre que brindaba, ha iniciado un discurso. «Se llama Leticia y no me da vergüenza decir que la quiero, muchachos. Casarse es algo serio. Pero yo la quiero y por eso me caso con la chola, muchachos». «*Whisky*, insiste la sombra. *Scotch*. Buen *whisky*. Escocés, inglés, da lo mismo. No americano, sino escocés o inglés». «¿Aló?[599], escucha. Siente un estremecimiento y separa ligeramente el auricular de su cara. «Sí, dice el teniente Gamboa. ¿Quién es?». «Se acabó la jarana para siempre, muchachos. En adelante, hombre serio a más no poder. Y a trabajar duro para hacer dinero y tener contenta a la chola». «¿Teniente Gamboa?», pregunta Alberto. «Pisco de Montesierpe, afirma la sombra, mal pisco. Pisco Motocachy, buen pisco». «Yo soy. ¿Quién habla?». «Un cadete, responde Alberto. Un cadete de quinto año». «Viva mi chola y vivan mis amigos». «¿Qué quiere?». «El mejor pisco del mundo, a mi entender, asegura la sombra. Pero rectifica: O uno de los mejores, señor. Pisco Motocachy». «Su nombre», dice Gamboa. «Tendré diez hijos.

---

[598] *Casaca*. (Am.) Del francés, *casaque*, y del italiano, *casacca*. Prenda de la parte superior del uniforme.

[599] *Aló*. (Am.) Expresión, de origen francés, que también se utiliza en Perú para responder al teléfono.

Todos hombres. Para ponerles el nombre de cada uno de mis amigos, muchachos. El mío a ninguno, solo los nombres de ustedes». «A Arana lo mataron, dice Alberto. Yo sé quién fue. ¿Puedo ir a su casa?». «Su nombre», dice Gamboa. «¿Quiere usted matar a una ballena? Dele pisco Motocachy, señor». «Cadete Alberto Fernández, mi teniente. Primera sección. ¿Puedo ir?». «Venga inmediatamente, dice Gamboa, Calle Bolognesi 327. Barranco». Alberto cuelga.

Todos están distintos, a lo mejor yo también, solo que no me doy cuenta. El Jaguar ha cambiado mucho, es para asustarse. Anda furioso, no se le puede hablar, uno se le acerca a hacerle una pregunta, a pedirle un cigarrillo, y ahí mismo se pone como si le hubieran bajado el pantalón y empieza a decir brutalidades. No aguanta nada, por cualquier cosa, bum[600], la risita de las peleas y hay que estar calmándolo, Jaguar, qué te pasa, si yo no me meto contigo, no te sulfures, matoneas sin motivo. Y a pesar de las disculpas se le va la mano por cualquier cosa, en estos días he visto a varios machucados. No solo anda así con los de la sección, también con el Rulos y conmigo, parece mentira que se porte así con nosotros que somos del Círculo. Pero el Jaguar ha cambiado por lo del serrano, yo pesco todas las cosas. Por más que se riera y quisiera demostrar que le importaba un pito, la expulsión del serrano Cava lo ha transformado. Nunca le había visto esos ataques de rabia, qué manera de temblarle la cara, qué palabrotas, lo quemo todo, los mato a todos, una noche incendiaremos el edificio de los oficiales, quisiera despanzurrar al coronel y ponerme sus tripas de corbata. Me parece que hace un mundo[601] de tiempo que no nos reunimos los tres que quedamos del Círculo, desde que lo metieron adentro al serrano y tratábamos de descubrir al soplón. No es

---

[600] *Bum.* Del inglés, *boom.* Onomatopeya de explosión.
[601] *Hacer un mundo de tiempo.* (Am.) Hacer un montón de tiempo.

justo lo que pasa aquí, el serrano con las alpacas[602], fregado hasta el alma y el soplón debe estar rascándose la panza de contento, me figuro que va a ser bien difícil descubrirlo. A lo mejor los oficiales le dieron plata para que hablara. El Jaguar decía: «dos horas no más para saber quién es, menos, una basta; abres las narices[603] y descubres a los soplones ahí mismito». Puro cuento, solo a los serranos los descubres con los ojos o la nariz, en cambio los hijos de puta disimulan muy bien. Eso debe ser lo que lo ha desmoralizado. Pero al menos debía juntarse con nosotros, siempre fuimos sus patas. No comprendo por qué para solo. Basta que uno se le acerque para que ponga cara de odio, parece que va a saltar y morder, qué buen apodo le pusieron, es el que más le convenía. No pienso volver a acercarme a él, va a creer que lo estoy sobando[604] y yo trataba de hablarle por amistad. Fue un milagro que no nos mecháramos ayer, no, sé por qué me contuve, debí pararlo y ponerlo en su sitio, yo no le tengo miedo. Cuando el capitán nos llevó al salón de actos y comenzó a hablar del Esclavo, que los errores se pagan caros en el Ejército, métanse en la mollera[605] que están en las Fuerzas Armadas y no en un zoológico si no quieren que les pase lo mismo, si hubiéramos estado en guerra ese cadete sería un traidor a la patria por irresponsable, carajo, a cualquiera le hierve la sangre que se ensañen con un muerto, Piraña, porquería, que un balazo te perfore la cabeza a ti. Pero no solo yo estaba furioso, todos estaban igual, bastaba verles las caras. Y yo le dije: «Jaguar, no está bien eso de agarrárselas con un muerto, ¿por qué no le hacemos un zumbido?»[606]. Y él me dijo: «mejor te

---

[602] *Alpaca.* (Indig.) Del quechua, *pakucha.* Mamífero camélido propio de la zona andina, de menor tamaño que una llama, que produce una lana muy preciada.

[603] *Abrir las narices.* Oler

[604] *Sobar.* (Per.) Aquí, adular.

[605] *En la mollera.* En la cabeza.

[606] *Hacer un zumbido.* (Am.) Darle una trompada.

callas, eres muy bruto y solo sabes decir estupideces. Cuidado con dirigirme la palabra si no te pregunto algo». Debe estar enfermo, esas no son maneras de persona sana, enfermo de la cabeza, loco perdido. No creas que necesito juntarme contigo, Jaguar, he andado detrás tuyo para pasar el tiempo pero no me hace falta ya, dentro de poco se termina este merengue[607] y no nos veremos más las caras. Cuando salga del colegio no volveré a ver a nadie de aquí, salvo a la Malpapeada, a lo mejor me la robo y la adopto.

Alberto camina por las serenas calles de Barranco, entre casonas descoloridas de principios de siglo, separadas de la calle por jardines profundos. Los árboles, altos y frondosos, proyectan en el pavimento sombras que parecen arañas. De vez en cuando pasa un tranvía atestado; la gente mira por las ventanillas con aire aburrido. «Debí contarle todo, fíjate bien lo que ha pasado, estaba enamorado de ti, mi papá mañana y tarde con las polillas, mi mamá con su cruz a cuestas y rezando rosarios, confesándose con el jesuita, Pluto y el Bebe conversando en casa de, oyendo discos en el salón de, bailando en, tu tía comiéndose los pelos en la cocina, y a él se lo están comiendo los gusanos porque quería salir a verte y su padre no le dejó, fíjate bien, ¿te parece poco?». Había bajado del tranvía en el paradero de La Laguna. Sobre el pasto, al pie de los árboles, parejas o familias enteras toman el fresco de la noche y los zancudos zumban a las orillas del estanque, junto a los botes inmóviles. Alberto atraviesa el parque, el campo de deportes: la luz de la avenida revela los columpios y la barra; las paralelas, el tobogán, los trapecios y la escalera giratoria yacen en las sombras. Camina hasta la plaza iluminada y la elude: tuerce hacia el malecón que intuye al fondo, no muy lejos, detrás de una mansión de muros cremas, más alta que las otras y bañada por la luz oblicua de

---

[607] *Merengue.* (Am.) Lío.

un farol. En el malecón se aproxima al parapeto y mira: el mar de Barranco no es el de La Perla, que siempre da señales de vida y en las noches murmura con cólera; es un mar silencioso, sin olas, un lago. «Tú también tienes la culpa y cuando te dije se ha muerto no lloraste, ni te dio pena. También tienes la culpa y si te decía lo mató el Jaguar, hubieras dicho pobre, ¿un jaguar de a deveras?, tampoco hubieras llorado y él estaba loco por ti. Tenías la culpa y no te importaba nada más que mi cara seria. La culpa y mi cara, la Pies Dorados que es una polilla tiene más alma que tú».

Es una casa vieja, de dos pisos, con balcones que dan sobre un jardín sin flores. Un caminito recto une la verja herrumbrosa a la puerta de entrada, una puerta antigua, labrada con dibujos borrosos que parecen jeroglíficos. Alberto toca con los nudillos. Espera unos segundos, ve el timbre, apoya el dedo en el botón y lo separa de inmediato. Siente pasos. Se cuadra.

—Pase —dice Gamboa y se retira del umbral.

Alberto entra, oye el ruido de la puerta al cerrarse. El teniente pasa a su lado y avanza por un corredor largo, que está en la penumbra. Alberto lo sigue en puntas de pie. La espalda de Gamboa casi toca su cara; si el oficial se detuviera de improviso, chocarían. Pero el teniente no se detiene; al final del pasillo estira una mano, abre una puerta y entra a una habitación. Alberto espera en el pasillo. Gamboa ha encendido la luz. Están en una sala. Los muros son verdes y hay cuadros con marcos dorados. Desde una mesa, un hombre mira a Alberto con obstinación: es una vieja foto, el cartón está amarillo y el hombre luce patillas, una barba patriarcal y aguzados bigotes.

—Siéntese —dice Gamboa, señalándole un sillón.

Alberto se sienta y su cuerpo se hunde como en un sueño. En ese momento recuerda que lleva puesto el quepí. Se lo saca y pide disculpas, entre dientes. Pero el teniente no lo oye, está de espaldas, cerrando la puerta. Da media vuelta, se sienta frente a él en una silla de patas finas y lo mira.

—Alberto Fernández —dice Gamboa—. ¿De la primera sección, me dijo?

—Sí, mi teniente —Alberto se adelanta un poco y los resortes del sillón chirrían, brevemente.

—Bueno —dice Gamboa—. Hable usted.

Alberto mira al suelo: la alfombra tiene dibujos azules y cremas, una circunferencia envuelve a otra más pequeña que a su vez encierra a otra. Las cuenta: doce circunferencias y un punto final, de color gris. Levanta la vista; detrás del teniente hay una cómoda, la superficie es de mármol y las empuñaduras de los cajones de metal.

—Estoy esperando, cadete —dice Gamboa.

Alberto vuelve a mirar la alfombra.

—La muerte del cadete Arana no fue casual —dice—. Lo mataron. Ha sido una venganza, mi teniente.

Levantó los ojos. Gamboa no se ha movido; su rostro está impasible, no revela sorpresa ni curiosidad. No le hace ninguna pregunta. Tiene las manos apoyadas en las rodillas, los pies separados. Alberto descubre que la silla que ocupa el teniente tiene extremidades de animal: plantas chatas y garras carniceras.

—Lo han asesinado —añade—. Ha sido el Círculo. Lo odiaban. Toda la sección lo odiaba, no tenían ningún motivo, él no se metía con nadie. Pero lo odiaban porque no le gustaban las bromas ni las peleas. Lo volvían loco, lo batían todo el tiempo y ahora lo han matado.

—Cálmese —dice Gamboa—. Vaya por partes. Hable con toda confianza.

—Sí, mi teniente —dice Alberto—. Los oficiales no saben nada de lo que pasa en las cuadras. Todos se ponían siempre en contra de Arana, lo hacían consignar, no lo dejaban en paz ni un instante. Ahora ya están tranquilos. Ha sido el Círculo, mi teniente.

—Un momento —dice Gamboa y Alberto lo mira. Esta vez, el teniente se ha movido hasta el borde de la silla y apoya el mentón en la palma de la mano—. ¿Quiere usted decir que un cadete de la sección disparó deliberadamente contra el cadete Arana? ¿Quiere decir eso?

—Sí, mi teniente.

—Antes de que me diga el nombre de esa persona —añade Gamboa, suavemente—, tengo que advertirle algo. Una acusación de ese género es muy grave. Supongo que se da cuenta de todas las consecuencias que puede tener este asunto. Y supongo también que no tiene usted la menor duda de lo que va a hacer. Una denuncia así no es un juego. ¿Me comprende?

—Sí, mi teniente —dice Alberto—. He pensado en eso. No le hablé antes porque me daba miedo. Pero ya no —abre la boca para continuar, pero no lo hace. El rostro de Gamboa, que Alberto observa sin bajar la vista, es de líneas marcadas y revela aplomo. En unos segundos, los rasgos precisos de ese rostro se disuelven, la piel morena del teniente se blanquea. Alberto cierra los ojos, ve un segundo la cara pálida y amarillenta del Esclavo, su mirada huidiza, sus labios tímidos. Solo ve su rostro y, luego, cuando vuelve a abrir los ojos y reconoce nuevamente al teniente Gamboa, cruzan su memoria el campo de hierba, la vicuña, la capilla, la litera vacía de la cuadra.

—Sí, mi teniente —dice—. Me hago responsable. Lo mató el Jaguar para vengar a Cava.

—¿Cómo? —dice Gamboa. Ha dejado caer la mano y sus ojos se muestran ahora intrigados.

—Todo fue por la consigna, mi teniente. Por lo del vidrio. Para él fue horrible, peor que para cualquiera. Hacía un mes[608] que no salía. Primero le robaron su piyama. Y a la semana siguiente lo consignó usted por soplarme en el examen de química. Estaba desesperado, tenía que salir, ¿comprende usted, mi teniente?

—No —dijo Gamboa—. Ni una palabra.

—Quiero decir que estaba enamorado, mi teniente. Le gustaba una muchacha. El Esclavo no tenía amigos, hay

---

[608] Desde la edición de 1997, se rectifica «quince días» por «un mes».

que pensar en eso, no se juntaba con nadie. Se pasó los tres años del colegio solo, sin hablar con nadie. Todos lo fregaban. Y él quería salir para ver a esa chica. Usted no puede saber cómo lo batían todo el tiempo. Le robaban sus cosas, le quitaban los cigarrillos.

—¿Los cigarrillos? —dijo Gamboa.

—Todos fuman en el colegio —dice Alberto, agresivo—. Una cajetilla diaria cada uno. O más. Los oficiales no saben nada de lo que pasa. Todos lo fregaban al Esclavo, yo también. Pero después me hice su amigo, el único. Me contaba sus cosas. Se le prendían porque tenía miedo a los golpes. No eran bromas, mi teniente. Lo orinaban cuando dormía, le cortaban el uniforme para que lo consignaran, escupían en su comida, lo obligaban a ponerse entre los últimos aunque hubiera llegado primero a la fila.

—¿Quiénes? —preguntó Gamboa.

—Todos, mi teniente.

—Tranquilícese, cadete. Dígame todo con orden.

—Él no era malo —lo interrumpe Alberto—. Lo único que odiaba era la consigna. Cuando lo dejaban encerrado se ponía como loco. Ya estaba un mes sin salir. Y la muchacha no le escribía. Yo también me porté muy mal con él, mi teniente. Muy mal.

—Hable más despacio —dice Gamboa—. Controle sus nervios, cadete.

—Sí, mi teniente. ¿Se acuerda cuando usted lo consignó por soplarme en el examen? Tenía que ir con la muchacha al cine. Me dio un encargo. Yo lo traicioné. La chica es ahora mi enamorada.

—Ah —dijo Gamboa—. Ahora entiendo algo.

—Él no sabía nada —dice Alberto—. Pero estaba loco por ir a verla. Quería saber por qué no le escribía la muchacha. La consigna por lo del vidrio podía durar meses. Nunca iban a descubrir a Cava, los oficiales no descubren nunca lo que pasa en las cuadras si nosotros no queremos, mi teniente. Y él no era como los demás, no se atrevía a tirar contra.

—¿Contra?

—Todos tiran contra, hasta los perros. Cada noche se larga alguien a la calle. Menos él, mi teniente. Nunca tiró contra. Por eso fue donde Huarina, digo el teniente Huarina, y denunció a Cava. No porque fuera un soplón. Solo para salir a la calle. Y el Círculo se enteró, estoy seguro que lo descubrió.

—¿Qué es eso del Círculo? —dijo Gamboa.

—Son cuatro cadetes de la sección, mi teniente. Mejor dicho tres, porque Cava ya salió. Roban exámenes, uniformes y los venden. Hacen negocios. Y todo lo venden más caro, los cigarrillos, el licor.

—¿Está usted delirando?

—Pisco y cerveza, mi teniente. ¿No le digo que los oficiales no saben nada? En el colegio se toma más que en la calle. En las noches. Y, a veces, hasta en los recreos. Cuando supieron que habían descubierto a Cava, se pusieron furiosos. Pero Arana no era un soplón, nunca hubo soplones en la cuadra. Por eso lo mataron, para vengarse.

—¿Quién lo mató?

—El Jaguar, mi teniente. Los otros dos, el Boa y el Rulos son un par de brutos, pero ellos no hubieran disparado. Fue el Jaguar.

—¿Quién es el Jaguar? —dijo Gamboa—. Yo no conozco los apodos de los cadetes. Dígame sus nombres.

Alberto se los dijo y luego siguió hablando, interrumpido a veces por Gamboa, que le pedía aclaraciones, nombres, fechas. Mucho rato después, Alberto calló y quedó cabizbajo. El teniente le indicó dónde estaba el baño. Fue y volvió con la cara y los cabellos húmedos. Gamboa seguía sentado en la silla de patas de fiera y tenía una expresión meditabunda. Alberto quedó de pie.

—Vaya a su casa, ahora —dijo Gamboa—. Mañana estaré yo en la Prevención. No entre a su cuadra, venga a verme directamente. Y deme su palabra de que no hablará a nadie de este asunto por ahora. A nadie, ni a sus padres.

—Sí, mi teniente —dijo Alberto—. Le doy mi palabra.

IV

Dijo que iba a venir pero no vino, me dieron ganas de matarlo. Después de la comida, subí a la glorieta como quedamos y me cansé de esperarlo. Estuve fumando y pensando no sé cuánto rato, a veces me levantaba a aguaitar por el vidrio y el patio siempre vacío. Tampoco fue la Malpapeada, está detrás de mí todo el tiempo, pero no justo cuando me hubiera gustado tenerla a mi lado en la glorieta, para espantar el miedo: ladra perra, zape[609] a los malos espíritus. Entonces se me ocurrió: el Rulos me ha traicionado. Pero no era eso, después me di cuenta. Ya se había oscurecido y yo seguía en un rincón de la glorieta, con todos los muñecos en el cuerpo, así que bajé y volví a las cuadras, casi corriendo. Llegué al patio cuando tocaban el pito, si me quedaba un rato más esperándolo me clavaban[610] seis puntos y él ni pensó en eso, qué ganas de chancarlo. Lo vi a la cabeza de la fila y torció los ojos para no mirarme. Tenía la boca abierta, parecía uno de esos idiotas que andan por la calle hablando con las moscas. Ahí mismo me di cuenta que el Rulos no fue a la glorieta porque le dio miedo. «Esta vez nos fregamos de verdad», pensé, «mejor voy haciendo mi maleta, iré a ganarme la vida como pueda, antes que me arranquen las insignias me escaparé por el estadio, y me

---

[609] *Zape.* Interjección utilizada para expulsar algo o alguien de un lugar.
[610] *Clavar.* Meter, adjudicar.

robaré a la Malpapeada, ni cuenta se darán». El brigadier estaba leyendo los nombres y todos decían presente. Cuando llamó al Jaguar, todavía siento frío en el espinazo, todavía me tiemblan las piernas, miré al Rulos y él se volvió y me miró con los ojazos y todos se volvieron y yo tuve que sacar fuerzas de no sé dónde para contenerme. Y el brigadier tosió y siguió con la lista. Después, fue el huaico[611]; apenas entramos a la cuadra, la sección enterita corrió hacia el Rulos y hacia mí gritando: «¿qué ha pasado? Cuenten, cuenten». Y nadie quería creer que no sabíamos nada y el Rulos hacía pucheros: «no tenemos nada que ver, crean y no sean tan preguntones, maldita sea». Ven para acá, no te me corras ahora, no seas tan respingada. Mira que estoy con pesadumbre y necesito compañía. Después, cuando se fueron a acostar, me acerqué al Rulos y le dije: «traidor, ¿por qué no fuiste a la glorieta? Te esperé horas». Tenía más miedo, daba pena verlo y lo peor que era un miedo contagioso. Que no nos vean juntos, Boa, espera que se duerman, Boa, dentro de una hora te despierto y te cuento todo, Boa, métete a tu cama y zafa de aquí, Boa. Lo insulté y le dije: «si me estás engañando, te mato». Pero me fui a acostar y al poco rato apagaron la luz y lo vi al negro Vallano que bajaba de su cama y venía a mi lado. Estaba muy meloso, el gran sabido, muy cariñoso. Yo soy amigo de ustedes, Boa, a mí cuéntame qué ha pasado, todo zalamero con sus dientes de ratón. En medio de mi tristeza me dio risa verlo: salió zumbando con solo mostrarle el puño, con solo ponerle mala cara. Ven perrita, sé buena conmigo, estoy pasando un mal momento, no te me escapes. Yo decía: si no viene, voy y lo aplasto. Pero vino, cuando todos roncaban. Se me acercó despacito y me dijo: «vamos al baño para hablar mejor». La perra me siguió, pasándome su len-

---

[611] *Huaico.* (Indig.) Del quechua, *wayq'u,* un alud. Aquí, figuradamente, la debacle, el desastre.

gua por los pies, tiene una lengua que siempre está caliente. El Rulos estaba meando y no terminaba nunca y yo creí que lo hacía a propósito, así que lo agarré del pescuezo y lo sacudí y le dije: «dime de una vez lo que ha pasado».

No me extraña nada del Jaguar, ya sabía que no tiene sentimientos, a quién le va a asombrar que quiera meternos a todos en la sopa. Dice que le dijo: todo el mundo está fregado si me friegan, no me extraña. Pero tampoco el Rulos sabe gran cosa, no te muevas tanto que me rasguñas la panza, yo esperaba que me dijera muchas cosas y eso podía incluso adivinarlo. Dice que estaban haciendo puntería con la cristina de un perro y que el Jaguar acertaba todas las pedradas a veinte metros y el perro decía: «me están haciendo polvo la cristina, mis cadetes». Yo me acuerdo que los vi en el descampado, y creí que se iban a fumar, si no me hubiera acercado, me gusta mucho hacer puntería y tengo más vista que el Rulos y el Jaguar. Dice que el perro protestaba demasiado y el Jaguar le dijo: «si sigues hablando voy a hacer puntería en tu braqueta, mejor te callas». Y dice que entonces se volvió hacia el Rulos y, sin que viniera al caso, le dijo: «se me ocurre que el Poeta no ha venido al colegio porque se ha muerto. Este es año de muertes y me he soñado que va a haber otros cadáveres en la sección antes de que termine el año». Dice el Rulos que le dio nervios oír hablar así y que se estaba persignando cuando vio a Gamboa. No se le pasó por la cabeza siquiera que venía en busca del Jaguar, a mí tampoco se me habría ocurrido, vaya novedad. Pero el Rulos abría los ojazos y decía: «ni pensé que se iba a acercar, Boa, ni por asomo. Solo pensaba en lo que había dicho el Jaguar sobre los cadáveres y el Poeta, cuando vi que se nos venía derechito y mirándonos, Boa». Perra, ¿por qué tienes la lengua siempre tan caliente? Tu lengua me recuerda las ventosas[612] que me ponía mi madre para sacar-

---

[612] *Ventosa.* Antiguo remedio.

me las pestilencias[613] cuando estaba enfermo. Dice que cuando estuvo a unos diez metros, el perro se levantó y también el Jaguar y que él se cuadró. «Me di cuenta ahí mismito, Boa, no era porque el perro estaba sin cristina, cualquiera se habría dado cuenta, solo a nosotros nos miraba, no nos quitaba los ojos, Boa». Y dice que les dijo: «buenos días, cadetes», pero que ya no miraba al Rulos, solo al Jaguar, y que este soltó la piedra que tenía en la mano. «Vaya a la Prevención, le dijo; preséntese al oficial de guardia. Y lleve su piyama, su escobilla de dientes, una toalla y jabón». Dice el Rulos que él se puso pálido y que el Jaguar estaba muy tranquilo y que todavía le preguntó a Gamboa con cachita[614]: «¿yo, mi teniente?, ¿por qué, mi teniente?», y que el perro se reía, ojalá encuentre a ese perro. Y que Gamboa no le contestó, solo le dijo: «vaya inmediatamente». Lástima que el Rulos no se acuerde de la cara de ese perro, aprovechando que estaba el teniente cogió su cristina y se escapó corriendo. No me extraña que el Jaguar le dijera al Rulos: «maldita sea, si es por lo de los exámenes te juro que muchos van a lamentar haber nacido», es muy capaz. Y el Rulos dice que le dijo: «¿no creerás que yo soy un soplón o que el Boa es un soplón?». Y el Jaguar le contestó: «espero por su bien que no sean chivatos. No se olviden que están tan embarrados[615] como yo. Adviérteselo al Boa. Y también a todos los que han comprado exámenes. A todo el mundo». Yo ya sé lo demás, lo vi salir de la cuadra, tenía el piyama de una manga y lo arrastraba por el suelo y llevaba la escobilla entre los dientes como si fuera una cachimba[616]. Me sorprendió, porque creí que iba a bañarse y el Jaguar no es como Vallano, que se ducha todas las semanas, en tercero le decían «el acuático». Tie-

---

[613] *Pestilencia.* Enfermedad.
[614] *Con cachita.* (Per.) Con sorna, burlón.
[615] *Embarrado.* Implicado.
[616] *Cachimba.* (Am.) Pipa de agua para fumar o colilla de cigarro puro.

nes una lengua caliente, Malpapeada, una lengua larga y quemante.

Cuando mi madre me dijo «se acabó el colegio, vamos donde tu padrino para que te consiga un trabajo», yo le respondí: «ya sé cómo ganar plata sin dejar el colegio, no te preocupes». «¿Qué dices?», me dijo. Se me trabó la lengua y me quedé con la boca abierta. Después le pregunté si conocía al flaco Higueras. Me miró muy raro y me preguntó: «¿y tú de dónde lo conoces?». «Somos amigos, le dije. Y a veces le hago unos trabajos». Ella encogió los hombros. «Ya estás grande, me dijo. Allá tú con lo que haces, no quiero saber nada. Pero si no traes plata, a trabajar». Me di cuenta que mi madre sabía lo que hacían el flaco Higueras y mi hermano. Yo ya había ido con el flaco a otras casas, siempre de noche, y cada vez gané unos veinte soles. El flaco me decía: «te harás rico conmigo». Tenía guardada toda la plata en mis cuadernos y le pregunté a mi madre: «¿necesitas dinero ahora?». «Siempre necesito, me contestó. Dame lo que tengas». Le di toda la plata, menos dos soles. Yo solo gastaba en ir a esperar a Tere todos los días a la salida del colegio y también en cigarrillos, pues esos días comencé a fumar de mi bolsillo. Una cajetilla de Inca me duraba tres o cuatro días. Una vez prendí un cigarrillo en la plaza de Bellavista y Tere me vio desde la puerta de su casa. Se acercó y conversamos, sentados en una banca. Me dijo: «enséñame a fumar». Encendí un cigarrillo y le di varias pitadas. No podía golpear[617] y se atoraba. Al día siguiente me dijo que había estado con náuseas toda la noche y que no volvería a fumar. Me acuerdo bien de esos días, fueron los mejores del año. Estábamos casi al final del curso, habían comenzado los exámenes, estudiábamos más que antes y

---

[617] *Golpear*. (Per.) Aquí, fumar, inhalar.

éramos inseparables. Cuando su tía no estaba o se quedaba dormida, nos hacíamos bromas, jugábamos a despeinarnos y yo me ponía muy nervioso cada vez que ella me tocaba. La veía dos veces al día, me sentía contento. Como andaba con plata, siempre le llevaba una sorpresa. En las noches, iba a la plaza Bellavista a encontrarme con el flaco y él me decía: «prepárate para tal día. Tenemos un asunto que es canela fina».

Las primeras veces fuimos los tres: el flaco, yo y el serrano Culepe. Otra vez, que dimos un golpe[618] en Orrantia, en una casa de ricos, se juntaron a nosotros dos desconocidos. Pero por lo general lo hacíamos solos. «Mientras menos, mejor, decía el flaco. Por el reparto y los chivatos. Pero a veces no se puede, cuando el almuerzo es suculento se necesitan muchas bocas». Casi siempre entrábamos a casas vacías. El flaco ya las conocía, no sé cómo, y me explicaba la manera de entrar, por el techo, la chimenea o una ventana. Al principio tuve miedo, después trabajaba muy tranquilo. Una vez entramos a una casa de Chorrillos. Yo me metí por un vidrio del garaje, que el flaco rompió con un diamante. Crucé media casa para abrirles la puerta de calle, salí y esperé en la esquina. Al poco rato vi que se encendía la luz del segundo piso y que el flaco salía disparado. Al pasar me cogió la mano y me dijo: «vuela que nos cocinan»[619]. Corrimos como tres cuadras, no sé si nos perseguían, pero yo tenía mucho miedo y cuando el flaco me dijo: «lárgate por allá y al doblar la esquina échate a caminar tranquilo», creí que estaba frito. Hice lo que me dijo y tuve suerte. Regresé a mi casa a pie, desde tan lejos. Llegué muerto de frío y de cansancio, temblando, seguro de que al flaco lo habían agarrado. Pero al día siguiente estaba esperándome en la plaza, muerto de risa. «¡Qué tal chasco![620], me decía.

---

[618] *Dar un golpe*. Cometer un delito, un robo.
[619] *Cocinar*. (Per.) Aquí, pillar, atrapar.
[620] *Chasco*. Desilusión inesperada, frustración.

Yo estaba abriendo una cómoda y en eso se hizo de día, quedé mareado con tantas luces. Carambolas, nos libramos porque Dios es grande».

—¿Qué más? —dijo Alberto.

—Nada más —repuso el cabo—. Solo que comenzó a sangrar y yo le dije: «no te hagas»[621]. Y el bruto ese me contestó: «no me hago, mi cabo, pero me está doliendo». Y entonces, como todos son compinches, los soldados comenzaron a murmurar: «le está doliendo, le está doliendo». Yo no le creía pero tal vez era verdad. ¿Sabe por qué, cadete? Por sus pelos, que estaban colorados. Lo mandé a lavarse, para que no manchara el piso de la cuadra. Pero el muy porfiado no quiso, es un maricón, para hablar claro. Se quedó sentado en su cama y lo empujé, solo para que se levantara, cadete, y los otros comenzaron a gritar: «no lo maltrate, cabo, ¿no ve que le está doliendo?».

—¿Y después? —preguntó Alberto.

—Nada más, mi cadete, nada más. Entró el sargento y preguntó: «¿qué le pasa a este?». «Se ha caído, mi sargento, le dije. ¿No es verdad que te has caído?». Y el maricón dijo: «no, usted me ha roto la cabeza de un palazo, mi cabo». Y los otros forajidos gritaron: «sí, sí, el cabo le ha roto la cabeza». ¡Maricones! El sargento me trajo a la Prevención y mandó al bruto ese a la enfermería. Aquí me tienen hace cuatro días. A pan y agua. Tengo mucha hambre, cadete.

—¿Y por qué le rompiste la cabeza? —preguntó Alberto.

—Bah —dijo el cabo, con una mueca desdeñosa—. Yo solo quería que sacara rápido la basura. ¿Quiere que le diga una cosa? Se cometen muchas injusticias. Si el teniente ve basuras en la cuadra me manda tres días de rigor[622] o me

---

[621] *Hacerse.* (Am.) Fingir, exagerar.
[622] *De rigor.* De castigo.

muele a patadas. Pero si yo doy un cocacho[623] a un soldado me meten al calabozo. ¿Quiere saber la verdad, cadete? No hay nada peor que ser cabo. A los soldados los patean los oficiales, pero entre ellos son compinches, siempre paran[624] ayudándose. A los clases[625], en cambio, nos llueve de todas partes. Los oficiales nos patean y los soldados nos odian y nos hacen imposible la vida. Yo estaba mejor cuando era soldado, cadete.

Los dos calabozos están detrás de la Prevención. Son cuartos oscuros y altos, que se comunican por una rejilla, a través de la cual Alberto y el cabo pueden conversar cómodamente. En cada calabozo hay una ventanilla cerca del techo, que deja pasar prismas de luz, un raquítico catre de campaña, un colchón de paja y una frazada caqui.

—¿Cuánto tiempo va a estar aquí, cadete? —dice el cabo.

—No sé —responde Alberto. Gamboa no le había dado explicación alguna la noche anterior, se limitó a decirle secamente: «dormirá allá; prefiero que no vaya a la cuadra». Eran apenas las diez, la Costanera y los patios estaban desiertos, barridos por un viento silencioso; los consignados se hallaban en las cuadras y los cadetes solo volvían a las once. Amontonados en la banca del fondo de la Prevención, los soldados conversaban entre dientes, ni siquiera echaron una mirada a Alberto cuando entró al calabozo. Estuvo unos segundos a ciegas, después distinguió, en una esquina, la sombra compacta del catre de campaña. Dejó su maletín en el suelo, se quitó la guerrera, los zapatos, el quepí y se cubrió con la frazada. Hasta él llegaban unos ronquidos de animal. Se durmió casi inmediatamente, pero despertó varias veces y los ronquidos proseguían, inalterables, poderosos. Solo con las primeras luces del amanecer descubrió al cabo en el calabozo contiguo: un hombre

---

[623] *Cocacho.* (Am.) Golpe en la cabeza dado con los nudillos.
[624] *Parar.* Acabar.
[625] *Clase.* (Am.) Militar de rango medio, cabo o sargento.

largo, de rostro seco y filudo[626] como un cuchillo, que dormía con polainas[627] y cristina. Poco después, un soldado le trajo café caliente. El cabo se despertó y, desde su catre, le hizo un saludo amistoso. Estaban conversando cuando sonó la diana.

Alberto se aparta de la rejilla y se aproxima a la puerta del calabozo, que comunica con la sala de guardia: el teniente Gamboa está inclinado sobre el teniente Ferrero y le habla en voz baja. Los soldados se restriegan los ojos, se desperezan, toman sus fusiles, se aprestan a abandonar la Prevención. Por la puerta, se ve el comienzo del patio exterior y el sardinel de piedras blancas que circunda el monumento al héroe. Por allí deben estar los soldados que van a entrar de servicio junto con el teniente Ferrero. Gamboa sale de la Prevención sin mirar el calabozo. Alberto escucha silbatos sucesivos y comprende que, en los patios de cada año, se organizan las formaciones. El cabo continúa en la cama y ha vuelto a cerrar los ojos, pero ya no ronca. Cuando se oye el desfile de los batallones hacia el comedor, el cabo silba despacito, al compás de la marcha. Alberto mira su reloj. «Ya debe estar con el Piraña, Teresita, ya le habló, ya están hablando con el mayor, han entrado donde el comandante, están yendo donde el coronel, Teresita, los cinco están hablando de mí, llamarán a los periodistas y me tomarán fotos y el primer día de salida me lincharán y mi mamá se volverá loca, y no podré caminar más por Miraflores sin que me señalen con el dedo, y tendré que irme al extranjero y cambiarme de nombre, Teresita»[628]. Después de unos minutos, vuelven a oírse los silbatos. Las pisadas de los cadetes que abandonan el comedor y atraviesan el descampado para formar en la pista de desfile llegan hasta la

---

[626] *Filudo.* (Am.) Afilado.
[627] *Polaina.* Prenda del uniforme que protege la parte inferior del pantalón y la parte superior del botín.
[628] Alberto, asustado y solo, se imagina hablando con teresita.

Prevención como un susurro lejano. La marcha hacia las aulas, en cambio, es un gran ruido marcial, equilibrado y exacto que va disminuyendo lentamente hasta desaparecer. «Ya se habrán dado cuenta, Teresita, el Poeta no ha venido, Arróspide ha escrito mi nombre en el parte de ausentes, cuando sepan se sortearán a ver quién me pega, se pasarán papeles y mi padre dirá mi apellido en el fango, en la página policial de los periódicos, tu abuelo y tu bisabuelo morirían de impresión, nosotros fuimos siempre y en todo los mejores y tú te pudres en la mugre, Teresita, nos escaparemos a Nueva York y nunca volveremos al Perú, ahora ya comenzaron las clases y deben estar mirando mi carpeta». Alberto da un paso atrás cuando ve al teniente Ferrero acercarse al calabozo. La puerta metálica se abre silenciosamente.

—Cadete Fernández —era un teniente muy joven, que tenía a su mando una compañía de tercero.

—Sí, mi teniente.

—Vaya a la secretaría de su año y preséntese al capitán Garrido.

Alberto se puso la guerrera y el quepí. Era una mañana clara, el viento arrastraba un sabor a pescado y a sal. No había sentido llover en la noche y, sin embargo, el patio estaba mojado. La estatua del héroe parecía una planta lúgubre, impregnada de rocío. No vio a nadie en la pista ni en el patio del año. La puerta de la secretaría estaba abierta. Se acomodó el cinturón de la guerrera y se pasó la mano por los ojos. El teniente Gamboa, de pie, y el capitán Garrido, sentado en la punta del escritorio, lo miraban. El capitán le indicó con un gesto que entrara. Alberto dio unos pasos y se cuadró. El capitán lo examinó de arriba abajo, detenidamente. Agazapadas como dos abscesos bajo las orejas, las sobresalientes mandíbulas estaban en reposo. Tenía la boca cerrada, pero su dentadura de piraña asomaba entre los labios, blanquísima. El capitán movió ligeramente la cabeza.

—Bueno —dijo—. Vamos a ver, cadete. ¿Qué significa esta historia?

Alberto abrió la boca y su cuerpo se ablandó por adentro como si el aire, al invadirlo, hubiera disuelto sus órganos. ¿Qué iba a decir? El capitán Garrido tenía las manos sobre el escritorio y sus dedos, muy nerviosos, arañaban unos papeles. Lo miraba a los ojos. El teniente Gamboa estaba a su lado y Alberto no podía verlo. Le ardían las mejillas, debía haber enrojecido.

—¿Qué espera? —dijo el capitán—. ¿Le han cortado la lengua?

Alberto bajó la cabeza. Sentía una fatiga muy intensa y una súbita desconfianza: engañosas y frágiles, las palabras avanzaban hasta la orilla de los labios y allí retrocedían, o morían como objetos de humo. La voz de Gamboa interrumpió su tartamudeo.

—Vamos, cadete —escuchó—. Haga un esfuerzo y serénese. El capitán está esperando. Repita usted lo que me dijo el sábado. Hable sin temor.

—Sí, mi capitán —dijo Alberto. Tomó aire y habló—: Al cadete Arana lo mataron porque denunció al Círculo.

—¿Usted lo vio con sus ojos? —exclamó con ira el capitán Garrido. Alberto levantó la vista: las mandíbulas habían entrado en actividad, se movían sincrónicamente, bajo la piel verdosa.

—No, mi capitán —dijo—. Pero...

—¿Pero qué? —gritó el capitán—. ¿Cómo se atreve a hacer una afirmación semejante sin pruebas concretas? ¿Sabe usted lo que significa acusar a alguien de asesinato? ¿Por qué ha inventado esta historia estúpida?

La frente del capitán Garrido estaba húmeda y en cada uno de sus ojos había una llamita amarilla. Sus manos se aplastaban, coléricas, contra el tablero del escritorio; sus sienes latían. Alberto recuperó de golpe el aplomo: tuvo la impresión de que su cuerpo se rellenaba. Sostuvo sin pesta-

574

ñear la mirada del capitán y, al cabo de unos segundos, vio que el oficial desviaba la vista.

—No he inventado nada, mi capitán —dijo y su voz sonó convincente a sus propios oídos. Repitió—: Nada, mi capitán. Los del Círculo estaban buscando al que hizo expulsar a Cava. El Jaguar quería vengarse a toda costa, lo que más odia son los soplones. Y todos odiaban al cadete Arana, lo trataban como a un esclavo. Estoy seguro que el Jaguar lo mató, mi capitán. Si no estuviera seguro, no habría dicho nada.

—Un momento, Fernández —dijo Gamboa—. Explique todo con orden. Acérquese. Siéntese, si quiere.

—No —dijo el capitán, cortante, y Gamboa se volvió a mirarlo. Pero el capitán Garrido tenía los ojos fijos en Alberto—. Quédese donde está. Y siga.

Alberto tosió y se limpió la frente con el pañuelo. Comenzó a hablar con una voz contenida y jadeante, silenciada por largas pausas, pero, a medida que refería las proezas del Círculo y la historia del Esclavo, e insensiblemente deslizaba en su relato a los otros cadetes y describía la estrategia utilizada para pasar los cigarrillos y el licor, los robos y la venta de exámenes, las veladas donde Paulino, las contras por el estadio y La Perlita, las partidas de póquer en los baños, los concursos, las venganzas, las apuestas, y la vida secreta de su sección iba surgiendo como un personaje de pesadilla ante el capitán, que palidecía sin cesar, la voz de Alberto cobraba soltura, firmeza y hasta era, por instantes, agresiva.

—¿Y eso qué tiene que ver? —lo interrumpió, una sola vez, el capitán.

—Es para que usted me crea, mi capitán —dijo Alberto—. Los oficiales no pueden saber lo que pasa en las cuadras. Es como si fuera otro mundo. Es para que me crea lo que le digo del Esclavo.

Más tarde, cuando Alberto calló, el capitán Garrido permaneció unos segundos en silencio, examinando con excesiva atención todos los objetos del escritorio, uno tras otro. Sus manos, ahora, jugueteaban con los botones de su camisa.

—Bien —dijo de pronto—. Quiere decir que la sección entera debe ser expulsada. Unos por ladrones, otros por borrachos, otros por timberos[629]. Todos son culpables de algo, muy bien. ¿Y usted qué era?

—Todos éramos todo —dijo Alberto—. Solo Arana era diferente. Por eso nadie se juntaba con él —su voz se quebró—: Tiene que creerme, mi capitán. El Círculo lo estaba buscando. Querían encontrar como fuera al que denunció a Cava. Querían vengarse, mi capitán.

—Alto ahí —dijo el capitán, desconcertado—. Toda esta historia cae por su base. ¿Qué tonterías dice usted? Nadie denunció al cadete Cava.

—No son tonterías, mi capitán —dijo Alberto—. Pregunte usted al teniente Huarina si no fue el Esclavo quien denunció a Cava. Él fue el único que lo vio salir de la cuadra para robarse el examen; estaba de imaginaria. Pregúnteselo al teniente Huarina.

—Lo que usted dice no tiene pies ni cabeza —dijo el capitán. Pero Alberto notó que ya no parecía tan seguro de sí mismo; una de sus manos estaba inútilmente suspendida en el aire y su dentadura parecía más grande—. Ni pies ni cabeza.

—Para el Jaguar era lo mismo que si lo hubieran acusado a él, mi capitán —dijo Alberto—. Estaba loco de furia por la expulsión de Cava. El Círculo se reunía todo el tiempo. Ha sido una venganza. Yo conozco al Jaguar, es capaz...

—Basta —dijo el capitán—. Lo que usted dice es infantil. Está acusando a un compañero de asesino, sin pruebas. No me sorprendería que el que quiera vengarse sea usted, ahora. En el Ejército no se admiten esta clase de juegos, cadete. Puede costarle caro.

---

[629] *Timbero*. (Am.) Jugador.

—Mi capitán —dijo Alberto—. El Jaguar estaba detrás de Arana en el asalto del cerro.

Pero se calló. Lo había dicho sin pensar y ahora dudaba. Febrilmente, trataba de reconstituir en imágenes el descampado de La Perla, la colina rodeada de sembríos, la mañana de aquel sábado, la formación.

—¿Está seguro? —dijo Gamboa.

—Sí, mi teniente. Estaba detrás de Arana. Estoy seguro.

El capitán Garrido los miraba, sus ojos saltaban de uno a otro, desconfiados, iracundos. Sus manos se habían unido; una estaba cerrada y la otra la envolvía, le daba calor.

—Eso no quiere decir nada —dijo—. Absolutamente nada.

Quedaron en silencio, los tres. De pronto, el capitán se puso de pie y comenzó a pasear por la habitación con las manos cruzadas a la espalda. Gamboa se había sentado en el lugar que ocupaba antes el capitán y miraba la pared. Parecía reflexionar.

—Cadete Fernández —dijo el capitán. Se había detenido en medio de la habitación y su voz era más suave—. Voy a hablarle como a un hombre. Usted es joven e impulsivo. Eso no está mal, incluso puede ser una virtud. La décima parte de lo que acaba de decirme puede costarle la expulsión del colegio. Sería su ruina y un golpe terrible para sus padres. ¿No es así?

—Sí, mi capitán —dijo Alberto. El teniente Gamboa movía uno de sus pies en el aire y miraba el suelo.

—La muerte de ese cadete lo ha afectado —prosiguió el capitán—. Lo comprendo, era su amigo. Pero aun cuando lo que usted me ha dicho fuera en parte cierto, jamás podría probarse. Jamás, porque todo se funda en hipótesis. A lo más, llegaríamos a comprobar ciertas violaciones del reglamento. Habría unas cuantas expulsiones. Usted sería uno de los primeros, como es natural. Estoy dispuesto a olvidar todo, si me promete no volver a hablar una palabra más de esto —se llevó rápidamente una mano al rostro y la volvió a bajar, sin tocarse—. Sí, es lo mejor. Echar tierra a todas estas fantasías.

El teniente Gamboa seguía con los ojos bajos y balanceaba el pie al mismo ritmo, pero ahora la puntera de su zapato rozaba el suelo.

—¿Entendido? —dijo el capitán y su rostro insinuó una sonrisa.

—No, mi capitán —dijo Alberto.

—¿No me ha comprendido, cadete?

—No puedo prometerle eso —dijo Alberto—. A Arana lo mataron.

—Entonces —dijo el capitán, con rudeza—, le ordeno que se calle y no vuelva a hablar estupideces. Y si no me obedece, ya verá quién soy yo.

—Perdón, mi capitán —dijo Gamboa.

—Estoy hablando, no me interrumpa, Gamboa.

—Lo siento, mi capitán —dijo el teniente, poniéndose de pie. Era más alto que el capitán y este debió levantar un poco la cabeza para mirarlo a los ojos.

—El cadete Fernández tiene derecho a presentar esta denuncia, mi capitán. No digo que sea cierta. Pero tiene derecho a pedir una investigación. El reglamento es claro.

—¿Va usted a enseñarme el reglamento, Gamboa?

—No, claro que no, mi capitán. Pero si usted no quiere intervenir, yo mismo pasaré el parte al mayor. Es un asunto grave y creo que debe haber una investigación.

Poco después del último examen, vi a Teresa con dos muchachas, por la avenida Sáenz Peña. Llevaban toallas y yo le pregunté, de lejos, a dónde iba. Me contestó: «a la playa». Ese día estuve de mal humor y cuando mi madre me pidió dinero le contesté una grosería. Ella sacó la correa que tenía guardada debajo de su cama. Hacía mucho tiempo que no me pegaba y yo la amenacé: «si me tocas, no vuelvo a darte un centavo». Era solo una advertencia y nunca creí que hiciera efecto. Me quedé frío al verla bajar la correa que ya tenía levantada, tirarla al suelo y decir una lisura entre dientes. Se metió a la cocina sin decirme nada. Al día siguiente, Teresa volvió a la playa con las dos muchachas y lo mismo los otros días. Una mañana, las seguí. Iban a Chucuito. Llevaban puesta la ropa de baño y se desvistieron en la playa. Había tres o cuatro muchachos que las estaban esperando. Yo solo miraba al que conversaba con Teresa. Los estuve vigilando toda la mañana, desde la baranda. Después, ellas se pusieron el vestido sobre el traje de baño y volvieron a Bellavista. Yo esperé a los chicos. Dos se fueron al poco rato, pero el que había estado con Teresa y el otro se quedaron hasta cerca de las tres. Iban hacia La Punta. Caminaban por media pista, tirándose las toallas y las ropas de baño. Cuando llegaron a una calle vacía, comencé a arrojarles piedras. Les di a los dos, al amigo de Teresa lo toqué en plena cara. Se agachó, dijo «ay» y en eso le cayó otra piedra en la espalda. Me miraban asombrados y yo corrí hacia ellos, sin darles tiempo a reaccionar. Uno escapó gritando: «¡un loco!». El otro se quedó parado y me le fui encima. Ya me había trompeado en el colegio y peleaba muy bien, de chico mi hermano me enseñó a usar los pies y la cabeza. «El que se aloca está muerto, me decía. Pelear a la bruta solo sirve si eres muy fuerte y puedes arrinconar al enemigo para quebrarle la guardia de una andanada. Si no, perjudica. Los brazos y las piernas se cansan de tanto golpear al aire y uno se aburre, desaparece la cólera y al poco rato estás con ganas de terminar. Entonces, si el otro es cuco y te ha estado midiendo, aprovecha y te carga». Mi hermano me enseñó a deprimir a los que pelean a la bruta, a agotarlos y a tenerlos a raya con los pies, hasta que se descuidan y le dan chance[630] a uno de cogerles la camisa y clavarles un cabezazo. Mi hermano me enseñó también a manejar la cabeza a la chalaca, no con la frente ni con

---

[630] *Chance.* (Am.) Del inglés, *chance*. Oportunidad, ocasión.

el cráneo, sino con el hueso que hay donde comienzan los pelos, que es durísimo, y a bajar las manos en el momento de dar el cabezazo para evitar que el otro levante la rodilla y me hunda el estómago. «No hay como el cabezazo, decía mi hermano; basta uno bien puesto para aturdir al enemigo». Pero esa vez yo me lancé a la bruta contra los dos y los gané. El que había estado con Teresa ni se defendió, cayó al suelo llorando. Su amigo se había parado a unos diez metros y me gritaba: «no le pegues, maricón, no le pegues», pero yo le seguí dando en el suelo. Después corrí hacia el otro, que salió disparado, pero lo alcancé y le puse cabe[631] y se vino abajo. No quería pelear: apenas lo soltaba, corría. Regresé donde el primero que estaba limpiándose la cara. Pensaba hablarle, pero apenas lo tuve al frente me enfurecí y le di un puñetazo. Se puso a chillar como un perico. Lo agarré de la camisa y le dije: «si te vuelves a acercar a Teresa te pegaré más fuerte». Le menté la madre y le di una patada y creo que hubiera seguido machucándolo, pero en eso sentí que me agarraban la oreja. Era una mujer, que comenzó a darme coscorrones[632] y a gritar: «¡salvaje, abusivo!»[633] y el otro aprovechó para escaparse. Al fin la mujer me soltó y regresé a Bellavista. Estaba como antes de la pelea, no parecía que me hubiera vengado. Nunca me había sentido así. Otras veces, cuando no veía a Teresa me daba pena o ganas de estar solo, pero ahora tenía cólera y a la vez tristeza. Estaba defraudado, seguro de que cuando supiera, Teresa me odiaría. Fui hasta la plaza Bellavista pero no entré a mi casa. Di media vuelta y caminé hasta el bar de Sáenz Peña y allí encontré al flaco Higueras, sentado en el mostrador, conversando con el chino. «¿Qué te pasa?», me dijo. Yo nunca había hablado con nadie de Tere, pero esa vez tenía necesidad de confiarme a alguien. Le con-

---

[631] *Poner cabe*. (Per.) Poner la zancadilla para que otro tropiece y caiga.

[632] *Dar coscorrones*. Dar golpes en la cabeza con la mano abierta para reprender a alguien.

[633] *Abusivo*. Abusón, que abusa de otros, habitualmente más débiles.

té al flaco todo, desde que conocí a Teresa, cuatro años atrás, cuando vino a vivir al lado de mi casa. El flaco me escuchó muy serio, no se rio ni una vez. Solo me decía, a ratos: «vaya, hombre», «caramba», «qué tal». Después me dijo: «estás enamorado hasta el alma. Cuando yo me enamoré por primera vez, era de tu edad más o menos, pero me dio más suave. El amor es lo peor que hay. Uno anda hecho un idiota y ya no se preocupa de sí mismo. Las cosas cambian de significado y uno es capaz de hacer las peores locuras y de fregarse para siempre en un minuto. Quiero decir los hombres. Las mujeres, no, porque son muy mañosas, solo se enamoran cuando les conviene. Si un hombre no les hace caso, se desenamoran y buscan a otro. Y se quedan como si nada. Pero no te preocupes. Como que hay Dios que te curo hoy mismo. Yo tengo un buen remedio para esos resfríos». Me tuvo tomando pisco y cerveza hasta que anocheció y después me hizo vomitar: me apretaba el estómago para ayudarme. Después, me llevó a una chingana del puerto, me hizo ducharme en un patio y me dio de comer picantes en un salón lleno de gente. Tomamos un taxi y le dio una dirección. Me preguntó: «¿ya has estado en un bulín?»[634]. Le dije que no. «Esto te sanará, me dijo. Ya vas a ver. Solo que a lo mejor te paran en la puerta». Efectivamente, cuando llegamos nos abrió una vieja que conocía al flaco y que al verme se puso furiosa. «¿Estás loco que te voy a dejar entrar con esa guagua?[635]. Cada cinco minutos caen por aquí los soplones a gorrearme cervezas». Se pusieron a discutir a gritos. Al fin, la vieja aceptó que entrara. «Eso sí, nos dijo, se van de frente al cuarto y no me salen hasta mañana». El flaco me hizo pasar tan rápido por el salón del primer piso que no vi la cara de la gente. Subimos una escalera y la vieja nos abrió un cuarto. Entramos y antes que el flaco prendiera la luz, la vieja dijo: «te voy

---

[634] *Bulín.* (Per.) Burdel.
[635] *Guagua.* (Am.) Niño.

a mandar una docena de cervezas. Te acepto con la criatura pero tienes que consumir bastante. Y ya subirán las chicas. Te mandaré a la Sandra, que le gustan los mocosos». El cuarto era grande y sucio. Había una cama en el centro con una colcha roja, una bacinica[636] y dos espejos, uno en el techo, sobre la cama, y el otro al costado. Por todas partes había dibujos de mujeres y hombres calatos, hechos con lápiz y navaja. Después, entraron dos mujeres trayendo muchas botellas de cerveza. Eran amigas del flaco y lo besaron; lo pellizcaban, se le sentaban en las rodillas y decían palabrotas: culo, puta, pinga y cojudo. Una era flaca, una gran mulata con un diente de oro, y la otra medio blanca y más gorda. La mulata era la mejor. Las dos se burlaban de mí y le decían al flaco: «corruptor de menores». Empezaron a tomar cerveza y después abrieron un poco la puerta para oír la música del primer piso y bailaron. Al principio yo estaba callado, pero, después de tomar, me alegré. Cuando bailamos, la blanca me aplastaba la cabeza contra sus senos, que se salían del vestido. El flaco se emborrachó y le ordenó a la mulata que nos hiciera *show:* bailó un mambo en calzones y, de repente, el flaco se le fue encima y la tiró en la cama. La blanca me cogió de la mano y me llevó a otro cuarto. «¿Es la primera vez?», me preguntó. Yo le dije que no, pero se dio cuenta que le mentía. Se puso muy contenta y, mientras se me acercaba calatita, me decía: «ojalá que me traigas suerte».

El teniente Gamboa salió de su cuarto y recorrió la pista de desfile de grandes trancos. Llegó a las aulas cuando Pitaluga, el oficial de servicio, tocaba el silbato: acababa de terminar la primera clase de la mañana. Los cadetes estaban

---

[636] *Bacinica.* Orinal. Pieza de loza, o de otro material, que se pone debajo de la cama para hacer las necesidades durante la noche y no levantarse para ir al baño. Aquí, se usa como palangana o *bidet* para lavarse antes y después de tener contacto sexual.

en las aulas: un rugido sísmico denunciaba su presencia a través de los muros grises, un monstruo sonoro y circular que flotaba sobre el patio. Gamboa permaneció un momento junto a la escalera y luego fue hacia la Dirección de Estudios. El suboficial Pezoa estaba allí, husmeando un cuaderno con su gran hocico y sus ojillos desconfiados.

—Venga, Pezoa.

El suboficial lo siguió, alisándose el ralo bigote con un dedo. Caminaba con las piernas muy abiertas, como si fuera de caballería. Gamboa lo apreciaba: era despierto, servicial y muy eficaz en las campañas.

—Después de las clases, reúna a la primera sección. Que los cadetes saquen sus fusiles. Llévelos al estadio.

—¿Revista de armas, mi teniente?

—No. Los quiero formados en grupos de combate. Dígame, Pezoa, en la última campaña no se alteró la formación, ¿no es así? Quiero decir, la progresión se llevó a cabo en el orden normal; grupo uno adelante, luego el dos y al final el tres.

—No, mi teniente —dijo el suboficial—. Al revés. En las instrucciones, el capitán ordenó poner en la vanguardia a los más pequeños.

—Es verdad —dijo Gamboa—. Bien. Lo espero en el estadio.

El suboficial saludó y se fue. Gamboa regresó a las cuadras. La mañana seguía muy clara y había poca humedad. La brisa agitaba apenas la hierba del descampado; la vicuña ejecutaba veloces carreras en círculo. Pronto llegaría el verano; el colegio quedaría desierto, la vida se volvería muelle y agobiante; los servicios serían más cortos, menos rígidos, podría ir a la playa tres veces por semana. Su mujer ya estaría bien; llevarían al niño de paseo en un coche. Además, dispondría de tiempo para estudiar. Ocho meses, no era un plazo muy grande para preparar el examen. Decían que solo habría veinte plazas para capitán. Y eran doscientos postulantes.

Llegó a la secretaría. El capitán estaba sentado en su escritorio y no levantó la cabeza cuando él entró. Un momento después, mientras revisaba los partes de campaña, Gamboa escuchó:

—Dígame, teniente.

—Sí, mi capitán.

—¿Qué cree usted? —el capitán Garrido lo miraba con el ceño fruncido. Gamboa dudó antes de responder.

—No sé, mi capitán —dijo—. Es muy difícil saber. He comenzado la investigación. Quizá saque alga en claro.

—No hablo de eso —dijo el capitán—. Quiero decir, las consecuencias. ¿Ha pensado usted?

—Sí —dijo Gamboa—. Puede ser grave.

—¿Grave? —el capitán sonrió—. ¿Se ha olvidado que este batallón se halla a mi cargo, que la primera compañía está a sus órdenes? Pase lo que pase, los fregados seremos usted y yo.

—He pensado también en eso, mi capitán —dijo Gamboa—. Tiene usted razón. Y no crea que me hace gracia la idea.

—¿Cuándo le toca ascender?

—El próximo año.

—A mí también —dijo el capitán—. Los exámenes serán fuertes, cada vez hay menos vacantes. Hablemos claro, Gamboa. Usted y yo tenemos excelentes fojas de servicio. Ni una sola sombra. Y nos harán responsables de todo. Ese cadete se siente apoyado por usted. Háblele. Convénzalo. Lo mejor es olvidarnos de este asunto.

Gamboa miró a los ojos al capitán Garrido.

—¿Puedo hablarle con franqueza, mi capitán?

—Es lo que estoy haciendo yo, Gamboa. Le hablo como a un amigo, no como a un subordinado.

Gamboa dejó los partes de campaña en una repisa y dio unos pasos hacia el escritorio.

—A mí me interesa el ascenso tanto como a usted, mi capitán. Haré todo lo posible por conseguir ese galón. Yo no quería ser destacado[637] aquí, ¿sabe usted? Entre esos muchachos no me siento del todo en el Ejército. Pero si hay algo que he aprendido en la Escuela Militar, es la importancia de la disciplina. Sin ella, todo se corrompe, se malogra. Nuestro país está como está porque no hay disciplina, ni orden. Lo único que se mantiene fuerte y sano es el Ejército, gracias a su estructura, a su organización. Si es verdad que a ese muchacho lo mataron, si es verdad lo de los licores, la venta de exámenes y todo lo demás, yo me siento responsable, mi capitán. Creo que es mi obligación descubrir lo que hay de cierto en toda esa historia.

—Usted exagera, Gamboa —dijo el capitán, algo sorprendido. Había comenzado a pasear por la habitación, como durante la entrevista con Alberto—. Yo no digo echar tierra a todo. Lo de los exámenes y lo del licor hay que castigarlo, naturalmente. Pero no olvide tampoco que lo primero que se aprende en el Ejército es a ser hombres. Los hombres fuman, se emborrachan, tiran contra, culean[638]. Los cadetes saben que, si son descubiertos, se les expulsa. Ya han salido varios. Los que no se dejan pescar son los vivos. Para hacerse hombres, hay que correr riesgos, hay que ser audaz. Eso es el Ejército, Gamboa, no solo la disciplina. También es osadía, ingenio. Pero, en fin, podemos discutir sobre eso después. Lo que me preocupa ahora es lo otro. Es un asunto completamente imbécil. Pero aun así, si llega hasta el coronel, puede traernos serios perjuicios.

—Perdón, mi capitán —dijo Gamboa—. Mientras yo no me dé cuenta, los cadetes de mi compañía pueden hacer todo lo que quieran, estoy de acuerdo con usted. Pero ya no puedo hacerme el desentendido, me sentiría cómplice. Ahora sé que hay algo que no marcha. El cadete Fernández ha venido a decirme nada menos que las tres secciones se

---

[637] *Ser destacado.* Ser destinado a un destacamento militar.
[638] *Culear.* (Am.) Practicar sexo.

han estado riendo en mi cara todo el tiempo, que me han tomado el pelo a su gusto.

—Se han hecho hombres, Gamboa —dijo el Capitán—. Entraron aquí adolescentes, afeminados[639]. Y ahora, mírelos.

—Yo voy a hacerlos más hombres —dijo Gamboa—. Cuando termine la investigación, llevaré ante el Consejo de Oficiales a todos los cadetes de mi compañía si es necesario.

El capitán se detuvo.

—Parece usted uno de esos curas fanáticos —le dijo, levantando la voz—. ¿Quiere arruinar su carrera?

—Un militar no arruina su carrera cumpliendo con su deber, mi capitán.

—Bueno —dijo el capitán, reanudando su paseo—. Haga lo que quiera. Pero le aseguro que saldrá mal parado. Y, naturalmente, no cuente con mi apoyo para nada.

—Naturalmente, mi capitán. Permiso.

Gamboa saludó y salió. Fue a su cuarto. Sobre el velador había una foto de mujer. Era de antes que se casaran. Él la había conocido en una fiesta, cuando todavía estaba en la Escuela. La foto había sido tomada en el campo, Gamboa no sabía en qué lugar. Ella era más delgada en ese tiempo y llevaba los cabellos sueltos. Sonreía bajo un árbol y al fondo se divisaba un río. Gamboa la estuvo contemplando unos segundos y luego continuó el examen de los partes y papeletas de castigo. Después, revisó cuidadosamente las libretas de notas. Poco antes del mediodía, regresó al patio. Dos soldados barrían la cuadra de la primera sección. Al verlo entrar, se cuadraron.

—Descanso —dijo Gamboa—. ¿Ustedes barren esta cuadra todos los días?

—Yo, mi teniente —dijo uno de los soldados. Señaló al otro—: Él barre la segunda.

---

[639] *Afeminado.* Aquí, malcriado, como si fuera una mujer, sin hombría.

—Venga conmigo.

En el patio, el teniente se volvió hacia el soldado y, mirándolo a los ojos, le dijo:

—Te has jodido, animal.

El soldado se cuadró automáticamente. Había abierto un poco los ojos. Tenía una cara tosca y lampiña. No preguntó nada, parecía aceptar la posibilidad de una falta.

—¿Por qué no has pasado parte?

—Sí he pasado, mi teniente —dijo—. Treinta y dos camas. Treinta y dos roperos. Solo que entregué el parte al sargento.

—No hablo de eso. Y no te hagas el imbécil. ¿Por qué no has pasado parte de las botellas de licor, los cigarrillos, los dados, los naipes?

El soldado abrió más los ojos, pero guardó silencio.

—¿En qué roperos? —dijo Gamboa.

—¿Qué cosa, mi teniente?

—¿En qué roperos hay licor y naipes?

—No sé, mi teniente. Seguro que es en otra sección.

—Si mientes, tienes quince días de rigor[640] —dijo Gamboa—. ¿En qué roperos hay cigarrillos?

—No sé, mi teniente —pero añadió, bajando los ojos—: Creo que en todos.

—¿Y licor?

—Creo que solo en algunos.

—¿Y dados?

—También en algunos, creo.

—¿Por qué no has pasado parte?

—No he visto nada, mi teniente. Yo no puedo abrir los roperos. Están cerrados y los cadetes se llevan las llaves. Solo creo que hay, pero no he visto.

—¿Y en las otras secciones es lo mismo?

---

[640] *De rigor.* De castigo.

—Creo que sí, mi teniente. Solo que no tanto como en la primera.

—Bueno —dijo Gamboa—. Esta tarde yo entro de servicio. Tú y los otros soldados de la limpieza se presentarán a la Prevención, a las tres.

—Sí, mi teniente —dijo el soldado.

V

Estaba visto que nadie se salvaba, ha sido cosa de brujería. Nos tuvieron parados y después nos llevaron a la cuadra y entonces dije una lengua amarilla se ha puesto a cantar, no lo quiero creer pero está claro como el agua, nos ha denunciado el Jaguar. Nos hicieron abrir los roperos, los huevos se me subieron a la boca, «agárrate compadre, dijo Vallano, esto va a ser el fin del mundo» y tenía razón. «¿Revista de prendas, mi suboficial?», dijo Arróspide, el pobre tenía cara de moribundo. «No se haga el Pelópidas[641], dijo Pezoa, estese quieto y, por favor, métase la lengua al culo»[642]. Qué calambres me vinieron, qué nervios que sentía y los muchachos estaban como sonámbulos. Y era todo tan raro, Gamboa parado en un ropero y lo mismo la Rata, y el teniente gritaba: «cuidado, abrir los roperos, nada más, nadie ha dicho meter la mano». Y quién se iba a atrever, ya nos jodieron, al menos da gusto saber que a él lo jodieron antes. ¿Quién si no él para decir lo de las botellas y los naipes? Pero todo está muy misterioso, no capto todavía lo del estadio y los fusiles. ¿Gamboa estaba de mal humor y quiso desfogarse sacándonos las tripas[643] en el barro? Y algunos

---

[641] *Hacerse el Pelópidas.* (Per.) Hacerse el tonto.

[642] *Meterse la lengua a* o *en el culo.* Callarse.

[643] *Sacar las tripas a alguien.* Agotar a alguien hasta reventarlo, hasta la extenuación.

incluso se reían, lastima el corazón ver gente así, tipos sin alma que no saben lo que son las desgracias. La verdad, era para romperse de risa[644], la Rata comenzó a zambullirse en los roperos, se metía todito y, como es tan enano, la ropa se lo tragaba. Se ponía en cuatro patas, el grandísimo adulón[645], para que Gamboa viera que buscaba bien y hurgaba los bolsillos y todo lo abría y lo olía y con qué ganas iba cantando: «aquí hay Incas, caracho, este es de los finos, fuma Chesterfield[646], miéchica[647], ¿se iban a una fiesta?, ¡qué tal botellón!» y nosotros lívidos, menos mal que en todos los roperos encontraron algo, menos mal. Está visto, los más fregados seremos los que teníamos botellas, la mía estaba casi vacía, y yo le dije que lo anotara y el desconsiderado dijo calle bruto. El que gozaba como un cochino era Gamboa, se veía en la manera de preguntar: «¿cuántas ha dicho?». «Dos cajetillas de Inca, dos cajas de fósforos, mi teniente» y Gamboa escribía en su libreta, despacio para que le durara más el gusto. «¿Una botella a medio llenar de qué?». «De pisco, mi teniente. Marca Soldeica». Cada vez que me miraba, el Rulos se apretaba las amígdalas, sí compañero, estamos hasta el cogote[648] de fregados. Y daba compasión verles las caras a los otros, de dónde maldita sea se les ocurrió revisar los roperos. Y después que se fueron Gamboa y la Rata, el Rulos dijo: «tiene que haber sido el Jaguar. Juró que si lo fregaban reventaría a todo el mundo. Es un maricón y un traidor». No debía decirlo, así, sin pruebas, y con esas palabras, aunque debe ser verdad.

Solo que no sé por qué nos llevaron al estadio, se me ocurre que el Jaguar tiene también la culpa, seguro le contó a Gamboa «nos tiramos a las gallinas de vez en cuando» y el

---

[644] *Romperse de risa.* Morirse de risa.

[645] *Adulón.* Sobón, lambiscón, pelota.

[646] *Chesterfield.* Marca estadounidense de cigarrillos, de tabaco rubio.

[647] *Miéchica.* Eufemismo de «mierda».

[648] *Hasta el cogote.* Hasta arriba, totalmente.

teniente dijo les sacaré los bofes[649] por ser tan vivos. La Rata entró a la clase, «formen rápido que les tengo una sorpresa». Y nosotros gritamos: «Rata». Y él nos dijo: «es orden del teniente. Formen y a las cuadras a paso ligero. ¿O quieren que lo llame?». Formamos y nos llevó a la cuadra y en la puerta dijo: «saquen los fusiles, tienen un minuto, brigadier, parte de los tres últimos», nos cansamos de mentarle la madre y a ninguno se le ocurría qué pasaba. En el patio, los cadetes de las otras secciones nos sacaban cachita[650]. Dónde se ha visto, a mediodía con fusiles y a hacer campaña en el estadio, ¿no será que a Gamboa se le ha zafado una tuerca?[651]. Estaba esperándonos en la cancha de fútbol y nos miraba con unas ganas. «¡Alto!, dijo la Rata, formen los grupos de campaña». Todos protestaban, parecía pesadilla eso de una campaña con uniforme de diario y antes de almuerzo. Su madre se va a tirar al pasto con lo mojado que está y el cansancio que tiene el cuerpo después de tres horas de clases. Y en eso intervino Gamboa con su vozarrón y nos gritó: «formen en línea de tres en fondo. El grupo tres adelante y el uno al final». La Rata, tan sobón[652], nos apuraba: «rápido desganados, vivo, vivo». Y entonces Gamboa dijo: «sepárense de diez en diez metros como para un asalto». A lo mejor hay peligro de guerra y el ministro ha decidido que nos den instrucción militar acelerada. Nosotros iremos de clases o de oficiales, me gustaría entrar a Arica a sangre y fuego, clavar banderas peruanas en todas partes, en los techos, en las ventanas, en las calles, en los coches, dicen que las chilenas son las mujeres más guapas que hay, ¿será verdad? No creo que haya peligro de guerra, los hubieran entrenado a todos, no solo a la primera sección.

---

[649] *Bofe*. Pulmón de una res. Por lo tanto, la expresión «sacar los bofes» implica hacerle a alguien sacar los pulmones por la boca, es decir, reventarlo por un gran esfuerzo.

[650] *Sacar cachita*. (Per.) Burlarse, reírse de alguien. Véase nota 146.

[651] *Zafarse una tuerca*. O perder un tornillo, que se ha vuelto loco.

[652] *Sobón*. Aquí, pesado.

«¿Qué les pasa?, nos gritó Gamboa. Los fusileros[653] de los grupos uno y dos, ¿son sordos o brutos? Dije diez y no veinte metros. ¿Cómo se llama el negro?». «Vallano, mi teniente», era para doblarse al ver la cara de Vallano cuando Gamboa le dijo negro. «Bueno», dijo el teniente. «¿Por qué se pone a veinte metros si ordené diez?». «Yo no soy fusilero, mi teniente, lo que pasa es que falta uno». Pezoa es un bruto porfiado, a quién se le ocurre decir eso. «Ajá, dijo Gamboa, métale seis puntos al ausente». «No se va a poder, mi teniente, el ausente ya está muerto. Es el cadete Arana», hay que ser bruto a rabiar. Nada salía bien, Gamboa estaba furioso. «Bueno, dijo. Pase a ocupar ese puesto el fusilero de la segunda línea». Y después de un momento gritó: «¿por qué mierda no se cumple la orden?». Y nos volvimos a mirar y entonces Arróspide se cuadró y dijo: «es que tampoco está ese cadete. Es el Jaguar». «Póngase usted y no proteste, dijo Gamboa. Las órdenes se cumplen sin dudas ni murmuraciones». Y luego nos hizo hacer progresiones de un arco a otro, arréense cuando oigan el silbato, rampen, corran, tiéndanse, uno pierde la noción del tiempo y de su cuerpo con ese ejercicio y cuando estábamos entrando en calor, Gamboa nos hizo formar en columna de a tres y nos trajo a la cuadra y se trepó a un ropero y la Rata a otro, como es tan chiquito sudó tinta para llegar arriba, y nos ordenaron: «cuádrense en sus puestos» y en ese momento adiviné, el Jaguar nos ha vendido para salvar el pellejo, no hay tipos derechos[654] en el mundo, quién hubiera dicho que él podía hacer una cosa así. «Abran los roperos y den un paso al frente. El primero que meta la mano está frito»[655], como si uno fuera mago para esconder una botella en las narices del teniente. Después que se llevaron en un crudo[656] todo lo que encontraron, nos quedamos

---

[653] *Fusilero.* Soldado de infantería que lleva fusil como arma.
[654] *Derecho.* Honesto.
[655] *Estar frito.* Estar aviado o apañado.
[656] *Crudo.* (Per.) Tela basta de un saco o costal.

callados y yo me eché en mi cama. La Malpapeada no estaba, era la hora de la comida y seguro se había ido a la cocina a buscar sobras. Es triste que la perra no esté aquí para rascarle la cabeza, eso descansa y da una gran tranquilidad, uno piensa que es una muchachita. Algo así debe ser cuando uno se casa. Estoy abatido y entonces viene la hembrita y se echa a mi lado y se queda callada y quietecita, yo no le digo nada, la toco, la rasco, le hago cosquillas y se ríe, la pellizco y chilla, la engrío[657], juego con su carita, hago rulitos con sus pelos, le tapo la nariz, cuando está ahogándose la suelto, le agarro el cuello y las tetitas, la espalda, los hombros, el culito, las piernas, el ombligo, la beso de repente y le digo piropos: «cholita, arañita[658], mujercita, putita». Y entonces alguien gritó: «ustedes tienen la culpa». Y yo le grité: «¿qué quiere decir ustedes?». «El Jaguar y ustedes», dijo Arróspide. Y yo me fui donde estaba pero me pararon en el camino. «Ustedes he dicho y lo repito», me gritó el muchacho, cómo estaba de furioso, le chorreaba la saliva de tanta rabia y ni cuenta se daba. Y les decía «suéltenlo, no le tengo miedo, me lo cargo de dos patadas, lo pulverizo en un dos por tres», y a mí me amarraron para tenerme quieto. «Mejor es no pelear ahora que las cosas se han puesto así», dijo Vallano. «Hay que estar unidos para hacer frente a lo que venga». «Arróspide, le dije, eres lo más maricón que he visto nunca; cuando las cosas se ponen feas calumnias a los compañeros». «Mentira, dijo Arróspide. Yo estoy con ustedes contra los tenientes y si hay que ayudarse los ayudo. Pero la culpa de lo que pasa la tiene el Jaguar, el Rulos y tú, porque no son limpios. Aquí hay algo que está oscuro. Qué casualidad que apenas lo metieron al Jaguar al calabozo, Gamboa supo lo que había en los roperos». Y yo no sabía qué decir, y el Rulos estaba con ellos. Todos decían «sí, el Jaguar ha sido el soplón» y «la venganza es lo más dul-

---

[657] *Engreír.* (Am.) Mimar, malcriar.
[658] *Arañita.* Prostituta.

ce que hay». Después tocaron el pito para almorzar y creo que es la primera vez desde que estoy en el colegio que no comí casi nada, la comida se me atragantaba en el cogote.

Cuando el soldado vio acercarse a Gamboa se puso de pie y sacó la llave; giró sobre sí mismo para abrir la puerta, pero el teniente lo contuvo con un gesto, le quitó la llave de las manos y le dijo: «vaya a la Prevención y déjeme solo con el cadete». El calabozo de los soldados se alza detrás del corral de las gallinas, entre el estadio y el muro del colegio. Es una construcción de adobes, angosta y baja. Siempre hay un soldado de guardia en la puerta, aun cuando el calabozo esté vacío. Gamboa esperó que el soldado se alejara por la cancha de fútbol hacia las cuadras. Abrió la puerta. El cuarto estaba casi a oscuras: comenzaba a anochecer y la única ventana parecía una rendija. El primer momento no vio a nadie y tuvo una idea súbita: el cadete ha escapado. Luego lo descubrió tendido en la tarima. Se acercó; sus ojos estaban cerrados; dormía. Examinó sus facciones inmóviles, trató de recordar; inútil, el rostro se confundía con otros, aunque le era vagamente familiar, no por sus rasgos, sino por la expresión anticipadamente madura: tenía las mandíbulas apretadas, el ceño grave, el mentón hendido. Los soldados y cadetes, cuando se hallaban frente a un superior, endurecían el rostro; pero este cadete no sabía que él estaba allí. Además, su rostro escapaba a la generalidad: la mayoría de los cadetes tenían la piel oscura y las facciones angulosas. Gamboa veía una cara blanca, los cabellos y las pestañas parecían rubios. Estiró la mano y la puso en el hombro del Jaguar. Se sorprendió a sí mismo: su gesto carecía de energía; lo había tocado suavemente, como se despierta a un compañero. Sintió que el cuerpo del Jaguar se contraía bajo su mano, su brazo retrocedió por la violencia con que el cadete se incorporaba, pero luego escuchó el golpe de los tacones: había sido reconocido y todo volvía a ser normal.

—Siéntese —dijo Gamboa—. Tenemos mucho que hablar.

El Jaguar se sentó. Ahora, el teniente veía en la penumbra sus ojos, no muy grandes, pero sí brillantes e incisivos. El cadete no se movía ni hablaba, pero en su rigidez y en su silencio había algo indócil que disgustó a Gamboa.

—¿Por qué entró usted al Colegio Militar?

No obtuvo respuesta. Las manos del Jaguar asían el travesaño de la cama; su rostro no había variado, se mostraba severo y tranquilo.

—¿Lo metieron aquí a la fuerza, no es verdad? —dijo Gamboa.

—¿Por qué, mi teniente?

Su voz correspondía exactamente a sus ojos. Las palabras eran respetuosas y las pronunciaba despacio, articulándolas con cierta sensualidad, pero el tono dejaba entrever una secreta arrogancia.

—Quiero saberlo —dijo Gamboa—. ¿Por qué entró al Colegio Militar?

—Quería ser militar.

—¿Quería? —dijo Gamboa—. ¿Ha cambiado de idea?

Esta vez lo sintió dudar. Cuando un oficial los interrogaba sobre sus proyectos, todos los cadetes afirmaban que querían ser militares. Gamboa sabía, sin embargo, que solo unos cuantos se presentarían a los exámenes de ingreso de Chorrillos.

—Todavía no sé, mi teniente —repuso el Jaguar, después de unos segundos. Hubo una nueva vacilación—. Quizá me presente a la Escuela de Aviación.

Pasaron unos instantes. Se miraban a los ojos y parecían esperar algo, uno del otro. De pronto, Gamboa preguntó bruscamente:

—¿Usted sabe por qué está en el calabozo, no es cierto?

—No, mi teniente.

—¿De veras? ¿Cree que no hay motivos?

—No he hecho nada —afirmó el Jaguar.

—Bastaría solo lo del ropero —dijo Gamboa, lentamente—. Cigarrillos, dos botellas de pisco, una colección de ganzúas. ¿Le parece poco?

El teniente lo observó detenidamente, pero en vano; el Jaguar permanecía quieto y mudo. No parecía sorprendido ni atemorizado.

—Los cigarrillos, pase —añadió Gamboa—. Es solo una consigna. El licor, en cambio, no. Los cadetes pueden emborracharse en la calle, en sus casas. Pero aquí no se bebe una gota de alcohol —hizo una pausa—. ¿Y los dados? La primera sección es un garito[659]. ¿Y las ganzúas? ¿Qué significa eso? Robos. ¿Cuántos roperos ha abierto, hace cuánto tiempo que roba a sus compañeros?

—¿Yo? —Gamboa se desconcertó un momento: el Jaguar lo miraba con ironía. Repitió, sin bajar la vista—: ¿Yo?

—Sí —dijo Gamboa; sentía que la cólera lo dominaba—. ¿Quién mierda sino usted?

—Todos —dijo el Jaguar—. Todo el colegio.

—Miente —dijo Gamboa—. Es usted un cobarde.

—No soy un cobarde —dijo el Jaguar—. Se equivoca, mi teniente.

—Un ladrón —añadió Gamboa—. Un borracho, un timbero, y encima un cobarde. ¿Sabe usted que me gustaría que fuéramos civiles?

—¿Quiere pegarme? —preguntó el Jaguar.

—No —dijo Gamboa—. Te agarraría de una oreja y te llevaría al reformatorio. Ahí es donde te deberían haber metido tus padres. Ahora es tarde, te has fregado tú solo. ¿Te acuerdas hace tres años? Ordené que desapareciera el Círculo, que dejaran de jugar a los bandidos. ¿Te acuerdas lo que les dije esa noche?

—No —dijo el Jaguar—. No me acuerdo.

—Sí te acuerdas —dijo Gamboa—. Pero no importa. ¿Creías que eras muy vivo, no? En el Ejército, los vivos

---

[659] *Garito*. Antro de mala fama.

como tú se revientan tarde o temprano. Te has librado mucho tiempo. Pero ya te llegó tu hora.

—¿Por qué? —dijo el Jaguar—. No he hecho nada.

—El Círculo —dijo Gamboa—. Robo de exámenes, robo de prendas, emboscadas contra los superiores, abuso de autoridad con los cadetes de tercero. ¿Sabes lo que eres? Un delincuente.

—No es cierto —dijo el Jaguar—. No he hecho nada. He hecho lo que hacen todos.

—¿Quién? —dijo Gamboa—. ¿Quién más ha robado exámenes?

—Todos —dijo el Jaguar—. Los que no roban es porque tienen plata para comprarlos. Pero todos están metidos en eso.

—Nombres —dijo Gamboa—. Dame algunos nombres. ¿Quiénes de la primera sección?

—¿Me van a expulsar?

—Sí. Y quizá te pase algo peor.

—Bueno —dijo el Jaguar, sin que se alterara su voz—. Toda la primera sección ha comprado exámenes.

—¿Sí? —dijo Gamboa—. ¿También el cadete Arana?

—¿Cómo, mi teniente?

—Arana —repitió Gamboa—. El cadete Ricardo Arana.

—No —dijo el Jaguar—. Creo que él no compró nunca. Era un chancón. Pero todos los otros, sí.

—¿Por qué mataste a Arana? —dijo Gamboa—. Responde. Todo el mundo está enterado. ¿Por qué?

—¿Qué le pasa a usted? —dijo el Jaguar. Había pestañeado una sola vez.

—Responde a mi pregunta.

—¿Es usted muy hombre? —dijo el Jaguar. Se había incorporado. Su voz temblaba—. Si es usted tan hombre, quítese los galones. Yo no le tengo miedo.

Gamboa, instantáneo como un relámpago, estiró el brazo y lo cogió del cuello de la camisa a la vez que con la otra mano lo arrinconaba contra la pared. Antes que el Jaguar comenzara a toser, Gamboa sintió un aguijón en el hombro; al intentar golpearlo, el Jaguar había rozado su codo y el puño se detuvo a medio camino. Lo soltó y retrocedió un paso.

—Podría matarte —dijo—. Estoy en mi derecho. Soy tu superior y has querido golpearme. Pero el Consejo de Oficiales se va a encargar de ti.

—Quítese los galones —dijo el Jaguar—. Usted puede ser más fuerte, pero no le tengo miedo.

—¿Por qué mataste a Arana? —dijo Gamboa—. Deja de hacerte el loco y contesta.

—Yo no he matado a nadie. ¿Por qué dice usted eso? ¿Cree que soy un asesino? ¿Por qué iba a matar al Esclavo?

—Alguien te ha denunciado —dijo Gamboa—. Estás fregado.

—¿Quién? —se había puesto de pie, de un salto; sus ojos relucían como dos candelas.

—¿Ves? —dijo Gamboa—. Te estás delatando.

—¿Quién ha dicho eso? —repitió el Jaguar—. A ese sí voy a matarlo.

—Por la espalda —dijo Gamboa—. Estaba delante tuyo, a veinte metros. Lo mataste a traición. ¿Sabes cómo se castiga eso?

—Yo no he matado a nadie. Juro que no, mi teniente.

—Lo veremos —dijo Gamboa—. Es mejor que confieses todo.

—No tengo nada que confesar —gritó el Jaguar—. Lo de los exámenes, lo de los robos, es cierto. Pero yo no soy el único. Todos hacen lo mismo. Solo que los rosquetes pagan para que otros roben por ellos. Pero no he matado a nadie. Quiero saber quién le ha dicho eso.

—Ya lo sabrás —dijo Gamboa—. Te lo dirá en tu cara.

Al día siguiente llegué a la casa a las nueve de la mañana. Mi madre estaba sentada en la puerta. Me vio venir sin moverse. Yo le dije: «me quedé donde mi amigo de Chucuito». No me contestó. Me miraba raro, con un poco de miedo, como si yo fuera a hacerle algo. Sus ojos me espulgaban todo el cuerpo y me daban malestar. Me dolía la cabeza y mi garganta estaba seca, pero no me atrevía a echarme a dormir delante de ella. No sabía qué hacer, abría los cuadernos y los libros del colegio, por gusto, ya no servían para nada, metía la mano en el cajón de los cachivaches y ella todo el tiempo detrás de mí, observándome. Me volví y le dije: «¿qué te pasa, por qué me miras tanto?». Y entonces me dijo: «estás perdido. Ojalá te murieras». Y se salió a la puerta de calle. Estuvo sentada mucho rato en la grada, los codos en las rodillas, la cabeza entre las manos. Yo la espiaba desde mi cuarto y veía su camisa llena de agujeros y remiendos, su cuello que hervía de arrugas, su cabeza greñuda. Me acerqué despacito y le dije: «si estás molesta conmigo, perdóname». Me miró de nuevo: su cara también estaba llena de arrugas, de uno de los agujeros de su nariz salían unos pelos blancos, por su boca abierta se veía que le faltaban muchos dientes. «Mejor pídele perdón a Dios, me dijo. Aunque no sé si vale la pena. Ya estás condenado». «¿Quieres que te prometa algo?», le pregunté. Y ella me contestó: «¿para qué? Tienes la perdición en la cara. Mejor acuéstate a dormir la borrachera».

No me acosté, se me había ido el sueño. Al poco rato salí y fui hasta la playa de Chucuito. Desde el muelle vi a los muchachos del día anterior, fumando tirados sobre las piedras. Habían hecho dos montones con su ropa para apoyar la cabeza. Había muchos chicos en la playa; algunos, parados en la orilla, tiraban al agua piedras chatas que rebotaban como platillos. Un rato después llegaron Teresa y sus amigas. Se acercaron a los muchachos y les dieron la mano. Se desvistieron, se sentaron en rueda y él, como si yo no le hubiera hecho nada, estuvo todo el tiempo junto a Tere. Al fin, se metieron al agua. Teresa gritaba: «me hielo, me muero de frío» y el muchacho cogió agua con las dos manos y comenzó a mojarla. Ella chillaba más fuerte pero no se enojaba. Después entraron más allá de las olas. Teresa nadaba mejor que él, muy suave, como un pececito, él hacía mucha alharaca[660] y se hundía. Salieron y se sentaron en las piedras. Teresa se echó, él le hizo una almohada con su ropa y se puso a su lado, medio torcido, así podía mirarla enterita. Yo solo veía los brazos de Tere, levantados contra el sol. A él en cambio le veía la espalda flaca, las costillas salidas y las piernas chuecas. A eso de las doce volvieron al agua. El muchacho se hacía el marica y ella le echaba agua y él gritaba. Después nadaron. Adentro, hicieron tabla[661] y jugaron a ahogarse: él se hundía y Teresa movía las manos y gritaba socorro, pero se notaba que era en broma. Él aparecía de repente como un corcho, los pelos tapándole la cara, y lanzaba el alarido de Tarzán[662]. Yo podía oír sus risas, que eran muy fuertes. Cuando salieron, los estaba esperando junto los montones de ropa. No sé dónde se habían ido las amigas de Teresa y el otro muchacho, ni me fijé en ellos. Era como si toda la gente hubiera desaparecido. Se acercaron y Tere me vio primero; él venía detrás, dando saltos, se hacía el loco. Ella no cambió de cara, no se puso ni más contenta ni más triste de lo que estaba. No me dio la mano, solo dijo: «hola. ¿Tú también estabas en la playa?». En eso el muchacho me miró y me reconoció, porque se plantó en seco, retrocedió, se agachó, cogió una piedra y me apuntó. «¿Lo conoces?, le preguntó Teresa, riendo. Es mi vecino». «Se las da de matón, dijo el muchacho. Le voy a partir el alma para que no se las dé más de matón». Yo medí mal, mejor dicho me olvidé de las piedras. Salté y los pies se me

---

[660] *Alharaca*. Jaleo, ruido.

[661] *Hacer tabla*. Hacer *surf*, surfear.

[662] *Tarzán*. Personaje de la serie de novelas de Edgar Rice Burroughs (Chicago, 1875-Encino, 1950), como *Tarzan of the Apes*/*Tarzán de los monos* (1912), popularizado en las películas de Hollywood protagonizadas, entre otros, por Johnny Weissmüller —famoso por su grito, al que aquí se alude— y Lex Barker.

hundieron en la playa, no avancé ni la mitad, caí a un metro de él y entonces el muchacho se adelantó y me descargó la pedrada en plena cara. Fue como si el sol me entrara a la cabeza, vi todo blanco y parecía que flotaba. No me duró mucho, creo. Cuando abrí los ojos, Teresa parecía aterrada y el muchacho estaba boquiabierto. Fue un tonto, si aprovecha me hubiera revolcado a su gusto, pero como me sacó sangre la pedrada, se quedó quieto, mirando a ver qué me pasaba, y yo me le fui encima, saltando sobre Teresa. Cuerpo a cuerpo iba perdido, lo vi apenas caímos al suelo, parecía de trapo y no me encajaba un puñete. Ni siquiera nos revolcamos, ahí mismo estuve montado sobre él, dándole en la cara que se tapaba con las dos manos. Yo había cogido piedrecitas y con ellas le frotaba la cabeza y la frente y, cuando levantaba las manos, se las metía a la boca y a los ojos. No nos separaron hasta que vino el cachaco. Me cogió de la camisa y me jaló y yo sentí que algo se rasgaba. Me dio una cachetada[663] y entonces le aventé[664] una piedra al pecho. Dijo: «carajo, te destrozo», me levantó como a una pluma y me dio media docena de sopapos. Después me dijo: «mira lo que has hecho, desgraciado». El chico estaba tirado en el suelo y se quejaba. Unas mujeres y unos tipos lo estaban consolando. Todos, muy furiosos, le decían al cachaco: «le ha roto la cabeza, es un salvaje, a la correccional». A mí no me importaba nada lo que decían las mujeres, pero en eso vi a Teresa. Tenía la cara roja y me miraba con odio. «Qué malo y qué bruto eres», me dijo. Y yo le dije: «tú tienes la culpa por ser tan puta». El cachaco me dio un puñete en la boca y gritó: «no digas lisuras a la niña, maleante». Ella me miraba muy asustada y yo me di vuelta y el cachaco me dijo: «quieto, ¿dónde vas?». Y yo comencé

---

[663] *Cachetada.* Bofetada, golpe con la palma de la mano abierta en la cara.

[664] *Aventar.* (Am.) Lanzar.

a patearlo y a darle manazos a la loca[665] hasta que a jalones me sacó de la playa. En la comisaría, un teniente le ordenó al cachaco: «fájemelo bien y lárguelo. Pronto lo tendremos de nuevo por algo grande. Tiene toda la cara para ir al Sepa»[666]. El cachaco me llevó a un patio, se sacó la correa y comenzó a darme latigazos. Yo corría y los otros cachacos se morían de risa viendo cómo sudaba la gota gorda y no podía alcanzarme. Después tiró la correa y me arrinconó. Se acercaron otros guardias y le dijeron: «suéltalo. No puedes irte de puñetazos con una criatura». Salí de ahí y ya no volví a mi casa. Me fui a vivir con el flaco Higueras.

—No entiendo una palabra —dijo el mayor—. Ni una.

Era un hombre obeso y colorado, con un bigotillo rojizo que no llegaba a las comisuras de los labios. Había leído el parte cuidadosamente, de principio a fin, pestañeando sin cesar. Antes de levantar la vista hacia el capitán Garrido, que estaba de pie, frente al escritorio, de espaldas a la ventana que descubría el mar gris y los llanos pardos de La Perla, volvió a leer algunos párrafos de las diez hojas a máquina.

—No entiendo —repitió—. Explíqueme usted, capitán. Alguien se ha vuelto loco aquí y creo que no soy yo. ¿Qué le ocurre al teniente Gamboa?

—No sé, mi mayor. Estoy tan sorprendido como usted. He hablado con él varias veces sobre este asunto. He tratado de demostrarle que un parte como este era descabellado...

—¿Descabellado? —dijo el mayor—. Usted no debió permitir que se metiera a esos muchachos al calabozo ni que el parte fuera redactado en semejantes términos. Hay que poner fin a este lío de inmediato. Sin perder un minuto.

---

[665] *A la loca.* (Am.) Sin ton ni son, sin mirar.
[666] *El Sepa.* Conolonia penitenciaria sin muros, en la selva amazónica, que funcionó entre 1951 y 1993.

—Nadie se ha enterado de nada, mi mayor. Los dos cadetes están aislados.

—Llame a Gamboa —dijo el mayor—. Que venga en el acto.

El capitán salió, precipitadamente. El mayor volvió a coger el parte. Mientras lo releía, trataba de morderse los pelos rojizos del bigote, pero sus dientes eran muy pequeñitos y solo alcanzaban a arañar los labios e irritarlos. Uno de sus pies taconeaba, nervioso. Minutos después el capitán volvió seguido del teniente.

—Buenos días —dijo el mayor, con una voz que la irritación llenaba de altibajos—. Estoy muy sorprendido, Gamboa. Vamos a ver, usted es un oficial destacado, sus superiores lo estiman. ¿Cómo se le ha ocurrido pasar este parte? Ha perdido el juicio, hombre, esto es una bomba. Una verdadera bomba.

—Es verdad, mi mayor —dijo Gamboa. El capitán lo miraba, masticando furiosamente—. Pero el asunto escapa ya a mis atribuciones. He averiguado todo lo que he podido. Solo el Consejo de Oficiales...

—¿Qué? —lo interrumpió el mayor—. ¿Cree que el Consejo va a reunirse para examinar esto? No diga tonterías, hombre. El Leoncio Prado es un colegio, no vamos a permitir un escándalo así. En realidad, algo anda mal en su cabeza, Gamboa. ¿Piensa de veras que voy a dejar que este parte llegue al ministerio?

—Es lo que yo he dicho al teniente, mi mayor —insinuó el capitán—. Pero él se ha empeñado.

—Veamos —dijo el mayor—. No hay que perder los controles, la serenidad es capital en todo momento. Veamos. ¿Quién es el muchacho que hizo la denuncia?

—Fernández, mi mayor. Un cadete de la primera sección.

—¿Por qué metió al otro al calabozo sin esperar órdenes?

—Tenía que comenzar la investigación, mi mayor. Para interrogarlo, era imprescindible que lo separara de los cadetes. De otro modo, la noticia se habría difundido por todo el año. Por prudencia no he querido hacer un careo entre los dos.

—La acusación es imbécil, absurda —estalló el mayor—. Y usted no debió prestarle la menor importancia. Son cosas de niños y nada más. ¿Cómo ha podido dar crédito a esa historia fantástica? Jamás pensé que fuera tan ingenuo, Gamboa.

—Es posible que usted tenga razón, mi mayor. Pero permítame hacerle una observación. Yo tampoco creía que se robaban los exámenes, que había bandas de ladrones, que metían al colegio naipes, licor. Y todo eso lo he comprobado personalmente, mi mayor.

—Eso es otra cosa —dijo el mayor—. Es evidente que en el quinto año se burla la disciplina. No cabe ninguna duda. Pero en este caso los responsables son ustedes. Capitán Garrido, el teniente Gamboa y usted se van a ver en apuros. Los muchachos se los han comido vivos. Veremos la cara del coronel cuando sepa lo que pasa en las cuadras. No puedo hacer nada, tengo que pasar el parte y poner en orden las cosas. Pero —el mayor intentó nuevamente morderse el bigote—, lo otro es inadmisible y absurdo. Ese muchacho se pegó un tiro por error. El asunto está liquidado.

—Perdón, mi mayor —dijo Gamboa—. No se comprobó que él mismo se matara.

—¿No? —el mayor fulminó a Gamboa con los ojos—. ¿Quiere que le muestre el parte sobre el accidente?

—El coronel nos explicó la razón de ese parte, mi mayor. Era para evitar complicaciones.

—¡Ah! —dijo el mayor, con un gesto triunfal—. Justamente. ¿Y para evitar complicaciones hace usted ahora un informe lleno de horrores?

—Es distinto, mi mayor —dijo Gamboa, imperturbable—. Todo ha cambiado. Antes, la hipótesis del accidente era la más verosímil, mejor dicho la única. Los médicos dijeron que el balazo vino de atrás. Pero yo y los demás oficiales pensábamos que se trataba de una bala perdida, de un accidente. En esas condiciones, no importaba atribuir el error a la propia víctima, para no hacer daño a la institución. En realidad, mi mayor, yo creí que el cadete Arana era culpable, al menos en parte, por estar mal emplazado, por haber demorado en el salto. Incluso, hasta podía pensarse que la bala salió de su propio fusil. Pero todo cambia desde que una persona afirma que se trata de un crimen. La acusación no es del todo absurda, mi mayor. La disposición de los cadetes...

—Tonterías —dijo el mayor con cólera—. Usted debe leer novelas, Gamboa. Vamos a arreglar este enredo de una vez y basta de discusiones inútiles. Vaya a la Prevención y mande a esos cadetes a su cuadra. Dígales que si hablan de este asunto serán expulsados y que no se les dará ningún certificado. Y haga un nuevo informe, omitiendo todo lo relativo a la muerte del cadete Arana.

—No puedo hacer eso, mi mayor —dijo Gamboa—. El cadete Fernández mantiene sus acusaciones. Hasta donde he podido comprobar por mí mismo, lo que dice es cierto. El acusado se hallaba detrás de la víctima durante la campaña. No afirmo nada, mi mayor. Quiero decir solo que, técnicamente, la denuncia es aceptable. Solo el Consejo puede pronunciarse al respecto.

—Su opinión no me interesa —dijo el mayor, con desprecio—. Le estoy dando una orden. Guárdese esas fábulas para usted y obedezca. ¿O quiere que lo lleve ante el Consejo? Las órdenes no se discuten, teniente.

—Usted es libre de llevarme al Consejo, mi mayor —dijo Gamboa, suavemente—. Pero no voy a rehacer el parte. Lo siento. Y debo recordarle que usted está obligado a llevarlo donde el comandante.

El mayor palideció de golpe. Olvidando las formas, trataba ahora de alcanzar los bigotes con los dientes a toda costa y hacía muecas sorprendentes. Se había puesto de pie. Sus ojos eran violáceos.

—Bien —dijo—. Usted no me conoce, Gamboa. Soy manso solo cuando se portan bien conmigo. Pero soy un enemigo peligroso, ya lo va a comprobar. Esto le va a costar caro. Le juro que se va a acordar de mí. Por lo pronto, no saldrá del colegio hasta que todo se aclare. Voy a transmitir el parte, pero también pasaré un informe sobre su manera de comportarse con los superiores. Váyase.

—Permiso, mi mayor —dijo Gamboa y salió, caminando sin prisa.

—Está loco —dijo el mayor—. Se ha vuelto loco. Pero yo lo voy a curar.

—¿Va usted a pasar el parte, mi mayor? —preguntó el capitán.

—No puedo hacer otra cosa —el mayor miró al capitán y pareció sorprenderse de encontrarlo allí—. Y usted también se ha fregado, Garrido. Su foja de servicios va a quedar negra.

—Mi mayor —balbuceó el capitán—. No es mi culpa. Todo ha ocurrido en la primera compañía, la de Gamboa. Las otras marchan perfectamente, como sobre ruedas, mi mayor. Siempre he cumplido las instrucciones al pie de la letra.

—El teniente Gamboa es su subordinado —repuso el mayor, secamente—. Si un cadete viene a revelarle lo que pasa en su batallón, quiere decir que usted ha estado en la luna todo el tiempo. ¿Qué clase de oficiales son ustedes? No pueden imponer la disciplina a niños de colegio. Le aconsejo que trate de poner un poco de orden en el quinto año. Puede retirarse.

El capitán dio media vuelta y solo cuando estuvo en la puerta recordó que no había saludado. Giró e hizo chocar los tacones: el mayor revisaba el parte, movía los labios y su frente se plegaba y desplegaba. El capitán Garrido fue a un paso muy ligero, casi al trote, hasta la secretaría del año. En el patio, tocó su silbato, con mucha fuerza. Momentos después, el suboficial Morte entraba a su despacho.

606

—Llame a todos los oficiales y suboficiales del año —le dijo el capitán. Se pasó la mano por las frenéticas mandíbulas—. Todos ustedes son los responsables verdaderos y me las van a pagar caro, carajo. Es su culpa y de nadie más. ¿Qué hace ahí con la boca abierta? Vaya y haga lo que le he dicho.

VI

Gamboa vaciló, sin decidirse a abrir la puerta. Estaba preocupado. «¿Es por todos estos líos, pensó, o por la carta?». La había recibido hacía algunas horas: «estoy extrañándote mucho. No debí hacer este viaje. ¿No te dije que sería mucho mejor que me quedara en Lima? En el avión no podía contener las náuseas y todo el mundo me miraba y yo me sentía peor. En el aeropuerto me esperaban Cristina y su marido, que es muy simpático y bueno, ya te contaré. Me llevaron de inmediato a la casa y llamaron al médico. Dijo que el viaje me había hecho mal, pero que todo lo demás estaba bien. Sin embargo, como me seguía el dolor de cabeza y el malestar, volvieron a llamarlo y entonces dijo que mejor me internaba en el hospital. Me tienen en observación. Me han puesto muchas inyecciones y estoy inmóvil, sin almohada, y eso me molesta mucho, tú sabes que me gusta dormir casi sentada. Mi mamá y Cristina están todo el día a mi lado y mi cuñado viene a verme apenas sale de su trabajo. Todos son muy buenos, pero yo quisiera que tú estuvieras aquí, solo así me sentiría tranquila del todo. Ahora estoy un poco mejor, pero tengo mucho miedo de perder al bebe. El médico dice que la primera vez es complicado, pero que todo irá bien. Estoy muy nerviosa y pienso todo el tiempo en ti. Cuídate mucho, tú. ¿Me estás extrañando, no es verdad? Pero no tanto como yo a ti». Al leerla, había comenzado a sentirse abatido. Y a media lectura, el capitán se presentó en su cuarto con el rostro avinagrado, para decirle: «el coronel ya sabe todo. Salió usted con su gusto. Dice el comandante que saque del calabozo a Fernández y lo lleve a la oficina del coronel. Ahora mismo». Gamboa no estaba alarmado, pero sentía una falta total de entusiasmo, como si de pronto todo ese asunto hubiera dejado de concernirle. No era frecuente en él dejarse vencer por el desgano. Estaba malhumorado. Dobló la carta en cuatro, la guardó en su cartera y abrió la puerta. Alberto lo había visto venir por la rejilla, sin duda, pues lo esperaba en posición de firmes. El calabozo era más claro que el que ocupaba el Jaguar y Gamboa observó que el pantalón caqui de Alberto era ridículamente corto: se ajustaba a sus piernas como un buzo de bailarín y solo la mitad de los botones de la bragueta estaban abrochados. La camisa, en cambio, era demasiado ancha: las hombreras colgaban y a la espalda se formaba una gran joroba.

—Oiga —dijo Gamboa—. ¿Dónde se ha cambiado el uniforme de salida?

—Aquí mismo, mi teniente. Tenía el uniforme de diario en mi maletín. Lo llevo los sábados a mi casa para que lo laven.

Gamboa vio sobre la tarima una esfera blanca, el quepí, y unos puntos luminosos, los botones de la guerrera.

—¿No conoce el reglamento? —dijo, con brusquedad—. Los uniformes de diario se lavan en el colegio, no se pueden sacar a la calle. ¿Y qué pasa con ese uniforme? Parece usted un payaso.

El rostro de Alberto se llenó de ansiedad. Con una mano trató de abotonar la parte superior del pantalón pero, aunque sumía el estómago visiblemente, no lo consiguió.

—El pantalón ha encogido[667] y la camisa ha crecido —dijo Gamboa, con sorna—. ¿Cuál de las dos prendas es robada?

---

[667] En la edición de la RAE se cambia por «se ha encogido».

—Las dos, mi teniente.

Gamboa recibió un pequeño impacto: en efecto, el capitán tenía razón, ese cadete lo consideraba un aliado.

—Mierda —dijo, como hablando consigo mismo—. ¿Sabe que a usted tampoco lo salva ni Cristo? Está más embarrado que cualquiera. Voy a decirle una cosa. Me ha hecho un flaco servicio viniendo a contarme sus problemas. ¿Por qué no se le ocurrió llamar a Huarina o a Pitaluga?

—No sé, mi teniente —dijo Alberto. Pero añadió, de prisa—: Solo tengo confianza en usted.

—Yo no soy su amigo —dijo Gamboa—, ni su compinche, ni su protector. He hecho lo que era mi obligación. Ahora todo está en manos del coronel y del Consejo de Oficiales. Ya sabrán ellos lo que hacen con usted. Venga conmigo, el coronel quiere verlo.

Alberto palideció, sus pupilas se dilataron.

—¿Tiene miedo? —dijo Gamboa.

Alberto no respondió. Se había cuadrado y pestañeaba.

—Venga —dijo Gamboa.

Atravesaron la pista de cemento y Alberto se sorprendió al ver que Gamboa no contestaba el saludo de los soldados de la guardia. Era la primera vez que entraba a ese edificio. Solo por el exterior —altos muros grises y mohosos— se parecía a los otros locales del colegio. Adentro, todo era distinto. El vestíbulo, con una gruesa alfombra que silenciaba las pisadas, estaba iluminado por una luz artificial muy fuerte y Alberto cerró los ojos varias veces, cegado. En las paredes había cuadros; le parecía reconocer, al pasar, a los personajes que ilustraban el libro de historia, sorprendidos en el instante supremo: Bolognesi disparando el último cartucho, San Martín enarbolando una bandera, Alfonso Ugarte precipitándose al abismo, el presidente de la República[668] recibiendo una medalla. Después del vestíbulo, ha-

---

[668] Es decir, el general Odría.

bía una sala desierta, grande, muy iluminada: en las paredes abundaban los trofeos deportivos y los diplomas. Gamboa fue hacia una esquina. Tomaron el ascensor. El teniente marcó el cuarto piso, sin duda el último. Alberto pensó que era absurdo no haberse dado cuenta en tres años del número de pisos que tenía ese edificio. Vedado para los cadetes, monstruo grisáceo y algo satánico porque allí se elaboraban las listas de consignados y en él tenían sus madrigueras las autoridades del colegio, el edificio de la administración estaba tan lejos de las cuadras, en el espíritu de los cadetes, como el palacio arzobispal o la playa de Ancón.

—Pase —dijo Gamboa.

Era un corredor estrecho; las paredes relucían. Gamboa empujó una puerta. Alberto vio un escritorio y, tras él, junto a un retrato del coronel, a un hombre vestido de civil.

—El coronel lo espera —dijo este a Gamboa—. Puede usted pasar, teniente.

—Siéntese ahí —dijo Gamboa a Alberto—. Ya lo llamarán.

Alberto tomó asiento, frente al civil. El hombre revisaba unos papeles; tenía un lápiz en las manos y lo movía en el aire como siguiendo unos compases secretos. Era bajito, de rostro anónimo y bien vestido; el cuello duro parecía incomodarle, a cada instante movía la cabeza y la nuez se desplazaba bajo la piel de su garganta como un animalito aturdido. Alberto intentó escuchar lo que ocurría al otro lado, pero no oyó nada. Se abstrajo: Teresa le sonreía desde el paradero del colegio Raimondi. La imagen lo asediaba desde que se llevaron al cabo de la celda vecina. Solo el rostro de la muchacha aparecía, suspendido ante los muros pálidos del colegio italiano, al borde de la avenida de Arequipa; no divisaba su cuerpo. Había pasado horas tratando de recordarla de cuerpo entero. Imaginaba para ella vestidos elegantes, joyas, peinados exóticos. Un momento se ruborizó: «estoy jugando a vestir a la muñeca, como las mujeres». Revisó su maletín y sus bolsillos en vano: no tenía papel, no

611

podía escribirle. Entonces, redactó cartas imaginarias, composiciones repletas de imágenes grandilocuentes, en las que le hablaba del Colegio Militar, el amor, la muerte del Esclavo, el sentimiento de culpa y el porvenir. De pronto, oyó un timbre. El civil hablaba por teléfono; asentía, como si su interlocutor pudiera verlo. Colgó el fono[669] delicadamente y se volvió hacia él.

—¿Usted es el cadete Fernández? Pase a la oficina del coronel, por favor.

Avanzó hasta la puerta. Golpeó tres veces con los nudillos. No obtuvo respuesta. Empujó: la habitación era enorme, estaba alumbrada con tubos fluorescentes, sus ojos se irritaron al entrar en contacto con esa inesperada atmósfera azul. A diez metros de distancia, vio a tres oficiales, sentados en unos sillones de cuero. Lanzó una mirada circular: un escritorio de madera, diplomas, banderines, cuadros, una lámpara de pie. El piso no tenía alfombra: el encerado relucía y sus botines se deslizaban como sobre hielo. Caminó muy despacio, temía resbalar. Miraba el suelo, solo levantó la cabeza al ver que bajo sus ojos surgía una pierna enfundada en un pantalón caqui y un brazo de sillón. Se cuadró.

—¿Fernández? —dijo la voz que retumbaba bajo el cielo nublado cuando los cadetes evolucionaban en el estadio, ensayando los ejercicios para las actuaciones, la vocecita silbante que los mantenía inmóviles en el salón de actos, hablándoles de patriotismo y espíritu de sacrificio—. ¿Fernández qué?

—Fernández Temple, mi coronel. Cadete Alberto Fernández Temple.

El coronel lo observaba; era bruñido y regordete, sus cabellos grises estaban cuidadosamente aplastados contra el cráneo.

—¿Qué es usted del general Temple? —dijo el coronel.

---

[669] *Fono.* (Am.) Apócope de teléfono.

Alberto trataba de adivinar lo que vendría por la voz. Era fría pero no amenazadora.

—Nada, mi coronel. Creo que el general Temple es de los Temple de Piura. Yo soy de los de Moquegua.

—Sí —dijo el coronel—. Es un provinciano —se volvió y Alberto, siguiendo su mirada, descubrió en el otro sillón al comandante Altuna—. Como yo. Como la mayoría de los jefes del Ejército. Es un hecho, de las provincias salen los mejores oficiales. A propósito, Altuna, ¿usted de dónde es?

—Yo soy limeño, mi coronel. Pero me siento provinciano. Toda mi familia es de Ancash.

Alberto trató de localizar a Gamboa, pero no pudo. El teniente ocupaba el sillón cuyo espaldar tenía al frente: Alberto solo veía un brazo, la pierna inmóvil y un pie que taconeaba levemente.

—Bueno, cadete Fernández —dijo el coronel; su voz había cobrado cierta gravedad—. Ahora vamos a hablar de cosas más serias, más actuales —el coronel, hasta entonces recostado en el sillón, había avanzado hasta el borde del asiento: su vientre aparecía, bajo su cabeza, como un ser aparte—. ¿Es usted un verdadero cadete, una persona sensata, inteligente, culta? Vamos a suponer que sí. Quiero decir que no habrá conmovido a toda la oficialidad del colegio por algo insignificante. Y, en efecto, el parte que ha elevado el teniente Gamboa muestra que el asunto justifica la intervención, no solo de los oficiales, sino incluso del ministerio, de la Justicia. Según veo, usted acusa a un compañero de asesinato.

Tosió brevemente, con alguna elegancia, y calló un momento.

—Yo he pensado de inmediato: un cadete de quinto año no es un niño. En tres años de Colegio Militar, ha tenido tiempo de sobra para hacerse hombre. Y un hombre, un ser racional, para acusar a alguien de asesino, debe tener pruebas terminantes, irrefutables. Salvo que haya perdido el juicio. O que sea un ignorante en materias jurídicas. Un ignorante que no sabe lo que es un falso testimonio, que no sabe que las calumnias son figuras delictivas descritas por los códigos y penadas por la ley. He leído el parte atentamente, como lo exigía este asunto. Y, por desdicha, cadete, las pruebas no aparecen por ningún lado. Entonces he pensado: el cadete es una persona prudente, ha tomado sus precauciones, solo quiere mostrar las pruebas en última instancia, a mí en persona, para que yo las exhiba ante el Consejo. Muy bien, cadete, por eso lo he mandado llamar. Deme usted esas pruebas.

Bajo los ojos de Alberto, el pie golpeaba el suelo, se levantaba y volvía a caer, implacable.

—Mi coronel —dijo—. Yo, solamente...

—Sí, sí —dijo el coronel—. Usted es un hombre, un cadete del quinto año del Colegio Militar Leoncio Prado. Sabe lo que hace. Vengan esas pruebas.

—Yo ya dije todo lo que sabía, mi coronel. El Jaguar quería vengarse de Arana, porque este acusó...

—Después hablaremos de eso —lo interrumpió el coronel—. Las anécdotas son muy interesantes. Las hipótesis nos demuestran que usted tiene un espíritu creador, una imaginación cautivante —se calló y repitió, complacido—: Cautivante. Ahora vamos a revisar los documentos. Deme todo el material jurídico necesario.

—No tengo pruebas, mi coronel —reconoció Alberto. Su voz era dócil y temblaba; se mordió el labio para darse ánimos—. Yo solo dije lo que sabía. Pero estoy seguro...

—¿Cómo? —dijo el coronel, con un gesto de asombro—. ¿Quiere usted hacerme creer que no tiene pruebas concretas y fehacientes? Un poco más de seriedad, cadete, este no es un momento oportuno para hacer bromas. ¿De veras no tiene un solo documento válido, tangible? Vamos, vamos.

—Mi coronel, yo pensé que mi deber...

—¡Ah! —prosiguió el coronel—. ¿Así que se trata de una broma? Me parece muy bien. Usted tiene derecho a divertirse, por lo demás el humor revela juventud, es muy saludable. Pero todo tiene un límite. Está en el Ejército, cadete. No puede reírse de las Fuerzas Armadas, así nomás. Y no solo en el Ejército. Figúrese que en la vida civil también se pagan caras estas bromas. Si usted quiere acusar a alguien de asesino, tiene que apoyarse en algo, ¿cómo diré?, suficiente. Eso es, pruebas suficientes. Y usted no tiene ninguna clase de pruebas, ni suficientes ni insuficientes, y viene aquí a lanzar una acusación fantástica, gratuita, a echar lodo[670] a un compañero, al colegio que lo ha formado. No nos haga creer que es usted un topo[671], cadete. ¿Qué cosa cree que somos nosotros, ah? ¿Imbéciles, débiles mentales, o qué? ¿Sabe usted que cuatro médicos y una comisión de peritos en balística comprobaron que el disparo que costó la vida a ese infortunado cadete salió de su propio fusil? ¿No se le ocurrió pensar que sus superiores, que tienen más experiencia y más responsabilidad que usted, habían hecho una minuciosa investigación sobre esa muerte? Alto, no diga nada, déjeme terminar. ¿Se le ocurre que íbamos a quedarnos muy tranquilos después de ese accidente, que no íbamos a indagar, a averiguar, a descubrir los errores, las faltas que lo originaron? ¿Usted cree que los galones le caen a uno del cielo?[672]. ¿Cree usted que los tenientes, los capitanes, el mayor, el comandante, yo mismo, somos una recua[673] de idiotas, para cruzarnos de brazos cuando muere un cadete en esas circunstancias? Esto es verdaderamente bochornoso, cadete Fernández. Bochornoso por no decir otra cosa. Piense un instante y respóndame. ¿No es algo bochornoso?

—Sí, mi coronel —dijo Alberto y al instante se sintió aliviado.

—Lástima que no haya reflexionado antes —dijo el coronel—. Lástima que haya sido precisa mi intervención para que usted comprendiera los alcances de un capricho adoles-

---

[670] *Echar lodo.* Ensuciar el nombre de alguien.
[671] *Topo.* Infiltrado.
[672] *Caerle a uno algo del cielo.* Obtener algo sin esfuerzo.
[673] *Recua.* Conjunto, serie.

cente. Ahora vamos a hablar de otra cosa, cadete. Porque, sin saberlo, usted ha puesto en movimiento una máquina infernal. Y la primera víctima será usted mismo. Tiene mucha imaginación, ¿no es cierto? Acaba de darnos una prueba magistral. Lo malo es que la historia del asesinato no es la única. Acá yo tengo otros testimonios de su fantasía, de su inspiración. ¿Quiere pasarnos esos papeles, comandante?

Alberto vio que el comandante Altuna se ponía de pie. Era un hombre alto y corpulento, muy distinto al coronel. Los cadetes les decían el gordo y el flaco[674]. Altura era un personaje silencioso y huidizo, rara vez se lo veía por las cuadras o las aulas. Fue hasta el escritorio y volvió con un puñado de papeles en la mano. Sus zapatos crujían como los botines de los cadetes. El coronel recibió los papeles y los llevó a sus ojos.

—¿Sabe usted qué es esto, cadete?

—No, mi coronel.

—Claro que sabe, cadete. Mírelos.

Alberto los recibió y solo cuando hubo leído varias líneas, comprendió.

—¿Reconoce esos papeles, ahora?

Alberto vio que la pierna se encogía. Junto al espaldar apareció una cabeza: el teniente Gamboa lo miraba. Enrojeció violentamente.

—Claro que los reconoce —añadió el coronel, con alegría—. Son documentos, pruebas fehacientes. Vamos a ver, léanos algo de lo que dice ahí.

Alberto pensó súbitamente, en el bautizo de los perros. Por primera vez, después de tres años, sentía esa sensación de impotencia y humillación radical que había descubierto al ingresar al colegio. Sin embargo, ahora era todavía peor: al menos, el bautizo se compartía.

---

[674] *El gordo y el flaco*. Como los populares personajes del cine mudo interpretados por Stan Laurel y Oliver Hardy.

—He dicho que lea —repitió el coronel.

Alberto leyó, haciendo un gran esfuerzo. Su voz era débil y se cortaba por momentos: «tenía unas piernas muy grandes y muy peludas y unas nalgas tan enormes que más parecía un animal que una mujer, pero era la puta más solicitada de la cuarta cuadra, porque todos los viciosos iban donde ella». Se calló. Tenso, esperaba que la voz del coronel le ordenara continuar. Pero el coronel permanecía callado. Alberto sentía una fatiga profunda. Como los concursos en la cueva de Paulino, la humillación lo agotaba físicamente, ablandaba sus músculos, oscurecía su cerebro.

—Devuélvame esos papeles —dijo el coronel. Alberto se los entregó. El coronel se puso a hojearlos, lentamente. A medida que pasaban frente a sus ojos, movía los labios y dejaba escapar un murmullo. Alberto oía fragmentos de títulos que apenas recordaba, algunos habían sido escritos un año atrás: *Lula, la chuchumeca*[675] *incorregible, La mujer loca y el burro, La jijuna y el jijuno*»[676].

—¿Sabe usted lo que debo hacer con estos papeles? —dijo el coronel. Tenía los ojos entrecerrados, parecía abrumado por una obligación penosa e ineludible. Su voz revelaba fastidio y cierta amargura—: Ni siquiera reunir al Consejo de Oficiales, cadete. Echarlo a la calle de inmediato, por degenerado. Y llamar a su padre, para que lo lleve a una clínica; tal vez los psiquiatras (¿me entiende usted, los psiquiatras?) puedan curarlo. Esto sí que es un escándalo, cadete. Hay que tener un espíritu extraviado, pervertido, para dedicarse a escribir semejantes cosas. Hay que ser una escoria. Estos papeles deshonran al colegio, nos deshonran a todos. ¿Tiene algo que decir? Hable, hable.

—No, mi coronel.

---

[675] *Chuchumeca.* (Per.) Prostituta.
[676] *Jijuno.* (Per.) Hijo de puta, persona despreciable.

—Naturalmente —dijo el coronel—. ¿Qué puede decir ante documentos flagrantes? Ni una palabra. Respóndame con franqueza, de hombre a hombre. ¿Merece usted que lo expulsen, que lo denunciemos a su familia como pervertido y corruptor? ¿Sí o no?

—Sí, mi coronel.

—Estos papeles son su ruina, cadete. ¿Cree usted que algún colegio lo recibiría después de ser expulsado por vicioso, por taras espirituales? Su ruina definitiva. ¿Sí o no?

—Sí, mi coronel.

—¿Qué haría usted en mi caso, cadete?

—No sé, mi coronel.

—Yo sí, cadete. Tengo un deber que cumplir —hizo una pausa. Su rostro dejó de ser beligerante, se suavizó. Todo su cuerpo se contrajo y, al retroceder en el asiento, el vientre disminuyó de volumen, se humanizó. El coronel se rascaba el mentón, su mirada erraba por la habitación, parecía sumido en ideas contradictorias. El comandante y el teniente no se movían. Mientras el coronel reflexionaba, Alberto concentraba su atención en el pie que apoyaba el tacón en el piso encerado y permanecía en ángulo: aguardaba con angustia que la puntera descendiera y comenzara a golpear acompasadamente el suelo.

—Cadete Fernández Temple —dijo el coronel con voz grave. Alberto levantó la cabeza—. ¿Está usted arrepentido?

—Sí, mi coronel —repuso Alberto, sin vacilar.

—Yo soy un hombre con sensibilidad —dijo el coronel—. Y estos papeles me avergüenzan. Son una afrenta sin nombre para el colegio. Míreme, cadete. Usted tiene una formación militar, no es un cualquiera. Pórtese como un hombre. ¿Comprende lo que le digo?

—Sí, mi coronel.

—¿Hará todo lo necesario para enmendarse? ¿Tratará de ser un cadete modelo?

—Sí, mi coronel.

—Ver para creer —dijo el coronel—. Estoy cometiendo una falta, mi deber me obliga a echarlo a la calle en el acto. Pero, no por usted, sino por la institución que es sagrada, por esta gran familia que formamos los leonciopradinos, voy a darle una última oportunidad. Guardaré estos papeles y lo tendré en observación. Si sus superiores me dicen, a fin de año, que usted ha respondido a mi confianza, si hasta entonces su foja está limpia, quemaré estos papeles y olvidaré esta escandalosa historia. En caso contrario, si comete una infracción (una sola bastaría, ¿me comprende?), le aplicaré el reglamento, sin piedad. ¿Entendido?

—Sí, mi coronel —Alberto bajó los ojos y añadió—: Gracias, mi coronel.

—¿Se da usted cuenta de lo que hago por usted?

—Sí, mi coronel.

—Ni una palabra más. Regrese a su cuadra y pórtese como es debido. Sea un verdadero cadete leonciopradino, disciplinado y responsable. Puede retirarse.

Alberto se cuadró y dio media vuelta. Había dado tres pasos hacia la puerta cuando lo detuvo la voz del coronel:

—Un momento, cadete. Por supuesto, usted guardará la más absoluta reserva sobre lo que se ha hablado aquí. La historia de los papeles, la ridícula invención del asesinato, todo. Y no vuelva a buscarle tres pies al gato sabiendo que tiene cuatro. La próxima vez, antes de jugar al detective, piense que está en el Ejército, una institución donde los superiores vigilan para que todo sea debidamente investigado y sancionado. Puede irse.

Alberto volvió a hacer sonar los tacones y salió. El civil ni siquiera lo miró. En vez de tomar el ascensor bajó por la escalera: como todo el edificio, las gradas parecían espejos.

Ya afuera, ante el monumento al héroe, recordó que en el calabozo había dejado su maletín y el uniforme de salida. Fue hacia la Prevención, a pasos lentos. El teniente de guardia le hizo una venia.

—Vengo a sacar mis prendas, mi teniente.

—¿Por qué? —repuso el oficial—. Usted está en el calabozo por orden de Gamboa.

—Me han ordenado que vuelva a la cuadra.

—Nones —dijo el teniente—. ¿No conoce el reglamento? Usted no sale de aquí hasta que el teniente Gamboa me lo indique por escrito. Vaya adentro.

—Sí, mi teniente.

—Sargento —dijo el oficial—. Póngalo con el cadete que trajeron del calabozo del estadio. Necesito espacio para los soldados castigados por el capitán Bezada —se rascó la cabeza—. Esto se está convirtiendo en una cárcel. Ni más ni menos.

El sargento, un hombre macizo y achinado, asintió. Abrió la puerta del calabozo y la empujó con el pie.

—Adentro, cadete —dijo. Y añadió, en voz baja—: Estese tranquilo. Cuando cambie la guardia, le pasaré un fumatélico[677].

Alberto entró. El Jaguar estaba sentado en la tarima y lo miraba.

Esa vez el flaco Higueras no quería ir, fue contra su voluntad, como sospechando que la cosa iba a salir mal. Unos meses antes, cuando el Rajas le mandó decir «o trabajas conmigo o no vuelves a pisar el Callao si quieres conservar la cara sana», el flaco me dijo: «ya está, me lo esperaba». Él había estado con el Rajas de muchacho; mi hermano y el flaco fueron sus discípulos. Luego al Rajas lo encanaron[678] y ellos siguieron solos. A los cinco años, el Rajas salió y formó otra banda, y el flaco lo estuvo esquivando hasta que un día lo encontraron dos matones en El Tesoro del Puerto y lo llevaron a la fuerza donde el Rajas. Me contó que no le

---

[677] *Fumatélico.* Algo que fumar, un cigarrillo.
[678] *Encanar.* (Am.) Meter en prisión.

hicieron nada y que el Rajas lo abrazó y le dijo: «te quiero como a un hijo». Después se emborracharon y se despidieron muy amigos. Pero a la semana le mandó esa advertencia. El flaco no quería trabajar en equipo, decía que era mal negocio, pero tampoco quería convertirse en enemigo del Rajas. Así que me dijo: «voy a aceptar; después de todo, el Rajas es derecho. Pero tú no tienes por qué hacerlo. Si quieres un consejo, vuelve donde tu madre y estudia para doctor. Ya debes tener ahorrada buena platita». Yo no tenía ni un solo centavo y se lo dije. «¿Sabes lo que eres?, me contestó; un putañero[679], lo que se llama un putañero. ¿Te has gastado toda la plata en los bulines?». Yo le dije que sí. «Todavía tienes mucho que aprender, me dijo; no vale la pena jugarse el pellejo por las polillas. Has debido guardar un poco. Bueno, ¿qué decides?». Le dije que me quedaba con él. Esa misma noche fuimos donde el Rajas, a una chingana inmunda, donde atendía una tuerta. El Rajas era un zambo viejo y apenas se entendía lo que hablaba; todo el tiempo pedía mulitas[680] de pisco. Los otros, unos cinco o seis, zambos, chinos y serranos, miraban al flaco con malos ojos. En cambio el Rajas siempre se dirigía al flaco cuando hablaba y se reía a carcajadas con sus bromas. A mí casi no me miraba. Comenzamos a trabajar con ellos y al principio todo iba bien. Limpiamos casas[681] de Magdalena y La Punta, de San Isidro y Orrantia, de Salaverry y Barranco, pero no del Callao. A mí me ponían de campana y nunca me lanzaban adentro para que les abriera la puerta. Cuando repartían, el Rajas me daba una miseria, pero después el flaco me regalaba de su parte. Nosotros dos formábamos una yunta y los otros tipos de la banda nos celaban[682]. Una vez, en un bulín, el flaco y el zambo Pancracio pelearon por

---

[679] *Putañero.* (Per.) Putero, que va de putas.
[680] *Mulita.* (Per.) Botellín, petaca.
[681] *Limpiar casas.* En este contexto, vaciar casas, robarlas.
[682] *Celar.* Tener celos, envidiar.

una polilla y Pancracio sacó la chaveta[683] y le rasgó el brazo a mi amigo. Me dio cólera y me le fui encima. Saltó otro zambo y nos mechamos. El Rajas nos hizo abrir cancha. Las polillas gritaban. Estuvimos midiéndonos un rato. Al principio, el zambo me provocaba y se reía, «eres el ratón y yo el gato», me decía, pero le coloqué un par de cabezazos y entonces peleamos de a deveras. El Rajas me convidó un trago y dijo: «me quito el sombrero. ¿Quién le enseñó a pelear a esta paloma?».

Desde ahí, me agarraba con los zambos, los chinos y los serranos del Rajas por cualquier cosa. A veces me soñaban de una patada y otras los aguantaba enterito y los machucaba un poco. Vez que estábamos borrachos nos íbamos a los golpes. Tanto peleamos que al final nos hicimos amigos. Me invitaban a beber y me llevaban con ellos al bulín y al cine, a ver películas de acción. Justamente, ese día habíamos ido al cine, Pancracio, el flaco y yo. A la salida nos esperaba el Rajas, alegre como un cuete[684]. Fuimos a una chingana y ahí nos dijo: «es el golpe del siglo». Cuando contó que el Carapulca lo había llamado para proponerle un trabajo, el flaco Higueras lo cortó: «nada con esos, Rajas. Nos comen vivos. Son de alto vuelo». El Rajas no le hizo caso y siguió explicando el plan. Estaba muy orgulloso de que el Carapulca lo hubiera llamado, porque era una gran banda y todos les tenían envidia. Vivían como la gente decente, en buenas casas y tenían automóviles. El flaco quiso discutir pero los otros lo callaron. Era para el día siguiente. Todo parecía muy fácil. Como dijo el Rajas, nos encontramos en la quebrada de Armendáriz a las diez de la noche y ahí estaban dos tipos del Carapulca. Bien vestidos y con bigotes, fumaban cigarrillos rubios y parecía que iban a una fiesta. Estuvimos haciendo tiempo hasta medianoche y después nos fuimos caminando

---

[683] *Chaveta*. (Am.) Navaja.
[684] *Como un cuete*. Deformación de cohete. Aquí, chisporroteante en sentido metafórico.

en parejas hasta la línea del tranvía. Ahí encontramos a otro de la banda del Carapulca. «Todo está listo, dijo. No hay nadie. Acaban de salir. Comencemos ya mismo». El Rajas me puso de campana a una cuadra de la casa, detrás de una pared. Al flaco le pregunté: «¿quiénes entran?». Me dijo: «el Rajas, yo y los carapulcas[685]. Y todos los demás son campanas. Es el estilo de ellos. Eso se llama trabajar seguro». Donde yo estaba plantado no había nadie, no se veía ni una luz en las casas y pensé que todo iba a terminar muy pronto. Pero, mientras veníamos, el flaco había estado callado y con la cara amarga. Al pasar, Pancracio me había mostrado la casa. Era enorme y el Rajas dijo: «aquí debe de haber plata para hacer rico a un ejército». Pasó mucho rato. Cuando oí los pitazos, los balazos y los carajos salí corriendo hacia ellos, pero me di cuenta que estaban ensartados[686]: en la esquina había tres patrulleros. Di media vuelta y escapé. En la plaza Marsano subí al tranvía y en Lima tomé un taxi. Cuando llegué a la chingana solo encontré a Pancracio. «Era una trampa, me dijo. El Carapulca trajo a los soplones. Creo que los han cogido a todos. Yo vi que al Rajas y al flaco los apaleaban en el suelo. Los cuatro carapulcas se reían, algún día la pagarán. Pero ahora mejor desaparecemos». Le dije que no tenía un centavo. Me dio cinco soles y me dijo: «cambia de barrio y no vuelvas por aquí. Yo me voy a veranear fuera de Lima por un tiempo».

Esa noche me fui al despoblado de Bellavista y dormí en una zanja. Mejor dicho, estuve tirado de espaldas, viendo la oscuridad, muerto de frío. En la mañana, muy temprano, fui a la plaza de Bellavista. No iba por ahí desde hacía dos años. Todo estaba igual, menos la puerta de mi casa que la habían pintado. Toqué y no salió nadie. Toqué más fuerte.

---

[685] *Carapulcas*. Pertenecientes a la banda de Carapulca. Por su parte, el nombre se permite a una especialidad de la gastronomía peruana, también conocida como «carapulcra» (del quedura, galaphurka).

[686] *Ensartado*. (Am.) Atrapado.

De adentro, alguien gritó: «no se desesperen, maldita sea». Salió un hombre y yo le pregunté por la señora Domitila. «Ni sé quién es, me dijo; aquí vive Pedro Caifás, que soy yo». Una mujer apareció a su lado y dijo: «¿la señora Domitila? ¿Una vieja que vivía sola?». «Sí, le dije; creo que sí». «Ya se murió, dijo la mujer; vivía aquí antes que nosotros, pero hace tiempo». Yo les dije gracias y me fui a sentar a la plaza y estuve toda la mañana mirando la puerta de la casa de Teresa, a ver si salía. A eso de las doce salió un muchacho. Me le acerqué y le dije: «¿sabes dónde viven ahora esa señora y esa muchacha que vivían antes en tu casa?». «No sé nada», me dijo. Fui otra vez a mi antigua casa y toqué. Salió la mujer. Le pregunté: «¿sabe dónde está enterrada la señora Domitila?». «No sé, me dijo. Ni la conocí. ¿Era algo suyo?». Yo le iba a decir que era mi madre, pero pensé que a lo mejor me andaban buscando los soplones y le dije: «no, solo quería saber».

—Hola —dijo el Jaguar.

No parecía sorprendido al verlo allí. El sargento había cerrado la puerta, el calabozo estaba en la penumbra.

—Hola —dijo Alberto.

—¿Tienes cigarrillos? —preguntó el Jaguar. Estaba sentado en la cama, apoyaba la espalda en la pared y Alberto podía distinguir claramente la mitad de su rostro, que caía dentro de la superficie de luz que bajaba de la ventana; la otra mitad era solo una mancha.

—No —dijo Alberto—. El sargento me traerá uno más tarde.

—¿Por qué te han metido aquí? —dijo el Jaguar.

—No sé. ¿Y a ti?

—Un hijo de puta ha ido a decirle cosas a Gamboa.

—¿Quién? ¿Qué cosas?

—Oye —dijo el Jaguar, bajando la voz—. Seguro tú vas a salir de aquí primero que yo. Hazme un favor. Ven, acércate, que no nos oigan.

Alberto se aproximó. Ahora estaba de pie, a unos centímetros del Jaguar, sus rodillas se tocaban.

—Diles al Boa y al Rulos que en la cuadra hay un soplón. Quiero que averigüen quién ha sido. ¿Sabes lo que le dijo a Gamboa?

—No.

—¿Por qué creen que estoy aquí los de la sección?

—Creen que por el robo de exámenes.

—Sí —dijo el Jaguar—. También por eso. Le ha dicho lo de los exámenes, lo del Círculo, los robos de prendas, que jugamos dinero, que metemos licor. Todo. Hay que saber quién ha sido. Diles que ellos también están fregados si no lo descubren. Y tú también, y toda la cuadra. Es uno de la sección, nadie más puede saber.

—Te van a expulsar —dijo Alberto—. Y quizá te manden a la cárcel.

—Eso me dijo Gamboa. Seguramente van a fregar también al Rulos y al Boa, por lo del Círculo. Diles que averigüen y que me tiren un papel por la ventana con su nombre. Si me expulsan, ya no los veré.

—¿Qué vas a ganar con eso?

—Nada —dijo el Jaguar—. A mí ya me han jodido. Pero tengo que vengarme.

—Eres una mierda, Jaguar —dijo Alberto—. Me gustaría que te metieran en la cárcel.

El Jaguar había hecho un pequeño movimiento: seguía sentado en la cama, pero erguido, sin tocar la pared y su cabeza giró unos centímetros para que sus ojos pudieran observar a Alberto. Todo su rostro era visible ahora.

—¿Has oído lo que he dicho?

—No grites —dijo el Jaguar—. ¿Quieres que venga el teniente? ¿Qué te pasa?

—Una mierda —susurró Alberto—. Un asesino. Tú mataste al Esclavo.

Alberto había dado un paso atrás y estaba agazapado, pero el Jaguar no lo atacó, ni siquiera se había movido. Alberto veía en la penumbra los dos ojos azules, brillando.

—Mentira —dijo el Jaguar, también en voz muy baja—. Es una calumnia. Le han dicho eso a Gamboa para fregarme. El soplón es alguien que me quiere hacer daño, algún rosquete, ¿no te das cuenta? Dime, ¿todos en la cuadra creen que he matado a Arana?

Alberto no respondió.

—No puede ser —dijo el Jaguar—. Nadie puede creer eso. Arana era un pobre diablo, cualquiera podía echarlo al suelo de un manazo. ¿Por qué iba a matarlo?

—Era mucho mejor que tú —dijo Alberto. Los dos hablaban en secreto. El esfuerzo que hacían para no alzar la voz, congelaba sus palabras, las volvía forzadas, teatrales—. Tú eres un matón, tú sí que eres un pobre diablo. El Esclavo era un buen muchacho, tú no sabes lo que es eso. Él era buena gente, no se metía con nadie. Lo fregabas todo el tiempo, día y noche. Cuando entró era un tipo normal y, de tanto batirlo, tú y los otros lo volvieron un cojudo. Solo porque no sabía pelear. Eres un desgraciado, Jaguar. Ahora te van a expulsar. ¿Sabes cuál va a ser tu vida? La de un delincuente, te meterán a la cárcel tarde o temprano.

—Mi madre también me decía eso —Alberto se sorprendió, no esperaba una confidencia. Pero comprendió que el Jaguar hablaba solo; su voz era opaca, árida—. Y también Gamboa. No sé qué les puede importar mi vida. Pero yo no era el único que fregaba al Esclavo. Todos se metían con él, tú también, Poeta. En el colegio todos friegan a todos, el que se deja se arruina. No es mi culpa. Si a mí no me joden es porque soy más hombre. No es mi culpa.

—Tú no eres más hombre que nadie —dijo Alberto—. Eres un asesino y no te tengo miedo. Cuando salgamos de aquí vas a ver.

—¿Quieres pelear conmigo? —dijo el Jaguar.

—Sí.

—No puedes —dijo el Jaguar—. Dime, ¿todos están furiosos conmigo en la cuadra?

—No —dijo Alberto—. Solo yo. Y no te tengo miedo.

—Chist[687], no grites. Si quieres, pelearemos en la calle. Pero no puedes conmigo, te lo advierto. Estás furioso por gusto. Yo no le hice nada al Esclavo. Solo lo batía, como todo el mundo. Pero no con mala intención, para divertirme.

—¿Y eso qué importa? Lo fregabas y todos lo fregaban por imitarte. Le hacías la vida imposible. Y lo mataste.

—No grites, imbécil, van a oírte. No lo maté. Cuando salga, buscaré al soplón y delante de todos le haré confesar que es una calumnia. Vas a ver que es mentira.

—No es mentira —dijo Alberto—. Yo sé.

—No grites, maldita sea.

—Eres un asesino.

—Chist.

—Yo te denuncié, Jaguar. Yo sé que tú lo mataste.

Esta vez Alberto no se movió. El Jaguar se había encogido en la tarima.

—¿Tú le has dicho eso a Gamboa? —dijo el Jaguar, muy despacio.

—Sí. Le dije todo lo que has hecho, todo lo que pasa en la cuadra.

—¿Por qué has hecho eso?

—Porque me dio la gana.

—Vamos a ver si eres hombre —dijo el Jaguar incorporándose.

---

[687] *Chist*. Indicación de «chistar», hacer callar o silenciar a alguien.

VII

El teniente Gamboa salió de la oficina del coronel, hizo una venia al civil, aguardó unos instantes el ascensor y, como tardaba, se dirigió hacia la escalera: bajó las gradas de dos en dos. En el patio, comprobó que la mañana había aclarado: el cielo lucía limpio, en el horizonte se divisaban unas nubes blancas, inmóviles sobre la superficie del mar que destellaba. Fue a paso rápido hasta las cuadras del quinto año y entró a la secretaría. El capitán Garrido estaba en su escritorio, crispado como un puerco espín. Gamboa lo saludó desde la puerta.

—¿Y? —dijo el capitán, incorporándose de un salto.

—El coronel me encarga decirle que borre del registro el parte que pasé, mi capitán.

El rostro del capitán se relajó y sus ojos, hasta entonces desabridos, sonrieron con alivio.

—Claro —dijo, dando un golpe en la mesa—. Ni siquiera lo inscribí en el registro. Ya sabía. ¿Qué pasó, Gamboa?

—El cadete retira la denuncia, mi capitán. El coronel ha roto el parte. El asunto debe ser olvidado; quiero decir lo del presunto asesinato, mi capitán. Respecto a lo otro, el coronel ordena que se ajuste la disciplina.

—¿Más? —dijo el capitán, riendo abiertamente—. Venga, Gamboa. Mire.

Le extendió un alto de papeles repletos de cifras y de nombres.

—¿Ve usted? En tres días, más papeletas que en todo el mes pasado. Sesenta consignados, casi la tercera parte del año, fíjese bien. El coronel puede estar tranquilo, vamos a poner en vereda a todo el mundo. En cuanto a los exámenes, ya se tomaron las precauciones debidas. Los guardaré yo mismo en mi cuarto, hasta el momento de la prueba; que vengan a buscarlos si se atreven. He doblado los imaginarias y las rondas. Los suboficiales pedirán parte cada hora. Habrá revista de prendas dos veces por semana y lo mismo de armamento ¿Cree que van a seguir haciendo gracias?

—Espero que no, mi capitán.

—¿Quién tenía razón? —preguntó el capitán, a boca de jarro, con una expresión de triunfo—. ¿Usted o yo?

—Era mi obligación —dijo Gamboa.

—Usted tiene un empacho de reglamentos —dijo el capitán—. No lo critico, Gamboa, pero en la vida hay que ser práctico. A veces, es preferible olvidarse del reglamento y valerse solo del sentido común.

—Yo creo en los reglamentos —dijo Gamboa—. Le voy a confesar una cosa. Me los sé de memoria. Y sepa que no me arrepiento de nada.

—¿Quiere fumar? —dijo el capitán. Gamboa aceptó un cigarrillo. El capitán fumaba tabaco negro importado, que, al arder, despedía un humo denso y fétido. El teniente acarició un momento el cigarrillo ovalado antes de llevárselo a la boca.

—Todos creemos en el reglamento —dijo el capitán—. Pero hay que saber interpretarlo. Los militares debemos ser, ante todo, realistas, tenemos que actuar de acuerdo con las circunstancias. No hay que forzar las cosas para que coincidan con las leyes, Gamboa, sino al revés, adaptar las leyes a las cosas —la mano del capitán Garrido revoloteó en el aire, inspirada—: Si no, la vida sería imposible. La terquedad es un mal aliado. ¿Que va a ganar habiendo sacado la cara por ese cadete? Nada, absolutamente nada, salvo perjudicarse. Si me hubiera hecho caso, el resultado sería el mismo y se habría ahorrado muchos problemas. No crea que me alegro. Usted sabe que yo lo estimo. Pero el mayor está furioso y tratará de fregarlo. El coronel también debe estar muy disgustado.

—Bah —dijo Gamboa, con desgano[688]—. ¿Que pueden hacerme? Además, me importa muy poco. Tengo la conciencia limpia.

—Con la conciencia limpia se gana el cielo —dijo el capitán, amablemente—, pero no siempre los galones. En todo caso, yo haré todo lo que esté en mis manos para que esto no lo afecte. Bueno, y ¿qué es de los dos pájaros?

—El coronel ordenó que volvieran a la cuadra.

—Vaya a buscarlos. Deles unos cuantos consejos; que se callen si quieren vivir en paz. No creo que haya problema. Ellos están más interesados que cualquiera en olvidar esta historia. Sin embargo, cuidado con su protegido, que es insolente.

—¿Mi protegido? —dijo Gamboa—. Hace una semana, ni me había dado cuenta que existía.

El teniente salió, sin pedir permiso al capitán. El patio de las cuadras estaba vacío, pero pronto sería mediodía y los cadetes volverían de las aulas como un río que crece, ruge y se desborda y el patio se convertiría en un bullicioso hormiguero. Gamboa sacó la carta que tenía en su cartera, la tuvo unos segundos en la mano y la volvió a guardar, sin abrirla. «Si es hombre, pensó, no será militar».

En la Prevención, el teniente de guardia leía un periódico y los soldados, sentados en la banca, se miraban unos a otros, con ojos vacíos. Al entrar Gamboa, se pusieron de pie, como autómatas.

—Buenos días.

—Buenos días, teniente.

---

[688] *Con desgano.* (Am.) Sin ganas.

Gamboa tuteaba al teniente joven, pero este, que había servido a sus órdenes, lo trataba con cierto respeto.

—Vengo por los dos cadetes de quinto.

—Sí —dijo el teniente. Sonreía, jovial, pero su rostro revelaba el cansancio de la guardia nocturna—. Justamente, uno de ellos quería irse, pero le faltaba la orden. ¿Los traigo? Están en el calabozo de la derecha.

—¿Juntos? —preguntó Gamboa.

—Sí. Necesitaba el calabozo del estadio. Hay varios soldados castigados. ¿Debían estar separados?

—Dame la llave. Voy a hablar con ellos.

Gamboa abrió despacio la puerta de la celda, pero entró de un salto, como un domador a la jaula de las fieras. Vio dos pares de piernas, balanceándose en el cono luminoso que atravesaba la ventana, y escuchó los resuellos desmedidos de los dos cadetes; sus ojos no se acostumbraban a la penumbra, apenas podía distinguir sus siluetas y el contorno de sus rostros. Dio un paso hacia ellos y gritó:

—¡Atención!

Los dos se pusieron de pie, sin prisa.

—Cuando entra un superior —dijo Gamboa—, los subordinados se cuadran. ¿Lo han olvidado? Tienen seis puntos cada uno. ¡Saque la mano de su cara y cuádrese, cadete!

—No puede, mi teniente —dijo el Jaguar.

Alberto retiró su mano, pero inmediatamente volvió a apoyar la palma en la mejilla. Gamboa lo empujó con suavidad hacia la luz. El pómulo estaba muy hinchado y en la nariz y en la boca había sangre coagulada.

—Saque la mano —dijo Gamboa—. Déjeme ver.

Alberto bajó la mano y su boca se contrajo. Una gran redondela violácea encerraba el ojo, y el párpado, caído, era una superficie rugosa y como chamuscada. Gamboa vio también que la camisa comando tenía manchas de sangre. Los cabellos de Alberto estaban apelmazados por el sudor y el polvo.

—Acérquese.

El Jaguar obedeció. La pelea había dejado pocas huellas en su rostro, pero las aletas de su nariz temblaban y un bozal de saliva seca rodeaba sus labios.

—Vayan a la enfermería —dijo Gamboa—. Y, después, los espero en mi cuarto. Tengo que hablar con los dos.

Alberto y el Jaguar salieron. Al oír sus pasos, el teniente de guardia se volvió. La sonrisa que vagaba en su rostro se transformó en una expresión de asombro.

—¡Alto ahí! —gritó, desconcertado—. ¿Qué pasa? No se muevan.

Los soldados se habían adelantado hacia los cadetes y los miraban con insistencia.

—Déjalos —dijo Gamboa. Y volviéndose hacia los cadetes les ordenó—: Vayan.

Alberto y el Jaguar abandonaron la Prevención. Los tenientes y los soldados los vieron alejarse en la limpia mañana, caminando hombro a hombro, sus cabezas inmóviles: no se hablaban ni miraban.

—Le ha destrozado la cara —dijo el teniente joven—. No comprendo.

—¿No sentiste nada? —preguntó Gamboa.

—No —repuso el teniente, confuso—. Y no me he movido de aquí —se dirigió a los soldados—. ¿Oyeron algo, ustedes?

Las cuatro cabezas oscuras negaron.

—Pelearon sin hacer ruido —dijo el teniente; consideraba lo ocurrido sin sorpresa ya, con cierto entusiasmo deportivo—. Yo los habría puesto en su sitio. Qué manera de darse, qué tal par de gallitos[689]. Va a pasar un buen tiempo antes de que se le componga esa cara. ¿Por qué pelearon?

—Tonterías —dijo Gamboa—. Nada grave.

—¿Cómo se aguantó ese, sin gritar? —dijo el teniente—. Lo han desfigurado. Habría que meter al rubio en el equipo de box del colegio. ¿O ya está?

---

[689] *Gallito*. Machito, bravucón.

—No —dijo Gamboa—. Creo que no. Pero tienes razón. Habría que meterlo.

Ese día estuve caminando por las chacras y, en una de ellas, una mujer me dio pan y un poco de leche. Al anochecer, dormí de nuevo en una zanja, cerca de la avenida Progreso. Esta vez me quedé dormido de veras y solo abrí los ojos cuando el sol estaba alto. No había nadie cerca, pero oía pasar los autos de la avenida. Tenía mucha hambre, dolor de cabeza y escalofríos, como antes de la gripe. Fui hasta Lima, caminando, y a eso de las doce llegué a Alfonso Ugarte. Teresa no salió entre las chicas del colegio. Estuve dando vueltas por el centro, en lugares donde había mucha gente, la plaza San Martín, el jirón de la Unión, la avenida Grau. En la tarde llegué al parque de la Reserva, cansado y muerto de fatiga. El agua de los caños del parque me hizo vomitar. Me eché en el pasto y, al poco rato, vi acercarse a un cachaco que me hizo una señal desde lejos. Escapé a toda carrera y él no me persiguió. Ya era de noche cuando llegué a la casa de mi padrino, en la avenida Francisco Pizarro. Tenía la cabeza que iba a reventar y me temblaba todo el cuerpo. No era invierno y dije: «ya estoy enfermo». Antes de tocar, pensé: «va a salir la mujer y lo negará. Entonces iré a la comisaría. Al menos me darán de comer». Pero no salió ella sino mi padrino. Me abrió la puerta y se quedó mirándome sin reconocerme. Y solo hacía dos años que no me veía. Le dije mi nombre. Él tapaba la puerta con su cuerpo; adentro había luz y yo veía su cabeza, redonda y pelada. «¿Tú?, me dijo. No puede ser, ahijado, creí que también te habías muerto». Me hizo pasar y adentro me preguntó: «¿qué tienes, muchacho, qué te pasa?». Yo le dije: «sabe, padrino, perdóneme, pero hace dos días que no como». Me cogió del brazo y llamó a su mujer. Me dieron sopa, un bistec con frejoles y un dulce. Después, los dos me hicieron muchas preguntas. Les conté una historia: «me escapé de mi casa para ir a trabajar a la selva con un tipo y estuve allí dos años, en una plantación de café, y después el dueño me echó porque le iba mal y he llegado a Lima sin un centavo». Después les pregunté por mi madre y él me contó que se había muerto hacía seis meses, de un ataque al corazón. «Yo pagué el entierro, me dijo. No te preocupes. Estuvo bastante bien». Y añadió: «por lo pronto, esta noche dormirás en el patio del fondo. Mañana ya veremos qué se puede hacer contigo». La mujer me dio una frazada y un cojín. Al día siguiente, mi padrino me llevó a su bodega[690] y me puso a despachar en el mostrador. Solo éramos él y yo. No me pagaba nada, pero tenía casa y comida, y me trataban bien, aunque me hacían trabajar duro y parejo[691]. Me levantaba antes de las seis y tenía que barrer toda la casa, preparar el desayuno y llevárselo a la cama. Iba a hacer las compras al mercado con una lista que me daba la mujer y después a la bodega; ahí me quedaba todo el día, despachando. Al principio, mi padrino estaba también en la bodega todo el tiempo, pero después me dejaba solo y en las noches me pedía cuentas. Al regresar a casa les hacía la comida —ella me enseñó a cocinar— y después me iba a dormir. No pensaba en irme, a pesar de que estaba harto de la falta de plata. Tenía que robar a los clientes en las cuentas, subiéndoles el precio o dándoles menos vuelto[692], para comprar cajetillas de Nacional que fumaba a escondidas. Además, me hubiera gustado salir alguna vez, a donde fuera, pero el miedo a la policía me frenaba. Después, mejoraron las cosas. Mi padrino tuvo que irse de viaje a la sierra, y se llevó a su hija. Yo, cuando supe que iba a viajar, tuve miedo, me acordé que su mujer me detestaba. Sin embargo, desde que vivía con ellos no se metía conmigo, solo me dirigía la pa-

---

[690] *Bodega*. Establecimiento de barrio donde se vende bebida, pero también comida y productos de primera necesidad.

[691] *Duro y parejo*. Mucho y de forma constante.

[692] *Dar menos vuelto*. (Am.) Dar menos cambio, sisar.

labra para mandarme hacer algo. Desde el mismo día que mi padrino se fue, ella cambió. Era amable conmigo, me contaba cosas, se reía, y, en las noches, cuando iba a la bodega y yo comenzaba a hacerle las cuentas, me decía: «deja, ya sé que no eres ningún ladrón». Una noche se presentó en la bodega antes de las nueve. Parecía muy nerviosa. Apenas la vi entrar me di cuenta de sus intenciones. Traía todos los gestos, las risitas y las miradas de las putas de los burdeles del Callao, cuando estaban borrachas y con ganas. Me dio gusto. Me acordé de las veces que me había largado cuando iba a buscar a mi padrino y pensé: «ha llegado la hora de la venganza». Ella era fea, gorda y más alta que yo. Me dijo: «oye, cierra la bodega y vámonos al cine. Te invito». Fuimos a un cine del centro, porque ella decía que daban una película muy buena, pero yo sabía que tenía miedo de que la vieran conmigo en el barrio, pues mi padrino tenía fama de celoso. En el cine, como era una película de terror, se hacía la asustada, me cogía las manos y se me pegaba, me tocaba con su rodilla. A veces, como al descuido, ponía su mano sobre mi pierna y la dejaba ahí. Yo tenía ganas de reírme. Me hacía el tonto y no respondía a sus avances. Debía estar furiosa. Después del cine regresamos a pie y ella empezó a hablarme de mujeres, me contó historias cochinas, aunque sin decir malas palabras, y, después, me pregunté si yo había tenido amores. Le dije que no y ella me repuso: «mentiroso. Todos los hombres son iguales». Se esforzaba para que yo viera que me trataba como a un hombre. Me daban ganas de decirle: «se parece usted a una puta del Happy Land que se llama Emma». En la casa yo le pregunté si quería que le preparara la comida y ella me dijo: «no. Más bien, vamos a alegrarnos. En esta casa uno nunca se alegra. Abre una botella de cerveza». Y empezó a hablarme mal de mi padrino. Lo odiaba: era un avaro, un viejo imbécil, no sé cuántas cosas más. Hizo que me tomara solo toda la botella. Quería emborracharme a ver si así le hacía caso. Después prendió la radio y me dijo: «te voy a enseñar

635

a bailar». Me apretaba con todas sus fuerzas y yo la dejaba, pero seguía haciéndome el tonto. Al fin me dijo: «¿nunca te ha besado una mujer?». Le dije que no. «¿Quieres ver cómo es?». Me agarró y comenzó a besarme en la boca. Estaba desatada, me metía su lengua hedionda hasta las amígdalas y me pellizcaba. Después me jaló de la mano hasta su cuarto y se desvistió. Desnuda, ya no parecía tan fea, todavía tenía el cuerpo duro. Estaba avergonzada porque yo la miraba sin acercarme y apagó la luz. Me hizo dormir con ella todos los días que estuvo ausente mi padrino. «Te quiero, me decía, me haces muy feliz». Y se pasaba el día hablándome mal de su marido. Me regalaba plata, me compró ropa e hizo que me llevaran con ellos al cine todas las semanas. En la oscuridad me agarraba la mano sin que notara mi padrino. Cuando yo le dije que quería entrar al Colegio Militar Leoncio Prado y que convenciera a su marido para que me pagara la matrícula, casi se vuelve loca. Se jalaba los pelos y me decía ingrato y malagradecido. La amenacé con escaparme y entonces acepté. Una mañana mi padrino me dijo: «¿sabes muchacho? Hemos decidido hacer de ti un hombre de provecho. Te voy a inscribir como candidato al Colegio Militar».

—No se mueva aunque le arda —dijo el enfermero—. Porque si le entra al ojo, va a ver a Judas calato[693].

Alberto vio venir hacia su rostro la gasa empapada en una sustancia ocre y apretó los dientes. Un dolor animal lo recorrió como un estremecimiento: abrió la boca y chilló. Después, el dolor quedó localizado en su rostro. Con el ojo sano, veía por encima del hombro del enfermero al Jaguar: lo miraba indiferente, desde una silla, al otro extremo de la habitación. Su nariz absorbía un olor a alcohol y yodo que lo mareaba. Sintió ganas de arrojar. La enfermería era blanca y

---

[693] *Ver a Judas calato.* (Per.) Literalmente, ver a Judas desnudo. De forma figurada, ver las estrellas, alucinar de dolor, doler mucho.

el piso de losetas devolvía hacia el techo la luz azul de los tubos de neón. El enfermero había retirado la gasa y empapaba otra, silbando entre dientes. ¿Sería tan doloroso también esta vez? Cuando recibía los golpes del Jaguar en el suelo del calabozo, donde se revolcaba en silencio, no había sentido dolor alguno, solo humillación. Porque a los pocos minutos de comenzar, se sintió vencido: sus puños y sus pies apenas tocaban al Jaguar, forcejeaba con él y al momento debía soltar el cuerpo duro y asombrosamente huidizo que atacaba y retrocedía, siempre presente e inasible, próximo y ausente. Lo peor eran los cabezazos, él levantaba los codos, golpeaba con las rodillas, se encogía; inútil: la cabeza del Jaguar caía como un bólido contra sus brazos, los separaba, se abría camino hasta su rostro y él, confusamente, pensaba en un martillo, en un yunque. Y así se había desplomado la primera vez, para darse un respiro. Pero el Jaguar no esperó que se levantara, ni se detuvo a comprobar si ya había ganado: se dejó caer sobre él y continuó golpeándolo con sus puños infatigables hasta que Alberto consiguió incorporarse y huir a otro rincón del calabozo. Segundos más tarde había caído al suelo otra vez, el Jaguar cabalgaba nuevamente encima suyo[694] y sus puños se abatían sobre su cuerpo hasta que Alberto perdía la memoria. Cuando abrió los ojos estaba sentado en la cama, al lado del Jaguar y escuchaba su monótono resuello. La realidad volvía a ordenarse a partir del momento en que la voz de Gamboa retumbó en la celda.

—Ya está —dijo el enfermero—. Ahora hay que esperar que seque. Después lo vendo. Estese quieto, no se toque con sus manos inmundas.

Siempre silbando entre dientes, el enfermero salió del cuarto. El Jaguar y Alberto se miraron. Se sentía curiosa-

---

[694] En la edición de la RAE se cambia por la forma correcta («encima de él»).

mente sosegado; el ardor había desaparecido y también la cólera. Sin embargo, trató de hablar con tono injurioso:

—¿Qué me miras?

—Eres un soplón —dijo el Jaguar. Sus ojos claros observaban a Alberto sin ningún sentimiento—. Lo más asqueroso que puede ser un hombre. No hay nada más bajo y repugnante. ¡Un soplón! Me das vómitos[695].

—Algún día me vengaré —dijo Alberto—. ¿Te sientes muy fuerte, no? Te juro que vendrás a arrastrarte a mis pies. ¿Sabes qué cosa eres tú? Un maleante. Tu lugar es la cárcel.

—Los soplones como tú —prosiguió el Jaguar, sin prestar atención a lo que decía Alberto— deberían no haber nacido. Puede ser que me frieguen por tu culpa. Pero yo diré quién eres a toda la sección, a todo el colegio. Deberías estar muerto de vergüenza después de lo que has hecho.

—No tengo vergüenza —dijo Alberto—. Y cuando salga del colegio, iré a decirle a la policía que eres un asesino.

—Estás loco —dijo el Jaguar, sin exaltarse—. Sabes muy bien que no he matado a nadie. Todos saben que el Esclavo se mató por accidente. Sabes muy bien todo eso, soplón.

—Estás muy tranquilo, ¿no? Porque el coronel, y el capitán y todos aquí son tus iguales, tus cómplices, una banda de desgraciados. No quieren que se hable del asunto. Pero yo diré a todo el mundo que tú mataste al Esclavo.

La puerta del cuarto se abrió. El enfermero traía en las manos una venda nueva y un rollo de esparadrapo. Vendó a Alberto todo el rostro; solo quedó al descubierto un ojo y la boca. El Jaguar se rio.

—¿Qué le pasa? —dijo el enfermero—. ¿De qué se ríe?

—De nada —dijo el Jaguar.

—¿De nada? Solo los enfermos mentales se ríen solos, ¿sabes?

—¿De veras? —dijo el Jaguar—. No sabía.

---

[695] *Dar vómitos.* Asquear.

—Ya está —dijo el enfermero a Alberto—. Ahora venga usted.

El Jaguar se instaló en la silla que había ocupado Alberto. El enfermero, silbando con más entusiasmo, empapó un algodón con yodo. El Jaguar tenía apenas unos rasguños en la frente y una ligera hinchazón en el cuello. El enfermero comenzó a limpiarle el rostro con sumo cuidado. Silbaba ahora furiosamente.

—¡Mierda! —gritó el Jaguar, empujando al enfermero con las dos manos—. ¡Indio bruto! ¡Animal!

Alberto y el enfermero se rieron.

—Lo has hecho a propósito —dijo el Jaguar, tapándose un ojo—. Maricón.

—Para qué se mueve —dijo el enfermero, aproximándose—. Ya le dije que si entra al ojo, arde horrores —lo obligó a alzar el rostro—. Saque su mano. Para que entre el aire; así ya no arde.

El Jaguar retiró la mano. Tenía el ojo enrojecido y lleno de lágrimas. El enfermero lo curó suavemente. Había dejado de silbar pero la punta de su lengua asomaba entre los labios, como una culebrita rosada. Después de echarle mercurio cromo[696], le puso unas tiras de venda. Se limpió las manos y dijo:

—Ya está. Ahora firmen ese papel.

Alberto y el Jaguar firmaron el libro de partes y salieron. La mañana estaba aún más clara y, a no ser por la brisa que corría sobre el descampado, se hubiera dicho que el verano había llegado definitivamente. El cielo, despejado, parecía muy hondo. Caminaban por la pista de desfile. Todo estaba desierto, pero, al pasar frente al comedor, sintieron las voces de los cadetes y música de vals criollo. En el edificio de los oficiales encontraron al teniente Huarina.

—Alto —dijo el oficial—. ¿Qué es esto?

---

[696] *Mercurio cromo.* Desinfectante para las heridas, de color rojizo.

—Nos caímos, mi teniente —dijo Alberto.

—Con esas caras tienen un mes adentro, cuando menos.

Continuaron avanzando hacia las cuadras, sin hablar. La puerta del cuarto de Gamboa estaba abierta, pero no entraron. Permanecieron ante el umbral, mirándose.

—¿Qué esperas para tocar? —dijo el Jaguar, finalmente—. Gamboa es tu compinche.

Alberto tocó, una vez.

—Pasen —dijo Gamboa.

El teniente estaba sentado y tenía en sus manos una carta que guardó con precipitación al verlos. Se puso de pie, fue hasta la puerta y la cerró. Con un ademán brusco, les señaló la cama:

—Siéntense.

Alberto y el Jaguar se sentaron al borde. Gamboa arrastró su silla y la colocó frente a ellos; estaba sentado a la inversa, apoyaba los brazos en el espaldar. Tenía el rostro húmedo, como si acabara de lavarse; sus ojos parecían fatigados, sus zapatos estaban sucios y tenía la camisa desabotonada. Con una de sus manos apoyada en la mejilla y la otra tamborileando en su rodilla, los miró detenidamente.

—Bueno —dijo, después de un momento, con un gesto de impaciencia—. Ya saben de qué se trata. Supongo que no necesito decirles lo que tienen que hacer.

Parecía cansado y harto: su mirada era opaca y su voz resignada.

—No sé nada, mi teniente —dijo el Jaguar—. No sé nada más que lo que usted me dijo ayer.

El teniente interrogó con los ojos a Alberto.

—No le he dicho nada, mi teniente.

Gamboa se puso de pie. Era evidente que se sentía incómodo, que la entrevista lo disgustaba.

—El cadete Fernández presentó una denuncia contra usted, ya sabe sobre qué. Las autoridades estiman que la acusación carece de fundamento —hablaba con lentitud, buscando fórmulas impersonales y economizando palabras; por momentos su boca se contraía en un rictus que prolongaba sus labios en dos pequeños surcos—. No debe hablarse más de este asunto, ni aquí ni, por supuesto, afuera. Se trata de algo perjudicial y enojoso para el colegio. Puesto que el asunto ha terminado, ustedes se incorporan desde ahora a su sección y guardarán la discreción más absoluta. La menor imprudencia será castigada severamente. El coronel en persona me encarga advertirles que las consecuencias de cualquier indiscreción caerán sobre ustedes.

El Jaguar había escuchado a Gamboa con la cabeza baja. Pero cuando el oficial se calló, levantó los ojos hacia él.

—¿Ve usted, mi teniente? Yo se lo dije. Era una calumnia de este soplón —y señaló a Alberto con desprecio.

—No era una calumnia —dijo Alberto—. Eres un asesino.

—Silencio —dijo Gamboa—. ¡Silencio, mierdas!

Automáticamente, Alberto y el Jaguar se incorporaron.

—Cadete Fernández —dijo Gamboa—. Hace dos horas, delante de mí, retiró usted todas las acusaciones contra su compañero. No puede volver a hablar de ese asunto, bajo pena de un gravísimo castigo. Que yo mismo me encargaré de aplicar. Me parece que le he hablado claro.

—Mi teniente —balbuceó Alberto—. Delante del coronel, yo no sabía, mejor dicho no podía hacer otra cosa. No me daba chance para nada. Además...

—Además —lo interrumpió Gamboa—, usted no puede acusar a nadie, no puede ser juez de nadie. Si yo fuera director del colegio, ya estaría en la calle. Y espero que en el futuro suprima ese negocio de los papeluchos pornográficos si quiere terminar el año en paz.

—Sí, mi teniente. Pero eso no tiene nada que ver. Yo...

—Usted se ha retractado ante el coronel. No vuelva a abrir la boca —Gamboa se volvió hacia el Jaguar—. En cuanto a usted, es posible que no tenga nada que ver con la muerte del cadete Arana. Pero sus faltas son muy graves. Le aseguro que no volverá a reírse de los oficiales. Yo lo tomaré a mi cargo. Ahora retírense y no olviden lo que les he dicho.

Alberto y el Jaguar salieron. Gamboa cerró la puerta, tras ellos. Desde el pasillo, escuchaban a lo lejos las voces y la música del comedor; una marinera había sucedido al vals. Bajaron hasta la pista de desfile. Ya no había viento; la hierba del descampado estaba inmóvil y erecta. Avanzaron hacia la cuadra, despacio.

—Los oficiales son unas mierdas —dijo Alberto, sin mirar al Jaguar—. Todos, hasta Gamboa. Yo creí que él era distinto.

—¿Descubrieron lo de las novelitas? —dijo el Jaguar.

—Sí.

—Te has fregado.

—No —dijo Alberto—. Me hicieron un chantaje. Yo retiro la acusación contra ti y se olvidan de las novelitas. Eso es lo que me dio a entender el coronel. Parece mentira que sean tan bajos.

El Jaguar se rio.

—¿Estás loco? —dijo—. ¿Desde cuándo me defienden los oficiales?

—A ti no. Se defienden ellos. No quieren tener problemas. Son unos rosquetes. Les importa un comino que se muriera el Esclavo.

—Eso es verdad —asintió el Jaguar—. Dicen que no dejaron que lo viera su familia cuando estaba en la enfermería. ¿Te das cuenta? Estar muriéndose y solo ver a tenientes y a médicos. Son unos desgraciados.

—A ti tampoco te importa su muerte —dijo Alberto—. Solo querías vengarte de él porque delató a Cava.

—¿Qué? —dijo el Jaguar, deteniéndose y mirando a Alberto a los ojos—. ¿Qué cosa?

—¿Qué cosa qué?

—¿El Esclavo denunció al serrano Cava? —bajo las vendas, las pupilas del Jaguar centelleaban.

—No seas mierda —dijo Alberto—. No disimules.

—No disimulo, maldita sea. No sabía que denunció a Cava. Bien hecho que esté muerto. Todos los soplones deberían morirse.

Alberto, a través de su único ojo, lo veía mal y no podía medir la distancia. Estiró la mano para cogerlo del pecho pero solo encontró el vacío.

—Jura que no sabías que el Esclavo denunció a Cava. Jura por tu madre. Di que se muera mi madre si lo sabía. Jura.

—Mi madre ya se murió —dijo el Jaguar—. Pero no sabía.

—Jura si eres hombre.

—Juro que no sabía.

—Creí que sabías y que por eso lo habías matado —dijo Alberto—. Si de veras no sabías, me equivoqué. Discúlpame, Jaguar.

—Tarde para lamentarse —dijo el Jaguar—. Pero procura no ser soplón nunca más. Es lo más bajo que hay.

VIII

Entraron después del almuerzo como una inundación. Alberto los sintió aproximarse: invadían el descampado con un rumor de hierbas pisoteadas, repiqueteaban como frenéticos tambores en la pista de desfile, bruscamente en el patio del año estallaba un incendio de ruidos, centenares de botines despavoridos martillaban contra el pavimento. De pronto, cuando el sonido había llegado al paroxismo, las dos hojas de la puerta se abrieron de par en par y en el umbral de la cuadra surgieron cuerpos y rostros conocidos. Escuchó que varias voces nombraban instantáneamente a él y al Jaguar. La marea de cadetes penetraba en la cuadra y se escindía en dos olas apresuradas que corrían, una hacia él y la otra hacia el fondo, donde estaba el Jaguar. Vallano iba a la cabeza del grupo de cadetes que se le acercaba, todos hacían gestos y la curiosidad relampagueaba en sus ojos: él se sentía electrizado ante tantas miradas y preguntas simultáneas. Por un segundo, tuvo la impresión que iban a lincharlo. Trató de sonreír pero era en vano: no podían notarlo, la venda le cubría casi toda la cara. Le decían: «Drácula»[697],

---

[697] *Drácula*. Por el popular personaje del vampiro conde Drácula, creado por Bram Stoker (Clontarf, 1847-Londres, 1912) en su novela homónima de 1897, pero popularizado en la gran pantalla con intérpretes como Lon Chaney, Bela Lugosi o Christopher Lee.

«monstruo», «Frankenstein»[698], «Rita Hayworth»[699]. Después fue una andanada de preguntas. Él simuló una voz ronca y dificultosa, como si la venda lo sofocara. «He tenido un accidente, murmuró. Solo esta mañana he salido de la clínica». «Fijo que vas a quedar más feo de lo que eras», le decía Vallano, amistosamente; otros profetizaban: «perderás un ojo, en vez de poeta te diremos tuerto». No le pedían explicaciones, nadie reclamaba pormenores del accidente, se había entablado un tácito torneo, todos rivalizaban en buscar apodos, burlas plásticas y feroces. «Me atropelló un automóvil, dijo Alberto. Me lanzó de bruces al suelo en la avenida Dos de Mayo». Pero ya el grupo que lo rodeaba se movía, algunos se iban a sus camas, otros se acercaban y reían a carcajadas de su vendaje. Súbitamente, alguien gritó: «apuesto que todo eso es mentira. El Jaguar y el Poeta se han trompeado». Una risa estentórea estremeció la cuadra. Alberto pensó con gratitud en el enfermero: la venda que ocultaba su rostro era un aliado, nadie podía leer la verdad en sus facciones. Estaba sentado en su cama. Su único ojo dominaba a Vallano, parado frente a él, a Arróspide y a Montes. Los veía a través de una niebla. Pero adivinaba a los otros, oía las voces que bromeaban sobre él y el Jaguar, sin convicción pero con mucho humor. «¿Qué le has hecho al Poeta, Jaguar?», decía uno. Otro, le preguntaba: «¿Poeta, así que peleas con las uñas, como las mujeres?».

---

[698] *Frankenstein*. Hace referencia al monstruo del dr. Frankenstein, de la novela de Mary Wollstonecraft-Shelley (Londres, 1797-1851), *Frankenstein, or the Modern Prometheus / Frankenstein, o el moderno Prometeo* (1818), que obtuvo mucho éxito en el cine encarnado por Boris Karloff. Hasta la edición de la RAE, aparecía como «Franquestein», forma incorrecta y más popular, propia de los jóvenes; de hecho, Frankenstein es el apellido del científico, no el nombre del supuesto monstruo.

[699] Aunque pueda resultar extraño, la referencia a la actriz puede deberse a los papeles de malvada o traidora que, a veces, interpretaba, como en *Blood and Sand / Sangre y arena* (1991), *Gilda* (1946) o *The Lady from Shanghai / La dama de Shanghai* (1947).

Alberto trataba ahora de distinguir, en el ruido, la voz del Jaguar, pero no lo lograba. Tampoco podía verlo: los roperos, las varillas de las literas, los cuerpos de sus compañeros bloqueaban el camino. Las bromas seguían; destacaba la voz de Vallano, un veneno silbante y pérfido; el negro estaba inspirado, despedía chorros de mordacidad y humor.

De pronto, la voz del Jaguar dominó la cuadra: «¡basta! No frieguen». De inmediato, el vocerío decayó, solo se oían risitas burlonas y disimuladas, tímidas. A través de su único ojo —el párpado se abría y cerraba vertiginosamente—, Alberto descubrió un cuerpo que se desplazaba junto a la litera de Vallano, apoyaba los brazos en la litera superior y hacía flexión: fácilmente el busto, las caderas, las piernas se elevaban, el cuerpo se encaramaba ahora sobre el ropero y desaparecía de su vista; solo podía ver los pies largos y las medias azules caídas en desorden sobre los botines color chocolate, como la madera del ropero. Los otros no habían notado nada aún, las risitas continuaban, huidizas, emboscadas. Al escuchar las palabras atronadoras de Arróspide, no pensó que ocurría algo excepcional, pero su cuerpo había comprendido: estaba tenso, el hombro se aplastaba contra la pared hasta hacerse daño. Arróspide repitió, en un alarido: «¡alto, Jaguar! Nada de gritos, Jaguar. Un momento». Había un silencio completo, ahora, toda la sección había vuelto la vista hacia el brigadier, pero Alberto no podía mirarlo a los ojos: las vendas le impedían levantar la cabeza, su ojo de cíclope veía los dos botines inmóviles, la oscuridad interior de sus párpados, de nuevo los botines. Y Arróspide repitió aún, varias veces, exasperado: «¡alto ahí, Jaguar! Un momento, Jaguar». Alberto escuchó un roce de cuerpos: los cadetes que estaban tendidos en sus camas se incorporaban, alargaban el cuello hacia el ropero de Vallano.

—¿Qué pasa? —dijo, finalmente, el Jaguar—. ¿Qué hay Arróspide, qué tienes?

Inmóvil en su sitio, Alberto miraba a los cadetes más próximos: sus ojos eran dos péndulos, se movían de arriba abajo, de un extremo a otro de la cuadra, de Arróspide al Jaguar.

—Vamos a hablar —gritó Arróspide—. Tenemos muchas cosas que decirte. Y, en primer lugar, nada de gritos. ¿Entendido, Jaguar? En la cuadra han pasado muchas cosas desde que Gamboa te mandó al calabozo.

—No me gusta que me hablen en ese tono —repuso el Jaguar con seguridad, pero a media voz; si los demás cadetes no hubieran permanecido en silencio, sus palabras apenas se hubiesen oído—. Si quieres hablar conmigo, mejor te bajas de ese ropero y vienes aquí. Como la gente educada.

—No soy gente educada —chilló Arróspide.

«Está furioso, pensó Alberto. Está muerto de furia. No quiere pelear con el Jaguar, sino avergonzarlo delante de todos».

—Sí eres educado —dijo el Jaguar—. Claro que sí. Todos los miraflorinos como tú son educados.

—Ahora estoy hablando como brigadier, Jaguar. No trates de provocar una pelea, no seas cobarde, Jaguar. Después, todo lo que quieras. Pero ahora vamos a hablar. Aquí han pasado cosas muy raras, ¿me oyes? Apenas te metieron al calabozo, ¿sabes lo que pasó? Cualquiera te lo puede decir. Los tenientes y los suboficiales se volvieron locos de repente. Vinieron a la cuadra, abrieron los roperos, sacaron los naipes, las botellas, las ganzúas. Nos han llovido papeletas y consignas. Casi toda la sección tiene que esperar un buen tiempo antes de salir a la calle, Jaguar.

—¿Y? —dijo el Jaguar—. ¿Qué tengo que ver yo con eso?

—¿Todavía preguntas?

—Sí —dijo el Jaguar, tranquilo—. Todavía pregunto.

—Tú les dijiste al Boa y al Rulos que si te fregaban, jodías a toda la sección. Y lo has hecho, Jaguar. ¿Sabes lo que eres? Un soplón. Has fregado a todo el inundo. Eres un traidor, un amarillo[700]. En nombre de todos te digo que ni

---

[700] *Amarillo*. (Am.) Posiblemente calco del inglés, *yellow*. Cobarde.

siquiera te mereces que te rompamos la cara. Eres un asco, Jaguar. Ya nadie te tiene miedo. ¿Me has oído?

Alberto se ladeó ligeramente y echó la cabeza hacia atrás; de este modo pudo verlo: sobre el ropero, Arróspide parecía más alto; tenía el cabello alborotado; los brazos y las piernas, muy largos, acentuaban su flacura. Estaba con los pies separados, los ojos muy abiertos e histéricos y los puños cerrados. ¿Qué esperaba el Jaguar? De nuevo, Alberto percibía a través de una bruma intermitente: el ojo parpadeaba sin tregua.

—Quieres decir que soy un soplón —dijo el Jaguar—. ¿No es eso? Di, Arróspide. ¿Eso es lo que quieres decir, que soy un soplón?

—Ya lo he dicho —gritó Arróspide—. Y no solo yo. Todos, toda la cuadra, Jaguar. Eres un soplón.

De inmediato se oyeron pasos atolondrados, alguien corría por el centro de la cuadra, entre los roperos y los cadetes inmóviles y se detenía precisamente en el ángulo que su ojo dominaba. Era el Boa.

—Baja, baja maricón —gritó el Boa—. Baja.

Estaba junto al ropero, su cabeza enmarañada vacilaba como un penacho a pocos centímetros de los botines semiocultos por las medias azules. «Ya sé, pensó Alberto. Lo va a coger de los pies y lo va a tirar al suelo». Pero el Boa no levantaba las manos, se limitaba a desafiarlo:

—Baja, baja.

—Fuera de aquí, Boa —dijo Arróspide, sin mirarlo—. No estoy hablando contigo. Lárgate. No te olvides que tú también dudaste del Jaguar.

—Jaguar —dijo el Boa, mirando a Arróspide con sus ojillos inflamados—. No le creas. Yo dudé un momento pero ya no. Dile que todo eso es mentira y que lo vas a matar. Baja de ahí si eres hombre, Arróspide.

«Es su amigo, pensó Alberto. Yo nunca me atreví a defender así al Esclavo».

—Eres un soplón, Jaguar —afirmó Arróspide—. Te lo vuelvo a decir. Un soplón de porquería.

—Son cosas de él, Jaguar —clamó el Boa—. No le creas, Jaguar. Nadie piensa que tú eres un soplón, ni uno solo se atrevería. Dile que es mentira y rómpele la cara.

Alberto se había sentado en la cama, su cabeza tocaba la varilla. El ojo era un ascua, debía tenerlo cerrado casi todo el tiempo; cuando lo abría, los pies de Arróspide y la erizada cabeza del Boa aparecían muy próximos.

—Déjalo, Boa —dijo el Jaguar; su voz era siempre tranquila, lenta—. No necesito que nadie me defienda.

—Muchachos —gritó Arróspide—. Ustedes lo están viendo. Ha sido él. Ni se atreve a negarlo. Es un soplón y un cobarde. ¿Me oyes, no, Jaguar? He dicho un soplón y un cobarde.

«¿Qué espera?», pensaba Alberto. Hacía unos momentos, bajo la venda, había brotado un dolor que abarcaba ahora todo su rostro. Pero él lo sentía apenas; estaba subyugado y aguardaba, impaciente, que la boca del Jaguar se abriera y lanzara su nombre a la cuadra, como un desperdicio que se echa a los perros, y que todos se volvieran hacia él, asombrados y coléricos. Pero el Jaguar decía ahora, irónico:

—¿Quién más está con ese miraflorino? No sean cobardes, maldita sea, quiero saber quién más está contra mí.

—Nadie, Jaguar —gritó el Boa—. No le hagas caso. ¿No ves que es un maldito rosquete?

—Todo —dijo Arróspide—. Mírales las caras y te darás cuenta, Jaguar. Todos te desprecian.

—Solo veo caras de cobardes —dijo el Jaguar—. Nada más que eso. Caras de maricones, de miedosos.

«No se atreve, pensó Alberto. Tiene miedo de acusarme».

—¡Soplón! —gritó Arróspide—. ¡Soplón! ¡Soplón!

—A ver —dijo el Jaguar—. Me enferma lo cobardes que son. ¿Por qué no grita nadie más? No tengan tanto miedo.

—Griten, muchachos —dijo Arróspide—. Díganle en su cara lo que es. Díganselo.

«No gritarán, pensó Alberto. Nadie se atreverá». Arróspide coreaba «soplón, soplón», frenéticamente, y de distintos puntos de la cuadra, aliados anónimos se plegaban a él, repitiendo la palabra a media voz y casi sin abrir la boca. El murmullo se extendía como en las clases de francés y Alberto comenzaba a identificar algunos acentos, la voz aflautada de Vallano, la voz cantante del chiclayano[701] Quiñones y otras voces que sobresalían en el coro, ya poderoso y general. Se incorporó y echó una mirada en torno: las bocas se abrían y cerraban idénticamente. Estaba fascinado por ese espectáculo y, súbitamente, desapareció el temor de que su nombre estallara en el aire de la cuadra y todo el odio que los cadetes vertían en esos instantes hacia el Jaguar se volviera hacia él. Su propia boca, detrás de los vendajes cómplices, comenzó a murmurar, bajito, «soplón, soplón». Después cerró el ojo, convertido en un absceso ígneo, y ya no vio lo que ocurrió, hasta que el tumulto fue muy grande: los choques, los empujones, estremecían los roperos, las camas rechinaban, las palabrotas alteraban el ritmo y la uniformidad del coro. Y, sin embargo, no había sido el Jaguar quien comenzó. Más tarde supo que fue el Boa: cogió a Arróspide de los pies y lo echó al suelo. Solo entonces había intervenido el Jaguar, echando a correr de improviso desde el otro extremo de la cuadra, y nadie lo contuvo, pero todos repetían el estribillo y lo hacían con más fuerza cuando él los miraba a los ojos. Lo dejaron llegar hasta donde estaban Arróspide y el Boa, revolcándose en el suelo, medio cuerpo sumergido bajo la litera de Montes e, incluso, permanecieron inmóviles cuando el Jaguar, sin inclinarse, comenzó a patear al brigadier, salvajemente, como a un costal de arena. Luego, Alberto recordaba muchas voces, una súbita carrera: los cadetes acudían de todos los rincones hacia el centro de la cuadra. Él se había dejado caer en el lecho, para evitar los golpes, los brazos levantados como un escudo. Desde allí, emboscado en su litera, vio por ráfagas que uno tras otro los

---

[701] *Chiclayano.* Natural de Chiclayo.

cadetes de la sección arremetían contra el Jaguar, un racimo de manos lo arrancaba del sitio, lo separaba de Arróspide y del Boa, lo arrojaba al suelo en el pasadizo y, a la vez que el vocerío crecía verticalmente, Alberto distinguía, en el amontonamiento de cuerpos, los rostros de Vallano y de Mesa, de Valdivia y Romero, y los oía alentarse mutuamente —«¡Denle duro!», «¡Soplón de porquería!», «¡Hay que sacarle la mugre!», «Se creía muy valiente, el gran rosquete»— y él pensaba: «lo van a matar. Y lo mismo al Boa». Pero no duró mucho rato. Poco después, el silbato resonaba en la cuadra, se oía al suboficial pedir tres últimos por sección y el bullicio y la batalla cesaban como por encanto. Alberto salió corriendo y llegó entre los primeros a la formación. Luego, se dio vuelta y trató de localizar a Arróspide, al Jaguar y al Boa, pero no estaban. Alguien dijo: «se han ido al baño. Mejor que no les vean las caras hasta que se laven. Y basta de líos».

El teniente Gamboa salió de su cuarto y se detuvo un instante en el pasillo para limpiarse la frente con el pañuelo. Estaba transpirando. Acababa de terminar una carta a su mujer y ahora iba a la Prevención a entregársela al teniente de servicio para que la despachara con el correo del día. Llegó a la pista de desfile. Casi sin proponérselo, avanzó hacia La Perlita. Desde el descampado, vio a Paulino abriendo con sus dedos sucios los panes que vendería rellenos de salchicha, en el recreo. ¿Por qué no se había tomado medida alguna contra Paulino, a pesar de haber indicado él en el parte el contrabando de cigarrillos y de licor a que el injerto se dedicaba? ¿Era Paulino el verdadero concesionario de La Perlita o un simple biombo? Fastidiado, desechó esos pensamientos. Miró su reloj: dentro de dos horas habría terminado su servicio y quedaría libre por veinticuatro horas. *¿A dónde ir?* No le entusiasmaba la idea de encerrarse en la solitaria casa de Barranco; estaría preocupado, aburrido. Podía visitar a alguno de sus parientes, siempre lo recibían con alegría y le reprochaban que no los buscara con frecuencia. En la noche, tal vez fuera a un cine, siempre había films de guerra o de gánsteres en los cinemas[702] de Barranco. Cuando era cadete, todos los domingos él y Rosa iban al cine en matinée y en *vermouth* y, a veces, repetían la película. Él se burlaba de la muchacha, que sufría en los melodramas mexicanos y buscaba su mano en la oscuridad, como pidiéndole protección, pero ese contacto súbito lo conmovía y lo exaltaba secretamente. Habían pasado cerca de ocho años. Hasta algunas semanas atrás, nunca había recordado el pasado, ocupaba su tiempo libre en hacer planes para el futuro. Sus objetivos se habían realizado hasta ahora, nadie le había arrebatado el puesto que obtuvo al salir de la Escuela Militar. ¿Por qué, desde que surgieron estos problemas recientes, pensaba constantemente en su juventud, con cierta amargura?

—¿Qué le sirvo, mi teniente? —dijo Paulino, haciéndole una reverencia.

—Una cola.

El sabor dulce y gaseoso de la bebida le dio náuseas. ¿Valía la pena haber dedicado tantas horas a aprender de memoria esas páginas áridas, haber puesto el mismo empeño en el estudio de los códigos y reglamentos que en los cursos de estrategia, logística y geografía militar? «El orden y la disciplina constituyen la justicia —recitó Gamboa, con una sonrisa ácida en los labios—, y son los instrumentos indispensables de una vida colectiva racional. El orden y la disciplina se obtienen adecuando la realidad a las leyes». El capitán Montero les obligó a meterse en la cabeza hasta los prólogos del reglamento. Le decían «el leguleyo»[703] porque era un fanático de las citas jurídicas. «Un excelente profesor, pensó Gamboa. Y un gran oficial. ¿Seguirá pudriéndose en la guarnición de Borja?». Al regresar de Chorrillos, Gamboa imitaba los ademanes del capi-

---

[702] *Cinemas*. Salas de cine.
[703] *Leguleyo*. Que sabe de leyes.

tán Montero. Había sido destacado a Ayacucho y pronto ganó fama de severo. Los oficiales le decían «el Fiscal» y la tropa «el Malote». Se burlaban de su estrictez, pero él sabía que en el fondo lo respetaban con cierta admiración. Su compañía era la más entrenada, la de mejor disciplina. Ni siquiera necesitaba castigar a los soldados; después de un adiestramiento rígido y de unas cuantas advertencias, todo comenzaba a andar sobre ruedas. Imponer la disciplina había sido hasta ahora para Gamboa tan fácil como obedecerla. Él había creído que en el Colegio Militar sería lo mismo. Ahora dudaba. ¿Cómo confiar ciegamente en la superioridad después de lo ocurrido? Lo sensato sería tal vez hacer como los demás. Sin duda, el capitán Garrido tenía razón: los reglamentos deben ser interpretados con cabeza, por encima de todo hay que cuidar su propia seguridad, su porvenir. Recordó que, al poco tiempo de ser destinado al Leoncio Prado, tuvo un incidente con un cabo. Era un serrano insolente, que se reía en su cara mientras él lo reprendía. Gamboa le dio una bofetada y el cabo le dijo entre dientes: «si fuera cadete no me hubiera pegado, mi teniente». No era tan torpe ese cabo, después de todo.

Pagó la cola y regresó a la pista de desfile. Esa mañana había elevado cuatro nuevos partes sobre los robos de exámenes, el hallazgo de las botellas de licor, las timbas en las cuadras y las contras. Teóricamente, más de la mitad de los cadetes de la primera deberían ser llevados ante el Consejo de Oficiales. Todos podían ser severamente sancionados, algunos con la expulsión. Sus partes se referían solo a la primera sección. Una revista en las otras cuadras sería inútil: los cadetes habían tenido tiempo de sobra para destruir o esconder los naipes y las botellas. En los partes, Gamboa no aludía siquiera a las otras compañías; que se ocuparan de ellas sus oficiales. El capitán Garrido leyó los partes en su delante[704], con aire distraído. Luego le preguntó:

---

[704] *En su delante.* Delante de él.

—¿Para qué estos partes, Gamboa?

—¿Para qué, mi capitán? No entiendo.

—El asunto está liquidado. Ya se han tomado todas las disposiciones del caso.

—Está liquidado lo del cadete Fernández, mi capitán. Pero no lo demás.

El capitán hizo un gesto de hastío. Volvió a tomar los partes y los revisó; sus mandíbulas proseguían, incansables, su masticación gratuita y espectacular.

—Lo que digo, Gamboa, es para qué los papeles. Ya me ha presentado un parte oral. ¿Para qué escribir todo esto? Ya está consignada casi toda la primera sección. ¿A dónde quiere usted llegar?

—Si se reúne el Consejo de Oficiales, se exigirán partes escritos, mi capitán.

—Ah —dijo el capitán—. No se le quita de la cabeza la idea del Consejo, ya veo. ¿Quiere que sometamos a disciplina a todo el año?

—Yo solo doy parte de mi compañía, mi capitán. Las otras no me incumben.

—Bueno —dijo el capitán—. Ya me dio los partes. Ahora, olvídese del asunto y déjelo a mi cargo. Yo me ocupo de todo.

Gamboa se retiró. Desde ese momento, el abatimiento que lo perseguía, se agravó. Esta vez, estaba resuelto a no ocuparse más de esa historia, a no tomar iniciativa alguna. «Lo que me haría bien esta noche, pensó, es una buena borrachera». Fue hasta la Prevención y entregó la carta al oficial de guardia. Le pidió que la despachara certificada. Salió de la Prevención y vio, en la puerta del edificio de la administración, al comandante Altuna. Este le hizo una seña para que se acercara.

—Hola, Gamboa —le dijo—. Venga, lo acompaño.

El comandante había sido siempre muy cordial con Gamboa, aunque sus relaciones eran estrictamente las del servicio. Avanzaron hacia el comedor de oficiales.

—Tengo que darle una mala noticia, Gamboa —el comandante caminaba con las manos cogidas a la espalda—. Esta es una información privada, entre amigos. ¿Comprende lo que quiero decir, no es verdad?

—Sí, mi comandante.

—El mayor está muy resentido con usted, Gamboa. Y el coronel, también. Hombre, no es para menos. Pero ese es otro asunto. Le aconsejo que se mueva rápido en el ministerio. Han pedido su traslado inmediato. Me temo que la cosa esté avanzada, no tiene mucho tiempo. Su foja de servicios lo protege. Pero en estos casos las influencias son muy útiles, usted ya sabe.

«No le hará ninguna gracia salir de Lima, ahora, pensó Gamboa. En todo caso tendré que dejarla un tiempo aquí, con su familia. Hasta encontrar una casa, una sirvienta».

—Le agradezco mucho, mi comandante —dijo—. ¿No sabe usted a dónde pueden trasladarme?

—No me extrañaría que fuera a alguna guarnición de la selva. O a la puna. A estas alturas del año no se hacen cambios, solo hay puestos por cubrir en las guarniciones difíciles. Así que no pierda tiempo. Tal vez pueda conseguir una ciudad importante, digamos Arequipa o Trujillo. Ah, y no olvide que esto que le digo es algo confidencial, de amigo a amigo. No quisiera tener inconvenientes.

—No se preocupe, mi comandante —lo interrumpió Gamboa—. Y, nuevamente, muchas gracias.

Alberto lo vio salir de la cuadra: el Jaguar atravesó el pasillo, indiferente a las miradas rencorosas o burlonas de los cadetes que, en sus literas, fumaban colillas echando la ceniza en trozos de papel o cajas de fósforos vacías; caminando despacio, sin mirar a nadie pero con los ojos altos, llegó hasta la puerta, la abrió con una mano y luego la cerró con violencia, tras él. Una vez más Alberto se había preguntado, al divisar entre dos roperos el rostro del Jaguar, cómo era posible que esa cara estuviera intacta después de lo ocurrido. Sin embargo, todavía renqueaba ligeramente. El día del incidente, Urioste afirmó en el comedor: «yo soy el que lo ha dejado cojo». Pero, a la mañana siguiente, Vallano reivindicaba ese privilegio, y también Núñez, Revilla y hasta el enclenque de García. Discutían a gritos de ese asunto, en la cara del Jaguar, como si hablaran de un ausente. El Boa, en cambio, tenía la boca hinchada y un rasguño profundo y sangriento que se le enroscaba por el cuello. Alberto lo buscó con los ojos: estaba echado en su litera, y la Malpapeada, tendida sobre su cuerpo, le lamía el rasguño con su gran lengua rojiza.

«Lo raro, pensó Alberto, es que tampoco le habla al Boa. Me explico que ya no se junte con el Rulos, que ese día se corrió, pero el Boa sacó la cara, se hizo machucar por él. Es un malagradecido». Además, la sección también parecía haber olvidado la intervención del Boa. Hablaban con él, le hacían bromas como antes, le pasaban las colillas cuando se fumaba en grupo. «Lo raro, pensó Alberto, es que nadie se puso de acuerdo para hacerle hielo[705]. Y ha sido mejor que si se hubieran puesto de acuerdo». Ese día, Alberto lo había observado desde lejos, durante el recreo. El Jaguar abandonó el patio de las aulas y estuvo caminando por el descampado, con las manos en los bolsillos, pateando piedrecitas. El Boa se le acercó y se puso a caminar a su lado. Sin duda, discutieron: el Boa movía la cabeza y agitaba los puños. Luego, se alejó. En el segundo recreo, el Jaguar hizo lo mismo. Esta vez se le acercó el Rulos, pero apenas estuvo a su alcance, el Jaguar le dio un empujón y el Rulos volvió a las aulas, ruborizado. En las clases, los cadetes hablaban, se insultaban, se escupían, se bombardeaban con proyectiles de papel, interrumpían a los profesores imitando relinchos, bufidos, gruñidos, maullidos, ladridos: la vida era otra vez

---

[705] *Hacerle hielo.* Tratarlo con total frialdad, hacerle el vacío.

normal. Pero todos sabían que entre ellos había un exiliado. Los brazos cruzados sobre la carpeta, los ojos azules clavados en el pizarrón, el Jaguar pasaba las horas de clase sin abrir la boca, ni tomar un apunte, ni volver la cabeza hacia un compañero. «Parece que fuera él quien nos hace hielo, pensaba Alberto, él quien estuviera castigando a la sección». Desde ese día, Alberto esperaba que el Jaguar viniera a pedirle explicaciones, lo obligara a revelar a los demás lo ocurrido. Incluso, había pensado en todo lo que diría a la sección para justificar su denuncia. Pero el Jaguar lo ignoraba, igual que a los otros. Entonces, Alberto supuso que el Jaguar preparaba una venganza ejemplar.

Se levantó y salió de la cuadra. El patio estaba lleno de cadetes. Era la hora ambigua, indecisa, en que la tarde y la noche se equilibran y como neutralizan. Una media sombra destrozaba la perspectiva de las cuadras, respetaba los perfiles de los cadetes envueltos en sus gruesos sacones, pero borraba sus facciones, igualaba en un color ceniza el patio que era gris claro, los muros, la pista de desfile casi blanca y el descampado desierto. La claridad hipócrita falsificaba también el movimiento y el ruido: todos parecían andar más de prisa o más despacio en la luz moribunda y hablar entre dientes, murmurar o chillar, y cuando dos cuerpos se juntaban, parecían acariciarse, pelear. Alberto avanzó hacia el descampado, subiéndose el cuello del sacón. No percibía el ruido de las olas, el mar debía estar en calma. Cuando encontraba un cuerpo extendido en la hierba, preguntaba: «¿Jaguar?». No le contestaban o lo insultaban: «no soy el Jaguar pero si buscas un garrote, aquí tengo uno. Camán»[706].

Fue hasta el baño de las aulas. En el umbral del recinto sumido en tinieblas —sobre los excusados brillaban algunos puntos rojos— gritó: ¡Jaguar! Nadie respondió, pero comprendió que todos lo miraban: las candelas se habían

---

[706] *Camán*. Del inglés, *come on*, venga.

inmovilizado. Regresó al descampado y se dirigió hacia los excusados vecinos a La Perlita: nadie los utilizaba de noche porque pululaban las ratas. Desde la puerta vio un punto luminoso y una silueta.

—¿Jaguar?

—¿Qué hay?

Alberto entró y encendió un fósforo. El Jaguar estaba de pie, se arreglaba la correa; no había nadie más. Arrojó el fósforo carbonizado.

—Quiero hablar contigo.

—No tenemos nada que hablar —dijo el Jaguar—. Lárgate.

—¿Por qué no les has dicho que fui yo el que los acusó a Gamboa?

El Jaguar rio con su risa despectiva y sin alegría que Alberto no había vuelto a oír desde antes de todo lo ocurrido. En la oscuridad, oyó una carrera de vertiginosos pies minúsculos. «Su risa asusta a las ratas», pensó.

—¿Crees que todos son como tú? —dijo el Jaguar—. Te equivocas. Yo no soy un soplón ni converso con soplones. Sal de aquí.

—¿Vas a dejar que sigan creyendo que fuiste tú? —Alberto se descubrió hablando con respeto, casi cordialmente—. ¿Por qué?

—Yo les enseñé a ser hombres a todos esos —dijo el Jaguar—. ¿Crees que me importan? Por mí, pueden irse a la mierda todos. No me interesa lo que piensen. Y tú tampoco. Lárgate.

—Jaguar —dijo Alberto—. Te vine a buscar para decirte que siento lo que ha pasado. Lo siento mucho.

—¿Vas a ponerte a llorar? —dijo el Jaguar—. Mejor no vuelvas a dirigirme la palabra. Ya te he dicho que no quiero saber nada contigo.

—No te pongas en ese plan —dijo Alberto—. Quiero ser tu amigo. Yo les diré que no fuiste tú, sino yo. Seamos amigos.

—No quiero ser tu amigo —dijo el Jaguar—. Eres un pobre soplón y me das vómitos. Fuera de aquí.

Esta vez, Alberto obedeció. No volvió a la cuadra. Estuvo tendido en la hierba del descampado, hasta que tocaron el silbato para ir al comedor.

Epílogo

...en cada linaje el deterioro ejerce su dominio.

CARLOS GERMÁN BELLI[707]

[707] «¡Cuánta existencia menos...!», vv. 4-5, *¡Oh hada cibernética!* (1961) (Belli, 1969).

Cuando el teniente Gamboa llegó a la puerta de la secretaría del año, el capitán Garrido colocaba un cuaderno en un armario; estaba de espaldas, la presión de la corbata cubría su cuello de arrugas. Gamboa dijo «buenos días» y el capitán se volvió.

—Hola, Gamboa —dijo, sonriendo—. ¿Listo para partir?

—Sí, mi capitán —el teniente entró en la habitación. Vestía el uniforme de salida; se quitó el quepí: un fino surco ceñía su frente, sus sienes y su nuca como un perfecto círculo—. Acabo de despedirme del coronel, del comandante y del mayor. Solo me falta usted.

—¿Cuándo es el viaje?

—Mañana temprano. Pero todavía tengo muchas cosas que hacer.

—Ya hace calor —dijo el capitán—. El verano va a ser fuerte este año, vamos a cocinarnos —se rio—. Después de todo, a usted qué le importa. En la puna[708], verano o invierno es lo mismo.

—Si no le gusta el calor —bromeó Gamboa—, podemos hacer un cambio. Yo me quedo en su lugar y usted se va a Juliaca[709].

---

[708] *Puna*. Véase nota 606. A semejante altitud, efectivamente, no hay gran diferencia de temperatura entre estaciones. Por otro lado, quien no está acostumbrado puede sentirse «apunado», bajo los efectos del «soroche» o «mal de altura». Se requiere un período de aclimatación para que el cuerpo se acostumbre.

[709] *Juliaca*. Conocida como la «Ciudad de los Vientos», situada en la región de Puno, en el sudeste del Perú, a unos 1.300 kilómetros de la

—Ni por todo el oro del mundo —dijo el capitán, tomándolo del brazo—. Venga, le invito un trago.

Salieron. En la puerta de una de las cuadras, un cadete con las insignias color púrpura de cuartelero, contaba un alto de prendas.

—¿Por qué no está en clase ese cadete? —preguntó Gamboa.

—No puede con su genio —dijo el capitán, alegremente—. ¿Qué le importa ya lo que hagan los cadetes?

—Tiene usted razón. Es casi un vicio.

Entraron a la cantina de oficiales y el capitán pidió una cerveza. Llenó él mismo los vasos. Brindaron.

—No he estado nunca en Puno[710] —dijo el capitán—. Pero creo que no está mal. Desde Juliaca se puede ir en tren o en auto. También puede darse sus escapadas a Arequipa, de vez en cuando.

—Sí —dijo Gamboa—. Ya me acostumbraré.

—Lo siento mucho por usted —dijo el capitán—. Aunque no lo crea, yo lo estimo, Gamboa. Recuerde que se lo advertí. ¿Conoce ese refrán? «Quien con mocosos se acuesta...»[711]. Y, además, no olvide en el futuro que en el Ejército se dan lecciones de reglamento a los subordinados, no a los superiores.

—No me gusta que me compadezcan, mi capitán. Yo no me hice militar para tener la vida fácil[712]. La guarnición de Juliaca o el Colegio Militar me da lo mismo.

---

capital, de Lima, cerca del lago Titicaca y, por tanto, de Bolivia. Aquí se revela que Gamboa ha sido enviado al otro extremo del país.

[710] *Puno.* Capital de la provincia del mismo nombre, en el sudeste del Perú, a unos cuarenta kilómetros al sur de Juliaca, a orillas del ya mencionado lago Titicaca. Es una de las ciudades más elevadas del mundo, a unos 3500 o 4000 metros sobre el nivel del mar.

[711] El refrán reza completo: «Quien con niños se acuesta, mojado se levanta». Es decir, que hay que aceptar las consecuencias de las decisiones que se toman; en este caso, de dar crédito a personas inmaduras e irresponsables.

[712] En la edición de la RAE: «tener una vida fácil».

—Tanto mejor. Bueno, no discutamos. Salud.

Bebieron lo que quedaba de cerveza en los vasos y el capitán volvió a llenarlos. Por la ventana se veía el descampado; la hierba parecía más alta y clara. La vicuña pasó varias veces: corría muy agitada mirando a todos los lados con sus ojos inteligentes.

—Es el calor —dijo el capitán, señalando al animal con el dedo—. No se acostumbra. El verano pasado estuvo medio loca.

—Voy a ver muchas vicuñas —dijo Gamboa—. Y, a lo mejor, aprenderé quechua[713].

—¿Hay compañeros suyos en Juliaca?

—Muñoz. El único.

—¿El burro Muñoz? Es buena gente. ¡Un borracho perdido!

—Quiero pedirle un favor, mi capitán.

—Claro, hombre, diga nomás.

—Se trata de un cadete. Necesito hablar con él a solas, en la calle. ¿Puede darle permiso?

—¿Cuánto tiempo?

—Media hora a lo más.

—Ah —dijo el capitán, con una sonrisa maliciosa—. Ajá.

—Es un asunto personal.

—Ya veo. ¿Va usted a pegarle?

—No sé —dijo Gamboa, sonriendo—. A lo mejor.

—¿A Fernández? —dijo el capitán, a media voz—. No vale la pena. Hay una manera mejor de fregarlo. Yo me encargo de él.

—No es él —dijo Gamboa—. El otro. De todos modos, ya no puede hacerle nada.

---

[713] *Quechua*. Lengua oficial del Perú, junto al español, de origen precolombino, que hablan unos cuatro millones peruanos, sobre todo, en la zona andina, en la sierra, y que se extiende también a los estados vecinos de Argentina, Bolivia, Chile, Ecuador y Colombia.

—¿Nada? —dijo el capitán, muy serio—. ¿Y si pierde el año? ¿Le parece poco?

—Tarde —dijo Gamboa—. Ayer terminaron los exámenes.

—Bah —dijo el capitán—, eso es lo de menos. Todavía no están hechas las libretas.

—¿Está hablando en serio?

El capitán recobró de golpe su buen humor:

—Estoy bromeando, Gamboa —dijo riendo—, no se asuste. No cometeré ninguna injusticia. Llévese al cadete ese y haga con él lo que se le antoje. Pero, eso sí, no le toque la cara; no quiero tener más líos.

—Gracias, mi capitán —Gamboa se puso el quepí—. Ahora tengo que irme. Hasta pronto, espero.

Se dieron la mano. Gamboa fue hasta las aulas, habló con un suboficial y regresó hacia la Prevención, donde había dejado su maleta. El teniente de servicio le salió al encuentro.

—Ha llegado un telegrama para ti, Gamboa.

Lo abrió y lo leyó rápidamente. Luego lo guardó en su bolsillo. Se sentó en la banca —los soldados se pusieron de pie y lo dejaron solo— y quedó inmóvil, con la mirada perdida.

—¿Malas noticias? —le preguntó el oficial de servicio.

—No, no —dijo Gamboa—. Cosas de familia.

El teniente indicó a uno de los soldados que preparara café y preguntó a Gamboa si quería una taza; este asintió. Un momento después, el Jaguar apareció en la puerta de la Prevención. Gamboa bebió el café de un solo trago y se incorporó.

—El cadete va a salir conmigo un momento —dijo al oficial de guardia—. Tiene permiso del capitán.

Cogió su maleta y salió a la avenida Costanera. Caminó por la tierra aplanada, al borde del abismo. El Jaguar lo seguía a unos pasos de distancia. Avanzaron hasta la avenida de las Palmeras. Cuando perdieron de vista el colegio,

Gamboa dejó su maleta en el suelo. Sacó un papel del bolsillo.

—¿Qué significa este papel? —dijo.

—Ahí está bien claro todo, mi teniente —repuso el Jaguar—. No tengo nada más que decir.

—Yo ya no soy oficial del colegio —dijo Gamboa—. ¿Por qué se ha dirigido a mí? ¿Por qué no se presentó al capitán de año?

—No quiero saber nada con el capitán —dijo el Jaguar. Estaba un poco pálido y sus ojos claros rehuían la mirada de Gamboa. No había nadie por los alrededores. El ruido del mar se oía muy próximo. Gamboa se limpió la frente y echó atrás el quepí: el fino surco apareció bajo la visera, más rojizo y profundo que los otros pliegues de la frente.

—¿Por qué ha escrito esto? —repitió—. ¿Por qué lo ha hecho?

—Eso no le importa —dijo el Jaguar, con voz suave y dócil—. Usted lo único que tiene que hacer es llevarme donde el coronel. Y nada más.

—¿Cree que las cosas se van a arreglar tan fácilmente como la primera vez? —dijo Gamboa—. ¿Eso cree? ¿O quiere divertirse a mi costa?

—No soy ningún bruto —dijo el Jaguar, e hizo un ademán desdeñoso—. Pero yo no le tengo miedo a nadie, mi teniente, sépalo usted, ni al coronel ni a nadie. Yo los defendí de los de cuarto cuando entraron. Se morían de miedo de que los bautizaran, temblaban como mujeres y yo les enseñé a ser hombres. Y a la primera, se me voltearon. Son, ¿sabe usted qué?, unos infelices, una sarta de traidores, eso son. Todos. Estoy harto del colegio, mi teniente.

—Basta de cuentos —dijo Gamboa—. Sea franco. ¿Por qué ha escrito este papel?

—Creen que soy un soplón —dijo el Jaguar—. ¿Ve usted lo que le digo? Ni siquiera trataron de averiguar la verdad, nada, apenas les abrieron los roperos, los malagradecidos me dieron la espalda. ¿Ha visto las paredes de los baños?

«Jaguar, soplón», «Jaguar, amarillo», por todas partes. Y yo lo hice por ellos, eso es lo peor. ¿Qué podía ganar yo? A ver, dígame, mi teniente. Nada, ¿no es cierto? Todo lo hice por la sección. No quiero estar ni un minuto más con ellos. Eran como mi familia, por eso será que ahora me dan más asco todavía.

—No es verdad —dijo Gamboa—; está mintiendo. Si la opinión de sus compañeros le importa tanto, ¿prefiere que sepan que es un asesino?

—No es que me importe su opinión —dijo el Jaguar sordamente—. Es la ingratitud lo que me enferma, nada más.

—¿Nada más? —dijo Gamboa, con una sonrisa burlona—. Por última vez, le pido que sea franco. ¿Por qué no les dijo que fue el cadete Fernández el que los denunció?

Todo el cuerpo del Jaguar pareció replegarse, como sorprendido por una instantánea punzada en las entrañas.

—Pero el caso de él es distinto —dijo, ronco, articulando con esfuerzo—. No es lo mismo, mi teniente. Los otros me traicionaron de pura cobardía. Él quería vengar al Esclavo. Es un soplón y eso siempre da pena en un hombre, pero era por vengar a un amigo, ¿no ve la diferencia, mi teniente?

—Lárguese —dijo Gamboa—. No estoy dispuesto a perder más tiempo con usted. No me interesan sus ideas sobre la lealtad y la venganza.

—No puedo dormir —balbuceó el Jaguar—. Esa es la verdad, mi teniente, le juro por lo más santo. Yo no sabía lo que era vivir aplastado. No se enfurezca y trate de comprenderme, no le estoy pidiendo gran cosa. Todos dicen: «Gamboa es el más fregado de los oficiales, pero el único que es justo». ¿Por qué no me escucha lo que le estoy diciendo?

—Sí —dijo Gamboa—. Ahora sí lo escucho. ¿Por qué mató a ese muchacho? ¿Por qué me ha escrito ese papel?

—Porque estaba equivocado sobre los otros, mi teniente; yo quería librarlos de un tipo así. Piense en lo que pasó y verá que cualquiera se engaña. Hizo expulsar a Cava solo para poder salir a la calle unas horas, no le importó arruinar a un compañero por conseguir un permiso. Eso lo enfermaría a cualquiera.

—¿Por qué ha cambiado de opinión ahora? —dijo el teniente—. ¿Por qué no me contó la verdad cuando lo interrogué?

—No he cambiado de opinión —dijo el Jaguar—. Solo que —vaciló un momento e hizo, como para sí, un signo de asentimiento—, ahora comprendo mejor al Esclavo. Para él no éramos sus compañeros, sino sus enemigos. ¿No le digo que no sabía lo que era vivir aplastado? Todos lo batíamos, es la pura verdad, hasta cansarnos, yo más que los otros. No puedo olvidarme de su cara, mi teniente. Le juro que en el fondo no sé cómo lo hice. Yo había pensado pegarle, darle un susto. Pero esa mañana lo vi, ahí al frente, con la cabeza levantada y le apunté. Yo quería vengar a la sección, ¿cómo podía saber que los otros eran peores que él, mi teniente? Creo que lo mejor es que me metan a la cárcel. Todos decían que iba a terminar así, mi madre, usted también. Ya puede darse gusto, mi teniente.

—No puedo acordarme de él —dijo Gamboa y el Jaguar lo miró desconcertado—. Quiero decir, de su vida de cadete. A otros los tengo bien presentes, recuerdo su comportamiento en campaña, su manera de llevar el uniforme. Pero a Arana no. Y ha estado tres años en mi compañía.

—No me dé consejos —dijo el Jaguar, confuso—. No me diga nada, le suplico. No me gusta que...

—No estaba hablando con usted —dijo Gamboa—. No se preocupe, no pienso darle ningún consejo. Váyase. Vuelva al colegio. Solo tiene permiso por media hora.

—Mi teniente —dijo el Jaguar; quedó un segundo con la boca abierta y repitió—: Mi teniente.

—El caso Arana está liquidado —dijo Gamboa—. El Ejército no quiere saber una palabra más del asunto. Nada puede hacerlo cambiar de opinión. Más fácil sería resucitar al cadete Arana que convencer al Ejército de que ha cometido un error.

—¿No me va a llevar donde el coronel? —preguntó el Jaguar—. Ya no lo mandarán a Juliaca, mi teniente. No ponga esa cara, ¿cree que no me doy cuenta que usted se ha fregado por este asunto? Lléveme donde el coronel.

—¿Sabe usted lo que son los objetivos inútiles? —dijo Gamboa y el Jaguar murmuró: «¿cómo dice?»—. Fíjese, cuando un enemigo está sin armas y se ha rendido, un combatiente responsable no puede disparar sobre él. No solo por razones morales, sino también militares; por economía. Ni en la guerra debe haber muertos inútiles. Usted me entiende, vaya al colegio y trate en el futuro de que la muerte del cadete Arana sirva para algo.

Rasgó el papel que tenía en la mano y lo arrojó al suelo.

—Váyase —añadió—. Ya va a ser la hora del almuerzo.

—¿Usted no vuelve, mi teniente?

—No —dijo Gamboa—. Quizá nos veamos algún día. Adiós.

Cogió su maleta y se alejó por la avenida de las Palmeras, en dirección a Bellavista. El Jaguar se quedó mirándolo un momento. Luego, recogió los papeles que estaban a sus pies. Gamboa los había rasgado por la mitad. Uniéndolos, se podían leer fácilmente. Se sorprendió al ver que había dos pedazos, además de la hoja de cuaderno en la que había escrito: «Teniente Gamboa: yo maté al Esclavo. Puede pasar un parte y llevarme donde el coronel». Las otras dos mitades eran un telegrama: «Hace dos horas nació niña. Rosa está muy bien. Felicidades. Va carta. Andrés». Rompió los papeles en pedazos minúsculos y los fue dispersando a medida que avanzaba hacia el acantilado. Al pasar por una casa, se detuvo: era una gran mansión, con un vasto jardín exterior. Allí había robado la primera vez. Continuó andando hasta llegar a la Costanera. Miró al mar, a sus pies; estaba menos gris que de costumbre; las olas reventaban en la orilla y morían casi instantáneamente[714].

---

[714] En la primera versión del epílogo, así terminaba la novela (cfr. apéndice).

Había una luz blanca y penetrante que parecía brotar de los techos de las casas y elevarse verticalmente hacia el cielo sin nubes[715]. Alberto tenía la sensación de que sus ojos estallarían al encontrar los reflejos, si miraba fijamente una de esas fachadas de ventanales amplios, que absorbían y despedían el sol como esponjas multicolores. Bajo la ligera camisa de seda su cuerpo transpiraba. A cada momento, tenía que limpiarse el rostro con la toalla. La avenida estaba desierta y era extraño: por lo general, a esa hora comenzaba el desfile de automóviles hacia las playas. Miró su reloj: no vio la hora, sus ojos quedaron embelesados por el brillo fascinante de las agujas, la esfera, la corona[716], la cadena dorada. Era un reloj muy hermoso, de oro puro. La noche anterior, Pluto le había dicho en el parque Salazar: «parece un reloj cronómetro». Él repuso: «¡Es un reloj cronómetro! ¿Para qué crees que tiene cuatro agujas y dos coronas? Y además es sumergible y a prueba de golpes». No querían creerle y él se sacó el reloj y le dijo a Marcela[717]: «tíralo al suelo para que vean». Ella no se animaba, emitía unos chillidos breves y destemplados. Pluto, Helena, Emilio, el Bebe, Paco, la urgían. «¿De veras, de veras lo tiro?». «Sí, le decía Alberto; anda, tíralo de una vez». Cuando lo soltó, todos callaron, siete pares de ojos ávidos anhelaban que el reloj se quebrara en mil pedazos. Pero solo dio un pequeño rebote y, luego, Alberto se lo alcanzó: estaba intacto, sin una sola raspadura y andando. Después, él mismo lo sumergió en la fuente enana del parque para demostrarles que era impermeable. Alberto sonrió. Pensó: «hoy me bañaré con él en La Herradura». Su padre, al regalárselo la noche de Navidad, le había dicho: «por las buenas notas del examen. Al fin comienzas a estar a la altura

---

[715] Esta era la primera secuencia del epílogo en la primera versión.

[716] *Corona.* Parte del reloj en forma de rueda lateral para darle cuerda o cambiar la hora.

[717] En la primera versión del epílogo, se llamaba Rosa, que es el nombre que le acabará poniendo a la esposa del teniente Gamboa.

de tu apellido. Dudo que alguno de tus amigos tenga un reloj así. Podrás darte ínfulas»[718]. En efecto, la noche anterior el reloj había sido el tema principal de conversación en el parque. «Mi padre conoce la vida», pensó Alberto.

Dobló por la avenida Primavera. Se sentía contento, animoso, caminando entre esas mansiones de frondosos jardines, bañado por el resplandor de las aceras; el espectáculo de las enredaderas de sombras y de luces que escalaban los troncos de los árboles o se cimbreaban en las ramas, lo divertía. «El verano es formidable, pensó. Mañana es lunes y para mí será como hoy. Me levantaré a las nueve, vendré a buscar a Marcela e iremos a la playa. En la tarde al cine y en la noche al parque. Lo mismo el martes, el miércoles, el jueves, todos los días hasta que se termine el verano. Y, después, ya no tendré que volver al colegio, sino hacer mis maletas. Estoy seguro que Estados Unidos me encantará». Una vez más, miró el reloj: las nueve y media. Si a esa hora el sol brillaba así, ¿cómo sería a las doce? «Un gran día para la playa», pensó. En la mano derecha, llevaba el traje de baño, enrollado en una toalla verde, de filetes[719] blancos. Pluto había quedado en recogerlo a las diez; estaba adelantado. Antes de entrar al Colegio Militar, siempre llegaba tarde a las reuniones del barrio. Ahora era al contrario, como si quisiera recuperar el tiempo perdido. ¡Y pensar que había pasado dos veranos encerrado en su casa, sin ver a nadie! Sin embargo, el barrio estaba tan cerca, hubiera podido salir cualquier mañana, llegar a la esquina de Colón y Diego Ferré, recobrar a sus amigos con unas cuantas palabras. «Hola. Este año no pude verlos por el internado. Tengo tres meses de vacaciones que quiero pasar con ustedes, sin pensar en las consignas, en los militares, en las cuadras». Pero, qué importaba el pasado, la mañana desplegaba ahora a su alre-

---

[718] *Darse ínfulas.* Presumir.

[719] *Filete.* Línea o franja ornamental.

dedor una realidad luminosa y protectora, los malos recuerdos eran de nieve, el amarillento calor los derretía.

Mentira, el recuerdo del colegio despertaba aún esa inevitable sensación sombría y huraña bajo la cual su espíritu se contraía como una mimosa[720] al contacto de la piel humana. Solo que el malestar era cada vez más efímero, un pasajero granito de arena en el ojo, ya estaba bien de nuevo. Dos meses atrás, si el Leoncio Prado surgía en su memoria, el mal humor duraba, la confusión y el disgusto lo asediaban todo el día. Ahora podía recordar muchas cosas como si se tratara de episodios de película. Pasaba días enteros sin evocar el rostro del Esclavo.

Después de cruzar la avenida Petit Thouars se detuvo en la segunda casa y silbó. El jardín de la entrada desbordaba de flores, el pasto húmedo relucía. «¡Ya bajo!», gritó una voz de muchacha. Miró a todos lados: no había nadie, Marcela debía estar en la escalera. ¿Lo haría pasar? Alberto tenía la intención de proponerle un paseo hasta las diez. Irían hacia la línea del tranvía, bajo los árboles de la avenida. Podría besarla. Marcela apareció al fondo del jardín: llevaba pantalones y una blusa suelta a rayas negras y granates. Venía hacia él sonriendo y Alberto pensó: «qué bonita es». Sus ojos y sus cabellos oscuros contrastaban con su piel, muy blanca.

—Hola —dijo Marcela—. Has venido más temprano.

—Si quieres, me voy —dijo él. Se sentía dueño de sí mismo. Al principio, sobre todo los días que siguieron a la fiesta donde se declaró a Marcela, se sentía un poco intimidado en el mundo de su infancia, después del oscuro paréntesis de tres años que lo había arrebatado a las cosas hermosas. Ahora estaba siempre seguro y podía bromear sin descanso, mirar a los otros de igual a igual y, a veces, con cierta superioridad.

---

[720] *Mimosa.* Se refiere, concretamente, a la llamada «mimosa púdica», planta originaria de América, con flores de color violáceo, cuya corola se contrae al tacto como forma de protección.

—Tonto —dijo ella.

—¿Vamos a dar una vuelta? Pluto no vendrá antes de media hora.

—Sí —dijo Marcela—. Vamos —se llevó un dedo a la sien. ¿Qué sugería?—. Mis papás están durmiendo. Anoche fueron a una fiesta, en Ancón. Llegaron tardísimo. Y yo que regresé del parque antes de las nueve.

Cuando se hubieron alejado unos metros de la casa, Alberto le cogió la mano.

—¿Has visto qué sol? —dijo—. Está formidable para la playa.

—Tengo que decirte una cosa —dijo Marcela. Alberto la miró: tenía una sonrisa encantadoramente maliciosa y una nariz pequeñita e impertinente. Pensó: «es lindísima».

—¿Qué cosa?

—Anoche conocí a tu enamorada.

¿Se trataba de una broma? Todavía no estaba plenamente adaptado, a veces alguien hacía una alusión que todos los del barrio comprendían y él se sentía perdido, a ciegas. No podía desquitarse: ¿cómo hacerles a ellos las bromas de las cuadras? Una imagen bochornosa lo asaltó: el Jaguar y Boa escupían sobre el Esclavo, atado a un catre.

—¿A quién? —dijo, cautelosamente.

—A Teresa —dijo Marcela—. Esa que vive en Lince.

El calor, que había olvidado, se hizo presente de improviso, como algo ofensivo y poderosísimo, aplastante. Se sintió sofocado.

—¿A Teresa dices?

Marcela se rio:

—¿Para qué crees que te pregunté dónde vivía? —hablaba con un dejo[721] triunfal, estaba orgullosa de su hazaña—. Pluto me llevó en su auto, después del parque.

—¿A su casa? —tartamudeó Alberto.

---

[721] *Dejo*. Deje, tono.

676

—Sí —dijo Marcela; sus ojos negros ardían—. ¿Sabes lo que hice? Toqué la puerta y salió ella misma. Le pregunté si vivía ahí la señora Grellot, ¿sabes quién es, no?, mi vecina —calló un instante—. Tuve tiempo de mirarla.

Él ensayó una sonrisa. Dijo, a media voz, «eres una loca», pero el malestar lo había invadido de nuevo. Se sentía humillado.

—Dime —dijo Marcela, con una voz muy dulce y perversa—. ¿Estabas muy enamorado de esa chica?

—No —dijo Alberto—. Claro que no. Era una cosa de colegiales[722].

—Es una fea —exclamó Marcela, bruscamente irritada—. Una huachafa fea.

A pesar de su confesión, Alberto se sintió complacido. «Está loca por mí», pensó. «Se muere de celos». Dijo:

—Tú sabes que solo estoy enamorado de ti. No he estado enamorado de nadie como de ti.

Marcela le apretó la mano y él se detuvo. Estiró un brazo para tomarla del hombro y atraerla, pero ella resistía: su rostro giraba, los ojos recelosos espiaban el contorno. No había nadie. Alberto solo rozó sus labios. Siguieron caminando.

—¿Qué te dijo? —preguntó Alberto.

—¿Ella? —Marcela se rio con una risa aseada, líquida—. Nada. Me dijo que ahí vivía la señora no sé qué. Un nombre rarísimo, ni me acuerdo. Pluto se divertía a morir. Comenzó a decir cosas desde el auto y ella cerró la puerta. Nada más. ¿No la has vuelto a ver, no?

—No —dijo Alberto—. Claro que no.

—Dime. ¿Te paseabas con ella por el parque Salazar?

—Ni siquiera tuve tiempo. Solo la vi unas cuantas veces, en su casa o en Lima. Nunca en Miraflores.

—¿Y por qué peleaste con ella? —preguntó Marcela.

---

[722] En la edición de la RAE se cambia «colegiales» por «colegio».

Era inesperado: Alberto abrió la boca pero no dijo nada. ¿Cómo explicar a Marcela algo que él mismo no comprendía del todo? Teresa formaba parte de esos tres años de Colegio Militar, era uno de esos cadáveres que no convenía resucitar.

—Bah —dijo—. Cuando salí del colegio me di cuenta que no me gustaba. No volví a verla.

Habían llegado a la línea del tranvía. Bajaron por la avenida Reducto. Él le pasó el brazo por el hombro: bajo su mano latía una piel suave, tibia, que debía ser tocada con prudencia, como si fuera a deshacerse. ¿Por qué había contado a Marcela la historia de Teresa? Todos los del barrio hablaban de sus enamoradas, la misma Marcela había estado con un muchacho de San Isidro; no quería pasar por un principiante. El hecho de regresar del colegio Leoncio Prado le daba cierto prestigio en el barrio, lo miraban como al hijo pródigo, alguien que retorna al hogar después de vivir una gran aventura. ¿Qué hubiera ocurrido si esa noche no encuentra allí, en la esquina de Diego Ferré, a los muchachos del barrio?

—Un fantasma —dijo Pluto—. ¡Un fantasma, sí señor!

El Bebe lo tenía abrazado, Helena le sonreía, Tico le presentaba a los desconocidos, Molly decía: «hace tres años que no lo veíamos, nos había olvidado», Emilio lo llamaba «ingrato» y le daba golpecitos afectuosos en la espalda.

—Un fantasma —repitió Pluto—. ¿No les da miedo?

Él estaba con su traje de civil, el uniforme reposaba sobre una silla, el quepí había rodado al suelo, su madre había salido, la casa desierta lo exasperaba, tenía ganas de fumar, solo hacía dos horas que estaba libre y lo desconcertaban las infinitas posibilidades para ocupar su tiempo que se abrían ante él. «Iré a comprar cigarrillos, pensó; y después, donde Teresa». Pero, una vez que salió y compró cigarrillos, no subió al Expreso, sino que estuvo largo rato ambulando por las calles de Miraflores, como lo hubiera hecho un turista o un vagabundo: la avenida Larco, los malecones, la Diagonal, el parque Salazar y, de pronto, allí estaban el Bebe, Pluto, Helena, una gran rueda de rostros sonrientes que le daban la bienvenida.

—Llegas justo —dijo Molly—. Necesitábamos un hombre para el paseo a Chosica. Ahora estamos completos, ocho parejas.

Se quedaron conversando hasta el anochecer, se pusieron de acuerdo para ir en grupo a la playa al día siguiente. Cuando se despidió de ellos, Alberto regresó a su casa, andando lentamente, absorbido por preocupaciones recién adquiridas. Marcela (¿Marcela qué?, no la había visto nunca, vivía en la avenida Primavera, era nueva en Miraflores) le había dicho: «¿Pero vienes de todas maneras, no?». Su ropa de baño estaba vieja, tenía que convencer a su madre que le comprase otra, mañana mismo, a primera hora, para estrenarla en La Herradura.

—¿No es formidable? —dijo Pluto—. ¡Un fantasma de carne y hueso!

—Sí —dijo el teniente Huarina—. Pero vaya rápido donde el capitán.

«Ahora no me puede hacer nada, pensó Alberto. Ya nos dieron las libretas. Le diré en su cara lo que es». Pero no se lo dijo, se cuadró y lo saludó respetuosamente. El capitán le sonreía, sus ojos examinaban el uniforme de parada. «Es la última vez que me lo pongo», pensaba Alberto. Mas no se sentía exaltado ante la perspectiva de dejar el colegio para siempre.

—Está bien —dijo el capitán—. Límpiese el polvo de los zapatos. Y preséntese al despacho del coronel sobre la marcha.

Subió las escaleras con un presentimiento de catástrofe. El civil le preguntó su nombre y se apresuró a abrirle la puerta. El coronel estaba en su escritorio. Esta vez también lo impresionó el brillo del suelo, las paredes y los objetos; hasta la piel y los cabellos del coronel parecían encerados.

—Pase, pase, cadete —dijo el coronel.

Alberto seguía intranquilo. ¿Qué escondían ese tono afectuoso, esa mirada amable? El coronel lo felicitó por sus exámenes. «¿Ve usted?, le dijo; con un poco de esfuerzo se obtienen muchas recompensas. Sus calificativos[723] son excelentes». Alberto no decía nada, recibía los elogios inmóvil y al acecho. «En el Ejército, afirmaba el coronel, la justicia se impone tarde o temprano. Es algo inherente al sistema, usted se debe haber dado cuenta por experiencia propia. Veamos, cadete Fernández: estuvo a punto de arruinar su vida, de manchar un apellido honorable, una tradición familiar ilustre. Pero el Ejército le dio una última oportunidad. No me arrepiento de haber confiado en usted. Deme la mano, cadete». Alberto tocó un puñado de carne blanda, esponjosa. «Se ha enmendado usted, añadió el coronel. Enmendado, sí. Por eso lo he hecho venir. Dígame, ¿cuáles son sus planes para el futuro?». Alberto le dijo que iba a ser ingeniero. «Bien, dijo el coronel. Muy bien. La patria necesita técnicos. Hace usted bien, es una profesión útil. Le deseo mucha suerte». Alberto, entonces, sonrió con timidez y dijo: «no sé cómo agradecerle, mi coronel. Muchas gracias, muchas». «Puede retirarse ahora, le dijo el coronel. Ah, y no olvide inscribirse en la Asociación de Exalumnos. Es preciso que los cadetes mantengan vínculos con el colegio. Todos formamos una gran familia». El director se puso de pie, lo acompañó hasta la puerta y solo allí recordó algo. «Es cierto, dijo, haciendo un trazo aéreo con la mano. Olvidaba un detalle». Alberto se cuadró.

—¿Recuerda usted unas hojas de papel? Ya sabe de qué hablo, un asunto feo.

Alberto bajó la cabeza y murmuró:

—Sí, mi coronel.

—He cumplido mi palabra —dijo el coronel—. Soy un hombre de honor. Nada empañará su futuro. He destruido esos documentos.

---

[723] *Calificativos.* Calificaciones, evaluaciones, notas.

Alberto le agradeció efusivamente y se alejó haciendo venias: el coronel le sonreía desde el umbral de su despacho.

—Un fantasma —insistió Pluto—. ¡Vivito y coleando!

—Ya basta —dijo el Bebe—. Todos estamos muy contentos con la venida de Alberto. Pero déjanos hablar.

—Tenemos que ponernos de acuerdo para el paseo —dijo Molly.

—Claro —dijo Emilio—. Ahora mismo.

—De paseo con un fantasma —dijo Pluto—. ¡Qué formidable!

Alberto caminaba de vuelta a su casa, ensimismado, aturdido. El invierno moribundo se despedía de Miraflores con una súbita neblina que se había instalado a media altura, entre la tierra y la cresta de los árboles de la avenida Larco: al atravesarla, las luces de los faroles se debilitaban, la neblina estaba en todas partes ahora, envolviendo y disolviendo objetos, personas, recuerdos: los rostros de Arana y el Jaguar, las cuadras, las consignas, perdían actualidad y, en cambio, un olvidado grupo de muchachos y muchachas volvía a su memoria, él conversaba con esas imágenes de sueño en el pequeño cuadrilátero de hierba de la esquina de Diego Ferré y nada parecía haber cambiado, el lenguaje y los gestos le eran familiares, la vida parecía tan armoniosa y tolerable, el tiempo avanzaba sin sobresaltos, dulce y excitante como los ojos oscuros de esa muchacha desconocida que bromeaba con él cordialmente, una muchacha pequeña y suave, de voz clara y cabellos negros. Nadie se sorprendía al verlo allí de nuevo, convertido en un adulto; todos habían crecido, hombres y mujeres parecían más instalados en el mundo, pero el clima no había variado y Alberto reconocía las preocupaciones de antaño, los deportes y las fiestas, el cinema, las playas, el amor, el humor bien criado, la malicia fina. Su habitación estaba a oscuras; de espaldas en el lecho, Alberto soñaba sin cerrar los ojos. Habían bastado apenas unos segundos para que el mundo que abandonó le abriera sus puertas y lo recibiera otra vez en su seno sin tomarle cuentas[724], como si el lugar que ocupaba entre ellos le hubiera sido celosamente guardado durante esos tres años. Había recuperado su porvenir.

—¿No te daba vergüenza? —dijo Marcela.

—¿Qué?

—Pasearte con ella en la calle.

Sintió que la sangre afluía a su rostro. ¿Cómo explicarle que no solo no le daba vergüenza, sino que se sentía orgulloso de mostrarse ante todo el mundo con Teresa? ¿Cómo explicarle que, precisamente, lo único que lo avergonzaba en ese tiempo era no ser como Teresa, alguien de Lince o de Bajo el Puente, que su condición de miraflorino en el Leoncio Prado era más bien humillante?

—No —dijo—. No me daba vergüenza.

—Entonces estabas enamorado de ella —dijo Marcela—. Te odio.

Él le apretó la mano; la cadera de la muchacha tocaba la suya y Alberto, a través de ese breve contacto, sintió una ráfaga de deseo. Se detuvo.

—No —dijo ella—. Aquí no, Alberto.

Pero no resistió y él pudo besarla largamente en la boca. Cuando se separaron, Marcela tenía el rostro arrebatado y los ojos ardientes.

—¿Y tus papás? —dijo ella.

—¿Mis papás?

—¿Qué pensaban de ella?

—Nada. No sabían.

Estaban en la alameda Ricardo Palma. Caminaban por el centro, bajo los altos árboles que sombreaban a trozos el paseo. Había algunos transeúntes y una vendedora de flores, bajo un toldo. Alberto soltó el hombro de Marcela y la tomó de la mano. A lo lejos, una línea constante de auto-

---

[724] *Sin tomarle cuentas.* Sin tenerle nada en cuenta, sin rencor, como si nada hubiera ocurrido y el tiempo no hubiera pasado.

móviles ingresaba a la avenida Larco. «Van a la playa», pensó Alberto.

—¿Y de mí, saben? —dijo Marcela.

—Sí —repuso él—. Y están encantados. Mi papá dice que eres muy linda.

—¿Y tu mamá?

—También.

—¿De veras?

—Sí, claro que sí. ¿Sabes lo que dijo mi papá el otro día? Que antes de mi viaje te invite para que vayamos de paseo, un domingo, a las playas del sur. Mis papás, tú y yo.

—Ya está —dijo ella—. Ya hablaste de eso.

—Oh, pero si vendré todos los años. Estaré aquí las vacaciones íntegras, tres meses cada año. Además, es una carrera muy corta. En Estados Unidos no es como aquí, todo es más rápido, más perfeccionado.

—Prometiste no hablar de eso, Alberto —protestó ella—. Te odio.

—Perdóname —dijo él—. Fue sin darme cuenta. ¿Sabes que mis papás se llevan ahora muy bien?

—Sí. Ya me contaste. ¿Y ya no sale nunca tu papá? Él tiene la culpa de todo. No comprendo cómo lo soporta tu mamá.

—Ahora está más tranquilo —dijo Alberto—. Están buscando otra casa, más cómoda. Pero a veces mi papá se escapa y solo aparece al día siguiente. No tiene remedio.

—¿Tú no eres como él, no?

—No —dijo Alberto—. Yo soy muy serio.

Ella lo miró con ternura. Alberto pensó: «estudiaré mucho y seré un buen ingeniero. Cuando regrese, trabajaré con mi papá, tendré un carro convertible, una gran casa con piscina. Me casaré con Marcela y seré un donjuán. Iré todos los sábados a bailar al Grill Bolívar y viajaré mucho. Dentro de algunos años ni me acordaré que estuve en el Leoncio Prado».

—¿Qué te pasa? —dijo Marcela—. ¿En qué piensas?

Estaban en la esquina de la avenida Larco. A su alrededor había gente; las mujeres llevaban blusas y faldas de colores claros, zapatos blancos, sombreros de paja, anteojos para el sol. En los automóviles convertibles se veía hombres y mujeres en ropa de baño, conversando y riendo.

—Nada —dijo Alberto—. No me gusta acordarme del Colegio Militar.

—¿Por qué?

—Me pasaba la vida castigado. No era muy agradable.

—El otro día —dijo ella—, mi papá me preguntó por qué te habían puesto en ese colegio.

—Para corregirme —dijo Alberto—. Mi papá decía que yo podía burlarme de los curas pero no de los militares.

—Tu papá es un hereje.

Subieron por la avenida Arequipa. A la altura de Dos de Mayo, de un coche rojo les gritaron: «oho, oho, Alberto, Marcela»; ellos alcanzaron a ver a un muchacho que los saludaba con la mano. Le hicieron adiós.

—¿Sabías? —dijo Marcela—. Se ha peleado con Úrsula.

—¿Ah, sí? No sabía.

Marcela le contó los pormenores de la ruptura. Él no comprendía bien, involuntariamente se había puesto a pensar en el teniente Gamboa. «Debe seguir en la puna. Se portó bien conmigo y por eso lo sacaron de Lima. Y todo porque me corrí. Tal vez pierda su ascenso y se quede muchos años de teniente. Solo por haber creído en mí».

—¿Me estás oyendo, o no? —dijo Marcela.

—Claro que sí —dijo Alberto—. ¿Y después?

—La llamó por teléfono montones de veces, pero ella, apenas reconocía su voz, colgaba. Bien hecho, ¿no te parece?

—Por supuesto —dijo él—. Muy bien hecho.

—¿Tú harías algo como lo que hizo él?

—No —dijo Alberto—. Nunca.

—No te creo —dijo Marcela—. Todos los hombres son unos bandidos.

Estaban en la avenida Primavera. A lo lejos vieron el automóvil de Pluto. Este, desde la calzada, les hizo ademanes amenazadores. Llevaba una reluciente blusa amarilla, un pantalón caqui arremangado hasta los tobillos, mocasines y medias cremas.

—¡Son ustedes unos frescos! —les gritó—. ¡Unos frescos!

—¿No es lindo? —dijo Marcela—. Lo adoro.

Corrió hacia Pluto y este, teatralmente, simuló degollarla. Marcela se reía y su risa parecía una fuente, refrescaba la mañana soleada. Alberto sonrió a Pluto y este le lanzó un puñete afectuoso al hombro.

—Creí que la habías raptado, hermano —dijo Pluto.

—Un segundo —dijo Marcela—. Voy a sacar mi ropa de baño.

—Apúrate o te dejamos —dijo Pluto.

—Sí —dijo Alberto—. Apúrate o te dejamos.

—¿Y ella qué te dijo? —preguntó el flaco Higueras.

Ella estaba inmóvil y atónita. Olvidando un instante su turbación, él pensó: «todavía se acuerda». En la luz gris que bajaba suavemente, como una rala lluvia, hasta esa calle de Lince ancha y recta, todo parecía de ceniza: la tarde, las viejas casas, los transeúntes que se aproximaban o alejaban a pasos tranquilos, los postes idénticos, las veredas desiguales, el polvo suspendido en el aire.

—Nada. Se quedó mirándome con unos ojazos asustados, como si yo le diera miedo.

—No creo —dijo el flaco Higueras—. Eso no creo. Algo tuvo que decirte. Al menos hola o qué ha sido de tu vida, o cómo estás; en fin, algo.

No, no le había dicho nada hasta que él habló de nuevo. Sus primeras palabras, al abordarla, habían sido precipitadas, imperiosas: «Teresa, ¿te acuerdas de mí? ¿Cómo estás?». El Jaguar sonreía, para mostrar que nada había de sorprendente en ese encuentro, que se trataba de un episodio banal, chato y sin misterio. Pero esa sonrisa le costaba un esfuerzo muy grande y en su vientre había brotado, como esos hongos de silueta blanca y cresta amarillenta que nacen repentinamente en las maderas húmedas, un malestar insólito, que invadía ahora sus piernas, ansiosas de dar un paso atrás, adelante o a los lados, sus manos que querían zambullirse en los bolsillos o tocar su propia cara; y, extrañamente, su corazón albergaba un miedo animal, como si esos impulsos, al convertirse en actos, fueran a desencadenar una catástrofe.

—¿Y tú que hiciste? —dijo el flaco Higueras.

—Le dije otra vez: «hola, Teresa. ¿No te acuerdas de mí?». Y entonces ella dijo:

—Claro que sí. No te había reconocido.

Él respiró. Teresa le sonreía, le tendía la mano. El contacto fue muy breve, apenas sintió el roce de los dedos de la muchacha, pero todo su cuerpo se serenó y desaparecieron el malestar, la agitación de sus miembros, y el miedo.

—¡Qué suspenso! —dijo el flaco Higueras.

Estaba en una esquina, mirando distraídamente a su alrededor mientras el heladero le servía un barquillo doble de chocolate y vainilla; a unos pasos de distancia, el tranvía Lima-Chorrillos se inmovilizaba con un breve chirrido junto a la caseta de madera, la gente que esperaba en la plataforma de cemento se movía y congregaba ante la puerta metálica bloqueando la salida, los pasajeros que bajaban tenían que abrirse pasó a empujones, Teresa apareció en lo alto de la escalerilla, la precedían dos mujeres cargadas de paquetes: en medio de esa aglomeración parecía una muchacha en peligro. El heladero le alcanzaba el barquillo, él alargó la mano, la cerró y algo se deshizo, bajo sus ojos la bola de helado se estrelló en sus zapatos, «miéchica, dijo el heladero, es su culpa, yo no le doy otro». Pateó al aire y la bola de helado salió despedida varios metros. Dio media vuelta, ingresó a una calle pero segundos después se detuvo y volvió la cabeza: en la esquina desaparecía el último vagón del tranvía. Regresó corriendo y vio, a lo lejos, a Teresa, caminando sola. La siguió, ocultándose detrás de los transeúntes. Pensaba: «ahorita entrará a una casa y no la volveré a ver». Tomó una decisión: «doy la vuelta a la manzana; si la encuentro al llegar a la esquina, me le acerco». Echó a correr, primero despacio, luego como un endemoniado, al doblar una calle tropezó con un hombre que le mentó la madre desde el suelo. Cuando se detuvo, estaba sofocado y transpiraba. Se limpió la frente con la mano, entre los dedos sus ojos comprobaron que Teresa venía hacia él.

—¿Qué más? —dijo el flaco Higueras.

—Conversamos —dijo el Jaguar—. Estuvimos conversando.

—¿Mucho rato? —dijo el flaco Higueras—. ¿Cuánto rato?

—No sé —dijo el Jaguar—. Creo que poco. La acompañé hasta su casa.

Ella iba por el interior de la calzada, él a la orilla de la pista. Teresa caminaba lentamente, a veces se volvía a mirarlo y él descubría que sus ojos eran más seguros que antes y por momentos hasta osados, su mirada más luminosa.

—¿Hace como cuatro[725] años, no? —decía Teresa—. Quizá más.

—Cinco —dijo el Jaguar; bajó un poco la voz—: Y tres meses.

—La vida se pasa volando —dijo Teresa—. Pronto estaremos viejos.

Se rio y el Jaguar pensó: «ya es una mujer».

—¿Y tu mamá? —dijo ella.

—¿No sabías? Se murió.

—Ese era un buen pretexto —dijo el flaco Higueras—. ¿Qué hizo ella?

---

[725] En la primera edición, Teresa menciona cinco años, y el Jaguar corrige la cifra, indicando que fueron seis.

—Se paró —repuso el Jaguar; tenía un cigarrillo entre los labios y miraba el cono de humo denso que expulsaba su boca; una de sus manos tamborileaba en la mesa mugrienta—. Dijo: «¡qué pena! Pobrecita».

—Ahí debiste besarla y decirle algo —dijo el flaco Higueras—. Era el momento.

—Sí —dijo el Jaguar—. Pobrecita.

Quedaron callados. Continuaron caminando. Él tenía las manos en los bolsillos y la miraba de reojo. De pronto dijo:

—Quería hablarte. Quiero decir, hace tiempo. Pero no sabía dónde estabas.

—¡Ah! —dijo el flaco Higueras—. ¡Te atreviste!

—Sí —dijo el Jaguar; miraba el humo con ferocidad—. Sí.

—Sí —dijo Teresa—. Desde que nos mudamos no he vuelto a Bellavista. Hace cuánto tiempo.

—Quería pedirte perdón —dijo el Jaguar—. Quiero decir por lo de la playa, esa vez.

Ella no dijo nada, pero le miró a los ojos, sorprendida. El Jaguar bajó la vista y susurró:

—Quiero decir, perdón por haberte insultado.

—Ya me había olvidado de eso —dijo Teresa—. Era una cosa de chicos, mejor ni acordarse. Además, después que el policía te llevó, tuve pena. Ah, sí, de veras —miraba al frente, pero el Jaguar comprendió que ya no veía sino el pasado, que iba abriéndose en su memoria como un abanico—, esa tarde fui a tu casa y le conté todo a tu mamá. Fue a buscarte a la comisaría y le dijeron que te habían soltado. Estuvo toda la noche en mi casa, llorando. ¿Qué pasó? ¿Por qué no volviste?

—Ese también era un buen momento —dijo el flaco Higueras. Acababa de beber su copa de pisco y aún la tenía suspendida junto a su boca, con dos dedos—. Un momento bien sentimental, a mi parecer.

—Le conté todo —dijo el Jaguar.

—¿Qué es todo? —dijo el flaco Higueras—. ¿Que viniste a buscarme con una cara de perro apaleado, le contaste que te volviste un ladrón y un putañero?

—Sí —dijo el Jaguar—. Le conté todos los robos, es decir, los que me acordaba. Todo, menos lo de los regalos, pero ella adivinó, ahí mismo.

—Eras tú —dijo Teresa—. Todos esos paquetes me los mandabas tú.

—Ah —dijo el flaco Higueras—. Te gastabas la mitad de las ganancias en el burdel y la otra mitad comprándole regalos. ¡Qué muchacho!

—No —dijo el Jaguar—. En el bulín no gastaba casi nada, las mujeres no me cobraban.

—¿Por qué hiciste eso? —preguntó Teresa.

El Jaguar no contestó: había sacado las manos de los bolsillos y jugaba con sus dedos.

—¿Estabas enamorado de mí? —dijo Teresa; él la miró y ella no había enrojecido; su expresión era tranquila y suavemente intrigada.

—Sí —dijo el Jaguar—. Por eso me peleé con el muchacho de la playa.

—¿Tenías celos? —dijo Teresa. En su voz había ahora algo que lo desconcertó: una indefinible presencia, un ser inesperado, huidizo y soberbio.

—Sí —dijo el Jaguar—. Por eso te insulté. ¿Me has perdonado?

—Sí —dijo Teresa—. Pero tú debiste volver. ¿Por qué no me buscaste?

—Tenía vergüenza —dijo el Jaguar—. Pero una vez volví, cuando agarraron al flaco.

—¡También le hablaste de mí! —dijo el flaco Higueras, orgulloso—. Entonces le contaste todo de verdad.

—Y ya no estabas —dijo el Jaguar—. Había otra gente en tu casa. Y también en la mía.

—Yo siempre pensaba en ti —dijo Teresa. Y añadió, llena de sabiduría—: ¿Sabes? A ese muchacho que le pegaste en la playa, no lo volví a ver.

—¿Nunca? —dijo el Jaguar.

—Nunca —dijo Teresa—. No volvió más a la playa —lanzó una carcajada; parecía haber olvidado la historia de los robos y los burdeles; sus ojos sonreían, despreocupados y divertidos—. Seguro se asustó. Pensaría que le ibas a pegar otra vez.

—Yo lo odiaba —dijo el Jaguar.

—¿Te acuerdas cuándo ibas a esperarme a la salida del colegio? —dijo Teresa.

El Jaguar asintió. Caminaba muy cerca de ella y, a veces, su brazo la rozaba.

—Las chicas creían que eras mi enamorado —dijo Teresa—. Te decían «el viejo». Como siempre estabas tan serio...

—¿Y tú? —dijo el Jaguar.

—Sí —dijo el flaco Higueras—. Eso. ¿Y ella qué había hecho todo ese tiempo?

—No terminó el colegio —dijo el Jaguar—. Entró a una oficina como secretaria. Todavía trabaja ahí.

—¿Y qué más? —dijo el flaco Higueras—. ¿Cuántos moscardones[726] en su vida, cuántos amores?

—Estuve con un muchacho —dijo Teresa—. A lo mejor vas y le pegas, también.

Los dos se rieron. Habían dado varias vueltas a la manzana. Se detuvieron un momento en la esquina y, sin que ninguno lo sugiriera, iniciaron una nueva vuelta.

—¡Vaya! —dijo el flaco—. Ahí la cosa comenzó a ponerse bien. ¿Te contó algo más?

—Ese tipo la plantó —dijo el Jaguar—. No volvió a buscarla. Y un día lo vio paseándose de la mano con una chica de plata, una chica decente, ¿me entiendes? Dice que esa noche no durmió y pensó hacerse monja.

El flaco Higueras se rio a carcajadas. Había terminado otra copa de pisco y le indicó por señas al hombre que servía que volviera a llenársela.

---

[726] *Moscardones.* Pretendientes o admiradores que la rondaban.

—Estaba enamorada de ti, no hay nada que hacer —dijo el flaco Higueras—. Si no, jamás te hubiera contado eso. Porque las mujeres son una barbaridad de vanidosas. ¿Y tú qué hiciste?

—Me alegro que ese tipo te plantara —dijo el Jaguar—. Bien hecho. Para que sepas cómo me sentía yo cuando ibas a la playa con ese al que le pegué.

—¿Y ella? ¿Y ella? —dijo el flaco.

—Eres un vengativo —dijo Teresa.

Además, simuló golpearlo. Pero no bajó la mano que había levantado burlonamente, la conservó en el aire mientras sus ojos, de improviso locuaces, lo desafiaban con dichosa insolencia. El Jaguar cogió la mano que lo amenazaba. Teresa se dejó ir contra él, apoyó el rostro en su pecho y, con la mano libre, lo abrazó.

—Era la primera vez que la besaba —dijo el Jaguar—. La besé varias veces; quiero decir en la boca. Ella también me besó.

—Se entiende, compañero —dijo el flaco—. Claro que se entiende. ¿Y al cuánto tiempo se casaron?

—Al poco tiempo —dijo el Jaguar—. A los quince días.

—Qué apuro —dijo el flaco. Nuevamente, tenía la copa de pisco en la mano y la movía con inteligencia: el líquido transparente llegaba hasta el mismo borde y regresaba.

—Ella fue a esperarme al día siguiente a la agencia. Nos paseamos un rato y después fuimos al cine. Y esa noche me dijo que le había contado todo a su tía y que estaba furiosa. No quería que me viera más.

—¡Qué atrevimiento! —dijo el flaco Higueras. Había exprimido medio limón en su boca y ahora acercaba a los labios la copa de pisco, con una mirada ferviente y codiciosa—. ¿Qué hiciste?

—Pedí un adelanto en el banco. El administrador es buena gente. Me dio una semana de permiso. Me dijo: «me gusta ver cómo se suicida la gente. Cásese nomás, y el próximo lunes está usted aquí, a las ocho en punto».

—Háblame un poco de la bendita tía —dijo el flaco Higueras—. ¿Fuiste a verla?

—Después —dijo el Jaguar—. Esa misma noche, cuando Teresa me contó lo de su tía, le pregunté si quería casarse conmigo.

—Sí —dijo Teresa—. Yo sí quiero. Pero ¿y mi tía?

—Que se vaya a la mierda —dijo el Jaguar.

—Jura que le dijiste mierda con todas sus letras —dijo el flaco Higueras.

—Sí —dijo el Jaguar.

—No digas lisuras en mi delante[727] —dijo Teresa.

—Es una chica simpática —dijo el flaco Higueras—. Por lo que me cuentas, veo que es simpática. No debiste decir eso de su tía.

—Ahora me llevo bien con ella —dijo el Jaguar—. Pero, cuando fuimos a verla, después de casarnos, me dio una cachetada.

—Debe ser una mujer de carácter —dijo el flaco Higueras—. ¿Dónde te casaste?

—En Huacho[728]. El cura no quería casarnos porque faltaban las proclamas[729] y no sé qué otras cosas. Pasé un mal rato.

—Me figuro, me figuro —dijo el flaco Higueras.

—¿No ve usted que me la he robado? —dijo el Jaguar—. ¿No ve que casi no me queda plata? ¿Cómo quiere que espere ocho días?

La puerta de la sacristía estaba abierta y el Jaguar divisaba, tras la cabeza calva del cura, un trozo de pared de la

---

727 *En mi delante.* Delante de mí.

728 *Huacho.* Ciudad a unos 150 km al norte de Lima.

729 *Proclamas.* Avisos públicos para una boda, para que quienes tengan algo que objetar puedan acudir y manifestarlo. Si no se respetan los tiempos, se despiertan sospechas en la comunidad, porque puede tratarse de una boda de emergencia, por embarazo, por ejemplo.

iglesia: los exvotos[730] de plata resaltaban en el enlucido[731] sucio y con cicatrices. El cura tenía los brazos cruzados sobre el pecho, sus manos se calentaban bajo las axilas como en un nido; sus ojos eran pícaros y bondadosos. Teresa estaba junto al Jaguar, la boca ansiosa, los ojos atemorizados. De pronto, sollozó.

—¡Me dio una cólera cuando la vi llorando! —dijo el Jaguar—. Lo agarré al cura del pescuezo.

—¡No! —dijo el flaco—. ¿Del pescuezo?

—Sí —dijo el Jaguar—. Se le salían los ojos del ahogo.

—¿Saben cuánto cuesta? —dijo el cura, frotándose el cuello.

—Gracias, padre —dijo Teresa—. Muchísimas gracias, padrecito.

—¿Cuánto? —dijo el Jaguar.

—¿Cuánto tienes? —preguntó el cura.

—Trescientos soles —dijo el Jaguar.

—La mitad —dijo el cura—. No para mí, para mis pobres.

—Y nos casó —dijo el Jaguar—. Se portó bien. Compró una botella de vino con su plata y nos la tomamos en la sacristía. Teresa se mareó un poco.

—¿Y la tía? —dijo el flaco—. Háblame de ella, por lo que más quieras.

—Regresamos a Lima al día siguiente y fuimos a verla. Le dije que nos habíamos casado y le mostré el papel que nos dio el cura. Entonces me lanzó la cachetada. Teresa se enfureció y le dijo eres una egoísta y una tal por cual[732], Al fin, terminaron llorando las dos. La vieja decía que la íba-

---

[730] *Exvoto.* Objeto religioso en forma de parte humana para las peticiones milagrosas.

[731] *Enlucido.* Superficie pintada.

[732] *Una tal por cual.* Una esto y lo otro. Es decir, sigue ajustándole las cuentas, pero no especifica qué más le retrae.

mos a abandonar y que se iba a morir como un perro[733]. Le prometí que viviría con nosotros. Entonces se calmó y llamó a los vecinos y dijo que había que celebrar la boda. No es mala gente, un poco renegona[734], pero no se mete conmigo.

—Yo no podría vivir con una vieja —dijo el flaco Higueras, súbitamente desinteresado de la historia del Jaguar—. Cuando era chico vivía con mi abuela, que estaba loca. Se pasaba el día hablando sola y persiguiendo unas gallinas que no existían. Me asustaba. Vez que veo a una vieja me acuerdo de mi abuela. No podría vivir con una vieja, todas son un poco locas.

—¿Qué vas a hacer ahora? —dijo el Jaguar.

—¿Yo? —dijo el flaco Higueras, sorprendido—. No sé. Por lo pronto, emborracharme. Después, ya se verá. Quiero pasearme un poco. Hace tiempo que no veo la calle.

—Si quieres —dijo el Jaguar—, ven a mi casa. Mientras tanto.

—Gracias —dijo el flaco Higueras, riendo—. Pero pensándolo bien, me parece que no. Ya te dije que no puedo vivir con viejas. Y, además, tu mujer me debe odiar. Mejor que ni sepa que he salido[735]. Algún día te iré a buscar a la agencia donde trabajas para que nos tomemos unas copas. A mí me encanta conversar con los amigos. Pero no podremos vernos con frecuencia; tú te has vuelto un hombre serio y yo no me junto con hombres serios.

—¿Vas a seguir en lo mismo? —dijo el Jaguar.

—¿Quieres decir robando? —el flaco Higueras hizo una mueca—. Supongo que sí. ¿Sabes por qué? Porque la cabra tira al monte[736], como decía el Culepe. Por ahora me convendría salir de Lima.

---

[733] *Como un perro*. Aquí, sola como un perro.

[734] *Renegona*. Que suele renegar, protestar o quejarse.

[735] Se entiende que de la cárcel.

[736] *La cabra tira al monte*. Expresión que significa que uno hace lo que está en su naturaleza, sin que lo pueda evitar.

—Yo soy tu amigo —dijo el Jaguar—. Avísame si puedo ayudarte en algo.

—Sí puedes —dijo el flaco—. Págame estas copas. No tengo ni un cobre.

Apéndices

Versiones: de los manuscritos
a los mecanoscritos y la edición final

Centauro Blue: los manuscritos iniciales

Aunque en esta edición no se pretenda realizar una crítica genética, es decir, un seguimiento detallado del proceso de escritura, de su evolución, desde su génesis, desde el primer embrión, hasta su publicación final, es necesario, por lo menos, establecer, aunque sea de forma algo esquemática, los distintos pasos que llevaron hasta la versión que salió de imprenta. Para ello, resulta esencial, una vez más, recurrir a los materiales del archivo del escritor, en la biblioteca Firestone de la Universidad de Princeton. En concreto, se encuentra un cuaderno Centauro Blue (Mario Vargas Llosa Papers (C0641), serie 1: cuadernos, caja 3, carpeta 1), como puede verse en la imagen 1, que contiene la primera versión conocida, manuscrita, del inicio de la novela: numerados como dos capítulos, los materiales corresponden, en su mayoría —a excepción de algún fragmento desechado—, al primer capítulo de la primera parte de la novela. Las primeras treinta páginas están escritas en tinta azul, mientras que las restantes lo están a lápiz. En la carpeta que contiene la libreta, puede verse también una tarjeta fechada en 1985, en Lima, donde Vargas Llosa, cuando organizaba el envío de su archivo a Princeton, anotó:

> Este cuadernillo es el manuscrito primero de *La ciudad y los perros,* mi primera novela. Contiene <u>borradores</u> de <u>los dos primeros capítulos</u>. Los escribí en Madrid, entre agosto de 1958 y julio de 1959. Comencé la novela a poco de llegar a España (agosto, 58) y la terminé en 1961, en París.

Lo que llama la atención, nada más abrir este «cuadernillo» —como el autor lo llama— es que el inicio no corresponde al archiconocido «—Cuatro —dijo el Jaguar», tan comentado por la crítica. En su lugar, puede leerse, con las tachaduras y los añadidos de la primera revisión realizada por el escritor (cfr. imagen 2), indicados entre corchetes:

> «Yo», pensó Porfirio Cava [domado por el fatalismo]: miraba [desorbitado] fijamente la [frenética] carrera ~~frenética~~ de los dados sobre las locetas [sic] descacaradas [sic] y brillantes pero sus ojos permanecían fríos.
> —~~Seis~~ [Cuatro] —dijo el Jaguar (cuaderno 1, 1).

La obra, por tanto, se iniciaba con ese «yo» que subrayaba el protagonismo de un personaje, Porfirio Cava, que iba a desempeñar un papel decisivo en cuanto a la puesta en marcha de la trama, pero que iba a desaparecer poco después. Es posible que el escritor decidiera eliminarlo para no darle un protagonismo excesivo, lo cual podía despertar expectativas equivocadas en el lector. Al optar por el inicio que elegirá finalmente, el número de la tirada de dados, reforzará uno de los elementos vertebradores de la novela, el fatalismo marcado por el azar y el juego, del que parece depender el destino de los personajes, y que echa a andar la novela.

Por otro lado, en este primer cuaderno aparece el nombre de pila del personaje del Boa, que es Medardo, a quien se atribuyen rasgos simiescos (cuaderno 1, 1). De Cava, se deturpa su nombre, con una forma popular («Porfidio», en lugar de Porfirio). Asimismo, en su camino para realizar el robo del examen, el personaje se encuentra con una llama (la vicuña de la versión final), se dan más detalles de su origen (Ayacucho), y se menciona el colegio militar, aunque ocultando su verdadero nombre:

> [...] ese animal, que sin embargo, ~~en la hacienda de su padre~~ [tachado en lápiz], en la sierra de Ayacucho, a más de tres mil metros sobre el nivel del mar, abundaba como la papa. ¡Pero aquí, en la costa, en el colegio militar Remigio Fonseca una llama! (cuaderno 1, 8).

El nombre de Remigio Fonseca no coincide con ningún héroe patrio, es un nombre inventado, por lo que parece ser que el joven escritor intuía ya los problemas que le podía acarrear situar la acción de su obra en la institución, con su nombre real, así que evitaba esa vinculación. Quizás por ello la imagen de este supuesto héroe, Remigio Fonseca, se muestra aquí aún más absurda e inútil que la que invoca en la novela a la del mártir de la patria, Leoncio Prado (I, I [3], 252):

> A su espalda estaba la estatua del héroe Remigio Fonseca, coloreada a trozos por un comienzo de musgo, envuelta por la neblina, completamente ridículo en esa fiera actitud amenazante de su espada desenvainada, desafiando al vacío, a un oculto e inexistente enemigo, detrás de la oscuridad, al mar (cuaderno 1, 19).

Otros cambios corresponden a la alteración en el orden de las secuencias, que será algo habitual en las distintas versiones, como si el autor probara el efecto contrapuntístico que podía producir el montaje de las distintas escenas y voces. Así, por ejemplo, tras la secuencia inicial, aparecerán, en esta primera versión, los fragmentos del monólogo interior del personaje de Alberto, que corresponden a la tercera secuencia, y no la voz narrativa omnisciente no fiable que introduce los recuerdos del pasado de Richi, y que forman parte de la segunda secuencia en la edición final. Además, con quien se encuentra Alberto aquí, en la noche del robo, que se sitúa en un jueves —y no un viernes—, mientras está de imaginaria y busca al Jaguar para preguntarle por el examen, es con el teniente Gamboa, y no con el teniente Remigio Huarina, con quien mantiene la conversación sobre la consulta moral, sugerida por el capitán Núñez y no por el coronel. A pesar de llevar el nombre de Gamboa, su personalidad no corresponde al personaje tal y como acabará siendo en la novela; en este primer cuaderno, quien se ajusta a ese perfil es otro personaje con el nombre de Luis Moreno, cuya esposa se llama Ana —y no Rosa—, al que Vargas Llosa dedica toda una secuencia que parece un *flashback* y en la que lo muestra en una reunión organizada por el coronel, todavía en tiempos de la presidencia de Bustamante y Rivero, donde el director critica los levantamientos en Arequipa que precedieron al golpe de Estado del general Odría, y que sugiere su simpatía por una intervención del ejército (texto 1), como acabará sucediendo, episodio que será eliminado en última instancia. Detalles que, sencillamente, ponen de manifiesto los diversos ajustes realizados a lo largo del proceso de redacción de la obra. Ajustes que afectan, incluso, al apellido de uno de los protagonistas, Alberto, que en este cuaderno es Ruiz (cuaderno 1, 27), en lugar de Fernández Temple, aunque en ocasiones los cambios sean más radicales, como la aparición del personaje del mestizo Saturnino (cuaderno 1, 25), como compañero de carpeta o pupitre de Alberto, que será sustituido por el negro Vallano en la novela, o la eliminación final de otro cadete, un tal Víctor Saldívar (cuaderno 1, 50), que se menciona.

En este primer cuaderno, el personaje de Alberto presenta algunas diferencias importantes; así, desde que aparece, no solo ya ha conocido a la Pies Dorados, dos semanas atrás, sino que está enamorado de ella. Además, el cadete adquiere especial protagonismo, y revela más referencias autobiográficas que refuerzan la conexión con el autor. Paralelamente, también parece más significativa su relación con el Esclavo. Por ejemplo, el diálogo que establece con este otro relevante personaje en el primer capítulo es aquí más largo, y se nota más el efecto especular entre ambos que se quiere producir en el lector. Como se evidencia en la reacción de Alberto cuando se da cuenta de que el Esclavo está llorando:

> De golpe, esa cara lánguida y llorosa le había devuelto una imagen que creía olvidada para siempre: él tendido en la última litera de la segunda sección, hacía tres años, a las dos semanas de entrar al Colegio Militar, sin poder dormir en la tibia noche de verano, aterrado de que alguien lo descubriera, llorando y mordiéndose los labios, pensando en Miraflores. «Él ha seguido los tres años como yo estaba entonces» pensó. «¿Cómo es posible? ¿Cómo ha podido soportarlo?» (cuaderno 1, 41).

Es decir, la actitud del Esclavo remite a Alberto el recuerdo de su propia experiencia pasada, como si fuera su reflejo. De hecho, aunque Alberto y el Esclavo se muestren en este primer cuaderno, desde un principio, como dos personajes diferenciados, Vargas Llosa atribuía a Alberto el pasado que acabará adjudicando al Esclavo; así, en esta primera versión, dentro de lo que está numerado como capítulo II, puede encontrarse la reconocible segunda secuencia del primer capítulo de la primera parte de la novela (I, I [2]), aunque aquí protagonizada por Alberto —y no por Richi-Ricardito—:

> Alberto ha olvidado la casa de la avenida Salaverry, en Magdalena Nueva, donde vivió desde la misma noche en que pisó Lima por primera vez, después de un agotador

viaje en automóvil de veinticuatro horas, a través de pueblos, arenales, valles minúsculos, arenales, a ratos el mar, pueblos y arenales. Pegado el rostro contra la ventanilla, sentía una excitación violenta y pensaba: «Voy a ver Lima». A ratos, su madre lo abrazaba, murmurando: «Beto, Betito». Él pensaba: «¿Por qué llora?». Los otros pasajeros permanecían indiferentes: dormitaban o leían, y el chofer canturreaba monótonamente, hora tras hora, el mismo estribillo. De pronto, Alberto se volvía hacia su madre: «¿Falta mucho?». Debía repetir la pregunta porque su madre tenía siempre los ojos clavados adelante fijos como si contemplara alguna obsesionante visión en la carretera que el automóvil devoraba, y un extraño gesto. «¿Falta mucho?». «No, ya falta poco». Con una voluntad ciega soportó la mañana, la tarde y el comienzo de la noche, sin apartar la atención y la mirada de los alrededores, esperando ver surgir, de improviso, como una intempestiva y grandiosa aparición llamarada, las luces de la ciudad, sobreponiéndose a la modorra y al cansancio que iban ablandando sus miembros y embotando sus sentidos, repitiéndose con los dientes apretados: «No me dormiré». Y, de pronto, alguien lo movía, con dulzura. «Ya llegamos, Beto, despierta». Estaba en las faldas de su madre, tenía la cabeza apoyada en el hombro de ella y sentía malestar y frío. No se movió. Unos labios tiernos rozaban su frente. [...] (cuaderno 1, s. n. [68-70]).

Puede constatarse, de este modo, a lo largo de todo el segundo capítulo del primer cuaderno, que aparecen, una detrás de otra, probablemente escritas de un tirón, las secuencias con el conocido «ha olvidado», aquí todavía atribuidas a Alberto, que, después, se irán diseminando de los capítulos III a VII de la primera parte, en relación a Ricardo Arana. Muy posiblemente, como apunta un fragmento suelto[1] (cuaderno 1, s. p. [87-88]) donde se refiere a un

---

[1] A lápiz, ya al final de este cuaderno, anota: «Fue hacia ellas lleno de un curioso sentimiento de curiosidad, malestar y temor. No se sorpren-

personaje —don José— que fue desarrollando más adelante —en los mecanoscritos— como don Pepe, pero que, al final, desestimará, Vargas Llosa pensara, en un primer momento, caracterizar al Esclavo por el abuso sexual que aquel le infligiera en la infancia.

Por último, vale la pena destacar que, en estas pocas páginas, utiliza frecuentemente una imagen infernal, que cobrará mayor sentido más adelante, como puede observarse en el diálogo entre Alberto y el Esclavo durante su guardia nocturna: «Creo que uno puede llegar a acostumbrarse [a vivir en el] al infierno, si sabe arreglárselas» (cuaderno 1, 37). O, un poco más adelante: «Trata de comprender eso y vas a soportar mejor el infierno» (cuaderno 1, 40).

Asimismo, en otra carpeta del mismo archivo (serie 1: cuadernos, caja 3, carpeta 2), va otro cuadernillo, otro Centauro Blue, con treinta y siete páginas escritas sin numerar, que contiene otros dos capítulos, numerados como cuatro y cinco, de la primera parte de la novela, como apunta el mismo escritor en otra tarjeta que acompaña al texto. Estos dos cuadernos azules, ambos de la marca Centauro Blue, por tanto, son los únicos dos manuscritos iniciales de la novela, y fueron redactados en Madrid.

---

dió al ver que se trataba de mujeres: lo esperaba, oscuramente, lejanamente, intuía que hallaría ahí algo más que las imágenes masculinas violentas de asaltos y proezas heroicas de las revistas que hojeaban en el parque. Pero no pudo evitar una oleada de rubor y una expresión de asombro y perplejidad que dilató sus pupilas y sus labios y humedeció su frente y sus manos, cuando, a medida que avanzaba en las páginas, comprobaba que las mujeres aparecían cada vez más desnudas, que surgían hombres también desvestidos, de ojos insolentes y que pronto se sucedían imágenes espeluznantes e insólitas, de grandes acoplamientos iluminados a varias tintas. No se atrevía a levantar la cabeza. Como un peso en la espalda sentía la presencia próxima de don José, que respiraba con fuerza, como si solo ahora se sintiera agotado por la intensa caminata desde el parque».

Borradores A, B, C, D y E: de los mecanoscritos a la edición final

El proceso creativo de la novela puede seguirse con el cotejo de los mecanoscritos o versiones transcritas a máquina. En el archivo del autor, pueden encontrarse hasta cinco borradores consecutivos, que, por falta de espacio, no pueden ser comentados aquí de forma extensa, aunque se destacarán algunos cambios que resultan relevantes y significativos, y que van a contribuir a la configuración final de la novela.

Para empezar, en el borrador A («A Draft»; serie 2: obras, caja 14, carpeta 8), incompleto, se encuentran dos versiones del epílogo. En la más antigua —que el autor data en Madrid (1958-1959) o París (1960), el orden de las secuencias varía y la novela terminaba con el teniente Gamboa perdiéndose en el horizonte, en solitario, como si se tratara de una escena clásica de un western. Asimismo, el personaje femenino que acabará convirtiéndose en Teresa —nombre de santa— llevaba otro nombre: Nora. Puede ser aventurado lanzar una hipótesis sobre el cambio: sin embargo, no se puede evitar relacionar ese otro nombre con una heroína de la literatura universal, la protagonista de *Casa de muñecas* (1879) de Henrik Ibsen, todo un símbolo de los tempranos intentos de liberación de la mujer. La actitud sumisa que acaba adoptando el personaje, en su evolución, se había concebido de un modo distinto, inicialmente, más reivindicativo e independiente; así, el nombre de Nora podía sugerir a los lectores más avispados un espíritu rebelde que no se va a mantener, ya que acabará encarnando la figura femenina por antonomasia —según los parámetros de la época—: discreta, modesta, decente, práctica y, sobre todo, paciente.

En la carpeta 10 comienza el borrador B («B Draft»), el segundo mecanoscrito, con dos versiones del capítulo inicial, una de ellas ya con el comienzo que conocemos (cfr. imágenes 3 y 4). No obstante, lo más relevante de este borrador es que incluye un esquema del capítulo I y II de la primera parte, es decir, el guion de los hechos que se van a desarrollar, de forma sucinta, aunque muy pormenorizada, lo que revela el método de trabajo del escritor[2] y una imaginación muy visual, muy cinematográfica:

CAPÍTULO I

1. El baño de la primera sección del quinto año. Poco después de medianoche. El círculo: el Jaguar, el Rulos, Boa y Porfirio Cava. El sorteo. La cuadra en tinieblas. Cava sale al patio, atraviesa la pista de desfile, encuentra a la vicuña, llega a las aulas, roba el examen, rompe un vidrio, vuelve a la cuadra donde el Jaguar lo espera. Disputa. Deciden no vender las preguntas del examen y negar el robo.

...

2. Diez años antes. Ricardo Arana y su madre viajan en un colectivo de Chiclayo (donde vivían con una tía) a Lima. El viaje: la impresión borrosa de los arenales, los pueblos en ruinas, la ansiedad por ver Lima. Lima a oscuras. El encuentro con el padre: hecho clave. El odio al padre, a la madre. La primera noche en la casa de la Avenida Salaverry.

...

---

[2] Y que, además, simultaneaba con su trabajo en la ORTF, como se advierte en alguna anotación en el reverso (carpeta 14, 311):

«El servicio en lengua española de la Radiodifusión Televisión Francesa presenta un programa destinado especialmente a las raíces de América Latina.

»CORTINA

»Radiamos este programa por ondas cortas de 25 metros 32 (11,845) Hzs 25 mts 64 (11,700) Klzs

»Agradeceríamos a nuestros oyentes nos comunicaran las condiciones en que captan esta emisión escribiendo a la Radiodifusión Televisión Francesa emisiones en lengua española, avenida de los Champs Élysées 118 Paris.

»Queridos oyentes.

Buenas noches».

3. Alberto, de imaginaria, camina junto a la baranda exterior, detrás de las cuadras. Necesita veinte soles, para ir donde la Pies Dorados, fetiche de la sección, pero desde que se separó de su padre, su madre no recibe un centavo de este. Vaga alusión a las novelas y a las cartas. Distraído, se acercó a la Prevención. Lo sorprende el Teniente Huarina, cerca de la estatua. El cadete y el oficial: el pánico, el engaño, el miedo a la consigna. Búsqueda del Jaguar para comprar las preguntas del examen de química. Encuentro con los imaginarias: las timbas nocturnas. Encuentro con el Esclavo. Surge una amistad. (El Esclavo vio a Cava pasar hacia las aulas.) El robo del sacón.

...

4. Diez años antes. Descripción del territorio del barrio. La casa nueva de Alberto, que vivía hasta entonces en San Isidro. Alusión a las relaciones entre los padres. Dos personajes del barrio: Tico y Pluto. El juego junto al garaje. Alberto se incorpora al barrio.

...

5. Boa, en su litera de la cuadra piensa, confundidas: la historia de la gallina y la tentativa de violación de un muchacho de la novena. El sistema del círculo. La exaltación, la violencia, el predominio del Jaguar. El círculo y los otros...

CAPÍTULO II

a) <u>La diana.</u> El colegio al amanecer. Las reacciones de los perros, los de cuarto y los de quinto.

b) <u>La sección se despierta.</u> Alberto y el Esclavo. Día de salida. Las camas y el baño. Alberto y el Jaguar: las preguntas del examen.

c) <u>La formación.</u> El teniente Gamboa. El oficial y los cadetes: relación. Los ángulos rectos. La violencia física y la humillación. Los suboficiales.

d) <u>Los cadetes en el comedor.</u> En una mesa: Alberto, el Esclavo, el Jaguar, Cava, Arróspide. Alberto y Vallano: el examen.

e) <u>En las aulas.</u> Los combates en las escaleras. El suboficial Pezoa, la rata. El profesor de Química: borroso. El examen, bajo la vigilancia de Gamboa.

f) <u>Las campañas de los sábados.</u> Gamboa y el perfecto oficial. El reglamento, la disciplina. La historia del

g) <u>Círculo.</u> El ingreso al colegio, tres años antes. El bautizo del Esclavo. El miedo y la muerte de la vida civil: la humillación sistemática, el sometimiento, las peleas de perros, las apuestas, el perro y la perra. Tender camas.

h) <u>La sección en la noche después del bautizo.</u> Nace el Círculo. El Jaguar. Las venganzas. Las emboscadas. Vida y muerte del Círculo. La pandilla del Jaguar.

i) <u>La solidaridad de la sección.</u> Gamboa descubre el Círculo y lo destruye. La primera salida perdida. El Jaguar y el Esclavo. En la calle. La muerte del cadete Arana. Nuevas relaciones en la sección. Muere la solidaridad y nace la

~~f) Complicidad. Historia de cuarto año. El combate del Jaguar en el cine. El odio cuarto-quinto. La kermesse. El juego de la soga ante el Ministro de Educación. La batalla en el estadio. El coronel y las fiestas.~~

g) <u>el aula, de nuevo.</u> Arana consignado por pasar el examen a Alberto.

En la carpeta 15, comienza el borrador C («C Draft»), que es el primero que tiene portadilla, en papel blanco, con el título de *Los impostores,* fechado en París en 1961; pero todavía se trata de capítulos en papeles sueltos. A mano, en la primera hoja, en tinta azul, aparece, por primera vez, un epígrafe, aunque será distinto a los que incluirá posteriormente y quedarán en la versión final. En esta ocasión, tentativamente, utilizará una cita de Arthur Rimbaud, del poema en prosa «Nuit en enfer», de *Une saison en enfer [Una temporada en el infierno]* (1873): *«Je me croi en enfer, donc j'y suis».* Este fragmento encaja, de hecho, a la perfección con la primera versión manuscrita del cuaderno azul, y resalta su sentido, porque en ella aparecen, como se ha indicado, muchas referencias infernales.

En este tercer mecanoscrito, o borrador C, no está dividida la obra, todavía, en dos partes, sino que los capítulos muestran una numeración continua, como se puede comprobar al revisar la siguiente carpeta (caja 15, carpeta 1), donde aparecen los capítulos IX y X, que no coinciden con la numeración de la versión final, sino que corresponden, ambos, al capítulo I de la segunda parte, ya que acabarán fusionados. Sin embargo, la cuestión más relevante tiene que ver con el personaje de Teresa, que ya aparece con este nombre, pero sigue manteniendo características algo más provocadoras, como puede verse en un fragmento que será finalmente tachado con bolígrafo azul y, por tanto, eliminado (cfr. texto 2). De esas cuatro páginas del borrador C, Vargas Llosa solo conservará, en la versión final de la novela, la última frase («¿Vendría [a verla] este sábado?», II, III [2], 541), que es con la que abre la sección ya mencionada al principio, y todo lo anterior fue cortado y desestimado. De nuevo, para el escritor, menos es más.

En la siguiente versión, el borrador D («D draft», serie 2: obras, caja 16, carpeta 1), por primera vez se divide la novela en dos partes —más el epílogo—, tal y como acabará publicándose. Así, puede encontrarse un volumen encuadernado en cartón marrón con el título de *Los impostores,* fechado en 1961, y la cifra «I» en números romanos, a mano, que corresponde a la primera parte, con 337 páginas y dividida con el número de capítulos que conocemos. En la primera página, en bolígrafo azul, van su nombre y su dirección: «Mario Vargas Llosa 17, rue de Tournon Paris Viè» y, en la página siguiente: «Del autor: *LOS JEFES* (Premio "Leopoldo Alas"). Barcelona, Editorial Rocas, 1959 (Cuentos)». Asimismo, ya incluye el epígrafe de Jean Paul Sartre, pero como si fuera para toda la novela —y no solo para la primera parte—, porque no aparecen los correspondientes a la segunda, ni al epílogo (en el volumen II, ya en la carpeta 2).

Sin embargo, resulta más importante, para los efectos de la transformación y evolución textual, la copia en papel carbón, idéntica, en principio, pero que contiene un gran número de correcciones, comentarios y tachaduras, que se encuentra en la carpeta 3 y puede ser considerada distinta, de ahí que haya sido etiquetada como borrador E (o «E Draft», serie 2: obras, caja 16, carpetas 3-4, y caja 17, carpetas 1-2). Lo cierto es que este volumen, también encuadernado en cartón marrón y con el I marcado a mano, tiene, en cambio, otro título en su portada exterior, escrito a mano y curioso, por la tachadura: *LA ESTIRPE MORADA DEL HÉROE* (cfr. imagen 6). Este borrador está lleno de importantes revisiones —añadidos o cambios—, indicaciones o comentarios y cortes o supresiones.

Entre los añadidos, por ejemplo, se observa en la portada que estaba barajando otros títulos, que anota a mano debajo del ya mecanoscrito de *LOS IMPOSTORES: LOS CACHORROS DEL HÉROE* (cfr. imagen 7). Se trata de variaciones sobre un mismo tema, de algún modo, a partir del protagonismo del héroe, que quedaba conscientemente ambiguo, porque no se podía inferir, de forma clara, a quién se refería; en principio, como es lógico, parece tratarse de la figura de Leoncio Prado, que da nombre a la institución y cuya estatua domina el espacio que alberga a los cadetes, sin embargo, también parece sugerir cierto cuestionamiento de esa heroicidad, trasladada a la herencia o a su supuesta descendencia. Asimismo, la imagen de los cachorros jugaba con una animalidad que, finalmente, mantendrá en el título, para reservar el de *Los cachorros* para su novela corta posterior, con la que se establece también un vínculo.

En cuanto a los cambios, algunos son de detalle, aunque significativos. Por ejemplo, en el capítulo 1, borra «la sierra» (10) y escribe en su lugar «los Andes», es decir, elimina una expresión muy utilizada a nivel nacional pero que podía no ser entendida plenamente en el exterior y, por tanto, la sustituye, pensando en ese público más amplio. Otras revisiones responden a cuestiones de estilo y demuestran su relectura a conciencia, atendiendo a los tiempos verbales (53) o a la reordenación de las secuencias de los capítulos para lograr ciertos efectos de montaje (95). En algunas, incluso, lleva a cabo anotaciones que ponen de manifiesto su propia valoración respecto al proceso de escritura, como cuando, en el margen superior del cuarto capítulo de la primera parte, en tinta azul, advierte: «Rehacer íntegramente: diálogo poco natural, descripciones imperfectas, demasiados detalles inútiles, reducir al menos diez páginas» (132).

Desde luego, las supresiones van a ser muy importantes. De hecho, a menudo se suele repetir que un buen escritor se reconoce por lo que descarta, por su capacidad de borrar, tachar y eliminar. Y, llegados a este punto, a este borrador E, tendrá que tomar decisiones relevantes, entre las que destaca, sobre todo, la eliminación de la «historia de don Pepe».

Este es, desde luego, el corte más extenso (parte I, capítulo VII, 287-299 y, ya en la carpeta 4, parte II, capítulo IX, 361-364, cfr. textos 3 y 4 e imagen 8), donde Vargas Llosa, finalmente, decide quitar todo un episodio de abusos a los que se ve sometido Ricardo Arana de niño, en manos de un pederasta, don Pepe. Sus amigos Abelardo Oquendo y Luis Loayza también le aconsejarán deshacerse de esa parte. Al desechar estas páginas, en las que se justificaba el comportamiento retraído, tímido e introvertido del Esclavo, debido a esa experiencia que lo convertía en víctima, se reivindicaba, por el contrario, el derecho de cualquiera a ser diferente, sin necesidad de recurrir a ningún trauma pasado para hacerlo creíble. Ese episodio, como explicación, resultaba, después de todo, limitador.

No obstante, no va a ser esta la única supresión significativa, ya que, en esta versión, elimina un buen número de párrafos de distintas páginas. De todos ellos, quizás el otro descarte más significativo se produzca dentro del mismo capítulo VIII (331-334) de la primera parte, y está relacionado con el episodio que cuenta la experiencia bélica del capitán Garrido en el conflicto Perú-Ecuador (cfr. texto 5 e imagen 9), y que se engarzaba tras terminar el párrafo con la frase: «Porque el capitán Garrido sabía que la guerra no era así» (I, VIII [1], 558). Este fragmento muestra el horror de la guerra, encarnado en la violencia sexual contra las mujeres, en un episodio que recuerda tanto a *La casa verde* como a *Pantaleón y las visitadoras*.

En la carpeta 4, se puede encontrar la segunda parte, aunque con la numeración continua todavía. Aún se aprecian cambios, como la eliminación de algunas referencias políticas inmediatas que dejará al margen, como cuando se remite a los supuestos héroes del pasado y, sobre todo, del presente, en relación con el general Odría: «Bolognesi disparando el último cartucho, San Martín enarbolando una bandera, Alfonso Ugarte con su caballo volador y el Presidente de la República con su uniforme de gala, acribillado de condecoraciones» (548). Otros resultan más técnicos, porque obedecen a la fusión de algunas partes (369). Escribe también comentarios al margen, donde parece hablar consigo mismo, como «Nada de reflexión, acción» (611, en el lateral derecho), o indicaciones en las que se recuerda a sí mismo el efecto que quiere causar, y en las que parece referirse a técnicas cinematográficas: «Otro plano, otra técnica. El tránsito debe ser insensible», «Tercer plano – la misma técnica que el anterior» (640), «otro plano» (642) o «Retorno al presente: la misma técnica que al principio. – El tránsito debe ser brusco, una sola frase larga = la aparición de un personaje» (639-643). En algunos casos, no obstante, ya evidentemente muy cansado, irrumpe con explosiones como «mierda» (466).

En la carpeta 1 de la caja 17, puede encontrarse, finalmente, la que Vargas Llosa considera la última versión de la obra, con el primer volumen encuadernado en cartón marrón (con título a mano, en mayúsculas de *LA CIUDAD Y LOS PERROS)* y lomo en tela azul oscuro, acompañado nuevamente de una tarjeta:

Esta debe ser la versión definitiva de *La ciudad y los perros*, terminada en París a fines de 1961. Lo deduzco por el título *(La morada del héroe)* que fue el título que elegí después de *Los impostores*. El título final —*La ciudad y los perros*— se lo puse ya sobre las pruebas de galera, en 1962 (Mario Vargas Llosa Lima, 1985).

Efectivamente, puede observarse que esa versión, como la anteriormente comentada, tampoco tiene las páginas numeradas, y es la que envió finalmente a Barral, con ese título e indicaciones sobre la procedencia del epígrafe de Sartre a mano; presenta todavía algunas tachaduras.

El segundo volumen, encuadernado de igual forma, en la carpeta 2, tampoco tiene páginas numeradas, pero sí lo están los capítulos, que ya siguen la disposición final (es decir, ocho capítulos más ocho capítulos más epílogo). Asimismo, se incluyen ya los epígrafes correspondientes a la segunda parte —aunque tacha, en azul, *«J'avais vingt ans»*— y al epílogo. Corrige errores, tipográficos en su mayoría, o hace pequeños cambios estilísticos[3] (para, como dice, «corregir y romper sonsonete»).

TEXTO 1

—Ha desaparecido toda noción de autoridad. Eso es lo que ocurre —había depositado el vaso de whisky sobre el brazo del sillón y miraba, uno por uno, a los que lo rodeaban, midiendo el efecto de sus palabras. [...]

---

[3] Como ocurre en el epílogo, por ejemplo, ante la duda frente a un pronombre en la frase «dio un pequeño rebote y luego Alberto se los alcanzó: estaba intacto», para lo que lleva a cabo el ejercicio gramatical siguiente, en la página lateral en blanco, escrito en rojo y con una llave que los agrupa: «Alberto alcanza el reloj a ellos / Alberto les alcanza el reloj / ~~Alberto se los al~~ / Alberto lo alcanza a ellos / Alberto ~~les~~ se lo alcanza».

—Las cosas están muy mal, ¿verdad, mi coronel? —preguntó alguien, al lado de Luis. Este lo miró por el rabillo del ojo. No lo conocía. [...]

—Sí, doctor —dijo el coronel, adelantando un poco la cabeza—. Efectivamente. Nosotros —sonrió— los militares, nos damos cuenta de esto mejor que ustedes, los civiles («Es un civil» —pensó Luis—. «Lo suponía»). Estamos acostumbrados a vivir en el orden, en la disciplina, a que todas las cosas ocurran de acuerdo a ¿cómo le diré? de acuerdo a una mecánica estricta. Para ello es preciso que exista una jerarquía rígida que cada persona se limite a hacer bien sus obligaciones y deje a no trate de meter las narices en asuntos que no le incumben. Un teniente se limita se preocupa por la marcha de su sección; el capitán, por la compañía, el mayor por el batallón. ¿Qué pasaría si un teniente quisiera que de infantería, quisiera indicarle a un mayor de administración cómo debe proceder para que el batallón no le falte comida y vestido?

El coronel se detuvo y rio. Automáticamente, las seis personas que lo escuchaban rieron también. Luis, la cara todavía distendida por la sonrisa mecánica, pensó: «Por favor, termina de una vez. Llevamos ya dos horas». Debía entrar de servicio a las seis de la mañana y ya comenzaba a preguntarse, angustiado, si todavía le quedaría el tiempo necesario cuando menos para ir a su casa a cambiarse el uniforme.

—Dígale usted, teniente Moreno. Dígale al doctor qué pasaría.

—Sería el caos —dijo Luis. Pero esas cosas no ocurren en el Ejército.

—Pero sí en el país —dijo el coronel, con voz solemne, miraba fijamente al doctor—. Están ocurriendo hace dos años. Y nosotros lo comprendemos mejor que nadie. ¿Ha leído usted los periódicos esta mañana, doctor?

Luis cerró los ojos: en la sombra apareció el rostro de Ana: sus ojos pardos parecían cargados de reproche. Sintió angustia. Miró el reloj, aparentando distracción: las doce y media. La angustia creció.

—Sí —dijo otra de las personas que Luis no conocía—. Los he leído. Con verdadero espanto, mi coronel, créame.

—Lo de Arequipa es francamente inicuo —exclamó el doctor, con indignación—. ¡Una turba saliendo a las calles a pedir que el Congreso reduzca a la mitad el Proyecto de partida para el Ejército!

—¿La mitad? —dijo el coronel otro de los civiles—. ¡Las tres cuartas partes, doctor, las tres cuartas partes!

Luis trató desesperadamente de contener un bostezo.

—No solo quieren que los oficiales y los soldados se mueran de hambre —dijo el prosiguió el hombre—. Se proponen debilitar el Ejército, privarlo de armamento. Para luego poder aplastarlo. Pero si sus pasquines hablan todos los días de eso. Planean la revolución. Un niño se daría cuenta.

Luis comprobó que el que hablaba tenía un ridículo bigotito mosca y que movía las manos como recitando. «¿Qué puedo hacer?» pensó.

—Pero hay gente —dijo el doctor—, que no le interesa comprender la situación. Lo de Arequipa es solo una minúscula muestra. Es el conjunto lo que nos puede dar una idea de lo que se viene. Hay huelgas cada dos días, por todo y contra todo. Uno no puede saber de su casa sin encontrarse con manifestaciones en cada esquina. Los pasquines de izquierda agravian cada día, en la forma más soez, a los peruanos más ilustres. Usted mismo, coronel, ha sido blanco de calumnias. El país se va a la ruina.

«¿Le han atacado?», pensó Luis, interesándose por un instante, en la conversación. «¿Quién se ha atrevido?».

El coronel asentía con una sonrisa magnánima.

—Lo sé, doctor. No crea que eso me preocupa. Es la situación del país lo que me inquieta. Yo soy un humilde peruano, dispuesto a...

—Eso lo sabemos, coronel —interrumpió otro de los civiles, levantando su vaso—. Por eso estamos aquí. ¡A su salud! [...]

—Pero el Ejército es responsable en parte de lo que ocurre —dijo el doctor.

Un clima de tragedia se esparció por el gabinete: seis pares de ojos echaban sobre el doctor, asombro y repudio.

—Sí, coronel —continuó el doctor—. ¿Quién puede restablecer el orden, la paz interna, a estas alturas? No el gobierno: maniatado por debilidad, el Presidente Bustamante es —no tengo ningún temor de decirlo— un cómplice, quizá involuntario, pero eso no le interesa al país, de la barbarie que nos amenaza. ¿Quién, entonces? La única institución que se conserva pura: el Ejército. —El doctor hizo una pausa, sintió brotar una corriente de simpatía hacia él; xxx prosiguió?— Y sin embargo, el Ejército no se decide a intervenir. Los peruanos de bien nos preguntamos: ¿Qué espera? ¿Acaso ver al Perú convertido en una hoguera? Calló, emocionado por sus propias palabras. El coronel se levantó. Los demás lo imitaron.

—El patriotismo del Ejército se conserva incólume —dijo el coronel, lentamente—. Si el país lo exige, actuará, doctor, se lo aseguro.

—Lo creo, coronel —dijo el doctor—. Y la historia, nuestros hijos, se lo agradecerá. «A su salud, mi coronel». [...]

Solamente pensó por qué caprichosa circunstancia había sido destinado a servir prestar en el Colegio Remigio Fonseca. Cuando eligió ser militar supuso que su vida sería sacrificada, nómade: nunca que tendría que trabajar en un plantel, de enseñanza secundaria, cuidando a chicos que ni siquiera iban a pasar más tarde a la Escuela Militar. Sus compañeros de promoción llamaban a los tenientes destinados al Colegio Remigio Fonseca «niñeras». «Niñeras» —pensó—. «¿Por qué no? En el fondo es cierto. [...]. (Cuaderno 1, serie 1: cuadernos, caja 3, carpeta 1, 51-65.)

TEXTO 2

TERESA miró su reloj y pensó: «Ya está. Otra vez me quedé sola con él». [...] Un segundo después escuchó la voz del contador:

—Hola, jovencita. ¿Por qué se va tan rápido? ¿De quién se está escapando?

Teresa se volvió; estaba muy seria pero en sus ojos había una chispa burlona. El contador era más bajo que ella, algo obeso. Sus zapatos en punta brillaban y la raya de su pantalón era impecable; pero tenía el cuello de la camisa arrugado y la corbata caída. La miraba con una severidad hipócrita.

—Se me ha hecho tarde, señor Robles —dijo Teresa—. Son más de la una. Me voy corriendo.

El contador dio unos pasos hacia ella.

—Espere, espere —dijo—. Justamente, tenía que hablar con usted. Venga a mi oficina, solo un momentito.

Teresa sonrió un instante y las aletas de su nariz se dilataron. El hombre se puso a sonreír abiertamente: sus pómulos se hinchaban como dos manzanas y su frente hervía de arrugas.

—Venga —añadió, con alegría—. No se olvide que soy su jefe.

—No puedo —repuso Teresa, burlona—. Se me ha hecho muy tarde. Solo trabajo hasta la una.

Dio media vuelta y salió al pasillo. El hombre la alcanzó en la puerta del ascensor. Una mano regordeta y nerviosa la asió por el hombro y otra le rodeó la cintura. Un aliento desagradable le rozaba el cuello. Teresa estuvo unos segundos inmóvil, recibiendo con indiferencia las caricias presurosas del hombre y luego, súbitamente, se volvió y lo golpeó en la cara con la mano abierta. El contador dio un salto atrás. La corbata le colgaba sobre la solapa de la cha-

718

queta y una mecha de cabellos ondeaba sobre su frente,
ahora lisa. Estaba rojo de ira. Ella se rio.

—Viejo asqueroso —le dijo—. ¿No le da vergüenza? La
próxima vez le rompo la cara.

El contador recobraba su compostura, abrochaba su
saco, enderezaba su corbata. La miró de arriba abajo, lleno
de desprecio.

—Eres bastante fea —le dijo—. Deberías agradecer que
me fije en ti. Cholita de mierda.

Ella se rio más fuerte y le hizo adiós con la mano. Entró
al ascensor, salió a la calle. Los simulacros con el contador
terminaban siempre de la misma manera. Él se mostraba
alegre, galante, audaz y, si las circunstancias lo permitían,
iniciaba un asalto. Ella lo dejaba desplegar su estrategia hasta que comenzaba a balbucear frases de un erotismo cromá-
tico y elemental. Entonces lo rechazaba con brusquedad, a
veces con violencia. Él se alejaba, resentido y soberbio, o la
insultaba. Al día siguiente, reanudaba sus ataques. [...] «Soy
fea —pensó—. Mi tía ~~también me lo ha dicho~~ tiene razón». Después se ~~despreocupó~~ desinteresó de ese asunto y
pensó en Alberto. Ahora, esperaba el fin de la semana con
impaciencia. ¿Vendría a verla este sábado? (Borrador C, serie 2: obras, caja 15, carpeta 2, 337-341.)

TEXTO 3

Ha olvidado que una mañana estaba sentado en el parque, pensando en la humedad que mantenía las hierbas y
las flores brillantes y mezclaba al perfume vegetal un olor a
agua corriente, cuando la sensación de ser observado lo
hizo volver la cabeza. El hombre era alto y fuerte, un poco
gordo; le sonreía. [...] El hombre dio unos pasos hacia él, se
sentó a su lado. Le dijo: «hola, caballerito». ~~No~~ Ricardo no
le contestó; se limitó a sonreír de nuevo, con timidez. El
hombre le estiró la mano; la suya parecía diminuta, se per-

719

día en la palma ancha, cálida. «Mucho gusto —dijo el hombre—. Me llamo José. Pero mis amiguitos me dicen don Pepe. Tengo muchos amiguitos de tu edad. Si quieres, puedes ser uno de ellos. ¿Qué dices?». Él asintió.

—¿Cómo te llamas tú? —dijo don Pepe.

—Me llamo Pedro —respondió y se sintió muy excitado por haber mentido.

—¿Pedro? Es un bonito nombre. Supongo que te dirán Pedrito. ¿Puedo decirte Pedrito?

Él volvió a asentir.

—¿Vives por aquí?

—Vivo en Lima. Pero me gusta venir a Magdalena. Tomo el tranvía y me vengo solo desde la Plaza Bolognesi. Después me regreso, también solo.

Don Pepe lo escuchaba con atención y él sentía un entusiasmo creciente al ver que el otro creía escrupulosamente sus palabras. Inventar personajes que le hubiera gustado encarnar era un entretenimiento magnífico, pero hacer creer a alguien que era uno de esos personajes, resultaba todavía más apasionante.

—Eres muy valiente —dijo don Pepe—. A tu edad yo no me hubiera atrevido a venir solo desde Lima. Pero tú ya eres un hombrecito. ¿Qué edad tienes?

—Diez años.

Había pensado decir doce, pero el hombre podía desconfiar. [...]

Ha olvidado que a la mañana siguiente acudió, puntual, a la cita y que don Pepe lo esperaba. Le dio la mano ceremoniosamente y, de inmediato, sacó un paquete de galletas y varias revistas de aventuras. Toda la mañana estuvieron sumergidos en un mundo maravilloso y violento: las tierras enmarañadas de las tribus sioux, donde solo se aventuran los hombres del temple del capitán Leonard Kid, del Ejército Federal, y su ayudante, el cabo Richard Carson; las ciudades tubulares de Venus, pobladas por hombres de vidrio, malvados pero incapaces de destruir al astronauta

Jimmy Dolan, que explora los espacios en una nave de plata; la tupida selva africana donde pululan los caníbales y los cocodrilos que asedian a Jane, la muchacha de la pantera; el imperio de los hombres-arácnidos, en el centro de la tierra, dominio del joven espeleólogo californiano Jack Paterson, californiano espeleólogo y héroe. Don Pepe leía en alta voz, con los ojos ansiosos, haciendo gestos de verdadero fervor. Su frescura de espíritu, su bondad, lo seducían. Se atrevió a hacerle nuevas confidencias: era chiclayano, estaba en Lima hacía pocos meses, ya sabía leer, pero le costaba mucho trabajo; era preferible que leyera don Pepe, él miraría las figuras.

Experimentaba verdadera alegría, en las mañanas, al llegar al parque y divisar a don Pepe, sentado en el banco de costumbre. Don Pepe se ponía de pie y le daba la mano. «Cree que tengo diez años —pensaba—. Me trata como si fuera grande». A veces conversaban en vez de leer. Don Pepe sabía historias fascinantes de otros mundos, países de leyenda habitados por personajes extraordinarios: cafetines de Bajo el Puente, el Porvenir y Malambo, donde en las noches se reunían entre humo y alcohol, pandillas de malhechores que planeaban los crímenes y asaltos que describían los diarios; misteriosos descampados de las afueras de la ciudad en los que, a la luz de la luna, delincuentes avezados decidían a cuchillazosdas el derecho a dirigir la banda: hombres de facciones siniestras observaban el combate, agazapados en la oscuridad. Don Pepe hablaba de esos personajes como de viejos conocidos y a veces, cuando la atención de Ricardo había llegado al clímax, súbitamente le proponía ir a verlos. Él quedaba anhelante, hipnotizado. [...]

Una mañana, don Pepe le recibió con una expresión contrita, lleno de pesadumbre. [...]

—Cuando estoy triste, no me gusta la calle. Mi tristeza aumenta al ver los automóviles, la gente despreocupada. Preferiría ir a mi casa. Vivo cerca de aquí. ¿No quieres venir conmigo? Allá conversaremos un rato. [...]

—En casa tengo muchas revistas —le decía—. No como esas que leímos en el parque, sino otras, para hombres grandes, que no pueden ver los niños. Pero te las enseñaré porque ya eres un hombrecito.

Él se sentía halagado, aunque inquieto, porque la casa de don Pepe estaba más lejos de lo que pensaba. [...] El interior era más grande de lo que indicaba la fachada. Apenas notó que la sala de la entrada estaba casi desnuda, pues don Pepe lo obligó a pasar delante y lo hizo avanzar, empujándolo por la espalda, sin violencia, aunque con alguna premura. Así atravesaron un dormitorio con una cama sin tender, otra habitación completamente vacía, que daba a un cuarto más pequeño y habitado, donde don Pepe se detuvo. Cerró la puerta. Él sonrió; respiraba fatigosamente. Don Pepe se acercó, sonriendo con alegría y le puso la mano en la cabeza. [...]

—Ahí las tienes —dijo—. Míralas. Vas a aprender muchas cosas. Pero ya es hora.

Fue hacia ellas con curiosidad y malestar. No se sorprendió al ver que se trataba de mujeres, pues mientras avanzaban por las calles vacías de San Miguel, intuía vagamente que en esas páginas hallaría algo más que las violentas imágenes viriles de las revistas que hojeaba en el parque. Pero no pudo evitar un acceso de rubor, unos segundos de perplejidad que dilataron sus pupilas, abrieron su boca y humedecieron sus manos: las mujeres estaban desnudas, miraban con insolencia y también había hombres, aglomeraciones espeluznantes a varias tintas, en la primera página de la segunda revista una mujer copulaba con abrazaba a un perro lobo. No se atrevía a levantar la cabeza. Sentía en la espalda los ojos de don Pepe y su respiración, muy próxima, cerca de su cuello. Cuando sintió la mano en el hombro, se estremeció; una vez, de niño, había metido el dedo en el enchufe de la lámpara, era la misma sensación, todo su cuerpo acabada de contraerse como bombardeado por una descarga eléctrica. Don Pepe le su-

surraba algo al oído; estaba pegado a él, su brazo lo rodeaba por el pecho; se cerraba. Ricardo continuaba pasando las hojas, cada vez más rápido, como si tuviera la certeza de que, una vez contemplado todo aquello, recobraría la seguridad, la libertad y se derrumbaría esa fascinación que lo tenía a merced de don Pepe que, ahora, con la otra mano, le hacía cosquillas en las piernas, le pellizcaba el vientre, jugueteaba con su pantalón, lo desabotonaba como si él tuviera ganas de hacer pis. Una leve niebla se había levantado ante sus ojos; las imágenes adquirían un color opaco, uniforme, desaparecían los contornos, las expresiones, los detalles, veía masas, manchas. Sus cinco sentidos estaban concentrados en la silueta que se estrechaba contra su espalda y le contagiaba su temblor, y esas manos que podía examinar apartando los ojos de la revista y dejándolos caer a lo largo de su cuerpo: como animales chatos, oscuros, subían y bajaban por su pecho, su vientre, las ingles (allí se enloquecían; los dedos, los vellos, las uñas se agitaban como si en su interior millares de cuerpos minúsculos entraran en ebullición) y el comienzo de las piernas. El pantalón estaba abierto, parecía la gran boca de un sapo. Un aliento quemante descendía por sus cabellos y su nuca, unos labios secos tocaban su cuello. Acababa de doblar la última hoja: se enderezó de golpe, llevando violentamente la cabeza hacia atrás y abriendo los brazos con todas sus fuerzas, en un movimiento intempestivo y simultáneo que sorprendió a don Pepe. Se sintió libre: se puso de pie y corrió hacia la puerta. Estaba cerrada. Se volvió. Don Pepe seguía en la cama, algunas revistas habían caído al suelo. El hombre estaba sentado, cubría su nariz con su mano, su rostro revelaba dolor. Intentó abrir la puerta pero el pestillo no corría. Forcejeaba con desesperación cuando sintió la voz de don Pepe. Nuevamente se volvió: el hombre estaba de pie, venía hacia él. Comenzó a gritar. Cuando don Pepe llegó a su lado, profería estruendosos aullidos y pateaba la puerta. Sin embargo, una región profunda de su espíritu se conservaba en calma y, lúcidamente, aguardaba las manos de don Pepe. Pero no sucedía nada, ya habían pasado algunos segundos; sin dejar de patear y de gritar se volvió: don Pepe lo miraba, con indiferencia inmóvil.

—¿Qué te pasa, Pedrito?

Él gritó más fuerte.

—¿Por qué gritas así? —dijo don Pepe, con amargura—. ¿Cómo puedes tener miedo de mí? Soy tu amigo, Pedrito, te quiero mucho. ¿Cómo crees que puedo hacerte daño? Ah, si pudieras comprender.

[...] Unos segundos después, abría los brazos y cruzaba de un salto la distancia que los separaba. Don Pepe lo abrazó dulcemente, le acarició de nuevo los cabellos, con infinita suavidad lo llevó hasta el lecho, lo sentó a su lado, le repitió al oído con una voz impregnada de emoción y de ternura, que era su amigo y que lo quería, lo abrazó, lo besó en las mejillas. Él no decía nada, ni se movía. Su cuerpo estaba lleno de paz y no oponía ninguna resistencia a las manos prudentes de don Pepe que ambulaban en todas direcciones, sin premura ni fiebre, delicada, tímidamente, como dos gusanitos tímidos y delicados. Ni siquiera se movió cuando uno de los pequeños animales se aventuró por la boca del sapo y emergió con su presa entre los dientes, porque estaba arrobado por el susurro de don Pepe y un arroyuelo tibio comenzaba a abrirse paso en sus venas. Más tarde, don Pepe lo lavó cuidadosamente, le abotonó el pantalón, lo acompañó de la mano hasta la puerta. Le dijo: «adiós, Pedrito. No olvides que soy tu amigo». El recordó en ese momento que su padre podía haber vuelto a casa. Partió, a toda carrera. Solo una vez volvió la cabeza, mucho rato después, mientras corría bajo ese cielo nublado que tanto odiaba: el asfalto estaba reluciente y no se veía un ser viviente en la calle. (Borrador E, serie 2: obras, caja 16, carpeta 3, 287-299.)

TEXTO 4

Don Pepe era la única persona, aparte de sus padres, que había frecuentado (y a escondidas) desde que vino a Lima. Muchas veces estuvo a punto de poner fin a esas relaciones clandestinas y esporádicas con don Pepe, por el temor de que su padre los descubriera. Pero no lo había hecho. Y una mañana, don Pepe no vino a la cita del parque. [...]

Una vez, don Pepe le había preguntado a boca de jarro:

—¿Crees que soy un malvado?

—¿Por qué? —preguntó él, sorprendido.

—Por lo que hacemos en mi casa.

Él enrojeció y repuso en voz baja: «no sé». Don Pepe le dijo entonces: «si tu quisieras hacerme daño, podrías ir a la policía y contarles lo que hacemos. Me meterían en la cárcel y en los periódicos dirían que soy un viejo pervertido, un corruptor de menores». Y se puso a llorar, con grandes suspiros que estremecían su pecho. Él trataba de consolarlo, asegurándole que jamás lo denunciaría, que siempre sería su amigo. Pero don Pepe no lo escuchaba: entre dientes, se insultaba a sí mismo, maldecía la vida y la sociedad, decía malas palabras. Luego se calmó, pero permaneció muy triste, con la mirada perdida, y comiendo maquinalmente los chocolates de la bolsa que sostenía en una de sus manos.

Esa noche, él pensó, por primera vez: «¿es don Pepe un malvado?». Era difícil saberlo. Una tarde, en la casa de San Miguel, casi sin darse cuenta de lo que hacía, él había intentado desabotonar el pantalón de don Pepe. Este dio un respingo como picado por una víbora. Apartó sus manos de un golpe, se lo quedó mirando consternado, luego le acarició los cabellos con infinita suavidad y le dijo: «tú no, Pedrito, hijito». Él pensó: «es un hombre bueno y me quiere como a su hijo». Pero otras veces, don Pepe lo espantaba con sus historias macabras y su lenguaje soez: él simulaba estar al tanto de todo lo que el viejo le decía, pero en realidad solo comprendía una parte de las situaciones descabelladas que el otro describía y a veces se ruborizaba súbitamente, sin motivo inmediato, y se apartaba de don Pepe; metía las manos en los bolsillos y bajaba la cabeza. Don Pepe se exasperaba y lo llamaba «traidor y pequeño pendejo» pero luego le pedía perdón y a los pocos minutos se afanaba en abrirle el pantalón. En esos momentos él lo odiaba y se prometía no volver a verlo. «Es el diablo —pensaba— y quiere corromperme para que me vaya al infierno». Al día siguiente, sin embargo, cuando volvía al parque y encontraba a don Pepe, esperándolo en la banca, con una bolsa de dulces y un alto de revistas, y ambos se deslizaban en el vasto universo maravilloso de los hombres invencibles, cambiaba de opinión: don Pepe era un buen camarada, un espíritu gemelo, un solitario como él y su amistad hacía más soportable la vida. «Si se ha muerto —pensó—, me gustaría llevarle flores al cementerio. Y además me pondría algo negro en la ropa, como luto». (Borrador E, serie 2: obras, caja 16, carpeta 4 (II, IX), 361-364.)

TEXTO 5

Hacía muy poco tiempo que se había incorporado a una guarnición de la selva, su primer destino, cuando estalló el conflicto con el Ecuador. En la escuela había sido, como Gamboa, un cadete brillante, y había intervenido en campañas mucho más complicadas que este juego de niños. Pero ni esas prácticas, ni las horas innumerables dedicadas a estudiar balística?, estrategia y logística y geografía militar habían servido de algo, cuando avanzaba, en plena selva, hacia el enemigo. Iba junto al teniente Lombardo, al frente de la sección; caminaban medio desnudos entre la maleza, agobiados por el calor y el hambre, asediados por los mosquitos y el terror de los soldados que querrán echar a correr cada vez que brotaba uno de esos extraños ruidos amazónicos, el canto de pájaros desconocidos, el zumbido de un insecto, el crujir de los árboles, los rugidos de un puma. Los soldados miraban en todas direcciones con los ojos desorbitados y el teniente Lombardo y él ni intentaban ya tranquilizarlos: el miedo había desplazado en su corazón el entusiasmo que sintieron al saber que, por fin, irían a una guerra verdadera. Ellos no temían los ruidos incomprensibles, sino el paludismo: los soldados caían derribados por las fiebres, se ponían amarillos, deliraban, había que amarrarlos para que no se zambulleran en los ríos. Cada vez que recordaba esa marcha que duró días y noches incontables, el capitán se estremecía. La selva se reía de los mapas y de las brújulas. El aparato de radio estaba malogrado y ellos avanzaban sin rumbo, casi a ciegas. A ratos, el teniente Lombardo se volvía hacia él: «Hermano, ¿y si nos encontramos una compañía de monos[4] macheteros?». Pero no encontraron ni rastro del enemigo, ni en la selva, ni más tarde, cuando ya reunidos con la compañía del capitán Mariña —la hallaron milagrosamente, una mañana, a orillas de un río: los soldados se asoleaban desnudos en la playa y el capitán hacía tiro al blanco contra una tortuga—, entraron a ese pequeño pueblo ecuatoriano, cerca de Loja. Los únicos hombres que quedaban en el lugar eran unos campesinos viejísimos, que los miraban detrás de sus lagañas, con curiosidad. Oficiales y soldados se dedicaron entonces a beber todo lo que quedaba de alcohol en el pueblo y esa misma tarde comenzaron los líos: los sargentos, cabos y soldados se metían a las casas, derribando las puertas a puntapiés y querían arrastrar a las mujeres a la calle o tumbarlas en sus propias camas y ellas lanzaban gritos histéricos y se defendían con uñas y dientes: los viejos y los niños se-

---

[4] Aquí, término despectivo que se refiere a los ecuatorianos.

mi-desnudos miraban fijamente esas escenas, sin mover un dedo, sin hablar, pero diciendo tantas cosas con los ojos, expresando tanto odio, tanta cólera. Durante horas, el capitán, los tenientes y él trataron de contener a los soldados, pateándolos sin misericordia, abriéndoles la cara a puñetazos, insultándolos y de pronto el subteniente Garrido se revolcaba sobre una estera, con una chiquilla que se dejaba desnudar y sollozaba bajito, como un perro que expira y el teniente Lombardo, a su lado, jalaba de los cabellos a una mujer descalza y ya madura, con el rostro y las manos ajadas. Más tarde los soldados hicieron paquetes con todo lo que tenía algún valor en el pueblo, poca cosa, pues era un pueblo pequeño y miserable. «Bah —decía el capitán Mariña—. Es un cuento eso de que las selváticas sean tan sensuales[5]. Estas mujeres no valen un medio». Pero lo horrible vino después, cuando llegaron al pueblo los enlaces del Estado Mayor y recibieron orden de regresar a sus guarniciones. El capitán Mariña los abrazó y les dijo: «mala suerte, esta vez se metieron los políticos. Pero la próxima, entraremos a Quito». Y entonces, el teniente Lombardo, él y treinta soldados volvieron al laberinto, y otra vez los zancudos, las fiebres, la sed y los ruidos insólitos y a los pocos días habían perdido el rumbo y tuvieron que arrojar a la maleza los paquetes y él se enfermó y dos soldados tuvieron que llevarlo, en una camilla improvisada: cuando la fiebre bajaba, el subteniente Garrido se decía que sería triste morir por la picadura de un mosquito y ser enterrado al pie de esos árboles gigantescos, en un pedazo de tierra que, al marcharse la sección, vendrían a hurgar con sus hocicos las bestias de la selva y terminar devorado por animales inmundos, que ni siquiera se dejaban ver: se contentaban con

<hr />

[5] Vargas Llosa había conocido la selva en 1958 en un viaje que va a marcar su trayectoria vital y literaria. De esa experiencia surgirá, primero, *La casa verde* y, posteriormente, *Pantaleón y las visitadoras,* ya mencionadas, donde se aborda, además, este tema del abuso sexual.

observar la marcha de la sección desde los escondrijos de esa afrentosa acumulación de hierbas y árboles y flores de olor tan penetrante y manifestaban su presencia con aullidos o cantos que no había oído antes ni volvería a oír. (Borrador E, serie 2: obras, caja 16, carpeta 3 [I, VIII], 557-560.)

Manuscritos, mecanoscritos y noticias en prensa en torno a *La ciudad y los perros*

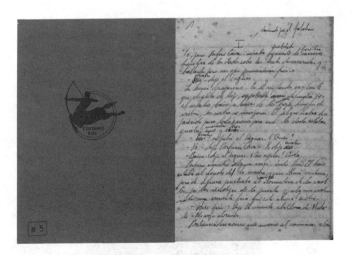

Imágenes 1 y 2. Cuaderno Centauro Blue, 1
[Mario Vargas Llosa Papers (C0641), serie 1: cuadernos, caja 3, carpeta 1]

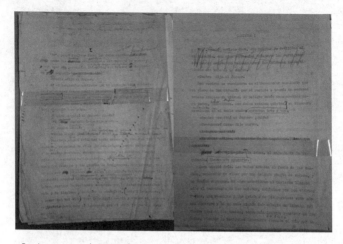

Imágenes 3 y 4. Borrador B [Mario Vargas Llosa Papers (C0641), serie 2: obras, caja 14, carpeta 10]

Imagen 5. Borrador C [Mario Vargas Llosa Papers (C0641), serie 2: obras, caja 14, carpeta 15]

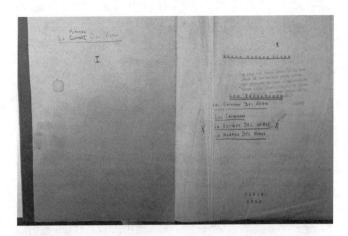

Imagen 6 y 7. Borrador E, portadas exterior e interior, copia en papel carbón [Mario Vargas Llosa Papers (C0641), serie 2: obras, caja 16, carpeta 3]

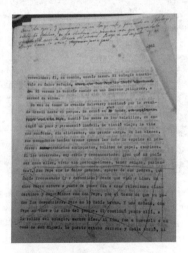

Imagen 8. Episodio eliminado sobre Don Pepe, en el borrador E [Mario Vargas Llosa Papers (C0641), serie 2: obras, caja 16, carpeta 4, 361]

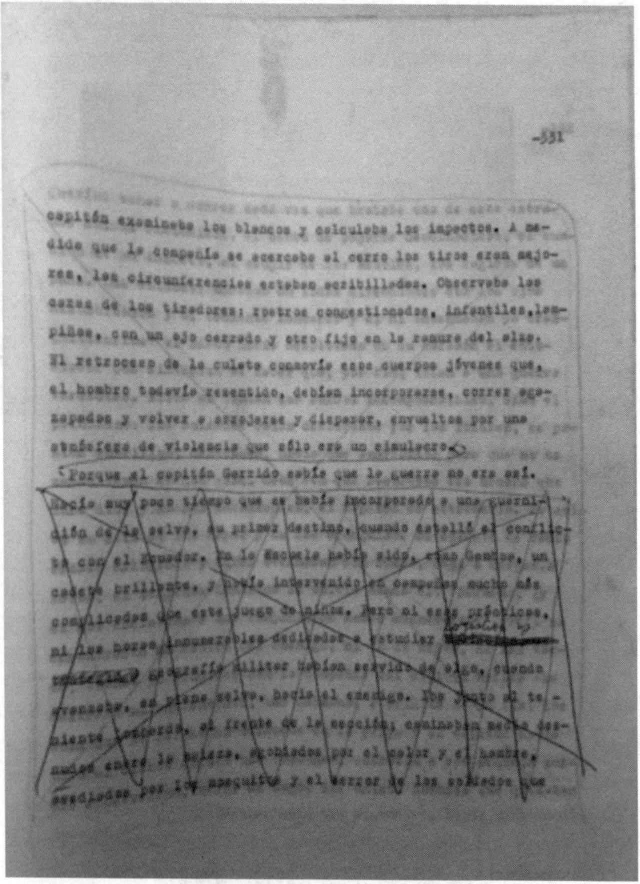

Imagen 9. Episodio eliminado sobre el capitán Garrido y su experiencia en la guerra entre Ecuador y Perú, en el borrador E [Mario Vargas Llosa Papers (C0641), serie 2: obras, caja 16, carpeta 4, 331]

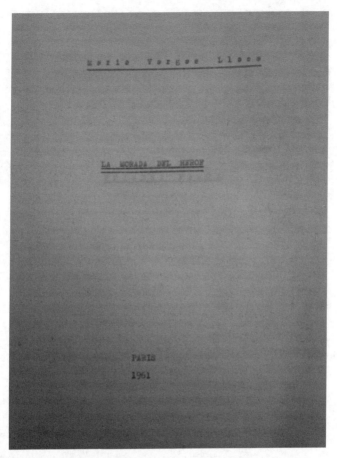

Imagen 10. Última versión [Mario Vargas Llosa Papers (C0641), serie 2: obras, caja 14, carpeta 15]

estar terminada totalmente en los últimos meses del próximo año, expresó el arquitecto Pérez.

Vargas Llosa, Autor Prohibido en España, Desde Mañana en 4ta. Serie de POPULIBROS

Profunda indignación ha causado en los círculos intelectuales del Perú la noticia de que la censura española ordenó anteayer la confiscación de la sensacional novela La Ciudad y los Perros de Mario Vargas Llosa, galardonada este año con grandes premios literarios en Europa y en trance de traducción a nueve idiomas. Inmediatamente de producido el suceso la Sociedad Peruana de Escritores envió el siguiente cable a Fraga Iribarne, Ministro de Información de España; "Protestamos en nombre cultura y libertad por prohibición novela Vargas Llosa" Salazar Bondy, Presidente.

POPULIBROS, editores de Los Jefes otra novela de Vargas Llosa, igualmente premiada en España y Francia, cablegrafiaron ayer al Seix Barral editor de Vargas Llosa ofreciéndole editar la "novela prohibida" en Lima. "El atropello a Vargas Llosa, nuestra máxima figura literaria actual es una muestra más del siniestro clima dictatorial que reina en España. Franco, asesino de García Lorca y de Miguel Hernández es enemigo de toda forma de cultura y dignidad humana" declaró ayer Manuel Scorza.

La noticia llegada de España, que pone a Vargas Llosa en el primer plano literario mundial, ha subido al máximum la expectativa por la aparición de su libro Los Jefes notable historia sentimental de una "patota miraflorina sumida en el honor y la belleza de sus años juveniles", que aparecerá mañana en la 4ª serie de POPULIBROS integrada además por El Hechizo de Tomayquichua de López Albújar; Poesía Amorosa de Manuel Scorza; El Eterno Marido de Fedor Dostoievsky y El Americano Feo de Lederer y Burdick.

La Prensa (Lima), 15 de diciembre de 1963, 6

ENORME EXITO DE 4ta. SERIE POPULIBROS MITAD DEL TIRAJE SE VENDIO AYER

Más de la mitad del tiraje de la 4ta serie de **POPULIBROS** que salió ayer a la venta se vendió ayer en la capital informaron los editores de esas prestigiosas colecciones.

El interés del público se centró alrededor de 2 libros: **Los Jefes** de Mario Vargas Llosa y **Poesía Amorosa** de Manuel Scorza. Vargas Llosa es hoy protagonista de un sonado escándalo literario causado por la confiscación de su novela en España por orden del Ministro de Información por razones que aún no se han explicado, **"Los Jefes"** como **La Ciudad y los Perros** la obra prohibida por la censura franquista, es también una obra premiada en Francia y España; en este país obtuvo el Premio **Leopoldo de A'as** que anualmente la crítica peninsular concede a la 'mejor novela o relato en idioma español".

La obra de Scorza fue también premiada en México. Tres de las poesías que figuran en esta edición merecieron el 1º, 2º y 3º premios en los Juegos Florales del IV Centenario de la Universidad de México.

La serie consta además de tres magníficas novelas: **El Hechizo de Tomayquichua** considerada como la mejor novela de don Enrique López Albújar y dos grandes novelas internacionales: un clásico: **El Eterno Marido** de Fedor Dostoievsky y un "best-seller" mundial, **El Americano Feo** de Lederer y Burdick, que se publica completo sin los recortes que se hicieron en la famosa película de Marlon Brando

La 4ta. serie, que viene empaquetada en una sugerente faja navideña, se está vendiendo en los **Supermarkets, Sears, Todos, Tiendas Monterrey, Monoprix, Farmacias de la Estrella Azul** y en las prestigiosas librerías **STUDIUM** y sus sucursales en Arequipa, Trujillo, Puno y Cuzco y en las conocidas librerías capitalinas: **LA FAMILIA, UNIVERSITY SOCIETY, LA UNIVERSIDAD, MEJIA BACA y ATLAS.**

El Comercio (Lima), 17 de diciembre de 1963, 22

Obra de Vargas Llosa no ha sido prohibida

Sólo se le quiere eliminar determinadas ilustraciones, dice Embajada de España

La Embajada de España nos remite el siguiente comunicado:

En relación con la campaña publicitaria emprendida en provecho de determinada Editorial peruana, en la que maliciosa y escandalosamente se alude a España en torno a la obra "La Ciudad y los Perros", del destacado novelista don Mario Vargas Llosa, que obtuvo el Premio "Biblioteca Breve 1962" de la "Editorial Seix Barral", la Embajada de España hace constar que la mencionada obra no ha sido objeto en ningún momento de prohibición por parte de las Autoridades españolas.

El Ministerio de Información y Turismo de España, en su laudable deseo de evitar alusiones ofensivas al prestigioso Colegio "Leoncio Prado", viene llevando a cabo conversaciones con los editores de dicho libro, para lograr que estos eliminen determinadas ilustraciones fotográficas de la edición.

Merece la pena recordar que la "Editorial Seix Barral S. A.", de Barcelona publicó recientemente un mapa que las Autoridades competentes peruanas se vieron obligadas — muy justificadamente — a retirar de la venta por considerarlo lesivo a la realidad nacional.

El Ministro de Información y Turismo de España, en ésta fecha, ha contestado directamente al Presidente de la Sociedad Peruana de Escritores, que se dirigió a él en protesta contra la pretendida medida, rectificando el infundio.

Lima, 17 de diciembre de 1963.

El Comercio (Lima), 19 de diciembre de 1963, 14

738

"El libro de Vargas Llosa no tiene otra importancia que la económica para su autor"

Dice Director del Colegio Militar "L. Prado"

El Director del Colegio Militar Leoncio Prado, Coronel Armando Artola Azcárate, manifestó ayer que no confería mayor importancia a publicaciones que no estaban debidamente actualizadas ni eran veraces — refiriéndose a "La Ciudad de los Perros" — escrita por el novelista Mario Vargas Llosa, exalumno del Colegio, que en la citada obra ataca el régimen disciplinario imperante hace una década en el plantel.

El Colegio — expresó — goza de un sólido prestigio, razón por la cual el Gobierno ha dispuesto la fundación de otros de organización similar.

Lo condenable — añadió — es que busque en el terreno del desprestigio, la publicidad de un libro que no tiene otra importancia que la económica para su autor.

El señor Vargas Llosa — dijo — fue alumno del Colegio Militar por el año cincuenta. No fue de los mejores como dice Salazar Bondy en La Gaceta del Fondo de Cultura Económica Nº 104, de Abril del presente año. En el primer año fue reprobado en varios cursos y en el segundo abandonó sus estudios sin dar examen.

Desde el momento que su formación intelectual no ha tenido bases sólidas, no me he molestado en dar importancia a sus obras contra el Colegio. Como se trata de propaganda, con esta declaración pongo término al asunto y punto final a cualquier polémica que pudiera suscitarse en lo futuro.

Declaraciones del coronel Armando Artola, director del Colegio Militar Leoncio Prado *[El Comercio* (Lima), 20 de diciembre de 1963, 9]

739

El Comercio (Lima), 21 de diciembre de 1963, 8

"LA CIUDAD Y LOS PERROS"

España da pase a novela prohibida

La discutida novela de Mario Vargas Llosa, "La Ciudad de los Perros" puede ser publicada y circular libremente en España, según un comunicado de la Embajada española en Lima.

La representación diplomática española indica que, el Ministerio de Información y Turismo de España, en su "laudable deseo de evitar alusiones ofensivas al prestigioso colegio Leoncio Prado", solamente hicieron algunas sugerencias a la casa editora

Ellas, tuvieron el objeto de evitar la publicación de determinadas ilustraciones fotográficas de la edición. "La Ciudad de los Perros", tiene como argumento la vida de un cadete en el Colegio Militar "Leoncio Prado".

Mario Vargas Llosa, obtuvo el premio "Biblioteca Breve 1962" de la "Editorial Seix Barral", en España. El Ministro de Información y Turismo español, ha contestado directamente al Presidente de la Sociedad Peruana de Escritores, que se dirigió a él en protesta contra la pretendida-medida.

Expreso (Lima), 22 de diciembre de 1963, 8